撼動全球走向的「家族」，一部交織萬年文明的新世界史

權力的血脈

THE WORLD

A FAMILY HISTORY OF HUMANITY

【II】

SIMON SEBAG MONTEFIORE

賽門・蒙提費歐里｜著　黃中憲｜譯

目次

【第II冊】

第十幕

第十一幕

第十二幕

第十三幕

第十四幕

第十五幕

第十幕

世界人口
三億五千萬人

梅迪奇家族和墨西卡人、鄂圖曼人和阿維斯王朝

航海家亨利：奴隸、糖、黃金

西元一四二五年，維塞烏（Viseu）公爵、葡萄牙王子亨利下令在他某處新領地上種植一種新作物。那將是改變世界的作物——甘蔗。這處新領土則是原本無人居住的大西洋島嶼馬德拉（Madeira）。亨利的兩名騎士聲稱此島為他們所有，來自皮亞琴察的商人巴托洛繆．佩雷斯特雷洛（Bartolomeu Perestrello）則為亨利進行開發。

甘蔗原產於南太平洋，很可能是巴布亞紐幾內亞，西元三五〇年左右傳到印度，之後傳到阿拉伯籍哈里發轄地。甘蔗（al-sukkar）屬勞力密集型作物，在伊拉克甘蔗園裡務農的工人稱「贊吉」（zanj，非洲奴隸）。後來，阿拉伯人把甘蔗移植到西西里和安達魯斯。當鄂圖曼人東山再起，便阻斷了來自東方的蔗糖供應，於是亨利在熱那亞人的支持下，把甘蔗幼苗從西西里帶到馬德拉島栽種。在那裡，身為聖港（Porto Santo）——屬馬德拉群島的島嶼之一——的封地長官（capitão donatário）和領主佩雷斯特雷洛利用義大利、葡萄牙工人種植甘蔗，不久又增添了兩千名奴隸工人，這些人可能是來自摩洛哥的柏柏人。後來，他的女兒嫁給年輕的熱那亞籍水手：哥倫布。

接著，亨利開發了亞速群島（Azores），嘗試從卡斯提爾手裡搶走加納利群島，而後在一四三四年，命其手下往南航行到更遠之處。三年後，他意識到撒哈拉沙漠的商隊一再避開休達，反而以坦吉爾為目的

地，於是說服他的王兄杜阿爾帖支持突擊坦吉爾，結果以大敗收場。[1] 亨利的水兵也開始駕船繞行西非洲海岸。

一四四四年，亨利的親信之一統領數艘卡拉維爾帆船回到葡萄牙阿爾加維（Algarve）地區的拉古什（Lagos），船上載有兩百二十五名奴隸，其中有些是柏柏人，有些是非洲黑人：「有些人頗白，長得好看……其他人……沒那麼白，像黑白混血兒；還有些人黑如衣索比亞人，而且很醜」。亨利把他們放在河濱地區示眾。目擊此景的國王的檔案保管員且為亨利立傳的戈梅斯・埃阿內斯・德・祖拉拉（Gomes Eanes de Zurara）目擊此景後寫道，「我為他們所受的苦而難過到哭了出來，而這一切，並不是因為他們的宗教，而是因為他們的人性。」；「為了公平分配，人們這時開始把他們一一區分開來，他們因此承受更大的苦。於是，拆散父子、夫妻、兄弟變得不可避免……」奴隸買賣這件事，有很大一部分原是出於對家奴的需求。而如今，大西洋奴隸誕生之際，奴隸販子抓走一整家人，之後將他們拆散。蓄奴是反家庭的一種制度。這個小小的販奴情景，充斥著殘忍、虛偽以及貪婪，係將在此後五百年使歐洲人飽嘗甜味、使社會受毒化的一項產業的開端。[2]

1　他們的兄弟費南多（Fernando）遭俘虜。亨利透過一名猶太籍醫生談判，談定以休達換他回來，未想就在杜阿爾帖即將批准此協議時，這個國王卻死於黑死病，費南多則在經歷六年受辱日子後死於獄中。王子費南多被取出內臟，屍體經防腐處理，與他一同被囚的基督徒把他的心臟和內臟裝進罐子裡，藏在囚牢地板下，這位王子的遺體則一絲不掛的垂吊在非斯的雉堞牆上數年。

2　祖拉拉本人相當欽佩亨利——甚至稱他「我們的王子」——在這篇向殘酷「命運」發出祈求的文章中，察覺到此舉可能帶來的不良影響：「噢，強大的命運，用你的輪子造就、消除一切，並隨興將世間事物掌握在你手裡，最終會讓那群可憐之人對即將發生的事有所了解？他們會在深深的憂傷中得到些許慰藉嗎？願如此忙於將這群俘虜拆散的你，可以心懷憐憫看待這麼多的不幸；願你看出他們如此緊緊相依，以致你難以將他們拆散。」

一四四五年後，亨利麾下的船長航經塞內加爾河，展開和掌有實權的非洲人商談。這些非洲人有自身錯綜複雜的利害考量，卻也經驗老道，和來自撒哈拉沙漠另一邊的阿拉伯籍、柏柏籍商人買賣過胡椒、象牙、黃金、奴隸。[3]葡萄牙冒險家用馬或當地貨幣，諸如鐵棒、布或（最常見的貨幣）寶貝貝殼等，以換取奴隸、胡椒、黃金、象牙，而奴隸通常是攻打鄰近敵人時擄獲的俘虜。這些商人把這處被稱作幾內亞（Guinea）的地區（幾內亞一詞以柏柏語的黑人一詞為本創造出來）劃分成數個產物區——黃金海岸、胡椒海岸、象牙海岸、奴隸海岸——猶如一個大陸性超級市場。

在西非沿海地區，就在棕櫚樹汁採集者正邊飲著棕櫚樹汁酒，邊在海灘邊彈奏阿孔亭琴（akonting）時，突然，從海上打來光亮，「食人鬼」上岸，抓走他們，而他們自此消失無蹤。這些代代相傳的記憶，經由甘比亞籍樂師暨歷史學家丹尼爾．賈塔（Daniel Jatta）之手而為人所知，且標誌著一個關鍵時刻的到來：這「食人鬼」正是亨利的葡萄牙人；棕櫚樹汁採集者是最早從非洲海灘被抓走、淪為奴隸的人之一——有可能是被抓去佩雷斯特雷洛在馬德拉島的甘蔗田勞動。阿維斯王族探索非洲時，亨利在里斯本送了一份禮物給已對非洲和蓄奴感興趣的教宗馬丁五世。馬丁選上教宗不久後的一四一八年，承認葡萄牙人在摩洛哥的征戰為十字軍聖戰，但非洲奴隸還不是受關注的議題。地中海地區奴隸仍多是突厥人、斯拉夫人及喬治亞人，從熱那亞、威尼斯、埃及經由克里米亞半島被販售到伊斯蘭教、基督教市場。一四二五年，馬丁禁止將基督徒賣給穆斯林，只是未禁止賣給基督徒，因為有錢的義大利人常擁有斯拉夫籍（東正教信仰）奴隸，通常是從事家務活和性剝削的女孩。儘管如此，這時亨利還是送了十名非洲籍奴隸給這位教宗。

馬丁忙於一個改變世界的大業——經過羅馬教廷認定的教宗和與之對立的偽教宗在日耳曼、法蘭西統治者支持下分庭抗禮一個世紀後，馬丁企圖重建單一的羅馬教廷，且隨之提拔一家族，並由此家族為全新的經商營利世界和新式王朝下定義：此即梅迪奇家族。

科西莫和海盜教宗：為了上帝和好生意

一四一七年選上教宗時，馬丁住在佛羅倫斯，而在該城，有個名叫喬凡尼·德·梅迪奇（Giovanni de' Medici）的銀行家當下急欲贏得他的特別青睞。梅迪奇已靠教宗的生意致富，他本身的飛黃騰達正體現佛羅倫斯這個位在托斯卡尼地區的內陸城邦的日益繁榮。佛羅倫斯為一共和國，由稱之為「執政團」（Signoria）的九人委員會和其他幾個委員會治理，這些委員會的成員一律由佛羅倫斯的貿易行會選出，由爭奪支配權的幾個經商世家主宰。這些寡頭統治集團成員不但急於藉由衣著、宅第、教堂等炫耀自身氣派，又表現得一副如平民般的樸實模樣，以及發達的佛羅倫斯人應有的基督教慈善精神。梅迪奇家族的先祖以藥材商起家，家族的姓氏Medici和家徽——代表藥丸的紅球（palle）——即源於這段發跡史。這時，梅迪奇家族已擔任過數任貢法洛尼耶（gonfaloniere，「旗手」，即指揮官），不過，看來似乎漸漸沒落。

喬凡尼則扭轉了此一頹勢。佛羅倫斯人善於將從英格蘭、法蘭德斯、勃艮第用船運來的羊毛加工改良、染色後出口，而他們拿下比薩和其港口利沃諾（Livorno）一事，促使他們在這行業如虎添翼。喬凡尼名下有兩家羊毛作坊，但後來他把事業版圖擴及佛羅倫斯人所擅長的另一門行業——銀行業，[4]而該城

---

3 歐洲人此時壓根沒想到要征服此地：歐洲人受到非洲籍統治者和其軍隊的制約，畏懼於不適人居的非洲遼闊大地，而被瘧疾摧殘得死傷殆盡，要在四百年後才會征服非洲大陸。他們在軍力上未占上風，身體耐不住非洲的水土，直到十九世紀後期蒸汽機、機槍和奎寧等問世，才改變此一局面。

4 銀行業（banking）一詞源自義大利語banco，即這些早期金融家據以做生意的市場攤位。

金幣弗羅林（florin）通行全歐，則有助於城裡銀行業的拓展。一四〇一年，當時，為了感謝神讓佛羅倫斯走出黑死病疫情，人們決意以設計競賽的方式為洗禮堂鑄造新門，而喬凡尼在此一委託情事上扮演重要角色。設計競賽由羅倫佐・吉貝爾蒂（Lorenzo Ghiberti）和腓利頗・布魯內列斯基（Filippo Brunelleschi）共同贏得，而後喬凡尼委請布魯內列斯基建造一座巴西利卡式梅迪奇家族教堂，即聖羅倫佐教堂（San Lorenzo）。之後，布魯內列斯基建造了佛羅倫斯城的主教座堂（Il Duomo）圓頂——直徑達一百三十八呎——該教堂亦得到教宗祝聖。

梅迪奇已透過和一位教宗的交好而致富。這位教宗則是自馬蘿齊婭當權以來最不可思議的教宗，名叫巴爾達薩雷・科薩（Baldassare Cossa），原是那不勒斯海盜，在多位教宗並起的亂局中崛起，謀殺了前任教宗，坐上教宗之位，是為若望二十三世。他的教廷和他一路以來的鬥爭之中都有「我非常了不起的朋友」梅迪奇提供經費。喬凡尼的兒子科西莫（Cosimo）經常陪同在側，科薩也冀望結束不同教廷分庭抗禮的分裂局面，可惜一四一四年他遭罷黜，被控雞姦、海上劫掠、謀殺、亂倫、勾引兩百名女孩等。科薩逃走，遭逮捕後入獄。梅迪奇花錢贖回他海盜出身的恩公，只是如今，梅迪奇所支持的，是一位聲勢蒸蒸日上的樞機主教奧多內・科隆納（Oddone Colonna）。他是佛羅倫斯的修士、馬蘿齊婭的後人。教會中諸位掌實權者推選科隆納為教宗，以重新一統教會，是為馬丁五世。一四二〇年九月，馬丁正式將教廷從佛羅倫斯移至羅馬，並在羅馬任命梅迪奇為教宗的銀行家，由他的兒子科西莫協助處理事務。

現年三十歲的科西莫已在羅馬、法蘭德斯積累豐富的貿易經驗，曾師從於佛羅倫斯的人文主義學者。隨著梅迪奇家族更為有錢，他們在執政團裡的對手日漸眼紅了起來。「別公開露面給予意見，而是要在交談中低調提出你的看法，」喬凡尼臨終時如此告誡科西莫，「別把政府機關弄成你的作坊，等政府要你過去你再去……永遠不要出現在公眾面前。」

他父親死後不久，執政團裡反梅迪奇家族的一派就讓科西莫背上叛國的罪名，所幸他只遭放逐：「你們若把我送去和阿拉伯人一塊生活，我會非常樂意」。從政之道往往就在於懂得等待。一四三四年，他受邀回來。他當權期間竭力打造一介平民的形象，很少擔任貢法洛尼耶，不過據某教宗的說法，他成為接下來三十年「沒有名分的實質國王」。他傾注巨資美化佛羅倫斯，延續父親贊助藝術家的作法，並認為贊助藝術家的賭注更勝於動蕩的政治。「我知道這座城市的氛圍，」他說，「不到五十年，我們會被驅逐，而我的建築將留存。」

他的托斯卡尼籍友人且和他一樣是愛書人的托馬索·帕倫圖切利（Tommaso Parentucelli）選上教宗，並成為尼古拉五世，科西莫協助為一項令人震驚的工程籌錢：新羅馬。他在歐洲各地開設銀行，以「為了上帝和良善事業」為口號，買賣羊毛、香料、錦緞。只是其中許多資金是靠買賣明礬（製作染料所需的礦物）、玻璃製造、鞣革而籌得。隨著鄂圖曼人的進攻切斷東方的供應來源，有人在教宗領地內開發了明礬礦。梅迪奇被任命為教宗的明礬代理商，而明礬所帶來的意外之財，在羅馬城更新計畫之初，為該計畫提供了資金。這個都市更新計畫為期長達兩百年，以多神教時代的輝煌風采為本，造就出一座基督教聖城。

當時的羅馬一片破敗。城裡的古蹟——羅馬競技場、奧古斯都墓、哈德良墓——此時已築起防禦工事，作為科隆納、奧爾西尼（Orsinis）這兩個世代結仇且行徑如幫派的氏族的總部。尼古拉五世在位九年期間，靠著義大利境內戰爭、來自歐洲的什一稅、明礬、信徒朝拜所得到的收入等，累積了雄厚財力，於是著手修復羅馬。此一工程將成為促成文藝界大放新異彩的諸多推手之一。佩脫拉克則已在黑死病猖獗的最黑暗時代，預示了這一輝煌時代的到來。黑死病不只瓦解歐洲，也打破歐洲固有的結構和思想。而這一輝煌時代到來之際，正逢歐洲諸國間的競爭，催生出新戰爭科技、新的資訊傳播媒材、新的人性觀點和審美觀。此時代最重要的特點，係從全然的神性代理，漸漸轉變為認為人本身即是神聖且美麗的，值得予以表述和改善。[5]這一切催生出一種堅決認定未來有種種發展可能的心態。這種心態雖然表現為重拾古希臘羅馬知識，卻是全然新穎的，殘酷且甘冒大不韙而令人振奮的，耀眼奪目且無視清議的，並且以新科技為其基礎——船、炮、航行以及使一般人得以透過閱讀認識此新時代的一種發明：印刷機。[6]

基督教的榮光和多神教的輝煌間存在矛盾，但尼古拉五世和科西莫．德．梅迪奇不覺兩者並存有何不妥：為了彰顯上帝和上帝的主教、上帝的銀行家的更大榮光，一切都派得上用場。尼古拉把哈德良的陵墓改造為他的教宗要塞「聖天使堡」（Castel Sant' Angelo），修復教宗萊奧四世所建的羅馬城牆和四十座古教堂、羅馬輸水道，把住所從拉特朗宮（Lateran Palace）搬遷到梵蒂岡。尼古拉五世這位追求創新者，經歷羅馬人數次欲暗殺他的陰謀都化險為夷，但他也在歐洲政治舞台上大顯身手，消滅了最後一個偽教宗，撫平法蘭西的怒氣，一四五二年三月，為新的日耳曼人國王腓特烈三世塗膏油，是為第一個真正被教宗加冕為皇帝的哈布斯堡家族成員。

三十七歲的腓特烈個性沉悶乏味、精神萎靡，而且不久後又過度肥胖到了舉步維艱的地步，但令人意想不到的是，他竟是促成哈布斯堡家族崛起的關鍵人物。他那纖細美麗的葡萄牙籍新娘愛蓮娜（Eleanor）則認為，他的維也納宮廷單調、乏善可陳、沒有文化，又熱中於跳舞、賭博，無疑有助於她的兄長葡萄牙國王阿方索五世（Afonso V）爭取到教宗對他非洲新探險事業的支持——阿方索則在東方出現更急迫的危機時出手相助以為回報。

一四五三年四月，穆罕默德二世（Mehmed II）——二十一歲的鄂圖曼蘇丹——以十六萬兵力和共配備七十門火炮的一百一十艘船包圍君士坦丁堡，其中包括數千名精銳火繩槍兵、一門大到需要六十頭牛才拉得動的火炮。火炮、火器時代真的來臨了。

割喉者和征服者：君士坦丁堡陷落

東羅馬皇帝君士坦丁十一世帕萊奧洛戈斯（Constantine XI Palaiologos）求助於歐洲人。教宗尼古拉五世派遣了一支艦隊——由基輔的都主教伊西多爾（Isidore）統領，經費有一部分係葡萄牙人所提供——和兩千名熱那亞籍志願兵趕去援助君士坦丁堡。如今，君士坦丁堡這座只住了五萬東羅馬帝國人的城市，老早就是鄂圖曼人想拿下的肥肉。

帖木兒差點滅掉這個蘇丹國，所幸穆罕默德的父親——即精力充沛、有能力、卻也反覆無常、不穩定、毫無定力的穆拉德二世——為征戰鞠躬盡瘁：在鄂圖曼人的邊境地帶，他對帖木兒的兒子沙魯赫所支持的幾個強行獨立的貝伊展開征討；[7]在巴爾幹半島，他征討造反的匈牙利、威尼斯、塞爾維亞。在

---

5 當時人未使用Renaissance（文藝復興）一詞。博學之士萊翁・巴蒂斯塔・阿爾貝蒂（Leon Battista Alberti）曾就如何重建羅馬、設計梵蒂岡，向教宗尼古拉五世提供了意見，亦即他察覺到「通才」（Uomo Universale）——「只要想做，什麼事都做得來的人」——的發展潛力。為米開朗基羅立傳的喬吉奧・瓦薩里（Giorgio Vasari）在他所著《藝術家列傳》（*Lives of the Artists*）中使用了rinascita（重生）一詞，不過，Renaissance一詞其實是一八三〇年代英格蘭籍歷史學家所創。

6 日耳曼金匠、美因茨的約翰內斯・古騰堡（Johannes Gutenberg of Mainz），是第一個使用活字印刷機出版一百八十本《聖經》的人，這台印刷機則仿自葡萄壓榨機。閱讀的普及，一如二十一世紀的網際網路，不只讓人智識大開，也使人蒙昧：審判女巫、燒死女巫的歇斯底里行徑，至少有一部分是因某些書籍的盛行而更加劇烈，例如早期的暢銷書之一，亨利庫斯・因斯提托爾（Henricus Institor）於一四八七年出版的《女巫之槌》（*Malleus Maleficarum*），又名《如雙刃劍般消滅女巫和她們之異端邪說的女巫之槌》（*The Hammer of Witches which destroyeth Witches and their heresy as with a two-edged sword*）。

7 帖木兒的兒子沙魯赫是個有文化教養、仁慈且深受波斯文化影響的帕迪沙（padishah，皇帝），統治核心帝國四十年，他的兒子兀魯伯（Ulugh Beg）則治理撒馬爾罕。兀魯伯感興趣的事物是天文學和科學，為協助計算工作，他建造了天文台——該天文台有一部分仍存於撒馬爾罕。他對星體的分類和對地球傾斜、恆星年的測量結果非常精確。但或許天文學使他疏於關注政治：他遭暗殺，帝國解體。沙魯赫、兀魯伯父子與帖木兒同葬於古爾埃米爾陵，這處陵墓後來啟發了身為帖木兒後裔的蒙兀兒王朝的波斯式圓頂建築風格。

愛琴海沿岸地區，原信仰基督教卻被迫皈依伊斯蘭教的小國國君喬治・卡斯特里奧蒂（Gjergj Kastrioti）在鄂圖曼帝國宮廷長大，他被稱為伊斯肯德貝格（Iskender Beg），原擔任帝國某地區的行政長官。眼下他亦起而造反，回歸到基督教信仰，自封為阿爾巴尼亞之主，違抗穆拉德二十年，自稱斯坎德貝格（Scanderbeg）。但蘇丹穆拉德改良其軍隊，委人製造火炮和新武器：手持肩射式火器，承襲中國突火槍所推出的武器，後來稱作火繩槍。這些火繩槍是最早的滑膛槍，由穆拉德的土耳其禁衛軍首度使用，不久，他們的基督教籍對手也開始使用。

一四四四年，在瓦爾納（Varna），穆拉德於戰場上高調下跪進行禮拜後打敗匈牙利人，殺了他們的國王。只是沒想到，這位四十歲蘇丹接著遭遇一場切身的危機。他要年僅十二歲的兒子穆罕默德來到都城埃迪爾內（Edirne，原稱阿德里安堡／Adrianople），而後自行退位。穆罕默德獲佩奧斯曼的劍。但一四四八年，匈牙利人、波蘭人、瓦拉幾亞人進犯，穆罕默德對父親的中年危機相當氣惱，並告訴他，「如果你是蘇丹，就出來帶領你的軍隊。如果我是蘇丹，我要據此命令你，前來領導我的軍隊。」穆拉德於是重出江湖，與兒子一起打敗這些基督徒。這個蘇丹國轉危為安——而就在該國的歐、亞領土之間，正矗立著已淪為沒落的「大城」：君士坦丁堡。

穆罕默德原打算拿下君士坦丁堡，只是受阻於他優越感濃厚的突厥籍大維齊爾強達爾勒・哈利勒・帕夏（Çandarlı Halil Pasha）。這位帕夏收受了來自君士坦丁九世的賄賂。穆拉德於一四五一年去世時，穆罕默德命人將他的弟弟勒死，並把誅殺手足訂為政策，[8]而後著手對付君士坦丁堡。強達爾勒傾向於讓君士坦丁當附庸國，不想完全滅掉，而當東羅馬帝國人陰謀不利於穆罕默德時，這位維齊爾則警告他們，「你們這些愚蠢的希臘人。這麼做只會使你們失去你們僅有的少許東西。」

穆罕默德富有遠見且思想開明，不為種族、宗教等畛域所限。他受過突厥籍、義大利籍私人教師教導，讀過《伊里亞德》和羅馬帝國時期希臘歷史學家阿里安（Arrian）所著的《亞歷山大遠征記》（*The Anabasis of Alexander*），他會說七種語言，並創作突厥語和波斯語詩句。他在成長過程中，與信仰基督教的小國國君為伍，尤其是「美男子」拉都（Radu the Beautiful）——德古拉兄弟檔其中一人。[9]穆罕默德與拉都彼此相愛，雖置身於把性事視為攸關權力而非攸關身分認同的文化裡——插入方，充滿男子氣概，被插入方，乖乖聽話——依舊寫下露骨的情詩：「被他眼神一瞥所殺掉的人，經他一吻就復活」。由於君士坦丁堡令人垂涎，土耳其人稱之為「紅蘋果」。穆罕默德很想取得君士坦丁堡的羅馬帝國遺產和國際威望，而且意識到該城守軍只有區區五千人，一旦有火藥，城牆就不再是堅不可破。匈牙利籍炮手奧爾班（Orbán）找他談過之後，他委請人建造了一個完整的火炮陳列公園，園中擺設了形形色色、從大得嚇人的最上乘火炮到較小且易操控的火炮。

穆罕默德在博斯普魯斯海峽靠歐洲一側建造了魯梅利希薩勒（Rumelihisarı）要塞，用以封鎖該城。他把要塞稱作「割喉者」，即切斷海峽者之意。有個威尼斯籍船長企圖駕船通過封鎖區，卻遭穆罕默德的火炮擊沉，他命人在博斯普魯斯海峽的岸邊，將這位船長經肛門插在尖樁上，以儆效尤。

一四五三年四月五日，穆罕默德親臨現場督導圍城，圍城大軍包括由他的愛人美男子拉都所統領的塞爾維亞、瓦拉幾亞基督徒分遣隊。但若要從海上完全包圍君士坦丁堡，受阻於一道橫跨過金角灣（Golden

---

8 「我的兒子，不管由誰承繼蘇丹之位，都必須殺掉他的兄弟，以保天下太平，」穆罕默德下詔道，「多數法學家已認可此事。此後據此行事。」為保蘇丹生命安全，總計有八十名左右的鄂圖曼王朝王子遭以弓弦勒死。在鄂圖曼王族，殺掉子女和殺掉手足不只不罕見、非出於意外，而且還是宗教政策、政治政策。放眼歷史，有此作風的家族只有鄂圖曼王族。

9 瓦拉幾亞大公（voivode of Wallachia）弗拉德二世（Vlad II）有兩個兒子，拉都是其中之一。弗拉德為龍騎士團（Order of the Dragon）一員，由此以「德拉古」（Dracul，羅馬尼亞語「龍」之意）為名。

Horn）海口的巨大鏈條水柵，於是他命人將一根根塗了油脂的原木鋪在金角灣北岸的迦拉塔（Galata）地區，形成一條過道，然後要手下將艦隊的所有船隻拖上過道，再拖進金角灣水面上。東羅馬帝國人嘗試用火船燒掉艦隊未能如願。四十名遭擒的義大利人被蘇丹下令插在尖樁上示眾，基督徒隨之在城牆上殺掉俘擄到的鄂圖曼士兵。攻城的鄂圖曼士兵遇上「希臘火」噴火器，瞬間被燒得焦黑。

穆罕默德在城牆底下挖地道；據說為蘇格蘭籍的東羅馬帝國專家日耳曼人約翰（John the German）亦反制，在鄂圖曼人的陣地底下挖地道。穆罕默德的火炮一再破壞對方的防禦工事（儘管奧爾班被他自己所創造的武器炸成碎片）。五月二十九日午夜後，蘇丹下令強攻。他的士兵穿過受損的西北段城牆而攻入城裡，東羅馬帝國末代皇帝扯掉皇服，投入戰鬥。他的遺體始終未找到。城中混亂如末日，威尼斯人和熱那亞人跳下城牆，博斯普魯斯海峽上載浮載沉的頭顱如「運河裡的甜瓜」，攻下此城的土耳其人四處砍殺，洗劫「紅蘋果」三天——穆罕默德則在城外等待。

教宗尼古拉五世心情極度低落，他希望自己仍只是個圖書館員。當歐洲驚恐退縮時，教宗的艦隊在葡萄牙王阿方索的資助下，於此城陷落後來到君士坦丁堡。但為回報阿方索相助，尼古拉五世承認葡萄牙人在非洲的攻城略地為十字軍聖戰，據此允許他們「入侵、仔細搜查、俘虜、徹底擊敗、制伏所有撒拉森人和基督的其他敵人……可以把他們貶為永久的奴隸」，並把這個權利的施行對象擴及「以武力擄獲或用合法契約買下的幾內亞人和其他黑人」。阿方索擴大在摩洛哥的領土——贏得「非洲人」（O Africano）的外號——並支持叔叔「航海家」亨利。

一四五六年，亨利的兩名船長——分別為威尼斯籍和熱那亞籍——在維德角（Cape Verde）定居了下來。維德角這個位於塞內加爾外海的無人島，成為葡萄牙人的奴隸事業總部和第一個熱帶殖民地。在大西洋島嶼定居一事，自然而然激發出可能還有別的島嶼、更大島嶼的想法。一三三九年左右——比哥倫布航向美洲早了一個半世紀——有個名叫伽爾瓦諾·斐亞瑪（Galvano Fiamma）的米蘭修士，在晚近才被人發現的《通史》（*Cronica Universalis*）中寫到，「更西邊有另一塊地，稱之為馬卡拉達（Marckalada）」——即馬克蘭（Markland），古斯堪的那維亞人對美國—加拿大東海岸的稱呼——他同時提到，這件事轉述自「常去丹麥、挪威海域的水手」。英格蘭籍水手此前已去過神祕島嶼（大概是紐芬蘭），而馬德拉島的拓殖者佩雷斯特雷洛也擁有關於該地一神祕地方的文件。據說有長著黃種人臉孔的屍體被海水沖上愛爾蘭島海岸，這些屍體肯定是不知為何喪命於海上的美洲原住民的遺體。

伊茨科阿特爾的墨西卡人：為神捐軀的人

就在非洲人阿方索正穿過摩洛哥、沿非洲海岸而下時，另一個帝國建造者正在開疆拓土，擴展墨西卡帝國。此人的雄心勃勃且自負，絲毫不下於阿方索，以位在島上的特諾奇蒂特蘭（Tenochtitlan）為都城。一四四〇年，接掌墨西卡帝國大位時，莫泰庫索瑪一世（Motecuhzoma I）四十二歲。

這個文明有著複雜先進的組織，愛講故事——畫在鹿皮上和折頁書裡的插畫記載了這個特性（折頁書以龍舌蘭纖維製成）——不斷攻打對手城市，有著貪得無厭的神祇。這些神在宏大廟宇受膜拜，要人們以人為祭品，獻祭時將仍在跳動的人心從胸膛扯出，跳舞的祭司常穿著這些被拿去獻祭者的皮。不過特諾奇蒂特蘭只是此帝國裡的諸多城邦之一，帝國內則是多種政治實體並存，其中有些是獨裁統治，有些是神權統治，還有些是半民主制。

莫泰庫索瑪係創造墨西卡帝國的三傑之一，當時他還只是個年輕王子。一四二七年左右，帖木兒離世已二十多年，特諾奇蒂特蘭的執政團挑選積極進取的伊茨科阿特爾（Itzcoatl，「黑曜石蛇」）為統治者

（tlatoani，「說話人」）。在姪子莫泰庫索瑪（某前任君王的兒子）的協助下，他創建了帝國。

墨西卡人一直以來不安分的臣服於最強大的泰帕內克人（Tepanec）城邦阿斯卡波察爾科（Azcapotzalco）——其說話人泰索索莫克（Tezozomoc）在位期間長久，並已征服墨西哥谷地大部地方。泰索索莫克一死，該城邦對墨西卡人的控制即變弱：一四二七年，伊茨科阿特爾帶頭政變，宣告獨立，殺害他那些支持阿斯卡波察爾科的親人，並與泰斯科科（Texcoco）、特拉科潘（Tlacopan）這兩個鄰近城邦的統治者結盟。他們三者合力擊敗阿斯卡波察爾科，拿下墨西哥谷地，隨後往谷地外開疆拓土，在索奇米爾科（Xochimilco）、查爾科（Chalco）兩湖南岸征戰不斷。當他們消滅掉其他國家時，伊茨科阿特爾便燒掉那些國家的史書——以象形文字寫在樹皮或皮革上——因為「讓所有人知道這些畫不妥」。接著，他轉而提倡講述墨西卡人之民族神韋奇洛波奇特利（Huitzilopochtli）生平的官方歷史。此神為戰神和太陽神，要以人血祭拜祂。伊茨科阿特爾著手建造「大神廟」（Great God's House），以奉祀韋奇洛波奇特利和雨神特拉洛克（Tlaloc）。大神廟是城中神聖城區裡最重要的建築，兩神各有自己的神祠位在巨大的階梯式金字塔頂端。

在階梯底部，坐落著圓形雕刻，呈現出處在兩顆巨大蛇頭之間的科尤爾夏烏基（Coyolxauhqui）女神遭肢解的情景。而每年一度的祭祀儀式都會重現此情景。

獻祭儀式由祭司執行，祭司大多是男性，但也有女性。祭司把自己的臉和身體抹黑，在自我放血的儀式中劃傷自己的耳朵、生殖器、手臂和胸部，長髮因沾血而纏結，嘴和臉上也沾染了血。被抓去獻祭者——奴隸或俘虜——被改造成神的化身，先是被賜以盡情吃喝、性愛又淨身，接著被火祭司帶上大神廟階梯，擺在獻祭石上。「四名男子緊抓住（被獻祭者）的手腳往外拉，使其成大字形躺著」；火祭司舉起小刀，「一剖開胸膛，便立即取出心臟。被開胸者仍活著。祭司把心臟獻給太陽」。被獻祭者，即「為神捐軀的人」，「滿身是血，被推滾落階梯」，隨之一名祭司砍下他們的頭，放在一個已擺放過數十萬顆頭的架子上。[10]

伊茨科阿特爾於一四四〇年去世，他的繼任者暨姪子莫泰庫索瑪・伊勒韋卡米納（Motecuhzoma Ilhuicamina）拿下查爾科，完成大神廟和帝國的建造大業。他們兩人合力將帝國疆域擴張到「天海」（墨西哥灣）邊，自稱「天海的鄰居」。

但經由選舉產生的墨西卡人獨裁政體，並非中美洲唯一的體制；他們的對手特拉斯卡拉（Tlaxcala）是半民主共和國，以一百名左右經選舉產生的泰烏克特利（teuctli，政務會委員）為統治集團。接任此職之前，這些人必須展現公民應有的謙遜精神——包括齋戒、放血以及和道德有關的措施——而且必須有搶盡風頭的流利口才，才能勝任此職。在特拉斯卡拉，沒有國王的球場或王宮。民主政體遠不是開明的歐洲人和美國建國先賢傳給美洲人的，而是早就存在於此。這些選舉制共和國人，與君主制墨西卡人南轅北轍，他們的戰士和奧托米族（otomi）戰士力抗墨西卡人的進犯，保住自身的獨立地位，痛惡傲慢的墨西卡帝國主義者。

莫泰庫索瑪自封為位階更高的韋韋特拉托阿尼（Huehuetlatoani），意為「最高說話人」，相當於皇帝。墨西卡人自認有別於其盟邦，深信自己身為神所選的人和特奧蒂瓦坎的繼承者，注定要統治世界。他們的說話人是神的代理人，說話人登基時，眾人歡呼道：「你是他們的長笛……他們使你成為他們的毒牙、爪子，你是他們的野獸，他們的食人獸，他們的判官。」他們也創造了新的貴族階層和由享有特權的卡烏皮利（quauhpili）騎士組成的軍事性、宗教性修會——只有貴族可以戴唇塞（lip plug）、金臂環，可

10 在一年的其他時候，祭司執行「割人皮」儀式以尊崇嗜人皮的神希佩托泰克（Xipe Totec），在這期間，說話人觀看武士格鬥，身穿割下的人皮。西班牙人特別著墨於這類獻祭儀式，以合理化其征服之舉，只是墨西卡人的複雜、識字文化遠不只這麼單一；在較早的這幾十年，獻祭的次數可能不如後來那麼頻繁、狂熱。

以穿棉斗篷。[11]貴族男子擁有數百個妾，包括戰時擄獲的奴隸，但在王族裡，女人權力很大。[12]

而隨著帝國疆域愈廣且與盟邦的關係愈緊張，大神廟[13]的放血儀式變得更加頻繁、狂熱。他們的盟邦和封臣對他們極其反感。一有機會，盟邦和封臣就會揭竿而起，消滅他們。

11　貴族子女在和神廟相連的特殊學校裡受教育。小孩和成人都在特定的球場上進行稱之為帕托利（patolli）的橡膠球比賽，自馬雅王國起，這類比賽就是國王儀式的一部分。國王往往下場比賽；觀眾有時對比賽結果下重注，賭輸了就得把自己賣為奴隸；輸了比賽的選手則常被殺——堪稱某種真正的《魷魚遊戲》（*Squid Games*）。

12　最有權勢的夫人阿托托斯特莉（Atotoztli）為莫泰庫索瑪一世的女兒，她嫁給伊茨科阿特爾的兒子泰索索莫克，係接下來三位統治者的母親而且常擔任他們的攝政。這三人的第一人是一四七八年即位的阿夏亞卡特爾（Axayacatl），即莫泰庫索瑪和伊茨科阿特爾的孫子（以及末代皇帝莫泰庫索瑪二世的父親）。

13　都城特諾奇蒂特蘭以棋盤式格局建造，可經由堤道、駁船或獨舟穿過水面抵達，居民數更是多過塞維亞的四萬五千人，已達二十五萬，如今已成世界奇跡。

印加、特拉斯塔馬拉家族、留里克王朝

撼地者和性無能者

就在莫泰庫索瑪鞏固其帝國之際，在遙遠的西南邊，另一個帝國建造者印加．尤潘基（Inca Yupanqui）正在打造美洲最大的帝國塔萬亭蘇尤（Tawantinsuyu，「四部合一」），然莫泰庫索瑪對此毫不知情。

王子尤潘基（「受尊崇者」）生於祕魯境內的庫斯科（Cusco）小王國，從他的父親和兄弟手中奪取了王位。這個家族自認先祖是個神聖、四處流浪的外地人暨國王。尤潘基的父王維拉科恰（Viracocha）立另一個兒子為嗣子，沒料到敵人入侵時，這對父子棄都城而去。尤潘基不願出逃，團結人民起而抗敵，打敗入侵者，把戰利品獻給父親，而父親竟不願承認尤潘基地位高於他所選立的嗣子，更命人殺他。尤潘基於是改立名號為帕恰庫蒂（Pachacuti，「撼地者」），並奪取王位，羞辱父親，從此踏上將近四十年的征程，征服了祕魯大部地方。他美化庫斯科，在城中心建造了宏偉的太陽金廟（Golden Temple of the Sun），在比此城更高處建造了有之字形城牆的薩克薩瓦曼（Saqsawaman）要塞建築群，還在山中建造了令人費解卻又令人咋舌的梯級式宮殿馬丘比丘，宮殿有國王居所和太陽神廟。

他老到無法打仗時，他的兒子圖帕克．印加．尤潘基（Tupac Inca Yupanqui）沿著安地斯山脈開疆拓土，疆域擴及今厄瓜多境內，並建造第二都城基多（Quito），著手派人進入太平洋考察。

這兩位深具群眾魅力的薩帕印加（Sapa Inca，即「獨一無二的印加」，而印加意為君主），以僅僅五十年時間就幾乎打造完成這個帝國。薩帕印加是神君的稱號，神君獲太陽授予的使命即統治世界，而他也是「太陽之子」和「熱愛、捐助窮人者」，儘管他的不少金銀都花在飲食上。他戴著垂有飾帶的綠松石王冠和軸狀物似的懸蕩式耳飾，額頭上有道流蘇，還佩戴一根飾有羽毛的權杖和一根金狼牙棒，有五千名身穿紅、白束腰外衣的「長耳」侍衛守護他的安全。薩帕印加登基時，勒死兩百名四至十歲的孩童以為慶祝，而勒死他們的儀式為帕恰庫蒂所設計。勒死儀式過程中會燒掉喪服，將兩千頭大羊駝割喉，而且「會有一千名男女孩被帶來給我，埋在我睡覺或享樂的地方」。

帕恰庫蒂是第九任薩帕印加，一個從未死去的神君。印加王族死後，屍體製成木乃伊，和一尊作為替身的金雕像一起擺在他們的宮殿裡受崇拜。侍者為祂們奉上飲料，戴上金質飾物；有時他們坐在寶座上出席重大活動。這些死去已久的祖先、國王和王后，向現任薩帕印加提供意見。印加轄有兵力三萬五千人，偶爾甚至多達十萬人，士兵一律穿戴多種顏色的羽毛和金質、銀質或銅質牌子，手持狼牙棒、棍棒和弓，唱著「我們會用叛徒的頭顱喝飲料，會用叛徒的牙齒做成的項鍊美化自己，會用叛徒骨頭做成的笛子吹奏樂曲平庫盧（pinkullu），會用叛徒的皮做成的鼓打鼓，就著這鼓聲跳舞！」之類的歌曲。大羊駝（llama）、羊駝（alpaca）這兩種馱獸，為印加的作戰、貿易提供助力；這個綿延兩千五百哩的帝國，靠兩萬五千哩長的道路連成一體。印加帝國種植玉米、馬鈴薯、甘薯及番茄，而施撒鳥糞這個天然肥料有助於農業生產。

印加有兩千個妾——「被征服的女人」裡有一定額度要被當成「太陽的新娘」獻給印加。科雅（coya）即皇后，權力很大，係印加的姊妹或堂表姊妹。印加行一夫多妻制；高貴的出身透過男人和女人傳給後代；小孩既能從父親手中，也能從母親手中繼承遺產。沒有處女這個字眼，婚前性行為不受譴責。壓抑性欲被視為有害健康。唯有貴族子女才被認為應該壓抑性欲，而且只壓抑到婚姻為止。印加說蓋丘亞語（Quechua），沒有文字，但靠一套繩結來傳達信息。印加以人當祭品，祭祀眾神，不過人祭規模不如墨西卡人。

圖帕克把疆域擴及到今哥倫比亞、阿根廷、玻利維亞和厄瓜多境內，打造出一個具侵略性、貪婪的帝國，一如與他同時代的墨西卡人和伊比利半島的阿濟茲──特拉斯塔馬拉家族所建立的帝國，由戰士君主和好武貴族領導，受到崇尚征服、劫掠、救贖的宗教思想啟發。他們的征服似乎是任何外力抵擋不住的──但第一個在凶狠且鬧劇般的家族世仇裡瓦解的人，便是這些伊比利人。

卡斯提爾國王恩里克四世（Enrique IV）靠御醫手淫射精，但這個特拉斯塔馬拉王朝國王的精子「太稀，無法致孕」。醫生和廷臣很絕望──於是，恩里克繼續和別的男人相互摩擦陰莖取樂。精子集中在一根金色管子裡，再送去給恩里克的王后，即另一名葡萄牙公主胡安娜（Juana），好注射進她的陰道，在別無他法下冀望藉此使她懷孕，生下一個嗣子。他們的猶太籍醫生薩瑪亞（Samaya）監督整個流程，「以確定她是否接收到這些精子──而她沒有」。

藍眼、健壯，又有著英格蘭人紅髮的恩里克，他的下巴長，額頭凸出，鼻塌且不挺直，長得若非像獅子，就是像猴子，但個性害羞、溫和且不做作，他缺乏控制卡斯提爾王國騎士所不可或缺的那種外向衝勁。他的父親胡安二世個性開朗，愛打獵成痴，具一半英格蘭人血統，熱愛詩，他安排恩里克娶進納瓦拉的畢安卡（Bianca of Navarre），無奈這個新郎無法圓房，而且令人尷尬的是，未拿沾血的圓房床單出來示眾。就在廷臣針對恩里克的陰莖形狀、歪直、乃至同性戀傾向議論紛紛之際，他父親派教士前去訪談恩里克的幾個情人──都是妓女──結果她們一一證稱，「他的陽具堅挺，製造出（大量）精子。」恩里克本人認為，這是「壞東西──中蠱──所導致的相互性無能」，而可憐的畢安卡就此被送回娘家的父親身邊。一四五一年，國王胡安續絃，迎娶葡萄牙公主，並生下另一個嫡子女──比恩里克小二十六歲的公主伊莎貝拉。

胡安擔心受到葡萄牙人干預，於是安排恩里克娶他的葡萄牙籍表妹胡安娜：近親通婚已是伊比利半島王族裡的一個問題。只是恩里克還是無法人道，不想受人擺布的胡安娜決意自己想辦法生，開始和她丈夫的大管家貝爾特蘭・德・拉・庫埃瓦（Beltrán de la Cueva）私通——她諸多私通對象的第一人——並生下一個女兒。歐洲諸國君主以詳細的婦科口吻談論特拉斯塔馬拉家族。教宗庇護二世獲其祕書告知，「這位王后在未破處的情況下懷孕」；「倒進入口的精液已穿過她體內最隱蔽之處」。而「其他人則認為，父親另有他人，不是恩里克」。這個女兒被人根據其生身父親取了綽號 La Beltraneja（貝爾特蘭的子女）。

由於恩里克的同父異母妹伊莎貝拉擁有國王所應具備的種種特質，只差不是男兒身，妻子私通生女一事讓恩里克更是難堪。基於必須阻止她接位，恩里克的精液變得非常重要。伊莎貝拉小時候，若不是和她精神失常的母親一起在貧困的幽居中度過，就是在抗拒她哥哥屢次欲把她嫁給不合適的丈夫的日子裡度過。她在危險、不安穩的宮廷裡保住性命，不向人透露自己的想法或計畫，最終讓世人見識到她的聰慧、諱莫如深且無畏，而虔誠的天主教信仰和特拉斯塔馬拉家族的偉大使她更有底氣衝破人生的重重難關。

恩里克想方設法找她麻煩，而且葡萄牙國王插手，冀望拿下卡斯提爾王位，伊莎貝拉於是著手暗中安排自己的婚姻——將創造出一個帝國的婚姻。而恩里克的性無能促使格拉納達的柏柏人國王——格拉納達王國是伊斯蘭教在伊比利半島僅存的勢力——更是毫無忌憚，這會兒，竟拒絕向卡斯提爾上貢。恩里克親自領兵攻打格拉納達，欲藉此展現自身勇武的男子氣概。格拉納達王國非常富裕，其都城格拉納達有人口十六萬五千，是伊比利半島上最大的城市，也是歐洲前幾大城市之一。伊斯蘭勢力東山再起：格拉納達輕鬆擊退進犯的基督徒，而在歐洲另一端，四處開疆拓土的鄂圖曼人正在剷除基督教世界僅存的幾個邊遠據點。

第二羅馬和第三羅馬：鄂圖曼帝國皇帝穆罕默德和莫斯科的索菲亞

穆罕默德縱兵掠劫君士坦丁堡，他的士兵強暴女人和男孩，將成千上萬人殺害、貶為奴隸，他自己則在城外等候。有個鄂圖曼軍人誇口道，「每頂帳篷都是天堂，裡面塞滿男孩和女孩，天堂樂園的性奴，每個性奴都是獻上多汁桃子的優雅高貴美人。」第三天結束時，這位蘇丹下令停止劫掠，騎馬進城，驚歎於這座「首屈一指的城市」。在古老的布科萊翁宮（Boukoleon Palace）——其廢墟至今仍在——他引用了薩迪的詩，藉以抒發帝國的興衰無常之慨：

> 蜘蛛在霍斯勞的宮殿裡織就帷幕，
> 貓頭鷹在阿弗拉西亞卜（Afrasiyab）的城堡裡發出寬慰之聲。

他前去參觀聖索非亞教堂，正好看到一個軍人在洗劫財寶，於是用劍面痛打他一頓。

破敗、人煙稀少的君士坦丁堡，自此歸穆罕默德管轄。他自封為羅馬的凱撒（Kayser-i-Rum），把聖索非亞改為清真寺，在城中的「廣場」（Forum）建造自己的宮殿，在他拆掉的「大宮」遺址上蓋了附屬的「新宮」，即托普卡普宮（Topkapı Palace）。[14]至於他的大維齊爾，即自一四四四年起一直阻撓他計畫的哈利勒，則遭斬首，是為遭殺害的諸多維齊爾的第一人。此後，多數維齊爾不再是土耳其人，而是奴隸出

14　君士坦丁堡的人口可能只剩三萬，但穆罕默德命令其大貴族資助城內新居住區的發展，保護希臘人，並邀猶太人入住，而當時猶太人在西歐正受迫害。不到二十五年，人口數就達八萬，其中六成是穆斯林，兩成是基督徒，一成是猶太教徒。穆罕默德拆掉使徒教堂（Church of the Apostles，君士坦丁和諸位皇帝長眠之所），在其所在地建造自己的清真寺建築群，在「被人發現」的阿尤卜．安薩里——先知穆罕默德的伙伴之一，死於西元六六八年阿拉伯人圍攻君士坦丁堡時——的葬身之處建造了阿尤卜．安薩里清真寺（Ayyub Ansari Mosque），還建造了稱之為「七塔」（Seven Towers）的要塞兼軍火庫。入主的土耳其人仍稱此城為君士坦丁堡，但它也有伊斯坦堡（Istanbul）之名。伊斯坦堡一名源自該城的古老希臘語別稱「eis ten polin」（「去城裡」），據此改寫為Istambol。此城作為鄂圖曼／土耳其首都至一九二三年為止，一九三〇年正式改名伊斯坦堡。

身且一律改宗伊斯蘭教的斯拉夫人或希臘人。帕萊奧洛戈斯王朝末代皇帝的諸多姪子裡，至少有一人改宗伊斯蘭教，躋身大維齊爾之位。鄂圖曼人的寬容異己，受到史學家誇大。英國歷史學家馬克・大衛・拜爾（Marc David Baer）寫道，「寬容異己不同於頌揚多元」，那其實是「一種不平等狀態」。猶太人和基督徒都靠統治者的仁慈而存在，他們必須表態完全順服，但往往得佩戴特殊徽章、特殊服裝，用以標誌出他們的地位低於穆斯林，而且往往突然就遭迫害。例外情況始終存在：羅馬凱撒兼蘇丹沒有朋友，但穆罕默德最親近的廷臣是他的醫生，此人是義大利猶太人，名叫加埃塔的賈科莫（Giacomo of Gaeta），皈依伊斯蘭教，成為雅庫卜醫生（Hekim Yakub）帕夏、後來的大維齊爾。

教宗號召發動聖戰，以恢復「第二羅馬」，但在北邊，穆罕默德的征服大業為俄羅斯的崛起助一臂之力，使不久前還是蒙古人打手的莫斯科大公搖身一變為高傲的東正教沙皇。

穆罕默德拿下君士坦丁堡後，幾乎未休息就想要趁金帳汗國衰落之際進一步擴張，與成吉思汗、朮赤的後代哈吉格來（Haji Giray）結盟。格來自建一家族王國，即韃靼人的克里米亞汗國，且作為不容小覷的歐洲強權長達三百年，擁有五萬騎兵，數次拿下莫斯科，還幾乎拿下維也納。

穆罕默德和格來攻打義大利人在克里米亞半島的城市，接管他們的奴隸市場，然後格來開始襲擊信仰基督教的波蘭、莫斯科公國、立陶宛，並抓捕白皮膚奴隸。穆罕默德率兵繞過黑海，進入瓦拉幾亞（今羅馬尼亞境內），並在瓦拉幾亞公美男子拉都支持下攻打拉都那目中無人的哥哥弗拉德。痛恨鄂圖曼人的弗拉德憑藉大無畏的戰術和令人咋舌的殘酷彌補他在人力、物力、財力上的薄弱，他用釘子打入頭的方式殺害穆罕默德的使者。在鄂圖曼人兩次入侵和他三次擔任瓦拉幾亞大公期間，弗拉德以經由肛門將人插在林立的尖樁上的方式，清洗敵人薩克森人和土耳其人——此一作法，連蘇丹穆罕默德都驚駭不已，以致弗拉德有了「釘刑施行者」（Impaler）的外號，從而催生出吸血鬼「德古拉」（Dracula）——後來他被趕走，由拉都接替其位。[15]

一四六〇年，穆罕默德肅清自君士坦丁堡衍生出的旁支勢力；他拿下特雷布宗，攻入希臘，此後直至一八二〇年代，希臘一直是鄂圖曼帝國的一部分。在希臘，他趕走末代皇帝的弟弟──摩里亞的專制公（Despot of Morea）托馬斯．帕萊奧洛戈斯（Thomas Palaiologos）。托馬斯帶著他襁褓中的女兒佐伊（Zoë）逃走，佐伊被教宗收養。這個天賦過人的公主將在俄羅斯的創建一事上發揮特殊作用，讓世人見識到女人在創造關係、改變局事上的強大力量：一四七二年她二十三歲時，教宗將她嫁給三十二歲的莫斯科大公伊凡三世，婚禮在聖彼得大教堂舉行，伊凡無法出席，由他人代為成婚。世故老練、兼具希臘、羅馬風格的佐伊，取了東正教教名索菲亞（Sophia），她來到艱苦、寒冷的莫斯科，首次見到她令人生畏的丈夫。

伊凡在最艱苦的環境中長大。莫斯科的崛起並非勢所必然。有很長一段時間，看似會統一並建立斯拉夫人帝國者，係立陶宛，而非莫斯科公國。立陶宛公爵是歐洲境內最後一批信仰多神教的國君。一三八五年，為取得波蘭王位，立陶宛那信仰多神教的格迪米納斯（Gediminas）王朝的大公，即三十三歲的亞捷沃（Jagiełło）──立陶宛大公國的建立者格迪米納斯的孫子，這位建立者同時也是都城維爾紐斯（Vilnius）的建造者，開拓立陶宛廣大的疆土北至波羅的海，並直抵黑海──迎娶波蘭才十一歲的女繼承人雅德維嘉（Jadwiga）──皮雅斯特王朝最後一人。最後一任皮雅斯特國王，即卡齊米日大帝，由於沒有兒子，死後便將波蘭交給他的姪子路易大帝，也就是雅德維嘉的父親。此際她被加冕為波蘭國王，而後

15　「釘刑施行者」死於戰鬥，拉都和德古拉王朝則繼續以鄂圖曼帝國附庸的身分統治瓦拉幾亞。後來，鄂圖曼蘇丹任命他所信賴、來自君士坦丁堡法納爾人（Phanariot）居住區的希臘人統治摩達維亞和瓦拉幾亞，前後長達兩百五十年，其中某些人是東羅馬皇帝的後裔。這兩地則在後來合併為羅馬尼亞。

嫁給亞捷沃。亞捷沃也自此改宗天主，立陶宛這才成為基督教世界一員。[16]這兩個君主國形式上依舊各自自成一國，但亞捷沃自稱立陶宛人的大公、波蘭的國王、羅斯人的領主，建立了立陶宛—波蘭聯合王國，是為歐洲最大的國家，時間長達四百年。亞捷沃取名瓦迪斯瓦夫二世（Władysław II），打敗北邊的條頓騎士團，後又吞併普魯士，接著往南擴張，鯨吞了舊羅斯人的土地。

莫斯科已然式微：莫斯科大公瓦西里二世（Vasili II）鎮不住其王國和家人，遭喀山（Kazan）的蒙古人可汗生擒，然後遭某個堂兄弟弄瞎。他的兒子伊凡當時才六歲，目睹父親遭弄瞎。然瞎子瓦西里單憑等待，打贏了家族戰爭，他返回莫斯科，一場凶殘的決戰自此展開，在伊凡的協助下，瓦西里戰勝，立伊凡為共同統治者。瓦西里原就強調他和君士坦丁堡的淵源——他的姊姊是東羅馬帝國倒數第二個皇后。這時他和伊凡聲稱，權力中心已由君士坦丁堡轉移至莫斯科公國（*translatio imperii*），在自身家族與東羅馬帝國的淵源助力下，自封為東正教的領袖——莫斯科後來被譽為「第三羅馬」——接著，伊凡娶了索菲亞。

綽號「恐怖」（Grozny）的伊凡，身材高瘦，一雙嚇人的眼睛，酒量很大且行事難捉摸，攻取了諾夫哥羅德、特維爾（Tver）這兩個老對手的大片土地。據說，是索菲亞慫恿他停止向蒙古人上貢。金帳汗阿黑麻（Ahmed）趁莫斯科公國內部手足相殘，在波蘭—立陶宛慫恿下進攻該公國。莫斯科陷入險境。所幸伊凡爭取到阿黑麻的對手克里米亞的格來家族支持。一四八〇年十月，他在烏格拉河（River Ugra）遭遇蒙古人，雙方僵持不下，最後阿黑麻撤軍，這才結束僵持。阿黑麻此舉，標誌著蒙古人勢力的衰微——但非結束[17]——以及波蘭—立陶宛的挫敗（一四九〇年代，波蘭—立陶宛一度分道揚鑣）。

伊凡已將莫斯科公國的版圖擴增一倍，並讓自己的威望倍增，這時，他自稱「所有俄羅斯人的獨裁者」，而且首開先河自封「凱撒」（Caesar）——即沙皇（tsar）。莫斯科公國人使用沙皇這個稱號兼指蒙古人的可汗和羅馬人的巴西琉斯。伊凡和其繼承人，先是身為可汗的封臣，繼而在汗國覆滅後建立後繼政權，襲用了蒙古人的觀念，主張神聖沙皇享有絕對權力、沙皇肩負開疆拓土的神聖使命、沙皇的所有「奴隸」的土地全歸沙皇擁有，而且他們的人身全歸沙皇管控——所有子民，乃至貴族，在沙皇眼中都是「奴隸」。帝國的輝煌事功和君士坦丁堡的東正教使命也非常重要，但要充分理解此後直至二十一世紀的俄羅斯，關鍵或許在於蒙古人的傳統思想。

君士坦丁堡公主索菲亞原本可能只是個平凡的歷史過客，但這樁婚姻不只出人意表的圓滿——她生下五子六女共十一個，孩子——而且這些子女也締結了非常出色的姻緣。

16 王后雅德維嘉是安茹家族的匈牙利暨波蘭國王路易大帝（Louis the Great）的兩個女兒之一，路易死後，他的遺孀波士尼亞的伊莉莎白（Elisabeth of Bosnia）企圖讓這兩個王國留在兩個女兒手中。瑪麗亞成為匈牙利的女王，可惜她的母親伊莉莎白高估自己的實力，殺害爭奪王位的男性，導致她本人被捕，在女兒面前遭勒斃。面對多神教徒亞捷沃的求婚，雅德維嘉先是禱告，最終同意此婚事，前提是他皈依基督教。雅德維嘉和亞捷沃的伙伴關係很成功，她重建克拉科夫的第一所波蘭的大學——亞捷隆大學——可惜在她二十五歲那一年死於分娩，他則統治聯合王國直至一四三四年，建立了亞捷隆王朝，統治超過百年且為匈牙利、波希米亞提供國王人選。

編注：伊凡三世被冠以「Grozny／Terrible」稱號，後伊凡四世亦承繼此稱呼。

17 金帳汗阿黑麻原本雄霸歐亞大陸一方，係黃金家族的王子，娶了帖木兒家族的公主。在烏格拉河畔受挫後，阿黑麻遭堂兄弟失比爾汗伊巴克（Ibak Khan of Sibir）暗殺，他的妻子回到赫拉特，金帳汗國裂解為數個王國，從此未恢復一統。在東邊，失比爾汗國——蒙古帝國滅亡後諸多較不為人知的後繼國之一——由朮赤的後代台不花（Taibuga）創建，以今日秋明（Tyumen）附近的某城鎮為都城。在伏爾加河畔和裏海畔，有個黃金家族出身的可汗統治喀山和阿斯特拉罕。在克里米亞，格來家族統治位於鄂圖曼帝國、波蘭王國及莫斯科公國之間的一緩衝國。

一擊未中：「偉人」羅倫佐和米開朗基羅

在莫斯科，上層階級的女人住在「內院」（terem），不與外界接觸，但索菲亞這個「精明的女人」主持自己的會議，自由接見使者；此外，「莫斯科大公常根據她的建議行事」。委請義大利籍建築師美化克里姆林宮一事，便是由她負責。伊凡和索菲亞把目光望向義大利和義大利的文藝品味主宰者梅迪奇家族。然而，這些佛羅倫斯人才剛捱過一次可怕的攻擊。

一四七八年四月某個星期日早上，統治佛羅倫斯的梅迪奇家族兩兄弟羅倫佐和朱利亞諾（Giuliano），陪同來訪的一名樞機主教、比薩大主教、同是銀行業者的一名繼承人來到主教座堂。這個年輕的樞機主教和他們身邊的人全是刺客，但兩兄弟不知情。七名殺手，其中包括兩名神職人員，藏身於主祭壇後，佯裝等候大彌撒儀式開始。聖器室門口上方鈴聲一響起，他們即抽出匕首，撲向這兩兄弟。

羅倫佐．德．梅迪奇黑眼珠，黑髮，頭髮中分，還不到三十歲，自幼受人文主義者和學者調教，憑藉他「令人喜愛的特質」、對朋友的親切和善、帶幽默情色意味的詩、贊助藝術家、唱歌時的投入、打獵、參加卡爾奇奧比賽（calcio，類似足球的比賽）而為人所知。置身於義大利諸多城邦和更大王國不斷爭逐權力的世局中，他憑藉高明手腕管理佛羅倫斯一事，同樣令人欽佩。當他的父親皮耶羅（Piero）去世時，執政團邀請當時才二十歲的羅倫佐「如我父親、我祖父那般接下管理此城邦的工作」。他說，「考慮到這擔子甚重，危險甚大」，他猶豫未決。然後，「我勉強同意」。

一四七一年，漁民之子法蘭切斯科．德拉．羅韋雷（Francesco della Rovere）獲選為教宗，是為西克斯圖斯四世（Sixtus IV），他精力充沛、粗野，而且沒有牙齒。他上任後立即指示羅倫佐．德．梅迪奇回任他的銀行家。西克斯圖斯著實令羅馬增色不少，他建造了自古以來第一座橫跨台伯河的橋，建立梵蒂岡圖書館，請人建造一座小禮拜堂，根據自己的名號命名為西斯汀（Sistine）禮拜堂，邀請文藝復興時期的畫家吉蘭達約（Ghirlandaio）和桑德羅・波提且利（Sandro Botticelli）替該禮拜堂繪飾濕壁畫。西克斯圖斯「鍾情於男孩和雞姦者」，把自己的姪甥納為情人。由於神職人員已不再能娶妻，因此，選上教宗者在短暫在位期間提拔自家姪甥（nephew）為掌有領土的權貴——nepotism（任人唯親）一詞便由此而來。西克斯圖斯提拔他六個姪甥為樞機主教。但他請求梅迪奇家族借予六萬達克特（ducat），以便為其中一個外甥吉羅拉莫・里亞里奧（Girolamo Riario）買下伊莫拉（Imola）鎮，卻遭羅倫佐拒絕。羅倫佐希望，他是為佛羅倫斯而買。

西克斯圖斯對此相當惱怒，於是從佛羅倫斯另一個家族——帕齊家族（Pazzi）——手中借到錢，且決意消滅「偉人」羅倫佐（Lorenzo the Magnificent）。他慫恿十七歲的外甥樞機主教拉斐列・里亞里奧（Raffaele Riario），與年輕銀行家法蘭切斯科・帕齊、處境艱困的比薩大主教法蘭切斯科・薩爾維亞蒂（Francesco Salviati），謀害梅迪奇家兄弟，並奪取佛羅倫斯的控制權。只是，西克斯圖斯試著和此事撇清關係：於是吉羅拉莫・里亞里奧便問道，如果羅倫佐被殺，「聖座您會饒恕幹了此事的人嗎？」「你簡直畜生，」西克斯圖斯回道，「我不希望有人被殺，只想改朝換代。」還說「羅倫佐是個流氓」。而里亞里奧一家則斷定，安排這個最年輕樞機主教到訪，便可把梅迪奇家兩兄弟誘上死路。

聖器室門口上方的鈴聲一響，一名身為神職人員的殺手即往羅倫佐的脖子刺了一刀，沒想到，這位健壯的梅迪奇成員掙脫，反而揮劍砍向刺客，手一撐躍過祭壇欄杆，就在此時，另一名刺客高喊著「拿下那名叛徒」，當下舉起匕首，刺進羅倫佐的弟弟朱利亞諾的頭顱。眾刺客朝他刺了十九刀，法蘭切斯科・帕齊在一陣狂刺中還不小心傷到自己。

羅倫佐在侍從的護送下直奔梅迪奇宅邸。唯恐刀上有毒，他的幾個朋友把他的傷口吸乾淨，與此同時，羅倫佐問，「朱利亞諾呢？他沒事吧？」在附近的領主廣場（Palazzo della Signoria）裡，大主教薩爾維亞蒂帶著一票佩魯賈籍（Perugian）的傭兵衝進行政中樞，但隨著「牛吼」（Vacco）鐘響起，梅迪奇家的親信即衝進去，殺了他們，把他們的頭插在長矛上遊行示眾，同時追捕刺客。法蘭切斯科．帕齊的叔叔雅可波（Jacopo）被逮，受拷打並吊死，然後屍體被立在帕齊宅邸大門口，他的頭充當叩門用的門環，兩名行凶的神職人員則遭閹割。那名大主教被人用繩索套住脖子，全身剝個精光，然後丟出窗，和那個一絲不掛的帕齊家成員一起吊在窗外。兩人扭動身子，掙扎求生時，赤裸的大主教一口咬住帕齊的大腿。有個住在梅迪奇府的年輕藝術家，深深著迷於眼前景象：達文西於是速寫了其中一具屍體。

這場政變使得羅倫佐的權勢更盛。西克斯圖斯索性將他開除教籍，並邀請邪惡的那不勒斯國王費朗帖（Ferrante）前來推翻梅迪奇家，然而，羅倫佐竟前往那不勒斯。費朗帖樂於把敵人的屍體進行防腐處理，且讓他們衣著完整，收藏在他那令人毛骨聳然的博物館。若是一個不小心，羅倫佐將淪落為費朗帖博物館裡的陳列品。「我想要做的，是藉由我的生或我的死，我的不幸或我的發達，促成我們城市的富裕。」他實現和平，安然返回，因而被譽為「偉人」（the Magnificent）。

有個佛羅倫斯籍作家後來論道，「倘使佛羅倫斯能有個專制君主，絕對找不到比他更好或更令人喜愛的專制君主」。羅倫佐疏於照料他的銀行，全副心力都擺在政治上——他的銀行借了太多錢給英格蘭王愛德華四世，而且愛德華陷入王族不同支系的內戰無法脫身。他娶了羅馬奧爾西尼家族的女子，[18]很愛他的小孩，寫了劇作給他們演，而他對孩子的聰明才智更是有切實的了解。他說，「我有三個兒子，一個好，一個精，一個蠢。」這個蠢才是長子皮耶羅，手腳笨拙，少了根筋，卻等著承繼他在佛羅倫斯的地位。好兒子是次子朱利亞諾，精明的兒子則是肥胖身材、和藹可親、驕奢淫逸的喬凡尼。由於意識到對佛羅倫斯最重要的，實屬羅馬，於是羅倫佐把女兒嫁給教宗英諾森八世的私生子，並說服教宗任命喬凡尼為樞機主教。「你不只是當今，而且是歷來，最年輕的樞機主教，」他寫信告訴這個兒子，「羅馬是罪惡的淵藪，你要在羅馬過著值得人崇敬、效法的正派生活，以表明你的感激之意。」他遭殺害的弟弟朱利亞諾的兒子則成為這個家庭的一員，也將前去羅馬。

羅倫佐在梅迪奇宅邸隔壁的聖馬可庭園創立了新柏拉圖主義學校，年輕藝術家在此浸淫於自由創作、探索情欲的氣氛中。其中一個年輕的門生為私生子，係來自托斯卡尼地區文西村的藝匠。李奧納多·達文西為公證人和猶太籍的索卡西亞籍奴隸——根據一份在二〇二二年發現的文件所揭露——之子。他在一四七六年因雞姦罪被捕，後來獲釋。英國歷史學家凱瑟琳·佛萊徹（Catherine Fletcher）寫道，「根據警方紀錄，在十五世紀後期的義大利，大多數男子至少一次和其他男人性交或受到這樣的指控」。羅倫佐很欣賞達文西所製作的銀質馬頭狀里拉琴。一四八二年，米蘭公爵請求給他送來一名雕塑家時，羅倫佐派達文西過去。達文西自我推銷是軍事工程師，還說他也能雕塑。當時義大利是北方兩王朝（法蘭西的瓦盧瓦王朝、日耳曼的哈布斯堡王朝）和本地軍事陣營交鋒的戰場。本地軍事陣營以戰爭和藝術提升自身勢力，戰爭是首要之務。沒有軍事勝利，就沒有素材供藝術家頌揚，沒有戰利品可用來支付他們報酬。這些軍事力量在軍事科技上創新，改良了火繩槍和火炮的射速和操作方便性，設計出旨在承受得住火炮轟擊的防禦工事。[19]達文西在米蘭覓得差事，而他不過是梅迪奇家所提攜的諸人之一。

---

18 一如其父親，羅倫佐買進奴隸，且和她們生下數個私生子：這些奴隸不來自非洲，而是來自高加索的切爾克斯人，可能是透過熱那亞籍、鄂圖曼籍商人買進來的。另一個這類奴隸是猶太籍的索卡西亞（Circassian）女孩，名叫卡達蕾娜（Caterina），她是從家鄉高加索被俘虜而來，以性奴隸的身分自克里米亞被賣到君士坦丁堡和佛羅倫斯。之後，在她十五歲時，佛羅倫斯公證人皮耶羅·達文西僱用她為保母，而且愛上她，不但贖回她的自由身，同時也和她結婚：而李奧納多·達文西很可能就是他們的孩子。

19 一四八二年，當達文西表示願為米蘭公爵效力時，誇口自己有以下長才：一、「燒掉、摧毀」敵人橋梁；二、「我會造無數橋一四八九年，羅倫佐請吉蘭達約從他的學徒裡找幾個很有天分的人，並送到學校來。吉蘭達約送了一個十三歲的男孩過去，男孩的雕塑才華令他大為驚豔，以致他激動說道，「這個男孩懂得比我還多，怎會這樣。」米開朗基羅．迪．博納羅帝（Michelangelo di Buonarroti）成長於托斯卡尼地區某小鎮，為一梅迪奇家族任命的官員之子，出身貧困貴族家，自豪於家族過往榮光，卻也著迷於大理石工藝這項粗活：「除了奶媽的乳汁，我還領受到使鑿弄錘的本事，憑藉這個本事，我雕成我的人像」。他是個難以掌控又任性的年輕人，脾氣急躁，多數時候難相處，卻也充滿幹勁，言語風趣；由於長年從事雕塑這體力活，他的肩膀、胸膛厚實，體格健壯，肌肉發達，「眼睛是牛角褐色，但非一成不變，又帶著黃、藍斑」。在羅倫佐的學校裡，他捲入與較年長男子的同性不倫戀。在當時的義大利，男子和少年相戀，代表該男子自此成為大人。這些同性戀情有時導致搏鬥，他有次就因此被打斷鼻子。然而，他全心投注於藝術，喜歡去採石場挑選他中意的大理石。他以古希臘羅馬風格雕塑出半人半羊的農牧神頭像，教羅倫佐看得目瞪口呆，禁不住問這男孩的父親，能否讓這男孩留下。米開朗基羅每天受邀與梅迪奇一家一同用餐，因此在成長過程中結識梅迪奇家的小孩，尤其是日後成為教宗的喬凡尼。他同時受到鼓勵，「每天向『偉人』（展現）其勞動成果」。

羅倫佐的偉大成就威震歐洲，連莫斯科公國都為其歎服。伊凡大帝想要為歐洲的最新強權打造一個切合其身分的護城城堡時，他和在義大利長大的索菲亞於是找上梅迪奇家族。

索菲亞的克里姆林宮；斯坎德貝格的阿爾巴尼亞；貝里尼的畫像

伊凡三世雇用了羅倫佐．德．梅迪奇門下的建築師亞里斯多泰列．費奧拉凡蒂（Aristotele Fioravanti），費奧拉凡蒂於是前去莫斯科，開始建造聖母安息主教座堂（Dormition Cathedral），同時擔任伊凡攻城作戰的炮兵工程師。費奧拉凡蒂表達想回鄉時，伊凡卻將他逮捕，他最終死於獄中。而此後直至尼古拉二世的歷任沙皇，都在聖母安息主教座堂加冕。[20]

索菲亞展現了在克里姆林宮陰謀策畫的高明本事，不失其身為拜占庭人的本色。她的長子瓦西里，具有留里克王朝、帕萊奧洛戈斯王朝各一半的血統，沒想到一四九七年，伊凡反而立孫子德米特里（Dmitri）為大公，瓦西里因此在索菲亞支持下政變。政變未遂，索菲亞和兒子失寵，但這對母子還是消滅了對手，瓦西里也重掌大權，獲立為共同統治者，德米特里和他的母親則被捕。王朝體制向來導致女人與女人為敵、母親和母親彼此對立。此時，索菲亞勝出。埃蓮娜（Elena）或許是被毒死的；德米特里則死於牢中。伊凡於垂死之際將大位交給瓦西里三世，說「我要把這個公國給我喜歡的人」，[21]瓦西里日後將生下恐怖伊凡。

穆罕默德將巴爾幹半島全境納入鄂圖曼帝國，兼併了塞爾維亞、波士尼亞；只有阿爾巴尼亞的君主，不屈不撓的山中戰士斯坎德貝格，在威尼斯支持人頑抗到底，但他一死，阿爾巴尼亞也被迫歸順。而後，穆罕默德打造地中海海軍以對抗威尼斯，威尼斯儼然即將失去帝國。當威尼斯人言和之際，送給穆罕默

梁、活動掩體及（攻城）梯」；三、「我也有數種火炮」；四、「坑道和密道」；五、「我會造很特別的……火炮、迫擊炮、輕炮」，並在第六點才補充說：「我也會用大理石、青銅、黏土雕塑」。他並未提到他也會畫畫。

20 接著，伊凡和索菲亞邀來馬可．魯佛（Marco Ruffo）和皮耶特羅．索拉里奧（Pietro Solario），這兩人建造了多稜宮（Palace of Facets）和克里姆林宮圍牆的紅色雉堞，包括伊凡的鐘樓（Belltower）——這些建築如今看來具有鮮明的俄羅斯風格，卻是源於拜占庭風格、義大利風格的巧妙融合。伊凡的軍隊遵照傳統，係攜弓帶箭的蒙古式騎兵，而義大利人則帶來火炮和火器。

21 就是在瓦西里在位期間，莫斯科公國的神職人員開始宣揚其主張：莫斯科是上承君士坦丁堡的第三羅馬。

德一份特別的禮物，即威尼斯總督的御用藝術家簡提列・貝里尼（Gentile Bellini）。這位藝術家和其弟喬凡尼是威尼斯最著名藝術家。藝術家，一如其他每樣事物，存在一脈相承的家族淵源：他們的父親雅可波培訓了這兩個兒子和帕多瓦籍藝術家安德雷亞・曼帖尼亞（Andrea Mantegna），後來曼帖尼亞娶了他們的姊妹尼科洛西婭（Nicolosia）。一來到君士坦丁堡，貝里尼便為蘇丹畫像，在筆下貼切呈現出他關注周遭所有動靜且如狐狸般狡猾的聰穎——據說穆罕默德和這位藝術家就他〈施洗者約翰的頭〉（Head of St John the Baptist）的生理結構該如何呈現而有所爭辯，最後靠砍下一奴隸的頭贏得此論戰，由此粗暴之舉足見他所展現的聰穎。

拿下第二羅馬後，穆罕默德轉而攻打第一羅馬，一四八〇年，他派遣艦隊從阿爾巴尼亞出發，拿下奧特朗托（Otranto）。此事造成義大利人心惶惶，促成針對伊斯蘭教的另一場聖戰，此次聖戰將在西班牙拿下第一場勝利。[22]在西班牙，卡斯提爾女王伊莎貝拉設立宗教裁判所，以調查、肅清毒害基督徒之純正的隱密猶太人，同時發兵消滅穆斯林的格拉納達王國。

---

22 就在一四八一年拿下奧特朗托後不久，征服者穆罕默德去世，享年四十九。在接下來的一決雌雄中——可能由他的兒子巴耶濟德二世（Bayezid II）運籌帷幄——而穆罕默德的大維齊爾、猶太籍醫生雅庫卜，則被土耳其禁衛軍指控是威尼斯人的特務：那時他剛和威尼斯談成和約。禁衛軍殺害這名醫生，洗劫了他的府第。鄂圖曼人的寬容異己有其限度：此後，又出現許多斯拉夫籍維齊爾，但不再有猶太人擔任此職。

剛果國王、博爾賈家族、哥倫布家族

伊莎貝拉和斐迪南：討平伊斯蘭勢力、迫害猶太人

伊莎貝拉紅髮、藍眼、白皮膚、信仰虔誠、心思敏銳，與她精子稀少的同父異母兄恩里克處處相反，而且恩里克接二連三地安排她嫁給不合適的對象，令她不堪其擾，其中甚至包括駝背的英格蘭男子——日後成為英王理查三世的約克公爵。伊莎貝拉不願受他擺布，而隨著家族世仇逐漸不利於恩里克，他只好承認她為繼承人。

與此同時，伊莎貝拉正暗中談成自己的婚事。她自幼就認識她的夫婿人選：阿拉貢的斐迪南幽默、英俊、狡猾，但他既是她的堂弟，也是她的表弟：他父親胡安是轄有加泰隆尼亞、西西里、薩丁尼亞三地的阿拉貢海洋帝國的國王，為特拉斯塔馬拉家族一員，他母親則是卡斯提爾國王後裔；兩人聯姻將使這兩個王國合而為一。只是，要促成這婚事得費點心思：伊莎貝拉還得弄到教宗的血親結婚特許。才十八歲的她喜歡這精采刺激的鬥智戲碼，以公主身分簽發了涵義隱晦的信。她既是計畫私奔的興奮少女，也是頭腦冷靜、規畫了日後統治作為的政治人物，而她在這兩個角色上都會遵照上帝的意旨行事。

當恩里克下令「抓住我，剝奪我的自由」時，伊莎貝拉寄出一封短信給斐迪南，信中充斥著傳奇故事般的陰謀氣氛，「告訴我怎麼做，我會照辦」。斐迪南回以一件金項鍊，項鍊上飾有「七枚大大的紅寶石」。十七歲的西西里國王斐迪南，「冒著和她一樣的風險」，喬裝改扮，另有五人騎馬與他同行，趁夜策馬急馳至巴利亞多利德（Valladolid）以完成任務。

途中，他們遇見一個彬彬有禮的西班牙籍樞機主教，此人帶著允許他們成親的教宗詔書從羅馬趕來。這個送信人是羅德里戈·博爾賈（Rodrigo Borgia），他的無視禮法和粗俗嚇壞了伊莎貝拉。博爾賈家族是阿拉貢籍的次等貴族，已在羅馬闖出一片天：羅德里戈的舅舅加里斯都三世（Calixtus）已提拔他為樞機主教。博爾賈在梵蒂岡是個長袖善舞的能手。教宗保祿二世冠狀動脈血栓時（據其敵人的說法，發生在他被雞姦時），博爾賈把教宗的三重冕送去給支持伊莎貝拉的西克斯圖斯四世。有人告訴她，博爾賈有著「控制不了的激情」，玩「墮落遊戲」，遊戲主角是光著身子玩泥巴摔跤的「交際花、猶太人、驢子」，但他是她的樞機主教。

一四六九年十月，她看到斐迪南正騎馬進入巴利亞多利德——「那是他！那是他！」——兩人迅即在該城結婚。斐迪南宣布，「昨夜侍奉上帝時，我們圓房了。」伊莎貝拉補充，「這件事令貴族女人覺得難堪、討厭」，但「我們的所作所為都是我們必須提出的證據」。他們展示了沾了血的新婚床單。

斐迪南「很愛」她，卻也傾心於其他女人。伊莎貝拉不時心生醋意，但還是容忍他養情婦、生下私生子。兩人育有四位公主；在王子胡安誕生前，他們請教了猶太籍醫生羅倫佐·巴多克（Lorenzo Badoc）以求得一子。他們讓兩個王國各自為政，卻也同意絕不否決對方的意見。斐迪南熱愛「各種比賽」，其「特殊天賦，係讓每個和他說話的人都想要愛他，為他效力，因為他說話的語氣很友善」。他樂於接納伊莎貝拉的意見，因為，某廷臣寫道，「他知道她很能幹」。

恩里克死後，兩夫妻創造了新政治實體西班牙，而他們必須為保住西班牙而戰。「非洲人」阿方索和他的葡萄牙士兵，連同兩夫妻的其他敵人，紛紛入侵西班牙。伊莎貝拉集合她的騎士，宣告「你們可以放手殺他們，不會受任何懲罰。我只是個弱女子」，但「一旦碰上危險，與其長久受病吃苦，不如把它當藥般服下，一小時後就會過去」，還說，「如果你們告訴我，女人不該談這些，那麼，我就要回你們：我沒看到哪個人比我冒更大的險！」在海上，葡萄牙人於幾內亞之役擊潰她的卡斯提爾人，掌控黃金、奴隸買賣，是為歐洲人為爭奪非洲爆發的第一場衝突；不過在陸上，伊莎貝拉趕走阿方索。西班牙境內有許多穆斯林，還有十五萬猶太人。其中猶太人自羅馬時代起就住在那裡，但有更多猶太人已改宗天主教；這些「改宗的猶太人」（conversos）眼下被視為非我族類，可能意圖顛覆基督教世界。

伊莎貝拉的宮廷四處移動，在塞維爾、托雷多、巴利亞多利德之間遊移。她的宮廷信仰虔誠、一本正經，但並非毫無樂趣可言——她喜歡跳舞、音樂、唱歌、盛裝打扮，穿著鮮紅錦緞、黃金材質的顯眼服飾。她和猶太人領袖很熟：八十多歲的亞伯拉罕·塞內奧爾（Abraham Seneor）是資深顧問，而且她的醫生信仰猶太教。只是在一四七八年，她請求教宗西克斯圖斯允許她成立自己的宗教裁判所，任命她童年時的告解神父、禁欲苦行的托瑪斯·達·托爾克馬達（Tomás da Torquemada）為宗教裁判所所長。兩夫妻希望人民告發那些暗中「遵奉猶太習俗禮儀者」（Judaizers），遭告發者被綁上肢刑架折磨，受水刑伺候，財產遭沒收。而且，倘使他們被指控「故態復萌」，這些「故態復萌者」（relapsos）——並非積極參與猶太教活動的猶太人，而是被發現偷偷參與猶太教活動的基督徒——會被押到名為奧托達菲（auto-da-fé，「信仰表白」）的公開悔罪儀式會場，穿戴悔罪圓錐高帽和悔罪服。從一四八一年起，君主和貴族會出席見證這些悔罪儀式。一旦被判定犯下故態復萌罪，死不悔改的異端人士將「交付世俗司法機關制裁」，在城外被剝得精光，活活燒死。若坦承不諱，則先以鐵環絞死，然後受火刑。[23]

伊莎貝拉靠著沒收死者遺產和消滅「這個異端罪行」而財力大增，且更加堅信卡斯提爾境內充斥著暗

23 參與猶太教活動的猶太人，不會被宗教裁判所燒死：猶太人和穆斯林不在裁判所的管轄權內，只有自封為基督徒、卻被控遵奉猶太習俗禮儀、暗地裡參與猶太教儀式者，才歸裁判所審判。一四八〇年後的五十年裡，或許有兩千名這類改宗的猶太人遭處決。唯有國王可以懲罰猶太人和穆斯林。

中遵奉猶太習俗禮儀的異端人士，於是，她熱中於整肅這類人。塞維爾宗教裁判所處理過一萬六千件案子，頭十年處決了兩千人。接著，伊莎貝拉把矛頭轉向穆斯林。

一四八一年，一批信仰伊斯蘭教的格拉納達騎馬人拿下卡斯提爾王國某鎮，伊莎貝拉頓時覺得面子掛不住，索性加快了聖戰，意在消滅格拉納達這個富裕卻混亂的埃米爾國。斐迪南在戰場上領兵作戰，伊莎貝拉則安排物資補給，她的猶太籍顧問撒繆爾．阿布拉斐亞（Samuel Abulafia）和以撒．阿布拉瓦內爾（Isaac Abravanel）則為這些補給提供資金。

伊莎貝拉騎馬親送物資至前方軍營，她一身充滿權勢的穿搭，十足彰顯她不讓鬚眉的氣概，與此同時，她督導使格拉納達人內戰加劇的談判作業。擒獲埃米爾穆罕默德十二世，為她遂行此事助一臂之力。穆罕默德留下兒子王子艾哈邁德（El Infantico Ahmed）當人質，成為他們的封臣。穆斯林打贏一些小衝突──「我聽到關於摩爾人情況的消息」，她寫道，「我很不高興」──一四八七年，時值斐迪南和伊莎貝拉圍攻馬拉加（Málaga），有個穆斯林企圖暗殺他們。刺客遭伊莎貝拉的侍衛殺死後，遺體則用投石機送進馬拉加城裡。攻下該城後，伊莎貝拉將城中每個人貶為奴，分發了多達一萬一千名的奴隸。戰事緩慢進行之際，伊莎貝拉於一四八九年視察圍攻巴薩（Baza）之役。在該地，她的隨員多了一名剛來到卡斯提爾、一身凌亂的熱那亞籍水手。

克里斯托瓦爾．科隆（Cristóbal Colon），即哥倫布，他是熱那亞織工、酒館老闆、乳酪商人之子，先前已和熱那亞商人一起航行至英格蘭、冰島、幾內亞。他編纂了末日預言和旅遊書──尤其是《聖經》的末日預言和馬可．波羅的遊記──他不只是個眼光遠大、多話、沒安全感、好撒謊、一意孤行到不怕他人非議的水手，卻也是個不怕苦、勇於開創新事業的水手，一如當時和如今的許多人執著於世界末日即將到來的想法。哥倫布娶了已故馬戴拉島統治者的女兒腓莉帕．佩雷斯特雷洛（Felipa Perestrello），腓莉帕曾把家書拿給他看，信中提到往西前去「印度地區」（Indies）的可能性。而靠妻子的關係，他得以進入葡萄牙宮廷。

哥倫布想要進行一趟改變世界的遠航，於是將他遠航的願景呈交幹勁十足的新國王，即伊莎貝拉的表親若昂二世。

剛果國王和葡萄牙的「漢子」

哥倫布想實現他的願景，找若昂正找對人：身為「航海家」亨利的姪孫，此前他已隨同父親非洲人阿方索多次出征。他二十六歲繼承了一個過度擴張的王國，遭權勢過大的大貴族背叛，於是斬首了堂親布拉干薩公爵（duke of Braganza），並邀另一個堂親維塞烏公爵到他的房間，以「遂行私人制裁」：他親自挖出維塞烏的內臟，殺掉他的所有黨羽。難怪伊莎貝拉總是叫他「漢子」（El Hombre）；對葡萄牙人來說，他是「完美君王」（O Príncipe Perfeito）。一四八二年，他在黃金海岸建造了聖喬治達米納堡（São Jorge da Mina，「礦場的聖喬治堡」，今仍屹立），作為黃金貿易基地，此時，國王的收入已有四分之一源於此。[24] 一年有八千盎司左右的黃金送去里斯本，後來增為兩萬五千盎司。葡萄牙人打入當地的奴隸貿易，一年從國王艾烏瓦雷（Oba Ewuare）所統治的貝南王國買進五百名左右的奴隸。接下來幾個世紀，這些人口販賣

24 這稱不上是征服：葡萄牙人開始動工興建的地方，係由彼此世仇對立的諸多阿坎人軍閥所控制。若昂與一位阿坎人國君（omahene）克瓦梅納．安薩（Kwamena Ansa）談判，此王是埃格亞佛（Egyafo）這個小王國的封臣。克瓦梅納佩戴在手臂、脖子的黃金之多，令葡萄牙人大為驚歎。然而，當克瓦梅納看到葡萄牙人在神聖懸崖上動土時，即派出他戴著鱷魚頭盔的弓箭手和佩劍士兵前去，逼他們撤退，改在他所指定的地方施工。

用來交易的主要貨幣為葡萄牙黃銅手鐲——馬尼拉（manillas）——並藉此用以取得貝南王國和其他非洲統治者的黃金、象牙以及奴隸。貝南的國王及其藝術家將他們販賣珠寶和奴隸所得的馬尼拉熔化，並煉製成青銅，再鑄造成精美的藝術品、圓柱、面具及半身像，成為現今有名的貝寧青銅器。二〇二三年，研究人員利用地球化學分析，首次證明了「奈及利亞埃多人用於創作知名貝寧青銅器的黃銅源於歐洲」。葡萄牙國王委託銀行家商人富格爾家族——在此新世界中心致富，並控制著斯洛伐克礦場等多家企業，這些企業所提供的銅，正是在萊茵蘭一地製造馬尼拉的銅——製作數百萬這類手鐲。非洲各君王希望葡萄牙國王能夠提供特殊設計的馬尼拉，並為他們的商品，諸如人力及其他等，進行定價。貝寧青銅器的歷史有著悲劇，也有著美——以及人性所有道德層次的複雜性。其中有些奴隸經埃爾米納（Elmina）或維德角賣給登基拉（Denkyira）王國的阿坎人國王，並用於挑運、勞力活；其他奴隸則賣給歐洲人，送到聖多美、馬戴拉、加納利群島工作。

正當伊莎貝拉攻打格拉納達時，漢子派廷臣狄奧戈．坎（Diogo Cão）往更南邊推進，深入剛果河，並聽聞內陸有強大的剛果王國。坎開始和剛果國王恩津伽．恩庫伍（Nzinga a Nkuwu）談判，恩津伽把葡萄牙人視為對他有幫助的盟友。一四九一年，恩津伽以盛大儀式歡迎若昂二世的代表團——三千名佩戴弓箭、鸚鵡羽頭飾的戰士，就著鼓聲和象牙號子聲跳舞，護送他們前往他的都城姆班札（Mbanza）。在那裡，他召集群臣議事，同意和里斯本結盟，以回報葡萄牙為他施洗。他以剛果的若昂一世為教名，他兒子恩津伽．姆貝姆巴（Nzinga a Mbemba）則取名阿方索。他們構想的天主教，結合了他們自己的宗教習俗——係與剛果國王的神聖權力相連結的國王崇拜信仰，充斥在剛果人的精神裡。葡萄牙神職人員要他遣走他的後宮女眷時，若昂索性退教，不過他年方三十多歲的兒子阿方索，身為地區行政首長，則繼續學習天主教。一五〇五年他父親去世後，阿方索在母親的協助下爭取王位，在一場戰鬥中打敗他反基督教的兄弟。聖詹姆斯顯靈，助他打贏此仗。他打造葡萄牙式貴族階層，制定貴族稱號、家族飾章，成立兼具宗教、軍事性質的基督教修會，然後學習識字，設立學習聖經的學校，創建有石造宮殿和教堂的都城。他利用葡萄牙人的滑膛槍和馬開疆拓土，把他所擄獲的奴隸裡的一部分人送到種植園裡從事勞動，把數百名奴隸送給里斯本的國王，賣數千名奴隸給葡萄牙商人。

但非洲籍國王能選擇的路，不只這一條。貝南國王埃西吉耶（Esigie）以俘虜、胡椒和葡萄牙人交易，卻也在這之間建立起更有智慧的關係，保住自身的獨立自主。[25]

一四八八年，漢子派侍從狄亞士（Bartolomeu Dias）駕船繞過非洲最南端（狄亞士將該處取名風暴角，即後來的好望角），由此開闢了一條取得印度洋豐饒香料的路線——就在哥倫布可能提議往完全相反的方向遠航之際——儘管沒有證據表明他和若昂說過話。但透過聯姻，伊比利半島上的兩個王廷合為一個大家族，而且是個凶狠的大家族。若昂剛安排兒子娶了伊莎貝拉的長女，因此哥倫布轉而找上特拉斯塔馬拉王朝。一四八二年左右，他已來到塞維爾，好為兒子找個可以接受教育的地方。他去了方濟會拉比達修道院（La Rábida），並在此遇見傑出且人脈很廣的修士安東尼奧·德·馬切納（Antonio de Marchena），他當下支持越過「大海」（大西洋）航行至印度的想法——由此促使「最後一個世界皇帝」得以征服耶路撒冷。這個世界皇帝即斐迪南，身為阿拉貢國王，他有權利將耶路撒冷（那不勒斯王國的采邑）據為己

25 一五〇四年，埃西吉耶的父王奧佐魯阿（Ozolua）去世時，他的兩個兒子爭奪王位；與此同時，鄰邦伊伽拉（Igala）造反，發兵入侵。但王子埃西吉耶有母親伊迪婭（Idia）為他出謀畫策。埃西吉耶出兵消滅兄弟和入侵者時，伊迪婭擔任他的軍師和女祭司，事後他賜予母親伊尤巴（Iyoba，「太后」）這個新稱號，以獎賞她的貢獻。伊尤巴獲賜自己的都城、兵團、宮廷，但不准再見到她兒子。那尊呈現伊迪婭臉部的美麗青銅半身像——現藏於柏林某博物館——或許不只是出於宗教用途。也許，埃西吉耶極其思念他的母親。

有。馬切納於是介紹哥倫布給數名貴族，透過這些貴族，他見到了西班牙君主。

哥倫布派他的弟弟至英格蘭，向新任英王亨利・都鐸（Henry Tudor）提出這項計畫，然地位不穩而且出了名的小氣的亨利並未予採納，從而錯失了更早一步打造英格蘭帝國的機會。於是，哥倫布試探西班牙君主。就在伊莎貝拉生下么女卡塔莉娜（Catalina）後不久，伊莎貝拉聽了這個令人感興趣且頻頻讓人覺得離譜的熱那亞人講述他的構想。她和斐迪南不時因他的表現而放聲大笑，哥倫布則在其信件裡以自豪之情提到這些晉見情景。

就在這兩位君主停止對穆斯林的聖戰，讓穆罕默德十二世保有格拉納達並成為向西班牙納貢的城邦時，穆罕默德違抗他的基督教籍主子的命令。兩君主決意滅掉格拉納達，永絕後患。他們圍攻格拉納達期間，伊莎貝拉就住在軍營中近乎哈里發式的營帳裡。她前去觀看敵城雉堞時，阿拉伯騎士不期然出擊；而她親眼目睹了六百人喪命。格拉納達人這時拿「馬、狗、貓」果腹；格拉納達埃米爾最終和這位君主的將領貢薩洛・費南德斯・德・哥多華（Gonzalo Fernández de Córdoba）——說得一口流利的阿拉伯語——談和。一四九二年一月二日，伊莎貝拉在斐迪南和兒子胡安的伴隨下，帶著他們的隨從——包括白髮哥倫布——看著穆罕默德十二世騎馬出城過來。伊莎貝拉穿著誇張，一身阿拉伯人的莫里斯卡（morisca）式打扮，身穿全包式斗篷（al-juba）、及膝裙、長袖子、織有浮花紋的絲質衣物，他的丈夫和兒子則一身阿拉伯裝。埃米爾脫帽致敬，傾身向前欲親吻這位女王的手，只見她大度揮手，示意免去此禮，並把他的兒子艾哈邁德交給他，她則收到四百名基督教籍奴隸和市鑰作為回報。穆罕默德離城後，在山頂停下腳步，在天主教徒正舉行彌撒時，回顧阿拉伯人入主安達魯斯地區七百年的歷史——此處後來被命名為「摩爾人的最後嘆息」。格拉納達貴族乘船前往摩洛哥時，特拉斯塔馬拉王朝這時除了有十五萬猶太子民，還多了四十萬左右的穆斯林。[26]

哥倫布領會到此刻如迎來救世主般的興奮之情，便乘機求見西班牙君主。他終於抓準了時機。

阿娜卡歐娜、艦隊司令和女王

西班牙兩君主在聖塔菲（Santa Fé）營地等著進入格拉納達時，一起聽了哥倫布講述他大洋帝國、讓斐迪南當上「最後的世界皇帝」和耶路撒冷國王的魔幻願景。葡萄牙人正在幾內亞鑄造金幣時，伊莎貝拉只擁有加納利群島。兩君主有心支持哥倫布，只是成功趕走摩爾人後，催生出一個解決猶太人問題的激進辦法，而且可能出自斐迪南的構想。他們要托爾凱馬達研擬一份驅逐所有猶太人的命令。這談不上是前所未有的想法：十字軍遠征已激發一波對猶太人的屠殺。英格蘭、法蘭西及奧地利的猶太人已遭驅逐出境。黑死病業已引發一波反猶太人的暴力行為，一三九一年，卡斯提爾王國境內曾有過一次屠殺猶太人之舉。即便如此，西班牙境內猶太人之多，仍居世界之冠。

「你們為何要如此對付你們的子民？」他們的猶太籍廷臣阿布拉瓦內爾問，「對我們課重稅！」

「你認為這是我的想法？」伊莎貝拉反駁道，「是上帝把這想法放進國王的腦袋裡。」猶太教民領袖又找斐迪南問個清楚，斐迪南竟把此舉歸咎於上帝和妻子。「我們很努力，未能如願」，阿布拉瓦內爾憶道，「女王在背後支持他，使他更是堅決。」猶太人表示願出三萬達克特，以換取撤銷驅逐令。

豈料托爾凱馬達出面阻止，同時把一個十字架擺在兩君王面前，高聲喊道，「猶大為了三十枚銀幣出

26 這些格拉納達貴族包括廷臣穆雷・阿里・拉希德（Moulay Ali al-Rashid）、他奴隸出身的西班牙籍妻子佐拉・費南德斯（Zohra Fernandez）、他們的女兒艾夏（Aisha），艾夏日後將成為地中海的海盜女王。

賣了上帝的兒子」，如今「兩位陛下想要為了三萬達克特第二次出賣祂！好啊！祂就在這，出賣祂啊！」

一四九二年三月三十一日，就在兩君主在格拉納達的阿爾罕布拉宮住下後不久，他們發布敕令，「將所有猶太人送出我們的王國」，明令他們「永遠不得回來」。四個月內，他們若非改宗，就得離開，無一例外。這是猶太人歷史上與猶太聖殿倒下、納粹屠殺猶太人並列的最傷痛難忘的經歷，許多猶太人，包括他們的領袖塞內奧爾，面對此一困境，只能選擇改宗。不過，仍有數萬猶太人（包括本書作者的家族）不願背叛自己的信仰，先是失去所有財產——若非遭搶走，就是被迫賣掉——而後離開他們已居住千餘年的家園塞法拉德（el-Sefarad，希伯來語對西班牙的稱呼）。有些猶太人，忍受人口走私販子的掠奪，搭船前往信仰伊斯蘭教的摩洛哥或義大利、法蘭德斯的商業城市。但他們發現，東邊兩個王國最安全：波蘭—立陶宛和鄂圖曼蘇丹國。自一二六四年頒行卡利什法（Statute of Kalisz）以來，波蘭—立陶宛始終標榜獨樹一幟的寬容異己精神，而一三三五年由卡齊米日大帝更是進一步批准此法案（據稱是他猶太籍的情婦埃斯特卡〔Esterka〕所鼓勵），有可能因此成為當時歐洲最自由的國家。至於在鄂圖曼蘇丹國，穆罕默德則已邀猶太人前來君士坦丁堡定居。他的兒子歡迎這些被趕出西班牙的猶太人。巴耶濟德二世論道，「你們說斐迪南是個明君，但他把自己的國家弄得窮困不堪，卻使我的國家變富裕。」成千上萬猶太人定居在君士坦丁堡和帖薩洛尼卡。但最初，可是有許多猶太人跨過邊界、前往里斯本，向若昂繳稅，包括本書作者的祖先。

西班牙兩君主因這一嚴厲的反猶行動而大為振奮，四月十七日，他們召回哥倫布。哥倫布先是稱讚他們驅逐「你們王國裡的猶太人」並設置宗教裁判所，接著再度提出他的遠航構想。兩君主終於指派他率船隊出航，承諾讓他終身得享來自此行所發現之土地的收入的一成，並封他為大洋艦隊司令、他所發現之任何土地的副王和總督。這些職銜全是世襲，因為他想創立王朝。他妻子死後，他養育兒子狄耶戈

（Diego），但他的新女友，還是個少女的貝阿特麗絲・恩里克斯（Beatriz Enríquez），也為他生了一個兒子，兩人便以國王之名替他取名費南多（Fernando）。

八月三日，哥倫布率三艘小船、九十名水手出航，水手則由多族之人組成，包括佩德羅・阿隆索・尼紐（Pedro Alonso Niño）這個自由之身的非洲人暨經驗老到的導航員。十月十二日，他們在巴哈馬群島登陸，之後，又繼續航行，抵達古巴和海地，在這兩個地方，哥倫布[27]遇到當地人：其中，友善、和平者，被西班牙人稱作泰諾人（Taínos），帶敵意且好武者，則被西班牙人稱作加勒比人（Caribs）。這個艦隊司令深信所到之地就是「印度地區」（Indies），於是把這些住民全稱作 los Indos（「印度人」）。[28]

伊莎貝拉裁定，凡是她信仰基督教的自由子民，都不能被貶為奴隸。哥倫布最初將此原則用於愛好和平的泰諾人，結果卻是泰諾人被迫以契約工的身分從事勞動，而食人的加勒比人則淪為奴隸。他帶著金質手工藝品和一群泰諾人返國向兩君王回報途中，在里斯本停留，向眼紅的葡萄牙國王若昂誇耀了他的成果，畢竟，若昂曾萌生將他殺掉的念頭。回到西班牙後，他把他的財寶和俘虜獻給兩君王，兩君王甚為高興：「我們最近在作為『印度地區』一部分的大洋中，發現了一些島和大陸」。伊莎貝拉任命哥倫布的兩個兒子為儲君胡安的侍從，然後派這位艦隊司令帶領十七艘船再去新發現地，遠航經費來自沒收自猶

27 在這些島嶼上，哥倫布看到「男人女人都拿著半燃燒的野草，那是一種他們習慣吸食的草藥」。他的水手們便是首批體驗菸草的歐洲人。

28 這是由互有往來的諸多島嶼組成的古老世界，西元前第七個千年期間開始有人定居。誠如新近的ＤＮＡ研究所表明的，西元前五〇〇〇年左右，來自大陸的征服者入侵此地區，屠殺了他們：由酋長（泰諾語稱 kasike，西班牙語稱 cacique）統治的海地、古巴、牙買加的泰諾人，便是他們的後代。墨西卡人不是很清楚這些島。西班牙人認為有數百萬泰諾人，但人數可能遠沒有這麼多，或許只有數萬人。加勒比海因加勒比人而得名，cannibal（食人生番）一詞也來自加勒比人之名，因為他們喜歡吃下敵人。巴哈馬、古巴、海地、牙買加係哥倫布根據泰諾人對這些地方的稱呼而命名。

太人的錢，船上載滿了拓殖者和士兵，用以創建一殖民地。第四次遠航時，哥倫布登陸了牙買加、哥斯大黎加、巴拿馬，但以西班牙島（Hispaniola，今海地／多明尼加共和國）為其總部，他在該島任命弟弟巴托洛梅奧（Bartolomeu）為軍政長官（adelantado），並建造聖多明哥鎮（Santo Domingo）。不過，他得先討平酋邦林立的西班牙島，上述舉措才有意義；馬瓜納（Maguana）的酋長卡奧納博（Caonabo）不肯歸服，欲消滅入侵的西班牙人。哥倫布兩兄弟迅即利用當地部族間的對立，招募泰諾人為傭兵，西班牙士兵則把當地女人搶來當性奴或伴侶。兩兄弟率領兩百名西班牙士兵和泰諾籍傭兵、戰狗攻打卡奧納博，卡奧納博被擒，卻死於航往西班牙途中。他的遺孀阿娜卡奧娜（Anacaona，「金花」）逃回她兄弟博埃奇奧（Bohechío）——西邊薩拉瓜（Xaragua）的酋長——的王廷。他們與巴托洛梅奧·哥倫布言和，奉伊莎貝拉為宗主。她的兄弟去世後，阿娜卡奧娜當上酋長。

哥倫布決意大賺一筆。被手下暱稱為法老的哥倫布，如今成了敏感易怒且自戀的暴君。他把四千個淪為奴隸的加勒比人送去西班牙賣掉，還解釋說「把這些從食人生番手中擄來的奴隸賣掉，（可）支應」新拓居地所需的經費；「我們認為，他們一旦擺脫其野蠻性，會比其他奴隸來得好」。伊莎貝拉不贊同，她深怕貶人為奴會傷害福音傳播，而哥倫布的掠奪業已激起土著抵抗和卡斯提爾人反感。泰諾人造反被弭平。哥倫布急回西班牙，以親見伊莎貝拉，替自己的作為辯解。他搬出基督教的密契主義，同時保證能入手黃金，訴說安全隱患，譴責她那些「批評、貶低此事業」的廷臣。兩君主支持哥倫布：「兩位陛下的回應是大笑，說我不用為任何事煩惱」。哥倫布於是回到西班牙島。但他的不當統治反而激起卡斯提爾人叛變。

最後，伊莎貝拉派廷臣法蘭西斯科·德·博瓦迪利亞（Francisco de Bobadilla）前去查明情況並協助哥倫布。博瓦迪利亞抵達後發現，當地情況簡直如小說《黑暗之心》（*Heaart of Darkness*）的場景一般——

絞刑架上吊著隨風擺蕩的屍體，哥倫布家兄弟獵殺造反的西班牙人，且在泰諾籍奴隸幹活的莊園上作威作福，割掉人的舌耳鼻。這些熱帶殖民地成了西班牙人的性樂園：哥倫布坦承，他們有戀童癖的惡行──「用一百枚卡斯特利亞諾金幣，就能擁有一個女人……有許多商人在物色九或十歲的女孩，她們是目前最值錢的一群」。哥倫布被捕，押回西班牙。他貶人為奴，觸犯了伊莎貝拉的道德觀。她問，「我的艦隊司令憑什麼送走我的臣民？」儘管她允許賣掉更多奴隸，還是命令他「務必讓印第安人得到身為臣民所應有的善待」。結果，這些「臣民」被叫到種植園（encomienda）為哥倫布和他的親信強迫勞動。只是，博瓦迪利亞的表現也沒好到哪。一五〇二年，伊莎貝拉派去尼古拉斯・德・奧萬多（Nicolás de Ovando），他和三十艘船一起抵達，船上共載了兩千五百名移民，而其中兩人將在美洲大展身手：年輕修士巴托洛梅・德拉斯卡薩斯（Bartolomé de las Casas）、來自埃斯特雷馬杜拉（Extremadura）且很有抱負的年輕人法蘭西斯科・皮薩羅（Francisco Pizarro）。皮薩羅的遠親埃爾南・柯爾特斯（Herman Cortés）因為和有夫之婦有染，被捉姦在床，因此錯過這趟遠行。但他跳窗逃走，不久就去和他們會合。奧萬多種起甘蔗；泰諾人被送到莊園從事勞動，被當成性奴，被殺害，往往因為微不足道的理由就被殺。

一五〇三年，奧萬多和三百名士兵逼近阿娜卡奧娜所統治的薩拉瓜酋邦，阿娜卡奧娜盛大歡迎，未想接著出了狀況。五十名西班牙人死於戰鬥中。阿娜卡奧娜遭吊死，她的人民遭屠殺。奧萬多的屠殺讓他的下屬皮薩羅、柯爾特斯見識到該如何對付當地統治者，然而，他們的作為卻也令他的神父德拉斯卡薩斯大為驚駭。

泰諾人染上西班牙人所帶來的天花等病原體，而他們對這些病菌毫無抵抗力，泰諾人很快死掉，不再自成一族，但對今日居民所做的ＤＮＡ分析則顯示，他們和西班牙人混血。唯有他們所使用的詞語──canoe（獨木舟）、hammock（吊床）、hurricane（颶風）、tobacco（菸草）──留存至今。西班牙人則染上梅毒，將梅毒帶回歐洲，在歐洲迅速傳開。[29]

伊莎貝拉得知哥倫布被捕時便釋放了他，償還他的花費，他心中憤懣不已。他寫道，「我已奠定了國王和女王對新世界的主權」——使用「新世界」一詞的早期例子之一——「使原本被視為窮國的西班牙，如今躋身最富國之列」。這並非事實。就葡萄牙欣欣向榮之際，加勒比海地區卻只找到少許黃金。太多泰諾人死亡，奧萬多因此從西班牙輸入最早的黑奴。

在卡斯提爾，伊莎貝拉對哥倫布仍心存感激，於是派遣他再次遠航，他因此和弟弟巴托洛梅奧、兒子費南多踏上最後一次遠航，但他被禁止返回西班牙島，於是他去了宏都拉斯。航行途中，這位艦隊司令派巴托洛梅奧奪下來自猶加敦半島的一艘貿易用的馬雅人獨木舟，洗劫後又放回去，讓舟上倖存者得以把白臉、紅鬍巨人已來到的消息帶回去，正值帝國國力巔峰的墨西卡人的最高說話人因此知道此事。

在牙買加被困一年後，哥倫布於一五〇四年十一月回到卡斯提爾，他身體疲累，心情絕望。他告訴伊莎貝拉，「如今，我在卡斯提爾，連一片屋瓦都沒有。想吃或想睡覺，必須去旅店……我已被當成外地人。我曾在妳的王廷待了七年，和人談起這事，不管是誰，都把那當成笑話。如今，就連裁縫師都想要發現此前未知的事物。我二十八歲時前來為妳效力，眼下我鬚髮盡白。我病了。」他說得沒錯：就連裁縫師都開始成為「發現者」，包括他的佛羅倫斯籍友人亞美利戈·韋斯普奇（Amerigo Vespucci），他先是受梅迪奇家族提攜，在兩次遠航後，一五〇二年才理解到哥倫布所找到的「印度地區」應該「稱作『新世界』才妥當，因為我們的祖先對那裡一無所知」。[30]

伊莎貝拉的帝國受到漢子若昂挑戰，若昂聲稱，帝國理應歸葡萄牙人所有，不過女王得到盟友羅德里戈·博爾賈支持。這個瓦倫西亞籍的樞機主教，憑藉她的支持和其他助力，簡直是走了好運。一四九二年他選上教宗時，禁不住大喊「我是教宗！我是教宗！」身為亞歷山大六世，他決意使博爾賈家族成為歐洲權力舞台上的要角——並從這過程中得到樂子。

焚燒虛榮之物：教宗亞歷山大和博爾賈家族的「栗子狂歡宴」

亞歷山大六世「長得好看，臉上總是洋溢著歡樂，舉止和藹可親，天生善於花言巧語。美麗女子常受他吸引，被他以常人辦不到的方式逗得心花怒放，這種吸引力比『磁鐵吸鐵』還要強」。當他還只是個年輕樞機主教時，他就因參加西耶納（Siena）某庭園裡的「狂歡派對」，遭庇護二世訓斥。他和「數個縱情於追逐世俗虛華的女人」在庭園裡狂歡，「我們聽說那舞會淫亂至極」。擔任五位教宗的副祕書長（vice-chancellor，羅馬教廷行政首長）期間，他精於羅馬那種見不得人的爭權、享樂手段：他和長年的情婦瓦諾察・卡塔內伊（Vannozza dei Cattanei）生了四個孩子。瓦諾察是曼圖亞（Mantua）人，後來在羅馬擁有一

---

29 梅毒經由性接觸傳染，其症狀分為三期，先是生殖器出現潰瘍，最後則是在多年後臉部腫脹、腐爛，神經系統退化，導致精神失常。梅毒首度見諸記載，係在二或三年後法蘭西人入侵那不勒斯期間。那不勒斯人稱之為法蘭西病，法蘭西人稱之為義大利病。Syphilis（梅毒）是少數根據虛構人物之名命名的疾病之一，維洛納醫師吉羅拉莫・佛拉卡斯托羅（Girolamo Fracastoro）在其詩作《西斐利斯病，亦即法蘭西病》（*Syphilis sive morbus gallicus*）中，創作出一感染上梅毒的牧羊童，因而有此病名。梅毒於此後四百年愈形猖獗，直到抗生素問世，才得以治癒。

30 韋斯普奇的祖父，又叫亞美利戈，係偉人羅倫佐・德・梅迪奇當政時佛羅倫斯的總理，韋斯普奇本人則為羅倫佐・迪・皮耶爾法蘭切斯科・德・梅迪奇（Lorenzo di Pierfrancesco de' Medici）效力，並奉他之命前去塞維爾管理他在該地的代理店。在塞維爾，他先是幫哥倫布籌措遠航資金，而後自己成為水手出海，在他所發表寫給梅迪奇家的信中，曾記載他的遠航，接著國王斐迪南派他去掌管設於塞維爾的通商館（House of Contracts）。一五〇七年，日耳曼籍地圖繪製師馬丁・瓦爾德澤米勒（Martin Waldseemüller）根據韋斯普奇的名字，將此大陸命名為亞美利加（America），只是韋斯普奇本人可能始終不知自己得此殊榮。怪的是瓦爾德澤米勒用了韋斯普奇的名字，但為何不把這個新大陸叫作Vespuccia呢？畢竟，他的姓氏讀起來和America一樣響亮。

間名叫「母牛」的酒館。

亞歷山大靠著花言巧語很快就替家族弄到一塊采邑，旋即提拔他的長子喬凡尼為教宗的統兵官，從天主教君主手中為喬凡尼弄到一塊公爵轄地，同時把他十八歲兒子切薩雷（Cesare）晉升為樞機主教。他削減開支，生活刻苦，靠加泰隆尼亞美食沙丁魚填飽肚子，但他很愛女人。這個教宗六十二歲時愛上十八歲的茱莉亞．法內塞（Giulia Farnese）。法內塞人稱「美女茱莉亞」，綽號「基督的新娘」，和這位教宗的女兒盧克蕾齊婭（Lucrezia）搬進同一座府第。博爾賈在教宗官邸使徒宮（Palazzo Apostolico）所舉辦的派對，通常以好色的樞機主教（有些已上了年紀，但其中許多是少年）和年輕妓女為主角，妓女玩別出心裁的遊戲，以向樞機主教展現自己的長處。切薩雷在梵蒂岡舉辦某場派對時，五十個女孩裸身跳舞，然後在地上撒栗子，交際花在枝狀大燭台的照耀下，「手腳並用在地上爬行，撿拾栗子，而教宗、切薩雷和他的妹妹盧克蕾齊婭在旁觀看」。這出自教宗典禮官約翰．布爾夏德（Johann Burchard）的記述，布爾夏德雖然熱中於醜化博爾賈家族，卻也描述了一個若是在大學兄弟會派對裡還比較可信的場景，而非文藝復興時代宮廷裡。這些遊戲以群交作結，「與交際花性交次數最多者獲頒獎金」。

這位教宗竭力讓恩庇他的西班牙人高興，然而，當伊莎貝拉要他迫害、驅逐羅馬境內猶太人時，亞歷山大不從。斐迪南和伊莎貝拉決意將南義大利繼續抓在手裡，但在北邊，年輕的法蘭西王想收回那不勒斯的意志同樣堅決，而博爾賈家族的敵人——已故教宗西克斯圖斯四世的姪子、樞機主教朱利奧．德拉．羅韋雷（Giulio della Rovere）——則助長了他的這份野心。博爾賈家族夾在中間，選擇了在他們看來唯一能走的路：兩面手法。

羅倫佐．德．梅迪奇四十三歲去世，亞歷山大的處境變得更是艱困。羅倫佐臨死前接見了道明會神父吉羅拉莫．薩沃納羅拉（Girolamo Savonarola），他是聖馬可修道院院長，聆聽羅倫佐向其告解。四十歲的薩沃納羅拉身材矮小，臉色蒼白，禿頭，鷹鉤鼻，嘴角下垂，眉毛濃密，一雙「綠眼睛有時閃現紅光」，此前著有《蔑視世人》（*On Contempt for the World*），深怕世人沉迷於色欲，在布道中告誡世人勿犯雞姦、通姦之惡。薩沃納羅拉預言，「主的劍」隱隱殺向佛羅倫斯，要人提防軍隊像「配戴巨大刮鬍刀的理髮師」越過阿爾卑斯山進入義大利。

果然，就在一四九四年秋，年輕國王查理八世統領法軍來到義大利。查理所統治的王國，經過與英格蘭的百年戰爭，已是一統的國家，而且是歐洲境內人口最多的王國（一千五百萬人，英格蘭則是三百七十萬人）。查理「長得很醜，身材矮小，沒長好的嘴老是開開的，手不由自主的抽搐」，不過法蘭西人縱容他追逐女色，稱他「親切友善者」（L' Affable）。

皮耶特羅・德・梅迪奇（Pietro d' Medici），二十二歲，是羅倫佐的長子——也是最蠢的兒子——為平息國王查理的怒氣而獻出比薩和利沃諾，沒想到，此舉激怒了佛羅倫斯執政團和人民，致使梅迪奇家族被趕出佛羅倫斯。法蘭西人到來時，薩沃納羅拉將查理譽為「獲上帝選中者」。薩沃納羅拉高喊，「佛羅倫斯，趁還有時間，悔罪吧！」並請主降下指示：「主已逼我的船駛入渺無涯際的大海，風推我前進。我晚夜對主說：『我會開口說出看法——但為何我得干涉政府？』」

上帝回道，「你如果要把佛羅倫斯打造成神聖城市，就必須給她一個支持美德的政府。」

薩沃納羅拉突然的怒吼，令會眾痴迷卻也驚恐，他說，「主的劍已落下；天譴已降臨。它就要來！它已經來！」他尖銳的話語非常嚇人，致使米開朗基羅說，四十年後仍迴蕩於耳際。這個道明會修士說，「布道的人不是我，而是透過我講話的上帝！」這位「上帝的使者」要佛羅倫斯人表現出美德，抗拒賭博、狂歡作樂、香味、化妝品、性，拒斥梅迪奇家族和博爾賈家族——以及多神教徒柏拉圖、亞里斯多德。他和他的追隨者「慟哭者」（Wailers）瘋狂發出具末日意味的命令，主導了以美德為名的恐怖統治。

他的統治說明了一群人數不多但意志堅定、自封為領袖的極端人士，可以多麼的自以為是地主宰社會，他們以掠奪所得獎賞那些支持他們的人，消滅他們眼中不道德的人——為此後的威權統治意識形態立下樣板。這類人一直以來，都有可能因大多數人的意志而挫敗其意圖，但當他人未能鼓起勇氣群起抵抗或失去了勇氣，他們便意氣風發了起來。薩沃納羅拉的「那幾幫得到賜福的人」——正直的小孩和少年——逼佛羅倫斯人下跪、禱告、齋戒，逼他們大聲唱讚美詩，然後這些小孩和少年剃掉自己頭髮，以示道德崇高。迷人的女人被斥為妓女——薩沃納羅拉說，「長了眼睛的肉塊」——遭公開鞭打；時髦的女人被逼進入隱修院當修女。慟哭者砸掉鏡子、扇子、胭脂罐、化妝品。將書和畫放到金字塔狀的架子上，在「燒掉虛榮之物的火堆」裡付之一炬。

自封為「勝利者」（Le Victeur）的查理，留下薩沃納羅拉作為佛羅倫斯的神聖獨裁者，自己則率兵南征，占領羅馬，在那裡，樞機主教德拉．羅韋雷力促他罷黜教宗亞歷山大。不過，這位博爾賈家族出身的教宗表現得處變不驚，反而鼓勵查理去占領那不勒斯，結果，查理不懂見好就收，他野心太大，反倒失去已取得的成果。亞歷山大透過談判得到哈布斯堡家族和特拉斯塔馬拉王朝支持。勝利者擴張過度，超出自身實力所能負荷。查理逃回法蘭西，留下諸多精美的個人物品，包括一本「畫了此王諸位情婦之裸身像」的淫書。

這下子，亞歷山大可以放手解決對佛羅倫斯的掌控已逐漸鬆動的薩沃納羅拉。亞歷山大開除他的教籍。薩沃納羅拉揚言要讓批評他的人好看，「地獄裡已備好座位。告訴他們，笞鞭已至！」有人要他走過火堆，以證明他和上帝的關係甚好，一場暴雨救了他，但後來人民逮捕他。他遭以吊刑（strappado）拷問，被裁定犯了異端罪，然後遭用鏈條吊起來燒；他的「腿和臂一一掉了下來」，最後只剩骨灰。梅迪奇家族想要回來，但有個名叫皮耶羅．索戴里尼（Piero Soderini）的對手反對他們帝王似的作風，重新確立共和制，他的政策則是出自二十九歲尼科洛・馬基維利（Niccolo Machiavelli）這位幽默作家暨憤世嫉俗的外交官之手。

亞歷山大打算為長子甘迪亞（Gandía）公爵喬凡尼建立一王國，但這個年輕人後來被人發現死在台伯河裡，喉嚨遭割斷，身上被捅了九刀。這件事透露了這個家族內部的鉤心鬥角，行凶嫌疑者多不勝數，其中包括這個公爵的兩個弟弟，即被喬凡尼戴綠帽而憤怒不已的霍夫雷（Joffre）和眼紅喬凡尼得寵於父親而且也和霍夫雷的妻子上過床的切薩雷（Cesare）。亞歷山大傷心至極：「甘迪亞公爵是我們最愛的人；為了讓他重生，我們願送出七頂教宗的三重冕」。

切薩雷挺身而出，助父親實現他在喬凡尼身上未竟的願望。他宣布放棄其樞機主教之職，如凶星般竄升。他被任命為羅馬涅（Romagna）的公爵和掌管市政兼軍隊總指揮的正義旗手（gonfaloniere），他行事不同於常人——風頭甚健、不知疲累為何物、凶殘、性能力很強，生了至少十一個孩子。他野心無限，以「當不上凱撒之類人物，就是廢物」為其座右銘。這一切以匕首和絞刑為後盾：誠如馬基維利所說的，切薩雷認為「讓人愛，不如讓人害怕來得好」。[31]就連他驕傲的父親都認為，「這個公爵心地良善，但受不了侮辱」。亞歷山大要他容忍他人指責時，切薩雷竟回道，「羅馬人可以出書中傷人，但我會要他們後悔」。謀殺是他的手段：「每晚都會發現四或五名男子遭暗殺，他們是主教或別人，因此整個羅馬的人無不膽戰心驚，深怕遭這個公爵殺害」。他的弟媳婦的弟弟——斐迪南和伊莎貝拉的堂姪孫——比謝列（Bisceglie）公爵阿方索（Alfonso），向來和博爾賈家族交惡——博爾賈家族既已和法蘭西結盟，就不再需要西班牙盟友——竟遭切薩雷的西班牙籍打手米切雷托・科雷拉（Micheletto Corella）勒死在梵蒂岡。

31 後來，馬基維利於退休後利用他與切薩雷・博爾賈、西班牙的斐迪南打交道的經歷，寫下《君王論》（*The Prince*）這部教導當權者行使權力的指南。此書在他死後才出版。

切薩雷攻下他的羅馬涅公國，兵鋒推進神速，「他來到一地後，大家才知道他已從另一地離開」。米切雷托勒死幾個他所擒的指揮官，將他所擒的其他指揮官分成兩半：「今天早上，有人在公共廣場發現被分成兩半的行政長官拉米羅，」米切雷托寫道，「此事令這位國君心情甚好，他讓世人見識到他要造就人，還是除掉人，全憑他高興。」[32]

只是博爾賈家族的飛黃騰達根基太淺，靠年邁的亞歷山大撐著。一四九九年五月，他主導了法蘭西人又一次入侵義大利，以換取切薩雷和納瓦拉的夏洛特（Charlotte）兩人聯姻。領軍入侵者是新國王路易十二。路易十二封切薩雷為瓦朗提諾瓦的公爵（duc de Valentinois），此人因其風流韻事而有綽號「瓦倫提諾」（Valentino），但這個國王鄙視他老愛精心打扮的作風，斥之為「虛榮、愚蠢的浮誇行徑」。切薩雷於結婚之夜誇稱「給他自己的男子氣概打八分」，不過，這個患了梅毒的年輕人其實需要春藥才能辦事——有人偷偷將它換成通便劑，導致他射出大不相同的東西。梅毒漸漸導致切薩雷的臉腐爛，吃掉他的鼻子，最後他不得不戴上皮面具以掩蓋爛臉。

女王伊莎貝拉以「濃濃關愛之情」向亞歷山大談起她對他的離譜「派對」的「不悅和強烈反感」，不過，他處理好伊莎貝拉眼中的要緊事，在他名為〈教皇子午線〉（Inter caetera）的詔書中，將世界一分為二，但偏袒卡斯提爾，不利於葡萄牙，致使西葡這兩個國家不得不談成托德西利亞斯（Tordesillas）條約，以更切合實際的瓜分世界。接下來，斐迪南和伊莎貝拉這兩個天主教君主有更大的盤算。

伊莎貝拉正與哈布斯堡家族商討兩樁婚事，這兩樁同時談定的婚事將創造出第一個世界性帝國。

32　切薩雷任命達文西為建築師和首席工程師。達文西設計新要塞和類似坦克、直昇機等軍用運輸工具時，也為切薩雷素描了人像。

哈布斯堡家族和鄂圖曼王朝

神聖羅馬帝國的大懶鬼——以及瘋女胡安娜

一四九六年八月，伊莎貝拉護送她十六歲的女兒胡安娜至北部港口拉雷多（Laredo），並登上卡拉克（carrack）武裝商船，望著她啟程前往法蘭德斯，嫁給勃艮第公爵「美男子」菲利浦（Philip the Handsome）。幾乎同時，她唯一的兒子胡安將迎娶腓力的妹妹瑪格麗特（Margaret）。[33]

這兩個外籍婚配對象都是皇帝馬克西米連（Kaiser Maximilian）的孩子。馬克西米連綽號「日耳曼海克力士」，身形魁梧，白髮藍眼，濃濃的鬍子蓋住凸出的下巴。他大器晚成，九歲才開口說話，成長於陷入危機的家族。

他的父親「胖子」腓特烈三世（Frederick III the Fat），即四十年前在羅馬成親並加冕的那個皇帝，走過多災多難的數十年，以令人敬佩的冷靜熬過維也納遭圍困的絕望危機，所幸保住性命，儘管他最終失去維也納。他說，「幸福就是忘掉無法拾回的一切。」腓特烈三世綽號羅馬帝國的「大懶鬼」（Arch-Sleepyhead），食量很大，不斷發出預言，蒐集捕鼠器，照料花草，令他活潑外向的葡萄籍妻子備感乏味。

33 這個女王的長女，也叫伊莎貝拉，嫁給葡萄牙的馬努埃爾（Manuel），她的么女卡塔莉娜（Catalina）會嫁給威爾斯親王亞瑟。亞瑟的父親是身形消瘦蒼白的小氣鬼亨利七世。亞瑟於成婚後不到五個月去世，她改嫁給他的弟弟亨利八世。英格蘭人稱她阿拉貢的凱瑟琳。

但他的座右銘——「有所節制，把眼光放在結局」——卻屢屢被證明為睿智之言。大懶鬼比他所有敵人活得都久，收回他的領土，以「全世界臣屬於奧地利」（Alles Erdreich Ist Österreich Untertan／AEIOU）此座右銘宣揚這個奧地利家族，而且他本人也實現了這個夢想。[34]

馬克西米連行事完全不像大懶鬼，他長成健壯勇武的男子，喜好他所謂的「脫光光和女人在一起」，還說，「我跳舞，投矛，向女人求愛。多數時候我開懷大笑」。這個外向、不知疲累為何物的男子，策馬穿過歐洲，娶回當時最偉大的女繼承人「有錢人」瑪麗（Marie the Rich）——勃艮第女公爵，名下轄有低地國。

馬克西米連與瑪麗聯姻造就了哈布斯堡王朝，並生下至關重要的兒子菲利浦。瑪麗熱愛打獵，即使是有孕在身，結果墜馬傷重不治。馬克西希連失去愛妻，但他執著於成為普世的基督教皇帝和實現家族勢力（Hausmachtpolitik），不實現不罷休。他說，「我把我王朝的更上層樓看成比所有事物重要，僅次於服事上帝。」為提升家族地位，他想方設法，其中之一便是在他妻子去世後決定爭取教宗之位，於是賄賂起諸樞機主教，並向他女兒瑪格麗特承諾，此後他「絕不再追求裸女」，在信的末尾署名「馬克西，妳的好父親，未來的教宗」。教宗夢未能實現，但這個多面向的帝國需要不斷用兵，這個日耳曼海克力士請人替他製作了精美的金邊盔甲。[35]為奪取戰略位置重要的勃艮第邊境地帶，哈布斯堡王朝和瓦盧瓦王朝（即德國和法國）的爭鬥將持續至二十世紀，總之，是始於此時。馬克西米連攻打法蘭西，在義大利和日耳曼境內作戰——共十七場戰役。但戰爭不只需要勇氣，還需要錢。士兵有很多，卻只有一個「有錢人」富格爾（Fugger the Rich）。

這個日耳曼皇帝始終缺錢，靠著雅各布·富格爾（Jacob Fugger）才不致斷炊。富格爾是來自奧格斯堡的銀行家，個性陰鬱，紅髮，以紡織業起家，不過後來說服匈牙利國王善用其銀礦：富格爾出錢來行銷白銀。他把投資重點放在哈布斯堡家族，在大蕭鬼慘淡時期借錢給他，然後助馬克西米連利用自己的銅礦還清更多借款。富格爾經營馬克西米連這條人脈，使得他很可能是歐洲最有錢的平民，第一個百萬富翁。但日耳曼海克力士的最大成就，係安排其子女菲利浦、瑪格麗特分別娶嫁伊莎貝拉的小孩胡安娜、胡安。這類婚姻拿國王子女當犧牲品——對公主們而言更是如此，她們被送出國，嫁給不同國家的陌生人，自此再也見不到父母，而且很有可能死於分娩——只為取得同為一場血親賭局的權力。

萬一菲利浦未能生出小孩，而胡安卻有了子嗣，西班牙人便有權利聲稱奧地利為其所有。結果，王子胡安、伊莎貝拉的「天使」，據說太過著迷於瑪格麗特，因此在床上耗盡精力，婚後不到六個月就去世，據說死於性交過度頻繁，但更可能是死於天花。[36]得知「天使」死訊，伊莎貝拉震驚得說不出話。

他妹妹的婚姻則簡直太成功，只是以不同的方式達成。胡安娜受過良好教育，和她母親一樣一頭紅髮，有無法自拔的強迫症，對宗教有自己的想法。她小時候就質疑天主教。她不願告解，她母親即施以名叫拉庫埃達（la cuerda）的酷刑，即把她吊起來，在她的手腳上掛上重物。這招不管用。這時，胡安娜住在布魯日，看著菲利浦神氣活現遊走於「一個又一個盛宴，一個又一個女人」，氣憤於他亂搞女人。他

34　七十七歲那一年，腓特烈動脈硬化導致他一腿長了壞疽；他的醫生成功為他截肢，因而被視為一大醫學成就——雖然他兩個月後還是去世。而這條被截肢的腿和他一起葬於他位在維也納聖司提反教堂裡的大墓裡。

35　這套盔甲出自著名的盔甲製作世家奧格斯堡的海姆施米德家族（Helmschmieds）之手。馬克西米連很反常地送了英格蘭王亨利八世一副頭盔，頭盔的臉仿他自己的五官塑成，有他的長鼻子和眼鏡，頭盔頂端伸出一對羊角。但此時盔甲已不盛行：在戰場上，那根本擋不住子彈。

36　歐洲境內的君主咸拿此事告誡後代勿縱欲過度。在這個崇尚男子氣概的環境裡，一夜多次郎這種大話是國王的宣傳話術之一：路易十二娶亨利八世的十八歲妹妹瑪麗・都鐸時，曾「誇說兩人第一次相遇時（他）射精五次」，當時某人聽聞後指出，「這不得不讓人以為他剛用自己的鋤頭挖了五個墓穴」。他果然在婚後三個月去世。這些縱欲過度而死的事例，其實大多死於天花。

則對她的批評相當惱怒。胡安娜在情感上很依戀她的四個非洲籍女奴，和她們同床共眠。[37]她生下一女兒時，菲利浦竟厲聲說道，「這個孩子是女的，因此把她放在大公爵夫人名下；上帝賜我們兒子時，再把兒子放在我名下。」此後她又多次懷孕。嗣子查理出生於根特的廁所，當時胡安娜在舞會上突然羊水破裂，跑到廁所生下，但查理在勃艮第長大；第二個兒子斐迪南則在西班牙長大。

胡安娜和菲利浦自此既是奧地利、勃艮地的繼承人，也是西班牙的繼承人。赴西班牙之行有所延誤，而這對年輕夫妻一抵達，伊莎貝拉便企圖逼菲利浦跟著她反法蘭西，因此激怒了他。胡安娜擔心母親想要結束她的婚姻，她沉受不住壓力而精神崩潰。這位公主在外頭的防禦土牆上露宿，不願進屋，醫生示警道，「她睡得不好，吃得少，心情低落，很瘦。」國家與家族難兩全，毀了她，而禍首不是冷酷無情的政治家，而是一個女人：伊莎貝拉。菲利浦回到勃艮第，只是胡安娜和他再次見面時，她竟醋勁大發，用剪刀劃傷他的某個女友。這下，她只信任她的奴隸。

「我不喜歡這些奴隸，」他以命令口吻說，「把她們趕走。」

胡安娜勃然大怒，揚言殺掉他的信差，甚至不願進食。菲利浦把自己關在房間裡。她不斷地砰砰敲門。

菲利浦警告她，說，「妳如果不照我的話做，我會離開妳。」她喊道，「我寧可死去，也不願做你要我做的任何事。」

他禁不住大喊道，「那請便！」同時深信她已瘋了。

得知此事後，伊莎貝拉和斐迪南雙雙發燒病倒；斐迪南康復了，伊莎貝拉卻死於五十三歲。胡安娜自此成為卡斯提爾的女王。她和菲利浦乘船前去繼承王國。兩人的船在英格蘭沿海失事，隨之暫時落腳於英格蘭，並接受老國王亨利七世和胡安娜的妹妹凱瑟琳（威爾斯親王亞瑟的遺孀）招待。亨利仔細端詳了胡安娜，他指出，「她看來很好，內斂，優雅，不過，她丈夫（菲利浦）和他身邊的人都說她發瘋了」。

兩夫妻抵達西班牙時，她父親和她丈夫斷定胡安娜的確發瘋，一致認為如果「這位最沉靜的女王想要干預政事，兩人都會出手阻止，不管她這麼做是出於自己意願，還是出於他人勸說」。如今，要評斷她受禁錮一事，有多大程度出於男人陰謀，又有多大程度出於躁鬱，已是不可能的是。總之，她受到虐待：當她不願進食時，斐迪南命人鞭打她，然後，在把西班牙交託給菲利浦後，他便前往那不勒斯。

儘管她「精神失常」，這對夫妻仍睡在一塊。一五〇六年九月，在派對盡情狂歡後，菲利浦死於傷寒、中暑或酒精：斐迪南回來統治卡斯提爾。菲利浦屍體作防腐處理時，已懷了第六個孩子的胡安娜搶了丈夫的遺體，帶去托德西利亞斯宮，不願讓他入土，帶著他的遺體旅行。然而，女王胡安娜再怎麼瘋，馬克西米連帶著投機性質的聯姻，以這兩個家族都想不到的方式讓他們紛紛得到豐厚回報。

斐迪南一人統治版圖愈來愈大的帝國。與此同時，美洲亦吸引著一船又一船渴望建功立業的前去。這些人往往精力充沛，天資過人，但也貪婪且無情，他們一一前去西印度群島「以服事上帝和國王並致富」。一如十字軍戰士，他們並不覺得這兩個目標相牴觸。一五〇四年，受過公證人訓練的埃爾南・柯爾特斯定居聖多明哥，掙得委託監護（encomienda），得以強迫土著提供勞力，而後，他投靠哥倫布家族的親信狄耶戈・貝拉斯克斯（Diego Velázquez）。狄耶戈・哥倫布求助於斐迪南，贏回世襲的副王之位。一五一一年，古巴總督貝拉斯克斯開始在柯爾特斯的協助下攻取該島。泰諾人在名叫阿特韋（Hatuey）的海地籍酋長領導下抵抗貝拉斯克斯。此前，阿特韋帶著他的部眾乘獨木舟逃來古巴，這時他揮舞黃金，向古巴的泰諾人示警道，「這就是西班牙人所膜拜的神。為了這些，他們殺人……他們對我們說起一個不死的

---

37 這時，在葡萄牙、西班牙宮廷裡，已有許多非洲籍奴隸：伊莎貝拉的每個孩子都有非洲人當隨從。胡安娜的妹妹凱瑟琳嫁到倫敦時，帶著非洲籍的約翰・布蘭克（John Blancke），他效力於亨利八世，在都鐸王朝宮廷擔任小號手。

靈魂和他們的永恆獎賞、懲罰，但他們搶走我們的東西，勾引我們的女人，強暴我們的女兒。」經過長達三年的戰爭，貝拉斯克斯打垮阿特韋，最終將他活活燒死，幹下多樁暴行，其中之一是殺掉兩千名只是湊在一起呆呆望著西班牙人和他們的馬的泰諾人。

目睹這些濫殺無辜之舉的隨軍神父是道明會修士巴托洛梅·德拉斯卡薩斯。這位瘦骨嶙峋、禿頭、做什麼事都很認真的修士，已在西班牙島領到自己的大片土地，但眼下他嚴正表示，「我在這裡看到的殘酷行徑，其規模係任何在世之人所未曾見過或想不到會見到的。」他接著向國王斐迪南告發此暴行，斐迪南召回狄耶戈·哥倫布。這還不夠：德拉斯卡薩斯乘船返國面見國王。而征服的腳步這時已來到美洲大陸。

這些遠征由巴斯科·努涅斯·德·巴爾博亞（Vasco Nuñez de Balboa）統領，皮薩羅參加了其中一次探險。一五一〇年，巴爾博亞創建了一城鎮聖瑪麗亞—拉安提瓜德爾達連（Santa Maria la Antigua del Darien，後遭廢棄），是為歐洲征服者在美洲大陸上建立的第一個定居處。接著，他穿過巴拿馬地峽，成為第一個見到太平洋的歐洲人。他把太平洋稱作「南海」（South Sea），親眼目睹時，他忍不住震驚得跪了下來。南海的邊境總督（adelantado of the South Sea）巴爾博亞攻打土著，使某些土著皈依基督教，卻也和他凶狠的上司佩德拉里亞斯·達維拉（Pedrarias Dávila）起了衝突。達維拉在宮廷裡人稱「騎馬比武鬥士」（Jouster），來到美洲時已病倒，被人活活埋進棺木裡，有個僕人聽到棺裡有聲響，他這才死裡逃生。此後，達維拉到哪都帶著這具棺木，並教唆皮薩羅作偽證，命令他逮捕巴爾博亞，而後命人將他斬首。此後，皮薩羅有了靠山。達維拉創建巴拿馬城時，皮薩羅便是第一任市長——而他也耳聞到南邊有個很富裕的王國。

在義大利，斐迪南同樣是志得意滿，他收復那不勒斯和西西里。他不再需要兩面作派的博爾賈家族，反倒是這個家族需要他。

切薩雷・博爾賈私下向馬基維利透露，「我預見到父親的死，為此作了萬全準備，但未預見到自己將與死神搏鬥」。一五〇三年八月，亞歷山大六世和切薩雷紛紛病倒。亞歷山大去世時，他的屍體——「臉變成深紫紅色，上有藍黑色斑點，鼻腫，嘴巴被脹成原來兩倍大的舌頭撐開」——據幸災樂禍的布爾夏德所述，「有人用地毯裹住他，用拳頭連連捶打」，打進狹窄的棺材裡。盧克蕾齊婭很愛她父親：詩人皮耶特羅・本伯（Pietro Bembo）看到她在她父親死後「待在那間陰暗的房間裡，一身你們的黑服，躺著哭泣」。切薩雷則是病得太重，無力阻止他致命的敵人當上教宗。

最有種的人：兩個「令人生畏之人」——尤利烏斯和米開朗基羅

好鬥且一心復仇的朱利亞諾・德拉・羅韋雷——教宗西克斯圖斯四世的姪子，他根據凱撒之名取名尤利烏斯二世（Julius II）——決意恢復教宗的權力，玩起他所謂的「世界博奕」，[38]美化羅馬以彰顯上帝和德拉・羅韋雷家族的榮耀。他獨裁且易怒，綽號「令人生畏之人」（Il Terribile），常用他的手杖打他的廷臣。擔任樞機主教期間，他生了個女兒——被他委以外交談判工作的精明女兒費莉且（Felice）——儘管他的敵人說他是個「大雞姦犯」，後來他梅毒纏身，致使廷臣不得不阻止訪客親吻他逐漸潰爛的腳。

38　尤利烏斯初上任時做出的決定之一，係允許英格蘭王子亨利娶他哥哥的遺孀阿拉貢的凱瑟琳。十八歲的凱瑟琳，身為威爾斯王妃，自一五〇二年親王亞瑟去世後，一直處於不上不下的狀態。斐迪南不想再付出嫁妝；現年超過四十五歲的亨利七世也不想歸還嫁妝，於是決定自己娶她，但最終雙方談定另一個解決辦法。然這辦法有自身的難題要克服。羅馬教會推行反亂倫、反親人聯姻的政策，而禁止姻姊妹和姻兄弟結婚是該政策的一環。凱瑟琳可以嫁給亨利，前提是她與亞瑟未圓房。雙方一旦談定這件事，這樁婚姻就可以成。一五〇九年亨利七世去世，亨利八世便娶了她。

最初，他打敗切薩雷．博爾賈，後者逃到西班牙。尤利烏斯說，「我不要住在博爾賈家的人住過的房間，」志得意滿之情溢於言表，「我禁止任何人再談起或想起博爾賈，違者開除教籍——他們的名字必須抹除。」但博爾賈家族和德拉．羅韋雷家族其實沒什麼差別。

尤利烏斯很想動武。他怒吼道，「驅逐野蠻人」。野蠻人主腦是控制義大利北部的法蘭西人，但他也痛恨威尼斯人，覬覦波洛尼亞。靠有錢人富格爾出資，他打造了一流軍隊「瑞士衛隊」（Swiss Guards），接著披上教宗盔甲，逼追求享樂的喬凡尼．德．梅迪奇跟著他北征。尤利烏斯威脅他所俘擄的敵人，「再犯就把你們吊死」。攻打位於米蘭多拉（Mirandola）的法蘭西人時，他說，「法蘭西王和我，看誰比較有種！」然後，他爬上梯子。一五〇六年，他拿下波洛尼亞，以獲授予凱旋式榮耀的凱撒之流人物和基督教宗的雙重身分返回羅馬。他下令拆掉舊聖彼得大教堂，靠富格爾資助整個重建。新教堂由多納托．布拉曼帖（Donato Bramante）設計，他擬出有五個圓頂的君士坦丁堡式方案，和最終建成的面貌完全不一樣。但布拉曼帖也勸尤利烏斯從烏爾比諾（Urbino）找來一名年輕藝術家，即本名拉斐洛．桑齊奧（Raffaello Sanzio）的拉斐爾。

年紀介於二十五至三十歲之間的拉斐爾舉止彬彬有禮，和善且喜歡和人交談，父親是烏爾比諾公爵的藝術家。拉斐爾十一歲那一年淪為孤兒，在佛羅倫斯學藝，並受到年紀比他大上許多的達文西所啟發。一五〇八年，尤利烏斯委託他裝飾他位在梵蒂岡三樓、未被博爾賈家族住過的寓所。裝飾工程始於教宗的藏書室「簽字廳」（Stanza della Segnatura），他在簽字廳繪製的〈雅典學院〉（School of Athens）以尤利烏斯和喬凡尼．德．梅迪奇為主角。他同時聘用米開朗基羅，此時的米開朗基羅已靠他為佛羅倫斯共和制政權製作的〈大衛〉雕像而揚名立萬。

尤利烏斯對其藝術家監督甚力，控管「天才突發的念頭」，逼他們甚緊，他常扣住本答應提供的經費。拉斐爾和藹可親，米開朗基羅性情暴躁。尤利烏斯和米開朗基羅都有綽號「令人生畏之人」，也都在相處中惹火對方。米開朗基羅抱怨道，「和他談事情真痛苦，他不願聽別人說話，還賞給你最難堪的辱罵。」米開朗基羅要求完全放手「讓我想做什麼就做什麼」。眼見尤利烏斯專橫跋扈，已收到蘇丹巴耶濟德延聘邀請的米開朗基羅揚言應聘，他匆匆離開羅馬，轉往佛羅倫斯，教宗的衛兵騎馬便緊追在後。尤利烏斯要佛羅倫斯交出這個藝術家。

佛羅倫斯人不願為他冒兵戎相向之險，把他送到波洛尼亞。「照理來說，你應該過來見我們，」尤利烏斯說，「而你卻一直等我們過去。」這個藝術家跪求原諒。此前，藝術家被視為工匠暨工程師，其壞處是藝術家被視同很有本事的僕人，好處則是藝術家完全不受術業有專攻的限制，可以在不同領域創作。但米開朗基羅要求這位教宗尊重他──也是第一個贏得此待遇的藝術家。尤利烏斯把他留在波洛尼亞，親訪他的工作室，委託他為自己製作了一尊雕像。米開朗基羅反問如何呈現他。

「給我一把劍，」令人生畏的教宗咆哮道，「不要給我筆。」

尤利烏斯先是委託他建造他的墓──花了數十年卻始終未完工的大工程──而接著，他命令米開朗基羅繪飾西斯汀禮拜堂的天花板。這座禮拜堂是他的叔伯西克斯圖斯四世所建。米開朗基羅最得心應手的領域依舊是雕塑，於是他回道，「繪畫我不在行。」但尤利烏斯狠話、好話雙管齊下，說服他作畫。米開朗基羅認為，他的所有創作都在表達神性，他寫道，「如果我粗糙的錘子在堅硬石頭上打造出人形，不管是哪一把錘子，都是由『神旨』握著，由『神旨』導引，讓錘子動起來，照祂的意思動起來。」

在這座禮拜堂裡，米開朗基羅自行用木頭建造鷹架，在離地一百四十呎的空中倒掛著身子，在濕灰泥上繪製九幅場景畫。第一個場景是開天闢地時，以他所畫的上帝和其神力為最大亮點。他倒掛著身子作畫，四年才完工。「我過得很慘，」他告訴父親，「我的肚子被推擠到我下巴底下，我的鬍子指向天，我的胸部彎曲如神話中的鷹身女妖（harpy）。我的畫筆，在我上方，一直滴下顏料……」儘管天賦過人，他數度心生懷疑：「我的畫沒有生氣……我不是作畫的料。」尤利烏斯前來巡視工作進度，爬上梯子查看。

尤利烏斯底下的藝術家無不留身觀察著對方，眼神中帶著嫉妒：米開朗基羅這時三十歲，他粗暴，肌肉發達，他相當痛苦，滿懷怒氣，而且還是同性戀；拉斐爾溫文有禮、身形細長、英俊，與他的模特兒馬格麗塔·盧蒂（Margherita Luti）——又名「麵包師傅的女兒」（La Fornarina）——相戀。正當拉斐爾在生活、穿著不虞匱乏之際，米開朗基羅看起來卻像個農民，儘管他賺了大筆錢，並花錢讓家族擁有貴族般的土地。達文西的名氣和拉斐爾的崛起，惹惱了難以管束且疑心病重的米開朗基羅。米開朗基羅看不起這兩人，尤其是比他小九歲、行事圓滑的拉斐爾：「教宗尤利烏斯和我之間的種種不和，全都是布拉曼帖、拉斐爾的嫉妒所致」。布拉曼帖帶領拉斐爾參觀西斯汀禮拜堂時，米開朗基羅嗤之以鼻道，「拉斐爾的確該心生嫉妒，因為他的藝術素養全從手中學來。」

他們盡量避免彼此打照面，但有次不慎碰到面，米開朗基羅隻身一人正想著事情，拉斐爾則帶著一票隨從。米開朗基羅以刻薄口吻問，這是警察頭子帶著他的部下？拉斐爾聽了，心裡納悶自己是否碰上一個不見容於社會的劊子手。但米開朗基羅獨來獨往的形象其實讓人對他有所誤解：他平日與他的那票人（brigata）為伍，那些人是他的助手和藝術家，跟著他習藝，而他愛這些人如家人。他善於與女人結交，他寫給女人的信流露著詼諧，充滿愛意；而當他愛上男人時，他的情書便流露著脆弱又濃烈的感情。

尤利烏斯在戰場逐漸失利。他失去波洛尼亞，留起鬍子以示哀痛——拉斐爾筆下呈現的尤利烏斯形象。一五一二年四月，他在拉文納敗於法蘭西路易十二之手，而他的朋友樞機主教喬凡尼·德·梅迪奇於此遭俘虜，差點被殺，後來逃脫。尤利烏斯派女兒費莉且——也被拉斐爾呈現於畫筆下——與法蘭西人談判，梅迪奇則請求尤利烏斯動用他們的西班牙盟友奪回佛羅倫斯，尤利烏斯慨允。西班牙人攻下該城；索戴里尼和馬基維利遭推翻。樞機主教梅迪奇和其弟朱利亞諾在群眾高喊「球！球！」（Palle! Palle!）——意指梅迪奇家族的家徽——的喧鬧聲中回到佛羅倫斯。梅迪奇家族回來了。

球真的轉動了起來。尤利烏斯死於梅毒，喬凡尼·德·梅迪奇選上教宗，是為萊奧十世，各個樞機主教高喊著「球！球！」瞬間衝出西斯汀禮拜堂。

路德和萊奧：魔鬼的臉和教宗的象

「上帝給了我們教宗這個職位，」萊奧說，「我們來好好享用！」而他說到做到，主持了有猿肉、猴腦、鸚鵡舌和六十五盤菜作為第一道菜的盛宴，盛宴期間還有裸身男孩從派中跳出，有個弄臣吞下四十顆蛋或二十隻雞。萊奧肥胖、近視、滿臉通紅，儘管常苦於肛門廔管，性情卻是開朗幽默。但他疏於關心別人：有獵人在他帶隊出獵時遇害，他幾乎未留意到，直說：「好快活的一天！」

他和米開朗基羅兩人自小便因曾待在偉人羅倫佐·德·梅迪奇的宅邸裡而認識——他說，兩人是「一起受培育的兄弟」——成為教宗後，他便委託開朗基羅設計佛羅倫斯聖羅倫佐教堂的梅迪奇禮拜堂。他曾抱怨這個藝術家「讓人害怕」，又「難搞」。他較中意拉斐爾，而這時拉斐爾正在繪飾拉斐爾四室（Stanze di Raffaello），並在布拉曼帖去世後，接掌聖彼得大教堂的工程。

萊奧身上總綴著亮閃閃的珠寶，散發昂貴香料的氣息和肛門腐爛的味道，他仿博爾賈家族、德拉·羅韋雷家族提升自己家族的地位，挑選他性格敦厚的姪子羅倫佐（皮耶羅·德·梅迪奇的兒子）為佛羅倫斯的統治者。萊奧安排羅倫佐娶法蘭西王的遠親瑪德萊娜·德·拉圖爾·道佛涅（Madeleine de La Tour d'

Auvergne），兩人生下一女凱瑟琳——日後的法蘭西王后。凱瑟琳出生幾日後，羅倫佐去世，萊奧隨之任命堂弟朱利奧（遭帕齊家族殺害的朱利亞諾的私生子）為樞機主教和佛羅倫斯領主。朱利奧住在羅馬期間生下兒子亞列桑德羅（Alessandro）和膚色深的女兒西莫涅塔（Simonetta），此女大概是非洲奴隸所生。梅迪奇家族家既有白奴，也有黑奴。

萊奧的諸多陰謀致使羅馬教廷陷入動蕩。他上任初期任命的樞機主教之一是他的年輕愛人阿方索．佩特魯奇（Alfonso Petrucci），而此人愈來愈痛惡他的恩公，密謀讓萊奧的醫生治療他的肛門瘻管時把毒物注入他的肛門裡，結果事跡敗露，佩特魯齊禁不住拷問，把其他幾個樞機主教牽扯進來。萊奧拿了這些樞機主教的錢財，因而赦免了他們，但命令摩爾籍劊子手用深紅色繩子將他的舊情人勒死。他的新情人是具有一半鄂圖曼人血統的歌手索利曼多（Solimando）。

為籌錢建造聖彼得教堂，萊奧需要更多資金，於是他向有錢人富格爾借錢，出售樞機主教帽、販售贖罪券（有罪之人付錢給教會，就能換取死後免於下煉獄）等藉以籌錢。教宗濫用其神聖地位的離譜行徑，令來自薩克森維滕貝格（Wittenberg）的一名日耳曼籍修士特別痛惡，而贖罪券只是這類離譜行徑的最新一樁。此修士本名馬丁．路德（Martin Luder），但他改為Eleutherius（「獲自由的」），又進一步轉為德語詞Luther。

有次他差點被閃電打中，他感受到天啟，人生信念隨之徹底改變，他放棄法學學業，成為修士。未想一趟羅馬行卻是令他驚恐不已。他以其一貫的犀利口吻寫道，「那個骯髒發惡臭的水坑，充斥世上最惡劣的無恥之徒」，到處是「卑劣荒謬的事物。如果有地獄存在，羅馬就建在地獄上」。羅馬的確是巴比倫的翻版，誠如萊奧的淫穢詩人皮耶特羅．阿雷蒂諾（Pietro Aretino）所說的，去到羅馬的人「想要走訪的，通常不只是古蹟，還有新事物，即女人」。

萊奧以不老實手法推銷無用之物的行徑，令言語尖刻誇張、行事正派、始終想要促使人奮起改變的路德更是深惡痛絕：「教宗如今比最有錢的克拉蘇還要有錢，蓋聖彼得大教堂時，為何用的是貧窮信徒的錢，而非他自己的錢？」一五一七年十月，路德寫了《九十五條論綱》（Ninety-Five Theses）抨擊教宗萊奧，並將該文釘在維滕貝格的城堡教堂（Schlosskirche）的大門上、其他布告的旁邊。但他不靠教堂大門來宣傳其理念：他動用了新媒介——印刷術。最終印行了三百一十萬份。他請友人盧卡斯・克拉納赫（Lucas Cranach）一再為他畫像，從而使他那張充滿好鬥性格的臉成為日耳曼境內最出名的臉。

他善於辯詰，卻是言語粗暴、粗俗，老愛在言語裡提到糞便和性，後來把這個教宗斥為想變成女人的雞姦者，說他的命令「用魔鬼的糞便封印，用肛門教宗的屁寫成」。他以粗野的言語抨擊猶太人：「如果不殺掉他們，那我們就大錯特錯了」，那些「魔鬼的人」，身上滿是「魔鬼的糞便」的「有毒的蠕蟲⋯⋯像豬般在魔鬼的糞便裡打滾」，他們的會堂是「無可救藥的妓女、邪惡的蕩婦」。

路德的怒火不只表達了對教宗貪腐的強烈反感，也表達了對初萌芽的懷疑主義心態之痛惡。他主張，神聖性不只建立在天主教會的頭銜、報償、神奇儀式上，同時建立在人與上帝間（不需神職人員居中轉介）的直接關係上。此一直接關係靠《聖經》指引，而《聖經》將在不久後由拉丁語譯為德語，從而人人皆可讀。為了進入天國，所有人都得具備讀書識字能力，而這也是路德此時所推動的。

隨著他的教義傳開，附近某西多會隱修院的二十七名修女想要加入他的團體運動。四十一歲的路德安排她們藏身於鯡魚桶，將她們偷偷運出隱修院，然後，據推測她們一清洗掉身上的魚腥味，他就突然迷上其中二十六歲的卡塔莉娜（Katharina）。此前他一直未考慮過結婚——「不是因為我對自己的肉體或性欲無感（因為我既不是木頭，也不是石頭），而是因為我身為持異端者，每天都認為自己難逃一死」，如今，「我腦子裡突然盤據著大不相同的想法。主把我推進婚姻裡」。他主張，「女人控制不了自己。上帝使她的身體和男人結合好生下小孩」，於是她樂於享受性愛——兩人有了六個孩子。但路德想必令她招架不住。有次卡塔莉娜說，「親愛的老公，你太粗魯了。」然這個藏身於魚桶裡的修女產生了決定性影響：路德頒布教令，新教神職人員可結婚。

這股新教精神，以原教旨——《聖經》經文——為本，旋即傳遍北歐、中歐，上自國君，下至農民，都成了信徒。新教較偏重個人角色的虔誠信仰，在商業、藝術、日常生活領域助長了前所未見的獨立自主精神。新教國家——先是日耳曼的大部分地方，而後低地國、英國、斯堪的那維亞——的識字率，變得比天主教國家高。識字改變了心理（甚至腦部的結構），但也肯定提升了自信和知識，同時提升了自律、奮發進取、分析性思維和好交際精神，為日後歐洲北部的大放異采助了一臂之力。新教並非造就歐洲這股「努力工作、耐心、勤勉」精神的唯一因素，但誠如美國人類學家約瑟夫．亨利希（Joseph Henrich）所寫，它「產生了強化作用……本身既是人們心理改變的果，也是其因」。

萊奧不想對路德多加理會，於是譏笑這個「修士的吵吵鬧鬧」。這時，他收到一份來自印度的驚喜之禮：一頭名叫漢諾（Hanno）的白象。此象身形的碩大和歡快的神情，讓人幾乎覺得就是萊奧本人的象徵。萊奧以象的語氣寫道，「在我這頭野獸的胸懷裡，他們感受到人的情感」。漢諾被養在聖彼得大教堂和拉特朗宮之間訂製的象房裡，拉斐爾曾於筆下素描，而當教宗想捉弄一個自命不凡的詩人時，便安排詩人騎著漢諾至卡匹托爾山，一路有響亮的小號聲伴隨，最後，這頭象受喧鬧聲驚嚇，止步不前。未想漢諾那愚蠢的飼養員竟拿摻了少許黃金的輕瀉劑給牠服用，誤將牠毒死。牠死後，拉斐爾設計了墓碑（「大自然所偷走的，烏爾比諾的拉斐爾用其技藝將牠復原」），萊奧寫了墓志銘給他的「巨獸」，阿雷蒂諾則寫了淫誨的〈大象漢諾的遺囑〉（Last Will and Testament of the Elephant Hanno）一詩，在這首詩中，象的生殖器留給極在意性能力的樞機主教迪．格拉西（di Grassi），「以使他能在夫人阿德里亞娜協助下更積極於生下私生子」。[39]萊奧原諒了阿雷蒂諾的無禮；但萊奧了解自己和漢諾之間的關聯，在牠的墓上以漢諾的口吻寫道：「但神啊，我希望你把大自然本來指定給我、卻被命運偷走的歲月，／都給偉大的萊奧延壽。」笨重如象的萊奧比漢諾多活了沒多久，但在他為漢諾寫的墓志銘中，這個處事輕浮隨便的教宗觸及遠更重要的事物：

> 國王馬努埃爾征服東方後，
> 把牠當成俘虜，
> 送給教宗萊奧十世的巨象。

這個「征服者」是葡萄牙王馬努埃爾一世，他策畫了一場具有救世性質的征服世界壯舉，靠他小小王國裡那些懷抱聖戰熱情和強烈企圖心的水手，攻占從巴西、剛果至印度、印尼的廣大地區。

---

39 阿雷蒂諾是補鞋匠之子，他筆下尖刻的詩句使他成為「禍害諸國君之人」。在下一個梅迪奇家族出身的教宗克雷芒（Clement）在位期間，阿雷蒂諾出手拯救了他的友人馬坎托尼奧・萊蒙迪（Marcantonio Raimondi）。萊蒙迪集結版畫，推出第一部印刷版的色情書刊，書中版畫根據朱利奧・羅馬諾（Giulio Romano）的素描雕版印成，書名《方法》（*I Modi*），又名《十六種體位》（*Sixteen Positions*）。該書不只推崇教會所贊同的傳教士姿勢，還推崇女人在上的姿勢，每種姿勢都獻給梅迪奇家的一個特定的交際花和她的性專長。萊奧禁止《十六種體位》流通，直到阿雷蒂諾向他說項，才解除該禁令。禁令一除，「我短時間就寫成這些圖像底下的詩句。儘管對偽君子尊重之至，我還是把這些表達強烈色欲的詩獻給你們，不理會禁止人們仔細觀看他們極其樂於觀看之事物的假道學心態和愚蠢偏見」。這些詩是他的《情欲十四行詩》（*Sonetti lussuriosi*）。痛斥此書的教會改革者主教吉安・吉貝爾蒂（Gian Ghiberti）是阿雷蒂諾的詩句的受害者之一，於是企圖暗殺他，詩人隨之逃到米蘭。他自稱是「雞姦者」，與提香為友，提香曾替他畫像。據說，查理五世和法蘭索瓦一世都曾雇請他寫詩醜化對方。

馬努埃爾的東方強盜：達伽馬和阿爾布克爾克

一四九三年，馬努埃爾還是個年輕王子時，被他身為國王的堂兄若昂二世召見，他唯恐若昂會像對付他哥哥那樣挖出他的內臟。沒想到，他竟被指定為儲君。他幸運捱過若昂的整肅，使他更加相信自己注定要成為奪回耶路撒冷、夷平麥加、消滅伊斯蘭教的拉丁王大衛。他繼位時二十六歲，臉圓而長，臂如猿，行事受到和他有堂表關係的斐迪南、伊莎貝拉影響，娶了他們的長公主；她死於分娩後，於是他又娶了她的妹妹。[40]但在談婚事時，這個西班牙長公主要他將葡萄牙境內所有猶太人趕走才肯嫁他。

馬努埃爾曾保護葡萄牙的猶太人，而且猶太人擁有該國可動產的五分之一，伊莎貝拉下驅逐令後，許多猶太人逃到葡萄牙避難，葡國的猶太人因而大增。但西班牙和上帝對葡萄牙更重要，於是，一四九七年十月，他強迫猶太人集體改宗。

葡國境內最有錢的猶太家族已假裝改宗：馬拉蓋塔胡椒（malagueta-pepper）商人法蘭西斯科・門德斯（Francisco Mendes）娶具有繼承人身分的比阿特麗絲・德盧納（Beatriz de Luna），婚禮在里斯本主教座堂舉行，採天主教儀式，婚後人們稱她稱格拉西亞・門德斯（Gracia Mendes）。但遭驅逐時，他們再次信仰猶太教，並逃到荷蘭——此後一路輾轉，最終逃到鄂圖曼帝國，成為帝國境內的一方之霸和猶太籍王族成員。然而眼下，即使身為「新基督徒」也很危險。一五〇六年，道明會修士領導集體迫害猶太人運動，在里斯本的主廣場升起火堆，將數千名猶太人和「新基督徒」活活燒死。

馬努埃爾用來自猶太人的錢建造了四艘船，這些船配備火炮，並由他的隨扈瓦斯科・達伽馬（Vasco da Gama）統領。達伽馬係十字軍組織聖地牙哥騎士團（Order of Santiago）一員，他已故的父親原被任命領導這趟遠航。他們的任務是先循著狄亞士的路線航行，而後控制印度洋香料貿易，目的在於給穆斯林苦頭吃，以火炮和殘暴的行為彌補自身的人力薄弱。

達伽馬繞過非洲南端，一路往北襲擊斯瓦希利沿海地區，攻擊馬林迪（Malindi）外海的阿拉伯人船隻，在馬林迪找到盟友，在蒙巴薩招募到一名阿拉伯籍導航員，接著航越印度洋，抵達印度馬拉巴爾（Malabar）海岸的卡利卡特（Calicut，即科澤科德／Kozhikode）。在數個從事胡椒、肉桂、小豆蔻、薑、丁香、珠寶、烏木、琥珀、羅望子貿易的城邦裡，科澤科德是其中佼佼者。印度四分五裂，其北部由勢力已不如前的穆斯林德里蘇丹國統治，南部則被毗闍耶拿伽羅帝國（Vijayanagara）那信仰印度教的羅闍和信仰伊斯蘭教的比賈布爾蘇丹國（Bijapur）割據。

在多民族、多宗教並存的卡利卡特，達伽馬遇到阿拉伯籍、印度籍商人，以及一名說義大利語的波蘭籍猶太人。這個猶太人生於亞歷山卓，係比賈布爾蘇丹的使者。達伽馬先是對他施以酷刑，接著為他施洗，取教名伽斯帕爾・達伽馬（Gaspar da Gama），並用他擔任通譯和談判者。這些葡萄牙人誤把供奉了神像的印度教神廟認成基督教堂，但卡利卡特的薩莫提里（samoothiri，英語名 zamorin，「大海之主」）覺得瓦斯科・達伽馬的微薄禮物沒什麼稀奇。薩莫提里信仰印度教，其所統治的城市裡有部分居民是穆斯林。印度這些經商的國君習於和外人——中國人、馬來人、和埃及的馬穆魯克蘇丹有往來的阿拉伯人——打交道。但葡萄牙人的作法令他們既驚訝且深感不快。

40　馬努埃爾的第一任妻子伊莎貝拉——阿斯圖里亞斯的女親王（princess of Asturias）——先前曾嫁給葡萄牙儲君，只是這位儲君在一次騎馬時意外喪命，她搬回父母家，直到馬努埃爾向她求婚為止，是為她第二次嫁給葡萄牙人。有一段時間，她是卡斯提爾的儲君。馬努埃爾的第二任妻子瑪麗亞生了十個孩子，不可避免死於分娩，然後他再娶萊奧諾爾（Leonor）。萊奧諾爾是胡安娜和菲利浦的最年長孩子，也是查理五世最愛的姊妹，馬努埃爾死後，她改嫁給法蘭西的法蘭索瓦一世。如果這讓人覺得很亂，也的確是：這三個妻子都和馬努埃爾有很濃的血親關係。

達伽馬的手下三分之二死於返航途中，他本人則化險為夷，活著回到葡萄牙。回去後他被晉升為貴族，獲授予「阿拉伯、波斯、印度和整個東方之諸海域的艦隊司令」的稱號，而後馬努埃爾再派他前去印度。馬努埃爾誇耀自己的功績，自此自稱為「衣索比亞、阿拉伯半島、波斯、印度的征服、航海、商業之主」。

馬努埃爾受其神聖天命所鼓舞，陸續派遣了數支艦隊東航，五年間共派出八十一艘，其中許多艘的經費來自有錢人富格爾。一五〇〇年三月，這個國王為他所寵信的廷臣佩德羅・阿爾瓦雷斯・卡布拉爾（Pedro Álvares Cabral）和十三艘船送行，狄亞士和改宗的波蘭籍猶太人伽斯帕爾・達伽馬都在船上。卡布拉爾航入大西洋，先是往西南兜一個大圈，登陸一座新「島」，再往東航，繞過非洲南端（狄亞士在此命喪暴風雨之中），經索法拉、馬林迪，抵達印度。他宣稱這座新「島」歸馬努埃爾所有，並命名為韋拉克魯斯島（Ilha de Vera Cruz，後來被稱作巴西）。薩莫提里由友好轉為敵視，殺掉卡布拉爾的五十個手下，卡布拉爾炮轟卡利卡特，奪走六百人性命，然後和科欽（Cochin）的羅闍聯手，這位羅闍深深不滿於自己屈居於卡利卡特之下。十三艘船出航，七艘船滿載香料而歸，香料出售後賺了錢。

馬努埃爾察覺到這座「島」（巴西）的潛力，於是派出更多船隻前往調查，包括亞美利戈・維斯普奇所統領的其中一艘。維斯普奇意識到它根本不是島，而是大陸。馬努埃爾在其殖民地事務機關「印度館」（India House）蒐集資料，決意不只要挑戰在印度洋做貿易的埃及人、阿拉伯人，還要挑戰他在歐洲的對手熱那亞、威尼斯。他的願景非常宏大——宰制由斯瓦希利籍、阿拉伯籍、印度籍商人所控制的廣大領土——並且靠小型艦隊來遂行。這些艦隊以葡萄牙人為水手，由他的高階廷臣統領，以卡拉克船（carrack）、莫之能禦的火炮威力、令人瞠目結舌的凶殘恐怖作為為手段。他不容他人分一杯羹的掠奪作風，使他成為第一個十足創業家作風的君主：法蘭西王嫉羨他的富有，替他取了綽號香料王（Le Roi Épicier）。

馬努埃爾打造了「報仇艦隊」（Revenge Fleet），用以教訓無禮對待卡布拉爾的印度人，並任命他為該艦隊司令。但各擁卡布拉爾和達伽馬為主的兩方人馬相互較勁，而後者取得勝利。此後，殺戮於焉展開。艦隊司令達伽馬一身深紅緞子衣服，在國王的支持下，襲擊基盧瓦（今坦尚尼亞境內），然後，穿過印度洋，將從麥加返鄉途中的一整船朝覲的穆斯林活活燒死，接著炮轟卡利卡特，把印度人吊死在他的船桅上，擊退一支阿拉伯人的私掠船船隊。他的殘酷行徑委實太過：受害者遭肢解、砍頭，肢體殘塊成堆送去給當地統治者；他割下薩莫提里之使者的唇、耳，然後把狗耳朵縫上他的頭，送回去卡利卡特。

馬努埃爾繼續施壓，起而挑戰印度洋的霸主：埃及蘇丹高里（al-Ghaury）。馬努埃爾另派出兩支艦隊，這次艦上裝配火炮，由西班牙征服格拉納達之役的老將法蘭西斯科・德・阿爾梅達（Dom Francisco de Almeida）統領。阿爾梅達擔任葡屬印度（Potuguese State of India）的第一任總督和副王，他的船員包括年輕貴族費爾南・德・馬伽里揚伊斯（Fernão de Magalhães），即麥哲倫。但接著他派遣精力旺盛的廷臣暨軍人阿方索・達・阿爾布克爾克（Afonso da Albuquerque）接替阿爾梅達。這位白鬍子老將此前已協助拿下坦吉爾，打敗進犯奧特朗托（Otranto）的鄂圖曼穆罕默德二世的軍隊。

阿爾梅達在對手蒙巴薩的蘇丹助陣下炮轟基盧瓦，然後渡海至印度，在科欽建造馬努埃爾堡（Fort Manuel）和此時構成葡屬印度的其他堡壘。阿爾布克爾克的首要任務是拿下葉門外海的索科特拉島（Socotra）和馬斯喀特港（Muscat）。他打算登陸吉達，出兵內陸，搶走先知穆罕默德的遺體。麥加的埃米爾沙里夫巴拉卡特二世（Sharif Barakat II）求助於蘇丹高里，古吉拉特（Gujarat）的蘇丹亦然。高里命令威尼斯籍的船木工打造艦隊，由他的庫德籍海軍將領胡笙・庫迪（Hussein al-Kurdi）統領。庫迪與奴隸出身的喬治亞人馬利克・阿亞茲（Malik Ayyaz）所統領的卡利卡特—古吉拉特艦隊會合，對抗阿爾梅達。威尼斯人所建造的埃及—印度艦隊，以俄羅斯籍的划槳奴隸和衣索比亞籍頭槳手為船員，由一名庫德人和一名喬治亞人為統領，在焦爾（Chaul）和葡萄牙艦隊交手，阿爾梅達的兒子戰死於焦爾。幾個月後，在第烏（Diu），葡萄牙人為他的兒子報了仇，殺了這些馬穆魯克人，以肢解、綁在炮口開炮轟死、吊死等方式殺掉俘虜。

馬努埃爾一看出阿爾布克爾克的統兵作戰本領，即予以擢升。阿爾布克爾克很快就看清印度洋地區的情勢，理解到若要永久屹立於此，葡萄牙人需要一些位於戰略要地的要塞。他打算進攻位於紅海的埃及，但他的新印度籍盟友提莫吉（Timoji）——原效力於毗闍耶那伽羅的海盜——勸他從比賈布爾蘇丹手裡奪下果亞，作為馬努埃爾印度領地的首府。兩人聯手攻破果亞，殺掉六千名守軍。

一五一一年，剛被封為果亞公爵的阿爾布克爾克乘船前往香料貿易的中心麻六甲蘇丹國（今馬來西亞境內），第二次攻打時拿下該地，並殺掉所有穆斯林，不過饒了馬來人、印度人一命；接著，他派三艘船前去攻擊摩鹿加群島（香料群島），即丁香、肉豆蔻籽皮、肉豆蔻籽的產地，未料船隻失事。阿爾布克爾克把肉豆蔻籽和丁香裝上船，航往波斯灣的荷姆茲，蓋了一座要塞以掌控荷姆茲海峽。

馬努埃爾為慶祝他全球大業的成功，舉辦了遊行，讓身上裝飾了黃金的象和犀牛遊街，後面跟著阿拉伯馬和一頭美洲豹。一五一四年，阿爾布克爾克收到坎貝（Cambay）蘇丹的贈禮，一頭名叫漢諾的大象，他把牠和一頭犀牛送回里斯本給馬努埃爾。這個國王安排這兩頭美麗動物打鬥，只是象不傻，不願攻擊犀牛，馬努埃爾把牠送給教宗萊奧。

在里斯本，馬努埃爾興建了他的大宮殿里貝拉宮（Ribeira Palace，「河濱宮」），內有他的印度館、奴隸館、幾內亞館和他的軍火庫。里斯本是歐洲最大的香料、糖及奴隸市場之一，而且在此待價而沽的奴隸愈來愈多：到了一五〇〇年，該城人口已有約一成五是非洲奴隸。貿易熱絡勝於以往：一五〇〇至三五年間賣掉一萬個奴隸。黃金和糖的生產需要廉價勞力。奴隸販子吸血鬼般的尖牙，滿足了歐洲對甜味的追求。聖多美、馬戴拉、維德角的甘蔗園有利潤，無奈屬勞力密集產業。一五一〇至四〇年，阿坎族統治者從葡萄牙籍中間人買進一萬個奴隸。但此時奴隸販子將觸角從貝南灣（Bight of Benin）——奴隸海岸——擴及南邊六百哩處的剛果。奴隸貿易將成為滔天的暴行和凶殘的事業，史上最大規模的強迫遷徙行動，即便如此，一四五〇至一六〇〇年的奴隸買賣，只占此奴隸貿易的百分之三：這個慘無人道的貿易才剛開始。

葡萄牙人把種族和信仰都看得很重要。在印度和非洲，帝國建造者展現了同樣的種族歧視作風，無不熱中於脅迫其他民族，但他們很快就和印度、非洲女人在此安家落戶了起來。在果亞，阿爾布克爾克用心建造了一座新的葡萄牙人城市，卻也鼓勵葡萄牙移民娶印度女人。今人動不動就誇大葡萄牙帝國的規模：而其實它擴張的範圍不廣，且投入的文化深度極為淺薄；只攻取了幾座城鎮而已。[41]

阿爾布克爾克來到印度西南部時，另一個外族的軍事力量正入侵印度北部——其家族將攻下這個次大陸的大部地方。

41 今日歐洲人書寫的史書，一如過往聲稱葡萄牙帝國主義者支配印度—馬來香料貿易。他們的確為歐洲人稱霸東方開啟了先聲，但此說誇大了他們的勢力，也忽略了當地勢力。葡萄牙人人數少、據點少，貿易錯綜複雜，而且印度南部的支配者是打敗群雄的戰士國王克里希那提婆羅耶（Krishnadevaraya），他是信仰印度教的毗闍耶那伽羅帝國的摩訶羅闍——迪羅闍（maharaja-dhiraja），打敗眾多伊斯蘭蘇丹國；東印度則由伽賈帕提王國（Gajapati）統治；而鄂圖曼人即將取代埃及人，稱雄阿拉伯半島和葉門。被納入伊斯蘭世界才三十年的麻六甲，自鄭和的寶船到來之後，一直是中國的藩屬；葡萄牙人攻下麻六甲，明朝皇帝甚怒。

第十一幕

世界人口
四億兩千五百萬人

帖木兒家族和墨西卡人、鄂圖曼人和薩法維王朝

巴布爾拿下德里

一五〇五年一月，二十二歲的巴布爾（Babur）首度襲擊印度。他只是個為自己的生死存亡苦苦奮鬥的小國君，因此這次襲擊，相較於他玄祖父帖木兒的入侵——帖木兒洗劫了德里——有如小巫見大巫。巴布爾（「虎」）是個生氣勃勃、有幽默感、讓人覺得始終精神抖擻的人，個性外向，家世傲人——他的母親是成吉思汗之後，父親則是帖木兒之後。然而自帖木兒的兒子沙魯赫於一四四七年去世後的五十年裡，帖木兒的後代皆未能控制他所打下的帝國。一如每個米爾札（mirza），「巴布爾很想坐上這位征服者在撒馬爾罕的大位。只是許多米爾札不再征戰沙場，反倒成了紈絝子弟，「作伴、交談、一起參加宴會很好，但對戰爭一竅不通」。

與馬努埃爾、米開朗基羅同時代的巴布爾，父親遇害時，他才十二歲。他父親愛玩女人，作詩，養鴿，是個趾高氣揚的戰士，「體胖，勇敢，口才好」。他父親去看自己的鴿子時，不料鴿房竟倒下，墜落峽谷。巴布爾寫道，「烏瑪爾．謝赫．米爾札和他的鴿子、鴿房一起飛了出去，變成一隻獵鷹。」這個米爾札繼承了費爾干納盆地（Fergana Valley）後，靠他的祖母埃珊．道拉特別姬（Ësan Dawlat Begum）擬定「戰術和戰略」，她是個「腦筋好且優秀的謀畫者」。巴布爾是察合台突厥人，善使乾草原騎馬人的弩、劍、頂端有六個凸緣的戰鬥錘和戰斧，拜他以土耳其文寫成的浮誇《巴布爾回憶錄》（*Baburnama*）之賜，他是我們得以深入認識的早期政治家之一。

巴布爾年少時第一次娶妻，妻名艾沙（Aisha），但他的第一個愛人是個男孩：「我發現自己對營地市集裡的一個男孩生起奇怪的傾心之意，他的名字巴布里和我是絕配。」有時，「巴布里來找我，但我太害羞，不敢正視他的臉」，巴布爾撞見他時，「六神無主……每次見到所愛的人，都很尷尬」。巴布爾苦於這份著迷，苦於「欲望和激情的湧現和教人快承受不住的青春愚行，以致我常沒戴帽、赤腳在街上、果園、葡萄園晃蕩。我失了神，完全未注意到其他人」。後來，他娶他漂亮聰慧的堂妹馬哈姆（Maham），很信任她（只是並未言明），他曾說，「把馬哈姆的話當法律」，尤以她生下他的愛子胡馬雍（Humayoun）之後為然。

一四九六年，巴布爾拿下撒馬爾罕，卻在一百天後失去。「我不由自主哭了，」他坦承，「有哪種劇痛、悲傷是我受傷的心所未經歷過的？」一五〇〇年他十九歲，再度「拿下撒馬爾罕」；「我有兩百四十人」。一年後，戰事失利，他逃走，情況危急到他和他的部眾吃自己的馬裹腹。「人有稱王的意圖和征服的意念時，不能袖手旁觀，一逕看著情勢一次或兩次出差錯。」但他也知道掌權者是孤單的：「除了自己的心，我從未找到可以推心置腹的人」。

然後，就在他打算逃到中國時，他竟時來運轉：他用兩百名必須嚴予管束才能派上用場的惡棍，拿下以庭園和貧窮著稱的喀布爾：「我有四或五人遭射殺，一或兩人遭肢解。」靠這個雜牌戰隊起家，他會接著征服地球上最富裕的地方。巴布爾寫道，「我想要拿下印度斯坦（即印度）的念頭始終未消。」他穿過開伯爾山口襲擊印度，在那裡看到印度的富裕：「每年，兩萬頭牲畜帶來奴隸、紡織品、糖、香料」。更令他心喜的，是被阿富汗裔的洛迪（Lodi）王朝統治五十年的德里蘇丹國國力甚弱。

1 帖木兒的後代被稱作埃米爾—米爾札；成吉思汗的後代被稱作汗。

每次襲擊印度後至下次再襲擊印度前，巴布爾無不盡情喝酒、吸食毒品。他憶道，「出現多次令人極反感的叫囂喧鬧」，有次「我們騎馬離去，上船喝起酒，醉醺醺大吼大叫離船，上馬，任馬隨意奔馳。我想必真醉了」。他是唯一服用迷幻藥的征服者：曾興致昂揚談起致幻毒品，說「在它影響下，花田變得好奇怪」，「只有紫花，有時黃帶紫，還有金色斑點」。

一五二五年十一月，他帶領兩萬兵力，進入旁遮普（今巴基斯坦境內），然後撲向德里，其中包括鄂圖曼蘇丹所派出的四千火繩槍兵和炮兵。一五二六年四月二十一日，在德里北邊不遠處的巴尼伯德（Panipat），德里蘇丹易卜拉欣（Ibrahim）的十萬士兵和一百頭象挑戰巴布爾的小兵力。入侵方的滑膛槍和火炮大概打贏此役。易卜拉欣的首級被送到巴布爾跟前。他四十三歲時已征服北印度，「我命令（長子）胡馬雍米爾札去占領都城亞格拉」。但他分發了戰利品後，他的士兵想回喀布爾，他卻想留下來。

不是因為他喜歡印度——「一個沒什麼魅力的國家，人民長得不好看……沒有好馬，沒有好狗，沒有葡萄，沒有香瓜或上等水果，沒有冰或冷水，市集裡沒有好麵包或熟食，沒有熱水澡」，「其人民和我的人民明顯互無好感」。但在帖木兒眼中，印度是只要入手就可以心滿意足的肥肉——而且榮耀是他所想要的：「只要給我名聲就好，即便我死了，也了無遺憾」。巴布爾召來蒙古裔、突厥裔權貴，他宣布，「主已讓我們入主印度斯坦」，口吻和其他獲上帝賜予帝國的掠奪者——葡萄牙人、西班牙人——如出一轍。[2]

巴布爾決定嘗嘗印度食物，他留下已故蘇丹的廚子，結果差點為自己惹來殺身之禍。已故蘇丹的母親教唆廚子在巴布爾的食物裡下毒。「我吐得很嚴重，」他寫信告訴兒子胡馬雍，「我從未在用餐後嘔吐，甚至沒在喝酒後嘔吐，心中禁不住一陣疑雲飛掠而過。」四個廚子遭拷問，並坦承不諱。「我下令將試食侍從分屍，將廚子活活剝皮；把其中一個女人丟到象腳下，並射殺另一個女人。」已故蘇丹的母親遭暗中殺害，巴布爾認識到，「在鬼門關前走過一回的人所體認到生命的可貴」。

巴布爾受到拉傑普特人（Rajput）[3]拉納・桑伽（Rana Sanga）挑戰，拉納・桑伽的二十萬兵馬進向亞格拉，欲趕走帖木兒王朝。巴布爾暫時宣布戒酒，在軍隊面前倒掉數瓶酒。他說，「凡是坐下來享受生命之盛宴的貴族和士兵，都必會在盛宴結束前喝下死亡之酒，而與其臭名昭彰的活著，還不如光榮的死去！」士兵在卡努（Khanu）投入戰場時，手上緊握著《可蘭經》。巴布爾記載道，「計畫很完美，成果令人激賞」，他的鄂圖曼炮兵「以火繩槍和火炮擊潰多神教徒的部隊」，士兵「欣然加入戰事」。他一如帖木兒堆出人頭塔以慶祝勝利，而後和他突厥籍、蒙古籍、阿富汗籍親信瓜分印度，以獎賞他們奮勇殺敵。接著，他書寫回憶錄，蓋庭園，抽鴉片，痛飲酒（引用詩句「長官，我醉了，我清醒時懲罰我」），和波斯國王送來的兩個喬治亞籍奴隸（「臉頰紅潤的舞女」）大口喝酒，氣氛喧鬧。巴布爾年老體衰時，統治喀布爾的胡馬雍生病。巴布爾非常難過。

皇后馬哈姆從這位王子的床側勸告巴布爾，「你是國王，還有其他兒子，我傷心，因為我只有這個兒子。」

他回道，「馬哈姆，我雖有其他兒子，但我最愛的，是妳的胡馬雍。」巴布爾表示，願拿自己的命換取這個兒子的命。一五三〇年十二月，二十三歲的胡馬雍康復，巴布爾卻在此時生病。巴布爾的最後勸誡

---

2 他一掌權，即把自己從米爾札升為帕迪沙（padisha，波斯語「皇帝」），冊封他的第一任妻子馬哈姆和他的姊姊坎札妲（Khanzada）為別姬—帕迪沙（begum-padishah，「皇后夫人」）。巴布爾和其後繼者，根據帖木兒的頭銜古爾坎（gürkan，「駙馬」），把他的王朝稱作古爾坎王朝（Gurkanis），即帖木兒王朝。他們的敵人則貶稱他們為蒙古人。英國人受帖木兒王朝吸引，認為此王朝和他們自己的帝國有相似之處，便稱他們為蒙兀兒人（Mughals）。

3 拉傑普特人是信仰印度教的土邦王朝，武士貴族剎帝利種姓的軍事強人之後。

是：「千萬別做不利於你兄弟的事，即使他們理該得到這樣的對待亦然。」[4]

胡馬雍「在戰場相當勇敢，足智多謀，精力充沛，言語風趣」，可惜「染上惡習，例如吸食鴉片過量」，樂於把時間花在聊天和享樂，缺乏狠勁：他最嚴厲的罵人話，就只是「你這個蠢蛋！」他接位後立即面臨多方角力的挑戰，包括他的兄弟、古吉拉特人、葡萄牙人、他父親的某個阿富汗籍將領，而這最後一人的挑戰最為嚴峻，這個將領進攻亞格拉。一五四一年，胡馬雍西逃至信德（今巴基斯坦境內）。

途中，他遇到具有一半波斯血統的少女哈米妲（Hamida），她拒絕他的追求，可能因為他前途黯淡，不過他最終娶了她，隨後帶著四十名隨從逃過炙熱的塔爾沙漠。在歐邁爾果德（Umarkot），哈米妲生下胡馬雍的第一個兒子，而且是在駱駝上生下。胡馬雍被迫將這個嬰兒留在坎達哈，由他的姑姑坎札妲照顧。她認為，這個嬰兒長得非常像巴布爾：他日後會成為「偉人」阿克巴（Akbar the Great）。胡馬雍逃到波斯。這個靠武力打天下的王朝，其國祚看來會如他火繩槍兵的槍枝火藥池裡的火光一樣短暫。事實上，他們此前拿下多場勝利，要歸功於他們的火炮，這些火炮係鄂圖曼帝國蘇丹「冷酷者」塞利姆（Selim the Grim）所贈，而此時塞利姆已使歐亞大陸的整個權力格局改觀。

塞利姆——深浸於血泊中

一五一七年三月，在消滅馬穆魯克蘇丹國和征服整個阿拉伯世界後，塞利姆策馬進入開羅。他的帝國版圖擴張了七成，首度使穆斯林在帝國人口中占過半。塞利姆是「征服者」穆罕默德的孫子，蘇丹巴耶濟德的三子，身子骨靈活柔軟、瘦而不弱、臉色慘白、視力好、疑心病重、沒耐心又頑強。他的成就建立在他的火繩槍兵上。火繩槍兵訓練兩星期就能派上用場，而要精於騎射之術，則得花上一輩子。火繩槍利用弩臂從肩上發射，以火繩點火，靠扳機這個新發明來起爆。此時，火繩槍正漸漸演變為滑膛槍。

塞利姆氣惱於他父親的猶豫不決和他自己身為王子暨特雷布宗省長的孤立處境——他抱怨他在那裡「勢單力薄且孤立無援」——於是向君士坦丁堡進兵，推翻他父親，可能是將父親毒死。然後，他逐一勒死他的三個兄弟和七個姪子。他一坐上大位，他的兒子即大多消失——大概也是被勒死——以利他選定的接班人蘇萊曼（Suleiman）接位。這個帕迪沙——皇帝——走到哪都有他的劊子手「無舌者」（Tongueless）隨行，[5]在位期間，殺掉他六個維齊爾裡的三個，把其中一人的頭當球踢來踢去：他的某個官員稱他「吃人的野獸國王」。有個官員竟草率地脫口而出，請求塞利姆，若要將他處決，請事先提出警告。塞利姆則回道，他會考慮這請求，但眼下沒有人可以替補他的位置。他自豪於殺人如麻：在掛名塞利米（Selimi）的一首詩中，他形容自己「溺死於血海裡，深浸在血泊中」。權位一穩固，塞利姆即和威尼斯、波蘭延長條約有效期，在面臨來自東方——波斯的神君——日益嚴峻的挑戰時，向歐洲傳達求和之意。

---

4 巴布爾葬在他位於喀布爾的心愛庭園裡，如今他的墓仍在，墓碑上原有碑文：「人間如有天堂，就是這裡，就是這裡！」

5 這些劊子手是「無舌者」（Dilsiz，被來訪的歐洲人稱作既聾又啞者），無舌者除了當劊子手，也擔任侍從官、廷臣。他們是後宮的祕密單位「恩杜朗」（Enduran，「內侍司」）的一員，身穿藍袍、長褲、紅靴，既聾又啞以確保宮中隱私不致外洩，被視為對統治者忠心不二的特殊外人，而且有時智力低弱。他們先是被征服者穆罕默德雇用，後來成為帕迪沙的專業殺手，受命用弓弦勒死王子和維齊爾。博斯坦吉·巴奇（Bostandji Bachi，「園丁總管」）也執行處決任務。此職原為園丁總管，後來成為皇帝侍衛隊隊長，下轄三千名紅帽黃袍侍衛，保護蘇丹王宮。

波斯的亞歷山大暨耶穌企圖征服世界

一五〇一年，十三歲的伊斯瑪儀（Ismail）宣稱他是馬赫迪，即救世主。伊斯瑪儀是詩人、獵人，喜愛男孩和女孩，酒癮很大——「白膚、英俊、非常討人喜歡；不怎麼高，身形細長且勻稱，肩膀寬厚，淡紅頭髮」——他宣稱自己具有神性，在詩中宣揚他欲成為神王和軍事領袖的抱負。一三二〇年代，他的庫德族祖父薩斐丁（Safi al-Din，薩法維王朝創建者）經歷如使徒保羅般的信仰轉變，從信仰遜尼派突然改為信仰什葉派十二伊瑪目教派（Twelver Shiism）。[6]在祖父、父親及大哥都遭殺害後，伊斯瑪儀被人暗中撫養、培訓。然後他被一群土庫曼人信士——人稱「紅帽」（Redhats），因頭戴有著十二個褶的深紅帽而得名——擁立為「完美指導者」和隱遁伊瑪目，開始征服波斯和伊拉克。

伊斯瑪儀下令殺掉所有遜尼派教徒：他在大不里士殺了兩萬人，毀掉遜尼派聖祠。這個自稱耶穌暨亞歷山大的年輕國王準備消滅鄂圖曼人，把某個遜尼派可汗的頭改造成他的飲杯，屍體則餵「紅帽」部眾吃，而剝下來的皮送去給塞利姆。

這個鄂圖曼蘇丹譴責伊斯瑪儀以神自居的謬論——「你煽動你那些令人憎惡的什葉派教徒從事讓人無法苟同的性交、殺害無辜之人」——並準備先發制人。兩人以詩人身分交鋒：伊斯瑪儀派人送一盒鴉片給這個蘇丹，譏稱他離譜的詩作肯定是吸食致幻毒品後的結果。

一五一四年夏，塞利姆屠殺了四萬名紅帽，然後入侵伊拉克，在恰爾德蘭（Çaldiran）與伊斯瑪儀交手。他的六萬士兵，配備滑膛槍和兩百門火炮，當場擊潰七萬五千名完全未配備槍枝的土庫曼籍騎馬弓箭手。

伊斯瑪儀受傷，他的愛妻被俘，他所向無敵的神性灰飛煙滅。他重建王國，誓言絕不再率軍征戰。他贊助藝術家創作美麗的細密畫（miniaturist painting），在自己的國王作坊以學徒身分工作，協助創作一本插畫版的《列王紀》，之後沉迷於喝酒，陷入憂鬱，才三十七歲就去世。但經過他的努力，伊朗成為什葉派十二伊瑪目教派國家，至今未變。

正是為了支持伊斯瑪儀的東邊對手，塞利姆把炮兵借給巴布爾和胡馬雍，使他們得以拿下印度，但塞利姆要求埃及支援他時，馬穆魯克人拒絕伸出援手。

一五一六年，塞利姆再度東征。伊斯瑪儀擔心出現最糟糕的情況，但那只是佯攻。塞利姆轉進馬穆魯克統治的敘利亞，在該地擊敗埃及人，他們的蘇丹喪命：滑膛槍打垮弩。塞利姆揮師往南，途中走訪了耶路撒冷，然後將最後一個馬穆魯克蘇丹吊死在開羅城門上。接下來，塞利姆身為麥加、耶路撒冷、富裕國度埃及的統治者，自封為具救世主性質的「吉祥合相之主」（Master of the Auspicious Conjunction）和「亞歷山大般的征服世界者」。[7]

在這期間，他的船長皮里・雷斯（Piri Reis）來到他位在開羅城外的大帳裡，獻上一幅彩色標註的瞪

---

6 薩斐丁的狂熱追隨者——十二伊瑪目派教徒——相信在十個伊瑪目後，第十一個伊瑪在八七四年遭遜尼派哈里發殺害，而其子第十二伊瑪目消失，隱遁或藏身在某處，準備在審判日以馬赫迪身分復出。伊斯瑪儀的想法更有過之。「我的名字是沙・伊斯瑪儀，」這個男孩這麼告訴追隨者。「我是真主的奧祕，是所有加齊（ghazis，戰士）的領袖。我母親是法蒂瑪，父親是阿里；我是第十二伊瑪目派的神聖導師……我是在世的基德爾（Khidr，伊斯蘭神學裡的英雄聖徒）和瑪利亞之子耶穌。我是當世的亞歷山大。」伊斯瑪儀的金髮，反映了他是君士坦丁堡科姆內諾斯王朝後裔的出身：一四三九年，特雷布宗皇帝約翰四世將他女兒泰奧多拉嫁給伊斯瑪儀的另一個祖父——白羊王朝（Ak Kohynlu）可汗烏尊・哈桑（Uzun Hasan）。

7 阿拉伯籍統治者連忙去討好他：塞利姆接見了麥加的年輕埃米爾阿布・努梅里（Abu Numeiri）。努梅里代其父親巴拉卡特（Barakat）獻上麥加、麥地那兩地之鑰。巴拉卡特是哈希姆家出身的沙里夫，即卡塔達（Qatada）的後代。塞利姆重新冊封他們為麥加的埃米爾，自己則把「真主的影子」、「最後時代的救世主」、「重振本教者」三稱號據為己有。

羚皮世界地圖。地圖的細部資訊得自一名西班牙貴族。皮里的叔叔凱末爾．雷斯（Kemal Reis）於一五〇一年在瓦倫西亞外海俘擄到這名貴族，隨之將他貶為奴隸。[8]鄂圖曼人未去到美洲，只因為他們從未征服控制地中海進出大西洋的摩洛哥，但在東邊，塞利姆於紅海打造了艦隊，供應火炮給在衣索比亞、印度、印尼的盟友。

塞利姆的成就驚動到基督教世界。教宗萊奧和皇帝馬克西米連呼籲發動十字軍遠征。東西方的兩個皇帝——塞利姆和馬克西米連——幾乎同時去世，且都由年輕兒子繼位，而他們承繼的領土太廣，看來也非任何人憑一己之力所能獨力統治。

羅克塞拉娜和蘇萊曼：開心果和偉人

馬克西米連忙於保衛領土而累垮了自己，從結腸炎到梅毒，多種疾病纏身。他業已為死亡作好了準備，走到哪都帶著一具棺木，但也為未來預作謀畫，談成又一樁雙重聯姻：把哈布斯堡家族和統治波希米亞、匈牙利的亞捷沃家族連結了起來。他安排他的孫子斐迪南娶匈牙利公主安妮（Anne），把他的孫女瑪麗嫁給匈牙利國王拉約什二世（Lajos II）——匈牙利國王，人們稱他為「孩子」（the Child），因為他早產，醫生為了保住他的性命，於是先殺死動物，再將他放在這些動物的屍體中溫育。如此安排本可能導致亞捷沃家族成員接管奧地利，未想一樁悲劇促使這樁婚姻也由哈布斯堡家族受益。在這兩樁投機性的聯姻中，馬克西米連都是贏家。一五一九年，他對本地商人不願貸款給他而憤恨不已，突然中風，然後，根據他自己帶悔罪性質的指示，他的遺體受鞭笞，牙齒被打掉。他十九歲孫子根特的查理（Charles of Ghent）繼承了從巴拿馬至維也納、從布魯日至巴勒摩的帝國。

不久，塞利姆於行經保加利亞時去世，死因若非是皮膚癌，就是黑死病。他生前勒死自己家族的諸多成員，他死後便由鄂圖曼王朝唯一尚在世的成員繼位，即他的二十五歲兒子蘇萊曼，蘇萊曼承繼了從麥加至匈牙利的領土。

查理和蘇萊曼都相信自己是信奉普世宗教的普世君王；兩人都要對付好戰的異端；都同時在數個戰線上作戰，包括陸上和海上。他們看來權力很大，但都得兼顧彼此對抗的利益團體。蘇萊曼可以隨意處決維齊爾，卻得提防土耳其禁衛軍、神職人員、他的地方省長、他的諸兒子。受制於造就出如此遼闊版圖的那些法律和傳統，查理的君主國被打造成一個由種種權利和組織構成的國度——議會、行會、鎮且有自己的憲法、習慣法的共和國。這些憲法和習慣法則是先前的君主所授予。這種種權利和組織導致查理難以順心，卻使歐洲具有獨樹一格的創造力和衝勁。查理和蘇萊曼對立將近半個世紀，都想要開疆拓土，以彰顯各自在人間的偉大並獲神的眷顧。

蘇萊曼「高瘦而結實，窄臉，鷹鉤鼻，鼻下有薄髭、少許鬍子」，沉默寡言，表情讓人猜不透其心思，嚴厲，戒心重。即位後不久，遇到一個斯拉夫族女奴，因其長相和熱情活潑，替她取名許蕾姆（Hürrem，「令人開心的」），不過信仰基督教的使者稱她羅克塞拉娜（Roxelana，「魯泰尼亞人」／Ruthenian）：她將成為史上最有權力的烏克蘭人。那一年，身為神職人員之女兒的羅克塞拉娜十三歲，在一次意在擄人為奴的襲擊中遭克里米亞汗從村子裡擄走。蒙古族騎馬戰士搶走長得好看的小孩，把他們貶為奴隸。繫成一

8　這幅地圖現仍見於鄂圖曼帝國的檔案裡，只是地圖上的東半部，包括中國，已佚失；西半部不只呈現地中海，還呈現哥倫布（Colon-bo）所發現的地方。美洲被標註為「維拉耶特．安提利亞」（Vilayet Antilia）：安提利亞是傳說中的大西洋島嶼；維拉耶特意為鄂圖曼帝國一省，因此此名意味著它可能是鄂圖曼人下一個要征服的目標。據說，塞利姆並不認同征服大西洋的想法，於是將此地圖撕為兩半，留著東半部，把美洲部分歸還。然此地圖究竟有何遭遇，其實無人知曉。

串的奴隸被押著穿過乾草原來到克里米亞半島，在半島上，從熱那亞手裡奪來的卡法（Kaffa）奴隸市場為鄂圖曼帝國提供了最大宗的收入來源——這個帝國靠販奴來籌得資金。這個奴隸市場太重要，因此蘇萊曼被派任的第一個職務正是治理卡法，他母親哈夫莎（Hafsa）和他一同過去，哈夫莎本身也是在擄奴襲擊中被擄為奴。一四六八年格來家族（Girays）第一次出擊擄人，俘獲一萬八千人，而這類襲擊規模愈來愈大——一四九八年的一次襲擊據說擄獲十萬人。以此方式擄獲的人究竟有多少，其實算不出來：有個歷史學家猜測，自一四五〇至一六五〇年擄走一千萬人，其他歷史學家則說，十一至十九世紀期間擄走六百五十萬人。此奴隸貿易，不若大西洋的奴隸貿易那麼為人所知，而且不以種族為基礎，卻是規模甚大、殘酷，使身受其害者喪命。

奴隸市場處處透著絕望。後來有個土耳耳旅人記載道，「未見過這種場面的人，不會知道什麼是奴隸買賣」，「在那裡，母親被迫和她兒子、女兒分開，兒子被迫和父親、兄弟分開，在慟哭聲、求救聲中，在哭泣和哀傷中，一一被賣掉」——此情此景類似非洲奴隸市場上的慘劇。其中又有大不相同之處。如果奴隸跋涉過乾草原活了下來，有條路可擺脫奴隸之身。淪為奴隸的男孩，改宗伊斯蘭教，獲解放後，有機會當上大維齊爾，淪為奴隸的女孩則有機會當上皇后，羅克塞拉娜的際遇就是明證。

「非常好色」且常臨幸「後宮」的蘇萊曼，即位後的頭幾個星期，獲贈羅克塞拉娜這份禮物。據說贈予者是與他交情甚密的友人，希臘漁民之子易卜拉欣（Ibrahim）。易卜拉欣能講希臘語、土耳其語、義大利語，還是奴隸之身時，有幸被主子獻給年輕的蘇萊曼。蘇萊曼迅即提拔他為內侍，又在他約三十歲時，提拔他為大維齊爾。他被眼紅之人取了綽號「佛朗機人」（Frenk，「西方人」）和「馬克布爾」（Makbul，「親信」），他將成為蘇萊曼在三大洲擴張行動的軍師。如果蘇萊曼的寵妃為他所提攜，那麼他的權勢會更大——前提是他有辦法控制得了她。只可惜，沒人控制得了羅克塞拉娜。

在君士坦丁堡，羅克塞拉娜被迎進「舊宮」的女人世界。舊宮是穆罕默德在城中心所建造的第一座宮殿，由蘇萊曼的母親（頭銜為「蘇丹之母」／valide sultan）主掌，靠宦官管理，其中住著未出嫁的蘇丹女兒、蘇丹小孩、退下來的妃嬪、羅克塞拉娜之類剛擄獲的年輕女子。這些年輕女子在舊宮裡學習女紅、《可蘭經》、土耳其語、性愛技巧。入宮女孩往往先是當女僕（odalık），可能一輩子都見不到蘇丹，在退休前一直在這個充斥著俄語、阿爾巴尼亞語、土耳其語、義大利語的特殊世界裡服事太后。而羅克塞拉娜或許很快便意識到，大權不在舊宮的女人世界裡，而是在男人所支配的「新宮」中的衛城上。後宮是世故、安逸、追求感官享受、多語言、受困於政治和政治的隱密化身——小道消息——所在地，既是養兒育女之所、女人產前產後的照養之處，也如同大學的受教之所、如同妓院的洩欲之處，也是家族的庇護所和爾虞我詐之地。數百名俄羅斯—烏克蘭、希臘、義大利籍宮女，在此滿足帕迪沙的性欲，而帕迪沙的職責是生下兒子，下一任蘇丹則必須從這些兒子中挑一人擔任。每個宮女都想被蘇丹看中（gözde）；每個女僕都想成為蘇丹的情人，但她們的夢想是成為蘇丹兒子之母（umm al-walad）——有了這個身分，就享有特殊地位，有望在她主子死後擺脫奴隸之身。

羅克塞拉娜有著令蘇萊曼讚賞的「美麗頭髮」——亮紅的金色頭髮。他把她遷入他的「年輕姑娘館」（Hall of Maidens），即新宮裡的小後宮。她乘坐在密閉的馬車裡，在穿著制服的宦官護送下，搬到姑娘館。蘇萊曼離宮去攻打塞爾維亞後，羅克塞拉娜生下兒子穆罕默德。那時他已和其他宮女生下三個兒子：照規定，宮女生下一子後，蘇丹就不再臨幸，因此每個王子都會由一個母親撫養。沒想到，蘇萊曼在拿下貝爾格勒後返京時，羅克塞拉娜又被召回新宮，贈她大量首飾。這位蘇丹在特雷布宗時已從希臘籍工匠手中習得首飾製造工藝，這些首飾正是他親手所製。在征戰後的空檔，他和羅克塞拉娜生下女兒米赫莉瑪（Mihrimah），後來又生下三個兒子。

羅克塞拉娜的生育能力和強健體質超乎常人，她的大多數孩子的存活能力亦然。蘇萊曼與別的女人所生的兒子，就有兩人死於大流行病。誠如與蘇萊曼同時代的英王亨利八世不久後將體認到的，當時孩童死亡率甚高，許多女人死於分娩。不到五年，羅克塞拉娜權勢已甚大，因而太后把「兩個美麗的俄羅斯年輕姑娘」送給蘇萊曼時，羅克塞拉娜「猛然撲倒在地哭泣」以示抗議，哈夫莎見狀，不得不將兩個女孩帶回去。蘇萊曼矢志忠於「我唯一的愛人」。

蘇萊曼常在外打仗，因此兩夫妻頻頻魚雁往返。她寫道，「我的蘇丹，揪心的分離之痛無窮無盡。」當他取笑她未讀他寫的信，或「妳該多寫寫妳很想見我的心情」，她便提醒他，不要忘了兩人的小孩，她寫道：「我的蘇丹，夠了，我快瘋掉了。讀你的來信時，你的僕人暨兒子米爾穆罕默德和你的奴隸暨女兒米赫莉瑪，因為見不到你而哭泣，嚎啕大哭。」但她未掩蓋她帶著戲謔意味的不耐：「他們的哭聲已把我逼瘋。」他的詩——以穆希比（Muhibi，「愛人」，或許是她為他取的綽號）之名寫下——間接說明了她在他眼中是什麼樣的人：「我那有著漂亮頭髮的姑娘，我那有著斜眉的愛人，我那眼睛裡滿是調皮之意的愛人。」

這個超然冷靜的統治者說，「我很幸福」，稱她是「我最真摯的友人，我的紅粉知己」。在壓力不斷湧來之際，他給予她最大的恭維：她是「這世上唯一未讓我苦惱的人」。這個帕迪沙不只把她比喻為他所擁有的諸省，還比喻為他所希望征服的諸省——「我的伊斯坦堡、我的卡拉曼（Caraman），我安納托利亞的土地；／我的巴達赫尚（Badakhshan）、我的巴格達和呼羅珊」。她曾淪為奴隸，但他稱她「我的蘇丹」：她是無法駕馭的。最後他寫道：「我是妳的愛人，妳帶給我歡樂。」

這兩位年輕君主確實都需要這樣的人作伴才得以保住性命。為自己所承繼的遼闊疆域而焦頭爛額的查理，也會在一個充滿愛意的關係中找到慰藉。

查理和剛果國王

查理身上流著日耳曼人、西班牙人、勃艮第地人、葡萄牙人的血，在布魯日長大，先是講法語，而後是佛蘭芒語和德語，接著是西班牙語。在西班牙，他被稱作卡洛斯（Carlos），在日耳曼被稱作卡爾（Karl），在布魯塞爾被稱作夏爾（Charles）。他的臉猶如由他的諸多領地所組成的一幅代代相傳的漫畫：「他身材高大，體格魁梧，臉長，有著淡藍色的美麗眼睛，嘴和下巴不如他臉上其他部位好看，嘴斜，下唇耷拉著。」特別長的顎部和凸出的嘴唇——疾病所造成的凸顎——既是他哈布斯堡家族祖先的特徵，也是他特拉斯塔馬拉家族祖先的特徵，他的嘴巴因為特別長的增殖腺而時時開張著，「他舌短且厚，意味著他說話極困難」。但他雄心遠大，毅力過人，夢想建立普世的基督教君主國和遼闊的帝國，以Plus Ultra（「更遠處」）為座右銘。他精力充沛，兢兢業業，行事沉穩，儘管一直壓力甚大且不斷遠行，卻能同時針對多個方面作出決定：他後來憶道，「去了日耳曼九次、西班牙六次、義大利七次、法蘭德斯十次、法蘭西七次、英格蘭兩次、非洲兩次、八次航行於地中海、三次航行於西班牙海域。」他放鬆心情的消遣是打獵、參加派對、玩女人——從而有了幾個私生子——他最愛的飲食是冰啤酒和蠔，但不足為奇的是，他，一如蘇萊曼，經常鬱鬱寡歡。由於他母親、祖母都精神失常，由於他本人苦於抑鬱症，光是要活下來，就需要令人敬佩的體質和人格。而且，他不只活了下來。

首先他趕去西班牙索要他的王國。在西班牙，他得到他狂躁症母親接見，母子倆已十二年未見。十六歲的查理跪在胡安娜面前，胡安娜「三次問這國王長這麼高，是否真是她兒子」，只為了確認他有權利代表她統治西班牙。在卡斯提爾期間，查理和他的繼祖母熱爾曼娜·德·富瓦（Germaine de Foix）有染。她是國王斐迪南的遺孀，時年二十九歲。而治理卡斯提爾的傲慢佛蘭芒籍官員引發西班牙市民叛亂，叛亂弭平，帶頭叛亂的主教被查理下令拷問，然後被以鐵環絞死。

如走鋼索般行走於政壇的查理，也透過協商選上皇帝，處理了一場儼然即將爆發的宗教危機。他的對手——法蘭西的法蘭索瓦一世和英格蘭的亨利八世——也想要查理曼的皇冠。他的祖父馬克西米連生前曾告誡過他，「如果想要拿下這個大位，務必要使出全力。」查理向有錢人富格爾借錢，付了一百五十萬弗羅林給諸位選帝侯，成為皇帝查理五世。[9]而他當上皇帝後第一個要解決的麻煩便是馬丁・路德。查理要求諸侯審訊這個愛用屎字罵人的人。一五二一年四月，在沃姆斯（Worms）召開的帝國議會上，查理以路德離經叛道的抨擊言論和路德對質。

堅信自身理念的路德反駁道，「我不相信教宗」，「我奉《聖經》為圭臬，我的良心聽命於上帝的話語。我不能也不願收回任何話」，然後他如騎士般行禮致敬。查理同情路德的想法，但深信教宗的權威和儀式不可或缺，於是下令殺死或燒死路德：「我們要逮捕他，讓他受到身為臭名昭彰的異端人士所應有的懲罰。」

「燒死他！燒死他！」西班牙人喊道，所幸路德受到其恩主腓特烈三世暗中保護。一臉落腮鬍的腓特烈三世是薩克森選帝侯，他的隨從以勝利之姿將路德帶走。查理任由他逃走，腓特烈則安排他被「武裝強盜劫走」，在基督新教迅速傳播開來時，這些強盜將他藏在薩克森某城堡裡。條頓騎士團總團長阿爾伯特（Albert）是最早改宗新教的諸侯之一，將其騎士團的普魯士土地挪用為他自己的封地。阿爾伯特，霍亨佐倫（Hohenzollern）這個日耳曼小家族中較年輕兒子於是成為普魯士公爵。

查理最大的對手是法蘭西的法蘭索瓦，法蘭索瓦深恐必須在兩處邊界對付哈布斯堡家族，不過拜路德之賜，查理得面對一連串戰爭和農民叛亂，以打擊深得民心的新教——一百五十年的教派衝突於焉展開，這場衝突就和伊斯蘭教的遜尼派、什葉派分裂沒有兩樣。而他無法單靠一己之力統治所有領土，於是他封弟弟斐迪南為維也納的奧地利大公。和查理一樣務實、很有能力的斐迪南在西班牙長大，說西班牙語。這對兄弟互不相識。十年後兩人相見時，各說不同的語言。然而，儘管遭遇多次危機，上帝和王朝始終擺在第一位。

「任何人，凡是相信這個統領全世界的帝國，係因為人或財力的因素而落入哪個人之手，他都錯了，」查理於一五二〇年這麼告訴卡斯提爾議會。「帝國只來自上帝的授予。」他還說，「擁有西班牙帝國，我就會心滿意足」，而這個帝國包含美洲這個「產金的世界」。在美洲，他只統有巴拿馬、古巴、牙買加、西班牙島，這些地方住著五千名西班牙人、愚昧無知的泰諾人、一些非洲奴隸，黃金產量不多。查理支持身為「印第安人保護者」的巴托洛梅·德拉斯卡薩斯，這位修士當年被西班牙人屠殺泰諾人之舉嚇壞，而他想出的解決辦法卻也讓另一大群人遭殃：輸入非洲奴隸以拯救泰諾人。一五一八年八月，查理准許一個佛蘭芒籍廷臣從非洲輸出四千名奴隸以保護泰諾人：這些最早的美洲奴隸有許多人是來自塞內甘比亞（Senegambia）、信仰伊斯蘭教的沃洛夫人（Wolofs）。

一五二〇年，查理重新任命狄耶戈·哥倫布為總督。身為貝拉瓜（Beragua，今巴拿馬境內）公爵和牙買加侯爵的哥倫布，這時透過聯姻躋身貴族階層，風光來到聖多明哥，在哥倫布堡（Alcázar de Colón）這座新宅邸——部分屹立至今——召集官員議事。哥倫布開啟了牙買加的製糖業，並擁有該地所有製糖

9 富格爾在本身的利益可能受損時直白提醒查理五世：「大家都知道，沒有我的幫忙，陛下不可能拿到羅馬皇帝帝位。」有錢人富格爾於一五二五年死後（史上最有錢的人之一），在他的繼承人——姪子安東（Anton）和瑞蒙德（Raimund）——的帶領下，家族更是發達了起來，兩人由哈布斯堡家族受封為伯爵，後又受封為親王。他們掌控斯洛伐克銅礦礦場，並在葡萄牙國王的委託下，於萊茵蘭熔爐場製成黃銅馬尼拉，以利於和非洲統治者交易，換取黃金和奴隸。貝南的統治者再利用這些馬尼拉製成貝寧青銅器，二〇二三年已透過地球化學分析證明了此連結關係。富格爾至今在德國奧格斯堡（Augsber）仍擁有家族宅邸及私人銀行。

業，但對待他的沃洛夫族奴隸太苛，導致他們於一五二二年十二月發動第一場奴隸叛亂。其中有些造反奴隸逃走，闢地聚居。這些人被稱作馬倫人（Maroons），源自西班牙語cimarrón（「野牛」）。[10]

然而，葡萄牙人遠遠領先西班牙人，在果亞、科欽（兩地都在印度）、荷姆斯（在伊朗）、麻六甲（在馬來西亞）、斯里蘭卡、非洲都有境外據點，而在非洲，葡萄牙人發現，剛果是奴隸的理想來源。奴隸需求有增無減；葡萄牙人已看出此時他們擁有一大塊幾無人居的海岸線和不為人知的內陸土地——巴西——此地成了最重要的奴隸市場。這些奴隸絕大多數從剛果帶來，葡萄牙人這時利用來自鄰近王國恩戈拉（Ngola）的非洲籍傭兵和盟友，在剛果抓人為奴，利用他們自家的混血幫手運送奴隸。[11]他們的盟友剛果國王阿方索在用兵期間取得成千上萬奴隸，但這個剛果國王很快就控制不住局面，無法將奴隸買賣活動局限在他的戰俘。一五二一年，他寫信給繼馬努埃爾之後當上葡萄牙國王的若昂三世，「這些販子每天劫走我們的人、我國的小孩、我們的貴族子弟，乃至我們自己家族人」，在另一封信中說，「許多我們的子民極想得到葡萄牙人的商品」，為此，「他們抓走許多我們黑皮膚、自由之身的子民」。神職人員這時也是寡廉鮮恥的奴隸販子，受惑於「俗世的貪欲和財富的誘引，一如猶太人因為貪心而把神子釘上十字架」。阿方索的十個姪子被送去葡萄牙受教育，結果淪為奴隸，被賣到巴西：「目前為止我們不知他們是生是死」。但若昂三世需要奴隸貿易。他回道，「那裡的葡萄牙人反倒告訴我剛果有多廣，那裡人口有多稠密，好似從未有奴隸離開那裡。」這個信仰虔誠的國王促使退休的達伽馬重出江湖，從事最後一次遠航。[12]

一五一八年，查理接見三十九歲的麥哲倫，麥哲倫打過阿爾布克爾克的戰爭，此前，他不夠周全的計畫遭若昂回絕。麥哲倫推斷美洲離中國、摩鹿加群島不遠，於是提議西航前往香料群島，但未有環航世界的打算。不過，他暗示葡萄牙人不知此路線時，查理支持了他的想法。

麥哲倫帶著五艘船和兩百六十名水手（包括日耳曼人、法蘭西人、義大利人、非洲人、一名英格蘭人和他的馬來籍男僕恩里凱／Henrique）出航，恩里凱可能是第一個環航地球的人。麥哲倫出航後不久，古巴總督狄耶戈·貝克斯克斯（Diego Velázquez）請求允許他派一支考察隊至中美洲的猶加敦半島。查理同意。貝拉斯克斯為考察隊配置好一應所需，命其祕書埃爾南·柯爾特斯（Hernán Cortés）為隊長。這支考察隊是繼哥倫布之後，第一波勇於冒險的西班牙人的其中一支。柯爾特斯在墨西哥灣岸創建一座新鎮，並得知內陸有個黃金滿溢的王國，他立即打算違抗貝拉斯克斯的管控。

一五一九年六月，柯爾特斯發給查理一封信，信中保證會取得「和索羅門為猶太聖殿所積聚的黃金一樣多的黃金」，以及一個六呎寬的金月亮和六名加勒比族奴隸，請求封他為他的城鎮的「征服者、總督、首席法官」。與此同時，貝拉斯克斯請求以抗命罪名處死柯爾特斯。而閃亮的黃金讓查理相信柯爾特斯。

10　哥倫布的另一個兒子費南多則走完全相反的路：他退居塞維爾的大宅，為他父親立傳，蒐集了一萬五千件手寫稿和印刷書。狄耶戈·哥倫布一五二六年去世，他的兒子路易斯·哥倫布·德·托雷多（Luis Columbus de Toledo）繼承西印度群島艦隊司令、貝拉瓜公爵、牙買加侯爵這三個頭銜。境內泰諾人已幾乎滅絕的牙買加，這時住著非洲奴隸，依舊是哥倫布家族的龐大私有土地——最後一塊私有土地——直至一六五五年牙買加遭英格蘭人搶走為止。現今的貝拉瓜公爵名叫克里斯多巴爾·科隆（Cristóbal Colón）。

11　葡萄牙人抓走、強暴或娶非洲女人，生下葡非混血兒（Luso-Africans）並構成新階級。這些人基本上以打手、奴隸販子的身分經營葡萄牙人的帝國直至一九七六年為止。非洲的國王、商人把象牙、烏木、奴隸帶給他們，然後這些奴隸被押著走回海岸，往往受到更高地位但身為奴隸的衛兵殘酷監管。

12　達伽馬死於印度。一如哥倫布家族，達伽馬家族成為殖民地權貴世家：他的三個兒子治理非洲的黃金海岸和亞洲的麻六甲、葡屬印度，一五四〇年，其中之一的埃斯陶沃（Estauvo）在葡萄牙帝國鼎盛時期，與鄂圖曼帝國艦隊交手，協助信仰基督教的衣索比亞皇帝，沿著紅海往北襲擊，兵鋒最遠抵達西奈半島。瓦斯科的孫子若昂·達伽馬是澳門的行政長官，一五八八年駕船穿過整個太平洋，探索北美洲海岸，然後抵達阿卡普爾科（Acapulco），遭西班牙人逮捕。

柯爾特斯啟程進入墨西卡人帝國的內陸，同行者為五百名西班牙人、胡安・伽里多（Juan Garrido，又名俊男約翰／Handsome John）、名叫瑪麗亞・德・埃斯特拉達（María de Estrada）的女人、數名改宗的猶太人、一群人數不詳的泰諾族、非洲籍奴隸。其中，伽里多生於剛果，被葡萄牙人俘擄，後來獲解除奴隸身分。瑪麗亞則無役不與，係某個征服該帝國的西班牙人的姊妹。

柯爾特斯、瑪林切、莫泰庫索瑪

柯爾特斯帶著他的十一艘船沿海岸北上，途中登陸馬雅人的普屯昌王國（Putunchan），利用火炮和十一匹馬，鎮壓任何抵抗。他獲贈予三十名女奴，包括年輕的納瓦族（Nahua）貴族女子瑪林切（Malinche）。這位「最美麗、最有活力」的女人，被馬雅人貶為奴隸，兼通馬雅語和納瓦特爾語（Nahuatl），很快就學會西班牙語。這些女奴被分配給柯爾特斯的親信，改宗基督教。柯爾特斯把瑪林切送給他的西班牙人裡最有貴族氣息的人。

莫泰庫索瑪派使者帶著黃金、羽毛過去。西班牙人「像猴子般抓住黃金」，但沒人會講納瓦特爾語，直到瑪林切毛遂自薦翻譯才解決難題。柯爾特斯看出她不只有翻譯本事，還有外交本事，於是把她收回來，並承諾她，若讓他見到莫泰庫索瑪，就獎賞她。後來他說，他之所以得以征服墨西卡人的帝國，首功歸上帝，其次要歸功於瑪林切——西班牙人稱之為瑪麗娜夫人（Doña Marina）。柯爾特斯刻意展示他的火炮和火繩槍；使者於是回去向「最高說話人」報告。其中一個墨西卡人憶道，「聽到槍炮如何在西班牙人指揮下擊發，莫泰庫索瑪尤其像是要暈了過去。那聲音像雷鳴，火光四射，一棵樹頓時灰飛煙滅。他們的戰爭裝備都是鐵製，盔甲、劍、弓、長矛，都是鐵製。」美洲沒有馬。「他們的鹿（馬）像屋頂那樣高；

他們的戰狗身形巨大」，有著「耷拉著的大頜和凶狠的黃色眼睛」。鋼、馬、火藥使西班牙人在技術上享有絕對優勢。

但莫泰庫索瑪也篤定認為，墨西卡人被神指定統治世界，而一輩子揚威沙場，締造輝煌政治事業後，他卻拿不定主意。柯爾特斯靠瑪林切翻譯，和當地諸統治者談判，從中得知托托納克人（Totonacs）和其他許多民族不滿於需索無度的墨西卡人帝國。就是在此時，瑪林切的過人本事至關緊要。柯爾特斯提議和西班牙人聯手推翻莫泰庫索瑪的邪惡帝國，這些民族一聽，無不一副躍躍欲試的樣子。接著，柯爾特斯和瑪林切遭遇實力強大且保有獨立地位的特拉斯卡拉共和國（Tlaxcala），柯爾特斯訝然發現，此國「沒有最高統治者」，而是由諸首領組成的評議會治理，這些首領「全員聚集，開會作出決定」，一如「威尼斯或熱那亞」。與特拉斯卡爾泰卡人（Tlaxcalteca）一番衝突後，他把他們吸收為盟友，一萬名特拉斯卡爾泰卡人加入他的軍隊。柯爾特斯善於領導統御，但靠數萬名當地盟友，他才得以攻城略地。他率領這支西班牙人—特拉斯卡爾泰卡人聯軍攻下聖城丘魯拉（Cholula），一處行神權統治之地，官員施行輪替制，其最宏偉建築是凱察爾科阿特爾神廟（Temple of Quetzalcoatl），神廟甚至比特諾奇蒂特蘭大神廟還要高。

柯爾特斯被迎入城，但置身城中擁擠的街道上，他依舊保持警戒。他的特拉斯卡爾泰卡族盟友痛恨丘魯泰卡人（Choluteca），由此影響了他的下一個作為，不過，提醒他有人陰謀殺害西班牙人的，則是瑪林切。柯爾特斯屠殺了數千名丘魯泰卡人，洗劫了他們的黃金，而特拉斯卡爾泰卡人踴躍參與這波劫掠，然後拿許多倖存者獻祭。

數千名當地士兵助陣，令柯爾特斯信心大增，一五一九年十一月，他逼近燦爛的帝都特諾奇蒂特蘭。在那裡，莫泰庫索瑪與群臣辯論如何因應。他的弟弟奎特拉瓦克（Cuitláhuac）主戰；莫泰庫索瑪決定暫時求和。他坐在轎中，身邊兩百名廷臣，與騎著戰馬的柯爾特斯見面。這位自信滿滿的君主，四十多歲，長髮，神情愉快，戴著綠松石皇冠，穿著金色涼鞋，頭上有大咬鵑羽毛製成的華蓋：兩人都對各自的神聖帝國應有的命運有自己的信念。但莫泰庫索瑪全盤皆輸，柯爾特斯全盤皆贏。兩人都從各自世界的角度看待對方。兩人下馬，柯爾特斯把一個項鍊繫在這個「說話人」脖子上，只是當莫泰庫索瑪想要擁抱柯爾特斯時，諸廷臣阻止。然後，這些廷臣帶領西班牙人進入這個難忘的城市，城中有熠熠生輝的神廟、多種色彩的房子、運河、廣場，群眾從屋頂和獨木舟看他們。有些西班牙人以為自己在作夢，另有西班牙人認為此城類似威尼斯。

柯爾特斯被安頓在一座皇宮裡，莫泰庫索瑪前去探望。西班牙人接著也前去探訪「最高說話人」的皇宮，對於那裡的設施無不瞠目結舌——包括澡堂（墨西卡人，與邋遢的西班牙人不同的，每天洗澡，定期更衣）——他們飽餐一頓（烤火雞、烤鵪鶉、玉米粉圓餅），驚豔於某種可可飲料和令人陶醉的新東西菸草——莫泰庫索瑪會抽菸。這些新奇的事物後來都將在歐洲風靡開來。然而，西班牙人仍被神廟嚇壞，祭司帶他們參觀金字塔狀神廟的階梯和金字塔頂端，祭司頭髮上黏著新鮮人血的凝結血塊，耳垂因儀式所需被穿刺而流著血，身上仍淌著血的被獻祭者就這麼丟到階梯上，金字塔頂端則有一尊握著石造容器的人形雕像，這石器是用來放置人的心臟的。西班牙人也看到血跡斑斑的綠色處決石泰奇卡特爾（techcatl），以及火盆上正擺放著那天從被獻祭者身上取下、尚有餘溫的心臟。他們的驚恐有其道理，但有鑑於當時歐洲城市用被處決者的人頭來裝飾，有鑑於他們常目睹異端人士遭活活燒死，他們的驚恐程度應該沒有後人所以為的那麼強烈。

接著，柯爾特斯發現莫泰庫索瑪派去戍守海岸的士兵和西班牙部隊起衝突。他懲罰墨西卡人指揮官，派他的戰狗——受過殺人訓練的獒和狼犬——攻擊他們，然後把他們活活燒死。墨西卡人得知後大為震撼。隨著全城人心惶惶，柯爾特斯擔憂墨西卡人翻臉不利於他，苦於不知該如何因應，便決定逮捕他們的君主。當他聽聞貝拉斯克斯已派人來逮捕他的風聲，他立即趕回海岸，成功將西班牙人拉攏到他這一邊。在這期間，他位在特諾奇蒂特蘭的親信想要阻止獻祭，從而引發屠殺，繼而發生叛亂。莫泰庫索瑪遭憤怒的墨西卡人所擲出的石頭打中，隨後被捕。他的弟弟兼女婿奎特拉瓦克——奎特拉瓦克娶莫泰庫索瑪的十一歲女兒泰奎奇波奇·伊斯卡索奇欽（Tecuichpoch Ixcaxochitzin）為妻——於莫泰庫索瑪去世時被選為「最高說話人」，莫泰庫索瑪若非自身傷重不治，就是遭柯爾特斯下令殺死。柯爾特斯趕回去拯救同袍。

一五二〇年六月，柯爾特斯遭圍困於宮中且兵力不足以打敗群情激憤的墨西卡人，他冒著猛烈攻擊突圍，損失許多黃金和六百人，越過堤道逃走，是為「悲傷之夜」（Night of Sorrows）。即將落敗之際，他展現他審時度勢、遇事果斷的能耐，告訴手下，「向前進，因為我們什麼都不缺！」他重整兵力，向查理報告道，「在我看來，為這個國家取的最好名字是新西班牙」，而他可以自稱為該國的皇帝，擁有「和日耳曼皇帝一樣崇高的稱號」。但最重要的，是他送去用黃金打造、象徵王權的器物。「這個產金的世界」令這個皇帝讚歎不已。

柯爾特斯重整軍隊。墨西卡人的神祕性已遭打破，遭墨西卡人征服的民族這時紛紛響應起西班牙人進攻此帝國的行動。這個帝國這時正被一個更凶猛的獵者吞噬，猶如美洲豹獵殺鱷魚。「三方同盟」（Triple Alliance）的第二個城市泰斯科科這時加入柯爾特斯陣營，而柯爾特斯已在特諾奇蒂特蘭留下一個殺傷力更大的武器：天花的病原體。「大瘟疫爆發，持續七十天，殺掉許多我們的人，」有個受害者後來告訴西班牙神職人員，「我們的臉、胸部、肚子上突然出現潰瘍，從頭至腳到處是令人痛苦的潰瘍。這個病很可怕，讓人無法行走也動不了。很多人死於這場瘟疫，另有許多人……餓死在床上。」奎特拉瓦克去世，由年輕姪子庫奧泰莫克（Cuauhtemoc）接位。他是個受尊敬的戰士，也娶了莫泰庫索瑪的女兒泰奎奇波奇·伊斯卡索奇欽。一被選為「最高說話人」，庫奧泰莫克即殺掉莫泰庫索瑪的幾個兒子。柯爾特斯以恐怖行動反擊，這時出動七百名西班牙人和七萬名本地士兵。這支聯軍由西班牙籍、特拉斯卡爾泰卡族、泰斯科卡族（Texcoca）戰士組成，其中的西班牙人身穿盔甲，配戴火繩槍和托雷多劍，口喊「卡斯提爾！」中美洲人則戴著鳥羽頭飾，配戴嵌了銳利黑曜石的馬丘亞伊特爾（machuahitl）棍棒，口喊「特拉斯卡拉！」他們先是進攻特諾奇蒂特蘭的盟友之一泰佩阿卡（Tepeaca），殺掉兩萬人，用戰狗將某些人咬碎，在食人大餐中吃掉其他人，然後把女人小孩貶為奴隸，在他們身上烙上代表戰爭（guerra）的G字。柯爾特斯由特拉斯卡爾泰卡族、泰斯科卡族盟友帶路，這兩組盟友都很想找各自的敵人報仇雪恨。「柯爾特斯顯然得配合他這些原住民盟友的目標來打造自己計畫」，墨西哥歷史學家費南多・塞萬泰斯（Fernando Cervantes）如此寫道。他們認為，自己在利用西班牙人，而西班牙人也認為，自己在利用他們。

一五二一年五月二十二日，柯爾特斯包圍特諾奇蒂特蘭，切斷糧食供給。

伊莎貝爾・蒙特蘇馬：末代女皇和墨西卡人的垮台

七月下旬，在湖上的雙桅帆船支援下，柯爾特斯以九百名西班牙人和多達十五萬特拉斯卡爾泰卡人、泰斯科卡人強攻特諾奇蒂特蘭。墨西卡人自幼習武，以荊棘劃自己的身體來強化耐痛能力，又食用佩奧特鹼（peyote）這種仙人掌來產生幻覺，打起仗非常瘋狂，擊沉一艘雙桅帆船，差點逮住柯爾特斯，拿戰俘去獻祭，把五十三顆頭繫成一串。但柯爾特斯寫道，他們最終「沒有箭、投槍或石頭可用」，而「我們的盟友配備劍和胸鎧，在陸上和水中大開殺戒，殺了四萬多人」。他坦然承認，他的特拉斯卡爾泰卡族援軍「大啖」俘虜，「因為他們把那些喪命者全抬走，再切割成碎塊，吃了下去」。他未讚揚他的盟友幫忙殺敵，卻也承認「為阻止我們的盟友以如此殘酷手段殺人，我們所費的心力，甚於攻打敵人所費的心力。因為不管哪個種族，再怎麼野蠻，其凶狠、違逆自然的殘酷，都比不上這些地方的土著」。這場勝利不是九百名西班牙人打敗四百萬人的勝利，而是憑藉人數、技術上的壓倒性優勢，加上美洲有史以來最具威力的大流行病助陣，才得以取得的勝利。八月十三日，庫奧泰莫克終於被擒。

「立刻打死我吧，」他告訴柯爾特斯，求他饒過他的年輕妻子泰奎奇波奇。柯爾特斯寫道，「女人、小孩哭聲震天，我們這邊沒有哪個男人心不為之滴血。」他則比較鐵石心腸：「我們無法阻止一萬五千多人在那天被殺、被拿去獻祭。」志得意滿的西班牙人和特拉斯卡爾泰卡族士兵姦淫擄掠。墨西卡人以如下的輓歌哀悼他們的敗亡：

斷矛躺在路上
我們悲痛扯髮
房子如今沒了屋頂
房牆被血染紅。

柯爾特斯拆掉特諾奇蒂特蘭，改建墨西哥城，「大神廟」被大教堂取代。找到的黃金不夠時，他便命人用火刑求庫奧泰莫克，逼他吐露更多黃金的所在，同時賞他的親信種植園，把財寶和一頭美洲豹送回去給查理。但在歐洲，最初沒人特別關注此事。他的第一批財寶被一名法蘭西籍海盜搶走，那頭美洲豹逃走，殺死兩名水手，然後跳入大西洋。

柯爾特斯圍攻特諾奇蒂特蘭之前不久，麥哲倫在菲律賓與不願改宗基督教的當地人交戰，並戰死沙場。就在柯爾特斯的財寶送到西班牙的同時，有艘船正載著形容枯槁、神情絕望的人抵達西班牙，這些人都是跟著麥哲倫遠航的倖存者。麥哲倫先是饒過美洲南端，進入「平靜」的大洋，將該洋命名為太平洋。這段長程漂泊的航行並不順利，暴風雨、叛變衝突、致命壞血病，以致麥哲倫損失了人員和船。接著，麥哲倫來到關島，再到汶萊、摩鹿加群島、菲律賓，[13]在菲律賓，麥哲倫本人遭重擊而死。但有個叫胡安·塞巴斯蒂安·埃爾卡諾（Juan Sebastián Elcano）的船長，在自己的船上裝滿香料和十八名倖存者，繞經非洲駛回西班牙。查理誇稱他們去了「葡萄牙或其他任何國家都未去過的地方」，賜予埃爾卡諾一個盾徽，盾徽上有一顆地球，地球上寫著拉丁文 Primus circumdedisti me（「你率先環繞了我一圈」）。在這個皇帝和富格爾家族銀行業者的支持下，埃爾卡諾再度踏上環航之旅，卻在此次航行期間餓死，葬身太平洋。

這些來自伊比利半島的冒險家並未領會到太平洋的遼闊，未觸及太平洋的島嶼國度。其中有些島不久前才有玻里尼西亞人定居：最後一波玻里尼西亞移民在一三〇〇年左右才占據奧泰阿羅阿（Aotearoa，今紐西蘭）的兩座島。毛利人留在奧泰阿羅阿，出於不明原因，失去了長距離航行的意志和技術。在拉帕努伊（Rapa Nui，今復活節島）這座自三世紀起有人定居的島上，島民已建造巨大雕像和廟宇平台，以崇奉祖先並觀察星象。

在太平洋中部，夏威夷的四座主島由彼此通婚的諸酋長的家族世襲統治，這些酋長都是創始女神帕帕（Papa）的後代。確切的順序今仍不詳，但七〇〇年左右，夏威夷可能已有來自大溪地的玻里尼西亞人定居，而這時，來自努庫希瓦（Nuku Hiva，西班牙人稱之為馬克薩斯／Marquesas）的新征服者來到這些島，已有數百年。

背離現實的歐洲旅人後來把夏威夷理想化為自由性愛、寬鬆隨性的天堂，不過夏威夷其實是等級森嚴、可同時與不只一人有情愛關係且相關各方都接受這種關係的戰士社會，受玻里尼西亞宗教卡普（kapu）支配，針對每個階級的儀式、食物、土地，皆有明確的劃定。酋長靠繼承和戰爭取得神授的群眾魅力（mana），從而使他們有權利拿人祭神。子民見酋長要跪拜於地。權力鬥爭一如歐洲境內激烈；貴族的嬰兒出生後放在神聖的納哈石（Naha Stone）上，若哭泣，就殺掉；以人祭慶祝勝利。落敗的酋長被戰勝方拿去獻祭——通常被勒死。

他們的家庭觀不若歐洲盛行的那麼僵固：女人，無論貴賤，都享有在中國或歐洲所不可想像的某種程度的獨立自主，而且可以有婚外性關係；小孩往往把兩個男人當父親，通常由堂表兄弟撫養，而非由父母。年紀較長的男人納少年為情人（aikane）。但家系記載詳細，家譜甚受重視。在這時前後，主島由半神話性質的女王（alii nui）凱姬拉尼（Kaikilani）治理，日後將遇到歐洲人的那些國王都是她的後代。

柯爾特斯對太平洋所知甚少，不過他知道那裡有值得征服的土地。他四十九歲時徹底失去雄心及衝勁。後來查理允許再發動數次考察，但在此之前，他下令「必須讓（原住民）自由生活」，不料，柯爾特斯早已開始逼他們在種植園勞動至死，一波波大流行病（麻疹、天花、流行性腮腺炎、出血熱）已漸漸奪走他們許多人的性命：及至一五八〇年，墨西哥谷地居民已約八成八喪命。

由於其他征服者不讓柯爾特斯專美於前，搶著「探索」（搶奪）墨西哥谷地周邊的土地，他不得不先發制人，策畫了沿太平洋岸往北的考察，首先是他親自赴柯爾特斯海（Sea of Cortés），接著是一名親信駕船沿海岸北上，遠至舊金山，並針對被稱作加利福尼亞的新領土海岸繪製了地圖。[14]

13　在菲律賓，他們對身上有許多刺青的原住民男人很感興趣，這些原住民用細金屬穿過陰莖，並說這些細金屬最初令他們的女伴困惑，但最終帶來特別強烈的「性快感」。

14　這塊領土據說是類似卡拉斐婭（Calafia）的島國。卡拉斐婭是通俗俠義小說《埃斯普蘭迪安的冒險》（*Adventures of Esplandián*）裡的女王，統治加利福尼亞的黑皮膚亞馬遜人，小說作者是伽爾西・羅德里蓋斯・德・蒙塔爾沃（Garci Rodríguez de Montalvo）。加利福尼亞是唯一以小說人物命名的領土。而柯爾特斯海即今日的加利福尼亞灣。

柯爾特斯的盟友依舊保有獨立地位，多數王國絲毫不受西班牙人控制達百餘年。一五二三年，柯爾特斯派伙伴佩德羅・德・阿爾瓦拉多（Pedro de Alvarado）前去征服瓜地馬拉、薩爾瓦多拉境內的兩個馬雅人王國吉切（Kiche）、卡克奇凱爾（Kaqchikel），但未得手。最終，靠納瓦族人大力援助，才滅掉卡克奇凱爾王國；在北邊，薩波泰克人（Zapotecs）助柯爾特斯拿下蔥翠的瓦哈卡谷（Oaxaca Valley）。第二大王國普雷佩恰（Purépecha），於一五三〇年被西班牙人征服，而最後一個獨立的馬雅人王國，一六九七年才覆滅。

北美洲的征服更為棘手。一五二八年，由潘斐洛・德・納爾瓦埃斯（Pánfilo de Narváez）領導的考察隊欲在拉佛羅里達（La Florida，阿拉巴馬州和今佛羅里達州之間的廣大土地）建立一殖民地，結果以災難收場。這些西班牙人跋涉兩千哩，途中挨餓、互食，淪為考威爾泰坎族（Caohuiltecan）印第安人的奴隸：只有四人倖存，逃到墨西哥城。[15]

柯爾特斯親赴宏都拉斯考察時，他帶著「最高說話人」庫奧泰莫克同行，擔心把這個末代統治者留在墨西哥城可能生亂。但一發現有人密謀造反，他立刻將他斬首，插在尖樁上。

柯爾特斯回到墨西哥城後，他結縭已久的妻子卡塔莉娜來此和他團聚，但她離奇死亡，有可能是遭她丈夫謀殺。他的馬雅族通譯瑪林切，在某些方面策畫了他和中美洲盟友的關鍵性結盟，也成了他的情婦——出於被迫或自願，不得而知——為他生下他的第一個兒子，人稱混血兒（El Mestizo）的馬丁（Martín）。柯爾特斯把這個男孩帶走，讓他獲教宗確認為婚生子，並留在西班牙養育。至於瑪林切，柯爾特斯給了她一片種植園，安排她嫁給另一個西班牙人，婚後生下一個女兒。這個不凡的女人，還只有二十三歲左右，卻已熬過十四年的奴隸生涯；此後，她是地主和西班牙紳士的妻子。可惜她不久後便離世，或許死於大流行病。

屠殺墨西卡人期間，柯爾特斯主持了一場西班牙籍征服者和墨西卡人王族成員間的奇怪聯姻。畢竟，莫泰庫索瑪的血統受到特別的尊崇。柯爾特斯把莫泰庫索瑪的二十五歲女兒、三任「最高說話人」的遺孀泰奎奇波奇，視為新秩序的重要表徵。他要她皈依基督教，取名伊莎貝爾·蒙特蘇馬（Isabel Montezuma），安排她嫁給他的一名親信（此親信不久後去世），授她一片種植園，以本地籍和非洲籍奴隸為園裡的勞動力。她也逃不過成為柯爾特斯情婦的命運。[16]

柯爾特斯此時非常富有，但以狄耶哥·哥倫布為首的政敵向查理五世大量告發他的不法情事，即便如此，查理仍欣然接收來自他的「產金地」的第一批六萬披索金幣。這個皇帝掌控大局，在格拉納達的阿爾罕布拉宮主持「印度地區事務顧問委員會」（Council of the Indies），沒收了地產多如穆斯林蘇丹的柯爾特斯的部分地產。一五二八年，柯爾特斯憤於「權大勢大的對手和敵人」「蒙蔽了陛下的眼睛」，乘船回國面見皇帝。

15 其中之一的卡維薩·德·巴卡（Cabeza de Vaca）將他的冒險事蹟記錄於筆下，另一人為穆斯塔法（Mustafa），人稱埃斯帖巴尼科（Estevanico），是信仰伊斯蘭教的非洲籍奴隸，有語言學習天分，巴卡稱他作「和他們交談的黑人」。穆斯塔法這個探索美國西部的非洲人，後來在新墨西哥州擔任某支返程考察隊的嚮導時遇害。

16 伊莎貝爾懷孕後立即嫁給另一個西班牙人（她一生總共嫁了六次），然後生下女兒萊奧諾爾·柯爾特斯·蒙特蘇馬（Leonor Cortés Montezuma）。她和兩任西班牙籍丈夫、和柯爾特斯共生下七個孩子。她既是受人擺布的棋子，又具有象徵性功用，她後來變得很有主見，在世時、在遺囑中，一一解放她的奴隸：「我希望，而且我命令，我的所有奴隸，生於這塊土地的印第安男人和女人，都要免除一切奴役、囚虜的處境，成為想做什麼就能做什麼的自由人；因此，如果他們是（奴隸），我要他們且命令他們成為自由之人。」她的一個兒子，名叫胡安·德·蒙特蘇馬·卡諾（Juan de Montezuma Cano），娶卡斯提爾籍貴族埃爾維拉·德·托雷多（Elvira de Toledo），建立托雷多—蒙特蘇馬府，如今仍屹立於卡塞雷斯（Cáceres），飾有呈現墨西卡人「說話人」和西班牙籍權貴的濕壁畫；另一個兒子是米拉瓦列伯爵（Miravelle）的祖先，而她兄弟佩德羅（·德）·蒙特蘇馬·特拉卡韋潘（Pedro (de) Montezuma Tlacahuepan）的後代則隨柯爾特斯回西班牙，成為蒙特蘇馬公爵。

查理不喜歡這個已讓其帝國財力大增的粗俗征服者，但還是封他為「南海」（即太平洋）總督和奧哈卡谷的侯爵，賜予他兩萬三千名家臣，原諒他的抗命。柯爾特斯娶一名貴族女子以茲慶祝，與她生下婚生子唐．馬丁（Don Martín）。柯爾特斯回到新西班牙，在其宅邸裡過著豪華生活（西班牙人在美洲大陸上興建的第一座建築，今仍屹立於奎爾納瓦卡／Cuernavaca）。

查理控制住新西班牙時，接見了柯爾特斯的親戚法蘭西斯科．皮薩羅，皮薩羅請求皇帝支持派遣一支隊伍征服另一個傳說中產金的王國祕魯（Piru）。皮薩羅當了甚久的巴拿馬城行政首長，在任期間一直往南探索太平洋沿岸，蒐集情報。查理允其所請。皮薩羅的部下埋怨太過艱苦時，皮薩羅便喊道，「那裡有非常富裕的祕魯；這裡有巴拿馬和貧窮。各位，選一條最適合勇敢的卡斯提爾人走的路。就我來說，我要去南方。」

一如既往，查理很缺錢，且身體疲累，精神緊繃到快要撐不下去，政治事務繁重到他一人應付不來——他需要一個伙伴，甚至妻子。

印加人、皮薩羅家族、哈布斯堡家族、梅迪奇家族

「大鼻子」和康乃馨皇后

皇帝查理在各方面都遭逢挑戰。在東面，蘇萊曼進逼；在西面，法蘭西的法蘭索瓦既強烈反感於哈布斯堡家族對他的包圍，也痛惡查理。法蘭索瓦是男子氣概的化身，好色但有文化素養的文藝復興君主，人稱大鼻子（Le Grand Nez）和大鵰（Grand Colas）。而兩造雙方其實彼此仇恨。查理因這樣的個人對決而刻意挑起端爭。法蘭索瓦想要將義大利的米蘭據為己有，一五二五年二月二十四日，在義大利的帕維亞（Pavia）城外，查理的火繩槍兵如秋風掃落葉般擊斃法蘭索瓦的衝鋒騎兵[17]，活捉大鼻子，將他押回西班牙。法蘭索瓦告訴他的母親，「除了榮譽和性命，我什麼都沒了」。他把臉抹黑，喬裝為非洲黑奴，想藉此逃走，未能如願，隨後屈服於他所不願見的查理，贏得了自由，卻被迫把兒子留下當人質。他興高采烈

17　查理動用了由瑞士、日耳曼蘭茲克內希特傭兵（Landsknechte）和西班牙泰爾西奧（tercios）精銳部隊組成的軍隊，其成法蘭索瓦也雇用蘭茲克內希特傭兵，但這類士兵的人數較少。火繩槍不斷改良，而義大利猶如技術創新的實驗室。查理的士兵開始使用靠支座撐住且能射穿盔甲的較重的火繩槍：這類槍被稱作moschetti（滑膛槍），其問世迅即使盔甲無用武之地，重裝甲騎兵擅場的時代——自全覆裝甲騎兵於波斯大展身手以來已歷千年——隨之落幕。最著名的製槍名家當然是義大利人。達文西曾做實驗以驗證其滑膛槍設計圖。一五二六年，義大利工匠巴托洛梅奧·貝瑞塔（Bartolomeo Beretta）在北義大利建造了製造滑膛槍的鑄造車間。一五三〇年代，貝瑞塔實驗一較小的新火器的威力：手槍（pistol，源自捷克語pistole）。之後，手槍成為貴族的時髦配件，特別訂做且裝飾繁複。至於貝瑞塔工廠，至今仍在生產槍枝。

快馬奔回巴黎，大喊「我又是國王了」，然後背信毀約，和英格蘭締約結盟。

二十六歲的查理慶祝此次大捷，同時舉行了結婚典禮，結婚對象是他所心儀的一個女孩。為削弱英法兩國的友好關係，查理原和英王亨利八世的六歲女兒瑪麗訂下婚約，瑪麗則是亨利八世和兄長遺孀阿拉貢的凱瑟琳所生。但後來，查理改娶二十三歲的公主伊莎貝拉（Infanta Isabella）。白膚、紅髮的伊莎貝拉是葡萄牙王馬努埃爾的女兒，為了這樁婚姻，馬努埃爾表示願給予極豐厚的嫁妝。伊莎貝拉受過良好教育，佩戴刻有 Aut Caesar aut nihil（不當凱撒，枉為人生）的圓形飾物，決意只嫁給偉大的君主。她找到她的凱撒，她的哥哥若昂三世娶了查理的妹妹卡塔莉娜。這對表兄妹在兩人於塞維爾的結婚典禮上首度相見，而她極漂亮，兩人立刻陷入愛河，隨後在格拉納達飾有阿拉伯式花飾的阿爾罕布拉宮愉快度蜜月。查理在格拉納達蓋了一座新宮殿，為她進口康乃馨種植。

有個葡萄牙外交官說，這個年輕皇后「每晚睡在丈夫懷裡；兩人待在床上直到早上十點或十一點，始終一起說話、大笑」。查理誇稱他為魚水之歡累到手發抖──「手無法寫字」──因為他「新婚未久」。伊莎貝拉立即懷孕，以帝王般的勇敢熬過非常痛苦的分娩。她要人拿來面紗，而當產婆勸她如有必要就叫出來時，她回道，「那我寧可死。別跟我講那樣的話：我或許會死，但我絕不會叫出聲。」[18] 新生兒取名菲利浦。查理心態自私，把她視為生育機器──她懷孕了七次──曾在保衛其帝國時有長達四年不在她身邊，但他愛她，稱讚她「很美」。他也信任她，任命她為攝政；他稱許她的決定「非常明智，設想周全」。

一五二九年五月，允許皮薩羅這個粗俗的西班牙籍征服者啟程前去一處名為祕魯的地方者，係伊莎貝拉。「我們下令由總督皮薩羅治理該地，直至他死去，」她寫道。「我們允許他帶兩百五十人同去。」

一五三〇年十二月，皮薩羅從巴拿馬出航，抵達時正逢「四部合一帝國」（the Empire of The Four Parts）因皇位繼承戰爭而踉蹌不穩，時機非常有利。帝國的印加（Inca，「君主」）瓦伊納・卡帕克（Wayna

Capac）已在位三十年，任內向四部開疆拓土，生了五十個兒子，帝國版圖來到史上最廣，從祕魯心臟地帶延伸至安地斯山脈和亞馬遜河沼澤，疆界推進至今日的玻利維亞、阿根廷、智利、厄瓜多境內——將其所打敗的統治者剝皮，把他們的頭插在尖樁上，把他們的皮繃在鼓面上，藉此慶祝勝利。柯爾特斯率兵攻城略地之前，這個薩帕印加就知道歐洲人到來之事，但一五二四年，他在哥倫比亞西南部打仗時染上西班牙人所帶來的天花，連同他立的太子一起死於大流行病。四部合一帝國被他的兩個兒子瓜分。瓦斯卡爾·印加（Huáscar Inca）以新城市基多為都城統治疆域，得寵的兒子阿塔瓦爾帕（Atahualpa）為南邊庫斯科王國的自治國王——此一安排很快就招來大禍。瓦斯卡爾勾引貴族的妻子，強奪前幾任印加的采邑，導致他和兄弟阿塔瓦爾帕關係緊張，隨後將阿塔瓦爾帕逮捕。阿塔瓦爾帕逃走後，兩兄弟在彼此世仇對立的不同王室氏族支持下兵戎相向，各出動五萬兵力，瓦斯卡爾落敗被擒。

就在皮薩羅快要來到祕魯時，阿塔瓦爾帕安排了一場虐人取樂的表演，逼他被俘的同父異母兄弟看著他的所有妻子、孩子遭折磨、然後殺害。他帶領四萬士兵前往都城庫斯科時，遇上總督皮羅薩和他的一百零六名步兵、六十二名騎兵。皮薩羅家共三兄弟參與了這次遠征。西班牙人同意向正在附近卡哈馬爾卡（Cajamarca）的礦泉療養地休息的阿塔瓦爾帕致意。在城裡的廣場上，卡斯提爾人將火炮巧妙隱藏在廣場

18　當時小孩是在家裡生，女人仍可能死於分娩；女人分娩前會立遺囑。服用沒藥、纈草根、「土耳其罌粟」（鴉片）所調製的藥劑，減輕不了多少生產的痛。統計數字都出於猜測，但千百年來，五歲以下小孩的死亡率在兩成至五成之間；多達兩成的生產，其下場都是母親的死。產婆往往世代從事此行業，把接生知識傳給自家下一代。她們用未殺菌的手指撐開產婦的子宮頸，萬一難產，剖腹是保不住母親性命的；而如果什麼都不做，母子都保不住；一般來講，產婆使用鉤子拿出胎兒以保住母親性命。而即使順利產子，撕裂傷可能導致致命的產後敗血症。胎盤所留下的開放性傷口發生感染的話，往往演變為產褥熱；母親往往死於腹膜炎。至這時為止，分娩都未有醫生（全是男人）參與。隨著醫生逐漸參與且在下個世紀創辦了婦科醫院，死亡率卻是飆升。有很長一段時間，在家生產安全得多。

周邊建築裡。阿塔瓦爾帕由隨從抬進廣場時，皮薩羅的修士獻上祈禱書。這個印加竟將祈禱書丟到地上，皮薩羅立刻「向炮手發出信號，示意向印加人群中央開炮」。

印加帝國和「征服者」

皮薩羅的少許戰馬衝進印加人群，印加人未反擊。七千人遭屠殺。阿塔瓦爾帕被捕。皮薩羅索要大量黃金贖人。阿塔瓦爾帕向皮薩羅提議軍事結盟，把他的十五歲同父異母妹基絲佩．西薩（Quispe Sisa）送給皮薩羅。她先是受洗，取教名伊涅絲．尤潘基（Inés Yupanqui），然後被頭髮花白的皮薩羅勾引。皮薩羅以西班牙某種漂亮鳥兒的名字替她取綽號皮絲皮塔（Pispita）。阿塔瓦爾帕遭拘禁期間仍在進行他的內戰，甚至命人殺害自己的兄弟——「我的兄弟怎可以得到這麼多金銀？只要有人殺掉他，讓我稱王，我會給出他所能給出的價碼的兩倍。」他命人從庫斯科運來黃金給皮薩羅。六噸黃金和五噸白銀熔掉，然而當這個印加的將領重整旗鼓以攻擊西班牙人時，皮薩羅反而恐慌了起來，決定殺掉這個君主。皮薩羅指控他崇拜偶像、謀殺兄弟，然後對他判處火刑。對印加來說，這是無法忍受的下場。皮薩羅的修士提議，如果皈依天主教，阿塔瓦爾帕的刑罰可改為勒死，於是他根據要殺他之人皮薩羅的名字，取教名法蘭西斯科，然後被用鐵環絞死。

這時，有個年輕的印加名叫曼科．尤潘基（Manco Yupanqui），表示願與皮薩羅結盟。他是瓦斯卡爾的另一個兒子，在阿塔瓦爾帕屠殺親人時逃過一劫，深信靠西班牙人幫助，他得以重建「四部合一帝國」。在庫斯科，在他經防腐處理的諸位先王注視下，皮薩羅家三兄弟扶立曼科為印加。

這個都城令西班牙人瞠目結舌。「這是在此國或在『印度地區』的任何一處所見過最氣派、最完善的城市，」皮薩羅在給查理的報告中寫道。「我們可以向陛下保證，它非常美，有很出色的建築，即使在西班牙，它都會引人注目。」皮薩羅主導了洗劫太陽神殿（Coricancha）的行動，神殿有金銀牆，有金色植物、獻祭金壇、金太陽神像，而許多早期印加統治者的金雕像矗立在庭園裡，而這些一律遭熔化。皮薩羅派弟弟埃爾南多（Hernando）帶著該分給皇帝的第一批戰利品返國。

查理稱雄義大利。在羅馬，教宗萊奧十世開除馬丁．路德教籍，路德痛斥「這位教宗公然且無恥的……搞雞姦」。萊奧死後，繼任教宗在位不久即去世，查理隨之支持梅迪奇家族另一名成員朱利奧角逐教宗之位。朱利奧當選，是為克雷芒七世。克雷芒和藹可親且有文化素養，委請年輕時就認識的米開朗基羅完成位於佛羅倫斯的家族禮拜堂，並告訴他，「心思全擺在工作上」，「該花就花不必省」。米開朗基羅很高興。「梅迪奇是教宗，全世界都會為此開心，」他告訴他的採石工人。「在藝術方面，會有許多事完成。」結果，羅馬慘遭洗劫，暴力、劫掠橫行。

黑公爵、米開朗基羅、洗劫羅馬

教宗克雷芒背叛查理，與法蘭索瓦結盟。查理火大了起來：「你應該知道你能選上，我們出了多少力。」他的軍隊未領到薪餉，同樣是滿腔怒氣，於是向羅馬進發。克雷芒準備抗敵，但嚴重失算。五月上旬，神聖羅馬帝國的擁護者攻破羅馬，將克雷芒的瑞士衛隊屠殺於聖彼得大教堂的階梯上。克雷芒逃至天使堡，並將首飾熔化以籌畫逃跑大計。在哈德良要塞外，查理的蘭茲克內希特傭兵——其中許多人是新教徒——無法無天了起來，他們強暴修女，在梵蒂岡的拉斐爾畫作上寫上「路德」字眼，損壞那些畫作，殺掉一萬羅馬人——直到這些傭兵被瘟疫奪走性命，才結束此暴行。克雷芒的慘敗引發以佛羅倫斯的梅迪奇家族為聲討對象的革命。這些末日般的情景給了米開朗基羅在〈最後的審判〉中繪製地獄景象的靈感，加劇了天主教徒、新教徒間的仇恨。馬丁・路德意氣風發說道，「基督主宰一切，致使為了教宗而迫害路德的皇帝不得不為了路德消滅該教宗。」

六月六日，被查理嚇懷的克雷芒投降，答應支付贖金。他逃到鄉間，在那裡接見了英格蘭的使者。英王亨利八世派使者前來請求教宗同意撤銷他和阿拉貢的凱瑟琳（查理的姨媽）的婚姻，並同意他改娶好強的情婦安妮・博林（Anne Boleyn）。若是其他時候，這樣的請求大概可通融，只是政治，一如愛情，全取決於時機：克雷芒禁不起觸怒查理的風險。亨利最初是個身材修長、和藹可親、精力充沛的萬人迷，後來變成殘暴、自戀、半陽萎、好長篇大論卻言不及義的人，急於為他暴發戶般的王朝生下一子，又愛上博林，他本身在宗教上立場保守。沒想到，他幹練的新教籍大臣湯瑪斯・克倫威爾（Thomas Cromwell）宗教立場激進，一手策畫了亨利與凱瑟琳離婚、娶博林、和羅馬分裂，使英格蘭往宗教改革邁出一步。克雷芒不同意亨利離婚一事，促使亨利可以名正言順著手反對來自歐洲的干預，而亨利此舉既構成而且反映了英格蘭的自主本能。

一五三〇年，查理來到波洛尼亞，以領取克雷芒給予的獎賞：受教宗加冕——而這將是教宗為國君加冕的最後一次。作為回報，克雷芒請求查理讓梅迪奇家族在佛羅倫斯復位，而在佛羅倫斯，米開朗基羅儘管與該家族素有淵源，卻支持共和制，擔任了反梅迪奇陣營的防禦工事統領。可惜他設計的雉堞不管用：查理讓梅迪奇家族復位。

克雷芒，一如亨利沒有婚生的嗣子，只留下兩個年輕的私生子，而其中一人可能是他與黑奴所生。私生子亞列桑德羅・梅迪奇（Alessandro Medici）原本自小至大沒沒無聞，他母親被說成是「奴隸」、「摩爾籍」、「半黑鬼」。但這時，家族需求勝過種族偏見。亞列桑德羅的際遇出現令人吃驚的反轉，先是受私人教師調教，受專門訓練，接著以佛羅倫斯公爵的身分現身，與查理的私生女兒瑪格麗塔（Margarita）訂了婚約。亞列桑德羅綽號「黑人」（Il Moro），是歐洲第一個且是唯一一個有色人種的統治者，而他的表現表明了他是玩佛羅倫斯凶殘政治把戲的能人，毒死他的堂兄弟樞機主教伊波利托．梅迪奇（Ippolito Medici），可能找人殺了他的非洲籍生母，以免自己在社交上難堪。這位「黑公爵」不惜巨資為自己添置華服和雕刻精美的手槍，此時已是有頭有臉的義大利權貴。如果說查理欽佩他，米開朗基羅則不然：當他表明不願為亞列桑德羅設計要塞時，這個公爵下令暗殺他。所幸，「有人偷偷告訴我，如果想保命，就不要再待在那裡」，這位藝術家逃到羅馬，在那裡，克雷芒原諒了他。[19]

但克雷芒仍持續操縱哈布斯堡家族與瓦盧瓦王朝之間的競爭，並冀望從中得利，於是他安排梅迪家族出身的另一名女繼承人、綽號「小女公爵」（Duchessina）的凱瑟琳，嫁給法蘭索瓦的次子亨利。亨利看來不可能當上國王，反而是凱瑟琳將主宰法國四十年。

米開朗基羅的〈最後的審判〉和黑公爵的垮台

克雷芒即將離開人世時，委請米開朗基羅繪飾西斯汀禮拜堂的後壁。但這位慷慨贊助米開朗基羅的教宗去世後，當選的新教宗更加優秀。本名亞列桑德羅．法內塞（Alessandro Farnesse）的保祿三世（Paul

---

19　克雷芒是個對人對事沒有成見的人文主義者，他保護羅馬的猶太人，使他們不受宗教裁判所傷害，他對尼古勞斯．哥白尼（Nicolaus Copernicus）的理論深感興趣。這位交友甚廣、受過義大利語教育的波蘭神職人員，主張地球繞太陽轉。克雷芒認為，日心說不會對教會構成威脅。諷刺的是，激進的路德拒斥哥白尼的理論，說他是「想要把整個天文學推翻的那個傢伙」。

III），[20]舉止彬彬有禮、頭腦精明、有時凶殘，他接著召見米開朗基羅。已六十歲的米開朗基羅堅稱自己太累，應付不來更多工作。未料保祿不為所動，堅稱「我懷抱這抱負已三十年，如今當上教宗，我不想有遺憾。我要你一定為我效力」。

米開朗基羅盡職的繪成濕壁畫〈最後的審判〉，呈現死者在審判日醒來、基督二次降世的情景。接著，保祿委請他在卡匹托爾山設計坎皮多利奧（Campidoglio）廣場，米開朗基羅在廣場上矗立馬庫斯．奧雷利烏斯的雕像，而後被任命掌管聖彼得大教堂。保祿和米開朗基羅結為朋友。

這位藝術家自此在羅馬順風順水，他送錢給他窩囊的家人，使他們重新躋身貴族階層，同時統領他的那票弟子，並享受與三教九流交友的樂趣。他送情書和素描給年輕的貴族女子托馬索．德伊．卡瓦列里（Tommaso dei Cavalieri），然而，在寫給摯友公主維多莉亞．科隆納（Vittoria Colonna）的信中，他才是最毫無保留的訴說了他對藝術的看法：「美是我所從事之行業的可靠指引，在我眼中，美是身為人所該擁有的事物，映現藝術，也照亮藝術。」他以大笑和詼諧淡化自身的壞脾氣，嘲笑他日益老化的膀胱：「尿！我太了解它了——滴水的管子，迫使我在黎明還在躲貓貓時太早醒來——真讓人討厭！」他愈來愈老了，有次在西斯汀禮拜堂作畫時，從鷹架上掉落。[21]

在佛羅倫斯，亞列桑德羅．梅迪奇剛娶查理五世的女兒，十四歲的奧地利的瑪格麗塔，但他嚴酷無情又趾高氣揚的作風和好勾引女人的行徑招來妒恨，他身無分文的堂兄弟暨友伴洛倫札喬（Lorrenzaccio）尤其妒恨他。在政治界，最危險的事物往往來自自己身邊，而非來自外頭，其中又以關係親近的家族所懷有的強烈厭惡最為危險。

洛倫札喬決定殺掉黑公爵。一五三六年，他向這位公爵獻上每個好玩女人的男人所夢寐以求的提議：引誘端莊正派的人妻。他把公爵誘至幽會處，接著，他突然出現在睡覺中的亞列桑德羅面前，身邊還帶著一名殺手。洛倫札喬拿刀準備刺向他的肚子，亞列桑德羅反擊，差點咬掉洛倫札喬的手指，是那個殺手割斷他的喉嚨，洛倫札喬這才保住手指。[22]

查理是基督教世界的普世皇帝，他的盔甲上刻有「神授之人查理」。但他的敵人蘇萊曼不只自認是蘇丹、可汗、帕迪沙，還自認是當之無愧的凱撒。他鄙視查理，說他只是「西班牙國王」，於是率大軍攻打維也納。

20　法內塞為博爾賈家族後人，人們稱他「裙帶紅衣主教」，因為他是教宗亞歷山大的情婦的弟弟，十幾歲時便獲提拔，披上紅袍。保祿也聘請提香，提香曾為這個年邁的教宗和他狡詐的姪子們繪製了發人深思的畫像。提香在教宗和皇帝的贊助之間尋求平衡，促使博爾賈家族對抗哈布斯堡家族。只是這些畫作，保祿從未支付一毛錢。最終於一五四八年，提香前往奧古斯堡，成為哈布斯堡的首席畫家。

21　一五四九年，教宗保祿三世去世，臨終時米開朗基羅在他床邊。米開朗基羅與那些考慮過改宗新教卻始終未真正改宗的人過從甚密，但此後他得非常小心。一五五五年，狂熱的姜皮耶特羅・卡拉法（Giampietro Carafa）選上教宗（保祿四世），開始鎮壓異議，動用宗教裁判所整肅異端，下令用顏料將〈最後的審判〉中的某些裸體蓋掉。一五六三年米開朗基羅去世，享年八十八。

22　洛倫札喬逃走時，梅迪奇家族徵求他的堂兄弟烏爾比諾的科西莫・德・梅迪奇（Cosimo de'Medici）繼任公爵。這份差事所需的特質，科西莫一樣不缺。他既凶殘又有文化素養，符合梅迪奇家族人所應具備的特質。他除掉敵人，追捕洛倫札喬，親手將他不忠的貼身男僕捅死。他的後代統治托斯卡尼兩百年。至於黑公爵的遺孀瑪格麗塔，查理將她嫁給教宗家族中另一個過度講究自身外表的人——保祿三世的孫子帕爾馬（Palma）公爵屋大維奧・法內塞（Ottavio Farnese）。她有自己的想法，行事不理會社會規範，而且聰穎，數年不願和法內塞圓房，而且要求讓她有自己的宮廷，且如願以償，這才和他有夫妻之實。後來，她成為尼德蘭的總督，治理有方且包容異己。她的兒子就是一五八八年未能如期和西班牙無敵艦隊會合的那位帕爾馬公爵。

蘇萊曼最寵之人：羅克塞拉娜和易卜拉欣

蘇萊曼告訴法蘭西使者，「西班牙國王宣布他想要對付土耳其人，如今我要進攻他。如果這個男人有種、夠膽，就放馬過來。」

他的寵臣易卜拉欣帕夏（Ibrahim Pasha）委託威尼斯寶石匠打造一頂四重冠的皇冠。這位維齊爾身居一人之下萬人之上，以位在戰車競賽場的新宅邸（今仍屹立）為根據地，並在宅邸內主持盛大表演，彰顯帝國聲威。大維齊爾有權利在旗幟上展示五根馬尾，而易卜拉欣獲准展示六根，只比蘇丹少一根。唯有綽號羅克塞拉娜的烏克蘭人許蕾姆——蘇丹五個小孩的母親——有權力質疑他。

這位蘇丹的少年兒子穆斯塔法（Mustafa）眼紅易卜拉欣。鄂圖曼的制度導致宮中不同對的母子互鬥。穆斯塔法的母親馬希德芙朗（Mahidevran）未能削弱許蕾姆的地位，索性攻擊起她，抓傷她的臉，扯下她的頭髮。蘇萊曼喚來許蕾姆，許蕾姆竟然拒絕不願去，說她已被毀容。馬希德芙朗遭流放。

有易卜拉欣和羅克塞拉娜為伴，蘇萊曼的人生似乎很安穩。他的母親哈夫莎在他的家族世界裡當家作主，而蘇萊曼未改變羅克塞拉娜的身分地位。但母后去世後，他先是解除羅克塞拉娜的奴隸身分，然後娶了還只有二十多歲的她。[23]

生了數個兒子後，蘇萊曼和許蕾姆不再生小孩，心知這些兒子只有一人能繼承大位，在權力爭奪賽中敗下陣者會被勒死。許蕾姆大概使用陰道栓劑來避孕，栓劑內有用甘藍菜葉、胡椒、胡椒薄荷、薄荷葉、蒔蘿製成的油。她承接了掌管舊宮和後宮的大權，從原本的沒沒無聞變成檯面人物，與波蘭、匈牙利的王后通信，資助她在伊斯坦堡、耶路撒冷成立的慈善基金會。她向蘇萊曼承認，「你知道，我從不甘於做最微不足道的事。」

蘇萊曼和易卜拉欣兩人正在謀畫戰爭、條約、大興土木之事。在東邊，蘇萊曼和什葉派波斯人交手；在西邊，一五二四年，他打敗匈牙利人，殺掉匈牙利的年輕國王拉約什二世（Lajos II）——最後一位亞捷隆王朝的國王，從而促使皇帝馬克希米連談成哈布斯堡家族的一樁婚姻：查理的弟弟奧地利大公斐迪南娶拉約什的姊姊。於是，斐迪南自此認定，自己有權利將匈牙利、波希米亞、克羅埃西亞據為己有，這三個地方果然自此直至一九一八年都是哈布斯堡家族的王國。然後，一五二九年，蘇萊曼和易卜拉欣揮兵入侵奧地利，十二萬鄂圖曼人圍攻維也納，幾場大雨迫使他們丟下重槍離去，才解了此圍。三年後，他們再度進攻；這次查理反攻，致進鄂圖曼人所控制的匈牙利領土。而在另一片大陸上，更進一步的征服擴展了查理的美洲王國：一五三二年，哈布斯堡家族委請時年二十八、精力充沛的無賴塌鼻男佩德羅·德·埃雷迪亞（Pedro de Heredia）向哥倫比亞境內擴張。在某次攻擊中，他面部受傷，所幸存活了下來，而後，他一路追殺，也殺死了三個襲擊他的人，自此他逃離馬德里。一五三三年，埃雷迪亞帶著一小支隊伍擊敗原住民奇布查人（Chibchan people）。他在自己的瑪林切——一個被奴役的莫卡納女孩（Mokana），名叫印第安·卡塔利娜（India Catalina）——協助下談成合約。印第安·卡塔利娜遭埃雷迪亞劫持，並成為他的妾，卻同時也是他深具才華的翻譯和外交官。後來，卡塔利娜利用西班牙的法律來對付西班牙人，她在法庭中對他提出要求，分得他的戰利品——而且可能嫁給他的姪子。就在皮薩羅取得庫斯科之際，埃雷迪亞建造了一座城市——卡塔赫納（Cartagena）——接著著手襲擊、掠奪太平洋海岸的神廟和墳墓。他的黃

23 羅克塞拉娜自此正式成為許蕾姆·蘇丹（Hürrem Sultan），有王后（Haseki Sultan）的稱號。鄂圖曼帝國的太后和王后向來由一名猶太籍女官服侍。這名女官，人稱姬拉（kira），代表太后、王后和男人世界、基督教世界對應，往往擔任外交官和外國君主打交道。哈夫莎去世後，她的姬拉斯特隆吉拉（Strongila）續獲許蕾姆重用，後來改宗伊斯蘭教。

金、白銀等戰利品數量過大，因此他的部隊得到的獎賞更勝於柯爾特斯和皮薩羅的部屬。一如和他一樣的征服者，他唯利是圖的暴行成了查理的頭痛問題：埃雷迪亞在前往馬德里面對指控的途中，在海中溺斃，而卡塔赫納則成為西班牙美洲大陸最大的白銀、奴隸貿易中心。

查理和蘇萊曼不只在陸上較量。一五二八年，面對鄂圖曼帝國在陸上的進攻和伊斯蘭籍海盜走海路上岸掠人為奴，查理於是聘用基督教世界最厲害的海軍將領安德雷亞・多里亞（Andrea Doria）。多里亞以「終身監察官」（Perpetual Censor）的身分統治熱那亞，係在海上活動的寡頭統治王朝的繼承人。蘇萊曼分心於攻打伊朗之際，多里亞襲擊鄂圖曼人所控制的希臘領土。蘇萊曼不甘示弱，隨之找來當世最厲害的海盜「紅鬍子」（Barbarossa）坐陣。

帖木兒家族和留里克王朝、鄂圖曼人和門德斯家族

勒死和海戰：紅鬍子兄弟和海盜女王

一五三三年，紅鬍子統領四十艘船進入博斯普魯斯海岸，經過托普卡普宮，船上旗幟迎風飛展，然後向蘇萊曼獻上由獅子護送、駱駝馱運的黃金、珠寶、紡織品，獻上列隊行進的基督教籍女奴，每個女奴捧著要獻上的財寶。蘇萊曼任命魁梧、濃眉、紅鬍的紅鬍子為「海上總督」（Kapudan-ı Derya），並命令易卜拉欣打造數座造船廠和一支艦隊。

紅鬍子生於萊斯沃斯島，父親是信仰基督教的阿爾巴尼亞人，原是騎兵，後來改行製陶，母親是希臘神職人員的遺孀，紅鬍子本人則改宗伊斯蘭教。他的哥哥奧魯奇（Oruç）和弟弟伊利亞斯（Ilyas）原靠做買賣為生，直到遭基督教聖戰組織聖約翰騎士團（Knights of St John）俘擄，打斷了他們的商人生涯。騎士團殺掉伊利亞斯，將奧魯奇貶為奴隸，送到他們的槳帆船上當划槳奴，他的弟弟基德爾（Khidr）——即日後的紅鬍子——救了他，他才重獲自由。伊莎貝拉和斐迪南開始迫害國內的穆斯林子民時，兩兄弟發起拯救行動，用船將其中某些難民運送到摩洛哥境內的安全之地。

許多原是西班牙人的穆斯林成為紅鬍子的戰友，為首者是艾夏（Aisha），即先前所提過，一四九二年和末代埃米爾一起離開格拉納達的那名貴族女性。這些逃難的貴族來到正苦於派系戰爭的摩洛哥後，她父親將她嫁給泰土安口岸（Tétouan）的統治者。丈夫去世後，艾夏以「掌權夫人」（Sayyida al-Hurra）的身分接掌泰土安，為城鎮築防禦工事，並打造一支艦隊，襲擊基督徒的船隻——基督徒稱她「海盜女王」

（Pirate Queen）。這對兄弟以傑爾巴島（Djerba）為大本營，襲擊義大利和西班牙，搶走基督徒人家的小孩和女孩，送至奴隸市場賣掉。在襲擊行動中淪為奴隸者常多達六千人。這對兄弟拿下非洲數個口岸，先是奧蘭（Oran），然後阿爾及爾和布日伊（Bougie），奧魯奇在布日伊失去一臂。他裝上銀製義肢後，土耳其人叫他「銀臂」（Silver Arm）。銀臂把阿爾及爾獻給「冷酷者」塞利姆，塞利姆收下，編為一省。銀臂此舉激怒查理，查理下令進攻奧蘭和特萊姆森（Tlemcen），銀臂戰死於此役期間。這家兄弟的僅存者紅鬍子基德爾接掌餘部。紅鬍子派船助新蘇丹蘇萊曼攻羅得島，而後再度襲擊義大利、西班牙；他麾下的船長攻打法國北部和英格蘭的康沃爾、懷特島（Isle of Wight），他則把阿爾及爾打造成商業和人口急速成長、驕奢成風的奴隸城鎮——基督徒口中的巴巴里沿海地區（Barbary Coast）自此問世。

鄂圖曼帝國海軍總司令暨北非洲、羅得島的總督紅鬍子離開伊斯坦堡後，他追擊多里亞，登陸奧斯提亞（羅馬的口岸），拿下卡布里島。他在島上建了紅鬍子堡（Castello Barbarossa），廢墟今仍存。許蕾姆透過她的猶太籍女官斯特隆吉拉操作情報網，而拜此情報網之助，正是許蕾姆向蘇萊曼通報紅鬍子的頭幾場勝利。

面對哈布斯堡家族的反攻，易卜拉欣和法蘭西締結了共同對付查理的條約。紅鬍子率領其艦隊停靠土倫（Toulon），而此條約的談成，有部分要歸功於他。查理五世派一名使者前去會見紅鬍子，要他轉達願授予非洲王之位，若不從，就將他暗殺。紅鬍子當即將使者斬首。

一五三五年，趁蘇萊曼和易卜拉欣率兵攻打伊朗薩法維王朝國王塔赫馬斯普（Tahmasp），拿下巴格達時，查理反擊，並拿下突尼斯。而易卜拉欣，在擔任大維齊爾十年後，變得不太把蘇萊曼放在眼裡，而且太樂於接納不同的想法和作法，即使是隨和的鄂圖曼人都無法接受這點。大臣在位愈久，樹敵就愈多。易卜拉欣毫不掩飾自身的位高權重。「雖然我是蘇丹的奴隸，但一切我說了算。我能一舉把小馬官提拔為帕夏，能把王國和省授予我中意的人。」他如此告訴外國使者。易卜拉欣把在匈牙利搶來的海克力士、黛安娜、阿波羅雕像，立在他位於戰車競賽場的宅邸外，令反對偶像崇拜的穆斯林震驚不已。詩人費伽尼（Figani）開玩笑道，「兩個亞伯拉罕來到世間，其中一人摧毀偶像，另一人崇拜偶像。」*易卜拉欣命人將費伽尼勒死。易卜拉欣有個義大利籍的男性愛人，但老早就愛上蘇丹蘇萊曼的姊姊哈提絲（Hatice），還寫了詩送她——未經蘇萊曼同意。征戰期間，他要他的馬屁精稱他「蘇丹」。他處決了一名和他作對的維齊爾，而且和許蕾姆起了衝突。一五二六年，許蕾姆寫信告訴蘇萊曼，「有人要我解釋我為何氣這個帕夏」，「對方會收到我的解釋。而眼下，我向這位帕夏致上問候，如果他願意收下這些問候的話」。蘇萊曼讓易卜拉欣娶他的姊姊，並在戰車競賽場舉辦了慶祝活動。只是這個維齊爾和蘇丹的長子穆斯塔法走得很近，蘇萊曼死後若由穆斯塔法接位，許蕾姆的諸兒子可能性命不保。

一五三六年三月十五日，這個帕迪沙和維齊爾一起開齋，結束齋戒月。然後易卜拉欣在托普卡普宮內就寢。夜裡某時，蘇萊曼派他的殺手「無舌者」闖入易卜拉欣寓所，將他的童年友人用鐵環勒死。有順口溜說，馬克布爾（Makbul，「受寵信者」）變成馬克圖爾（Maktul，「被殺者」）。易卜拉欣遭草草埋葬，未立墓碑。許蕾姆的權勢更大：蘇萊曼任命女婿呂斯泰姆（Rüstem）為大維齊爾。他的妻子，即他們的掌上明珠米赫莉瑪（Mihrimah，月神之子），將憑藉自身本事，成為鄂圖曼帝國裡手握大權的人物。

呂斯泰姆是克羅埃西亞籍豬農的兒子，年輕當奴隸時奮不顧身跳出窗子，只為抓住蘇萊曼掉落的小裝飾物。許蕾姆原本中意一個較英俊的男子娶米赫莉瑪，沒想到呂斯泰姆賄賂蘇丹的猶太籍醫生，讓他宣稱那個男子患有梅毒。他的情敵反稱呂斯泰姆有痲瘋，不過他的袍服裡出現蝨子，因而戳破此說法——當時

---

*　譯注：基督教先知亞伯拉罕，在伊斯蘭教裡稱作易卜拉欣。

人認為，蝨子不會跳到痲瘋患者的身上。一五三九年，因爬上權力高位而有綽號「幸運蝨」、現年四十五歲左右的呂斯泰姆，娶十七歲的米赫莉瑪，成為駙馬（damad）。他積聚龐大財富，最終將擁有一千七百名奴隸。但鄂圖曼帝國公主享有特殊權力：可以把丈夫休掉，為自己積攢財富，並暗中配置權力。一如她的母親，米赫莉瑪漂亮、金髮、強勢、聰穎，後來代表她父親和弟弟與波蘭君主談判。

蘇萊曼正在主導一場全球戰爭，且是歐洲的史學家長久以來未曾注意到的。一五三八年，他派八十艘船、四萬士兵經紅海至印度洋——大概是自明朝寶船以來行走於這些海域的最大規模船隊。印度洋艦隊司令是身為奴隸的匈牙利籍宦官哈德姆．蘇萊曼（Hadım Suleiman）帕夏。日後將成為大維齊爾的蘇萊曼這時六十九歲，率船從吉達出航，自葡萄牙人手裡奪下亞丁（今葉門境內），接著與蘇丹的古吉拉特盟友會合，攻打葡萄牙人所掌控的第烏（今印度西部境內），未能得手。在非洲之角，蘇萊曼入侵哈比什（Habesh，今厄立特里亞境內），拿下馬薩瓦（Massawa），此後直至十九世紀，馬薩瓦都是鄂圖曼帝國的一部分。他也送士兵和火炮給他在衣索比亞的盟友阿達爾蘇丹國（Adal）的蘇丹、在索馬利亞的盟友阿居蘭蘇丹國（Ajuran）的蘇丹，以助他們攻打當地信仰基督教的敵人。這些征服行動促使一種會讓人興奮、來自某種豆類的新飲品——老早便為葉門的蘇非行者所愛——傳到開羅，再傳到君士坦丁堡：咖啡。咖啡成為全球性商品，而咖啡館為城市裡的社交活動增添了一道新風景。紅鬍子是最早在自家大宅裡增設咖啡屋的人之一。

在地中海，紅鬍子於蘇萊曼作勢要拿下義大利北部之際，奪下義大利南部奧特朗托；這個艦隊司令拿下多個威尼斯尚擁有的島嶼和據點，迫使該共和國加入教宗保祿三世為對付鄂圖曼人而促成的神聖同盟（Holy League）。一五三八年九月，在今希臘的普雷韋札（Preveza）附近，查理的艦隊司令多里亞率領一百一十二艘槳帆船和五萬士兵，對抗紅鬍子共一百二十二艘船的艦隊，紅鬍子麾下猶太教家庭出身的艦隊司令錫南（Sinan）則把士兵放上海岸，掩護鄂圖曼軍隊的後方。紅鬍子擊毀十三艘船，俘獲三十六艘船和三千名戰俘，從而稱雄地中海。

伊莎貝拉身體大不如前，以致查理無心征戰。她第七次懷孕，可能還得了肺癆，她是「世上最可憐的人，瘦到不似人形」。一五三九年五月，她生下一個死胎，然後死於產褥熱，享年三十五。查理整個人垮掉——他告訴妹妹瑪麗亞，「任何一切，都安撫不了我的傷心。」——派他們的兒子菲利浦前去處理她在格拉納達的後事，委請提香根據既有的肖像畫替她畫像，此後不管到哪，都帶著她的畫像。不久，他重拾好玩女人的作風，和一個日耳曼籍的少女女僕偷偷生下一子傑羅尼莫（Geronimo）。這個男孩被帶離她身邊，由廷臣養大——日後才露臉。

從這些打擊康復後，查理打算以強大兵力進攻阿爾及爾，但一如既往，他手頭拮据——直到一支船隊從美洲運來令人瞠目結舌的財寶，這才解決困境。這支船隊係總督皮薩羅所派來，由皮薩羅的弟弟埃爾南多上呈該分給查理的第一批祕魯黃金，並呈報已征服祕魯的消息。

哈布斯堡家兄弟和他們麾下的「征服者」

這位皇帝不贊同皮薩羅非法殺人——「阿塔瓦爾帕之死令我不悅，因為他是位君主」——但也說，「那似乎是你所不得不為，因此眼下我們贊同這麼做」。後來，他授予皮薩羅「征服」侯爵（marquess of the Conquest）的顯赫稱號，並同意「固定配置原住民」，以提供有用的奴隸勞力。

這些征服者來的時機正好：痛惡印加人的蕭薩（Xauxa）、萬卡（Wanka）兩部族，協助西班牙人攻打印加人，反阿塔瓦爾帕的印加人亦然。沒有這些盟友，皮薩羅可能也無法發動政變。

皮薩羅兄弟不只享用並濫用他們對印加公主的支配權，還為提升自身普通家庭的出身，和印加王族成員一起生養小孩，更別提將他們的財產弄到手。這些女孩有許多年紀都很小，因此，西班牙人以噁心至極的「斗篷測試」（Cape Test）來判斷她們是否已到可性交的年紀：用斗篷從身後擊打，若倒下，就是年紀太小；若還是站著，就是已夠格。那是西班牙人的強姦派對，而有些印加女人則自豪於把這些無所不能的外地人迷住。一直未婚的皮薩羅愛上阿塔瓦爾帕的妹妹基絲佩．西莎（伊涅絲），與她生了女兒法蘭西絲卡（Francisca）。查理承認她為婚生子，她成為「新世界」的首位女繼承人。但皮薩羅色心大發，把阿塔瓦爾帕的另一個姊妹阿札爾派（Azarpay）也據為己有，將她也安置在他的宅邸裡，令伊涅絲大為光火。

皮薩羅回到沿海，創建「諸王城」（City of Kings，今利馬），而他的兄弟貢薩洛（Gonzalo）、胡安、埃爾南多則從西班牙回來，羞辱了已藉由殺掉家族中所有競爭對手來鞏固權位的年輕印加曼科。三兄弟強暴了他的幾個王室女性成員，強索更多黃金。貢薩洛奪走曼科的王后暨妹妹庫拉．奧克略（Cura Ocllo）。印加人禁不住批評他。「誰叫你們去和國王的法官談？你們不曉得我們西班牙人是什麼樣的人嗎？」貢薩洛咆哮道。「你們不閉嘴，我絕對會把你們活活割開，碎屍萬段！」貢薩洛強暴了庫拉．奧克略，把曼科關起來，曼科被上了腳鐐手銬，受拷打，被火燒，被這家兄弟尿在身上。曼科逃走，糾集到二十萬大軍，圍攻庫斯科的九十名西班牙人和利馬的法蘭西斯科．皮薩羅。這個總督覺得不能再信任他的女人：他忠心的「皮絲皮塔」、伊涅絲告發她的同父異母姊妹阿札爾派，「於是，他再無多想，下令用鐵環將她（阿札爾派）絞死」，並以同樣手法處置了其他情婦。伊涅絲的母親派兵助皮薩羅保住利馬。

曼科將司令部設在俯臨庫斯科的神聖城堡薩克塞瓦曼（Sacsayhuamán），但花了些時間糾集兵力。皮薩羅兄弟被圍在庫斯科，只能守住。法蘭西斯科派出的部隊遭擊退。胡安．皮薩羅於攻打薩克塞瓦曼時戰死。皮薩羅兄弟靠他們的對手狄耶戈．德．阿爾馬格羅（Diego de Almagro）出手才獲救。阿爾馬格羅順勢奪回庫斯科，接著卻與皮薩羅兄弟起衝突，將後者關了起來。法蘭西斯科．皮薩羅反擊，擒住阿爾馬格羅，將他絞死——日後他將因此舉自食惡果。此時，曼科已入手當初讓西班牙人占盡上風的火繩槍和劍，他在撤軍後，於比爾卡班巴（Vilcabamba）的叢林裡創建了新王國。

法蘭西斯科．皮薩羅展開報復，活活燒死許多印加人。他擒獲已被他的兄弟強暴過的曼科王后庫拉．奧克略後，他和他的祕書又輪暴她，然後將她剝個精光、拷打，往她身上射入密密麻麻的箭，放進桶子，拋入河裡，任其漂流至下游的曼科所在處。曼科見了，「哭了起來，大為哀痛，因為他非常愛她」。[24]

曼科叛亂平息後，皮薩羅把更多黃金送回去給查理，以「助陛下攻打土耳其人」。「把最特別的金質、銀質器物送來，」這位皇帝下令。「其他的你可以拿去鑄幣。」他遠在美洲的那些征服者令他煩心。一五三五年，查理任命安東尼奧．德．門多薩（Antonio de Mendoza）為「新西班牙」副王，以管控狂妄的柯爾特斯。門多薩吹噓他如何繼續攻城略地——為殺掉當地人，「朝他們開炮，直到把他們轟碎為止，或放狗咬他們，或把他們交給非洲奴隸殺掉——藉此懲罰那些罪行最重的人，好震懾其餘的人」。先前他為攻取格拉納達的行動而效力時，他曾說，「那時我們毆打、用石頭砸向許多穆斯

24　曼科的兄弟保祿（Paullu）熱情接受西班牙人統治和基督教，他一身西班牙人裝扮，獲西班牙國王授予土地和宅邸，培養了西班牙化的印加貴族階層，日後這個貴族階層將構成新祕魯社會的基礎。一五三八年，皮薩羅授予伊涅絲大片土地，將她嫁給他的前侍從官，婚禮在教堂舉行，他本人則收了一個新的印加情婦庫西莉邁．奧克略（Cuxirimay Ocllo）。這個情婦原是阿塔瓦爾帕的王后，受洗後取教名安傑莉娜．尤潘基（Angelina Yupanqui）。她小時候曾遭皮薩羅的通譯強暴，但她曾帶著皮薩羅找到一尊無價的金雕像，由此贏得他的喜愛。兩人生了兩個兒子。這兩個女人此後又活了很久：伊涅絲與丈夫法蘭西斯科．德．安普埃羅（Francisco de Ampuero）生了三個小孩；她原痛恨他，曾想毒死他，無奈事跡敗露，所幸獲得他的原諒。一五四七年，她指控他不當處理她的嫁妝，告上法庭，而且贏了官司。她的後代包括玻利維亞、多明尼加的總統。庫西莉邁獲皮薩羅授予的大片土地，之後嫁給書寫印加人歷史的胡安．德．貝坦索斯（Juan de Betanzos）。

林」；其餘的人「被當成奴隸一一分配掉」。門多薩的傲慢讓柯爾特斯怒火中燒。

一五四〇年，這位奧哈卡谷的侯爵回到西班牙，財力雄厚卻滿懷怨恨，一心想得到認可。查理一直避見他，柯爾特斯只得奮力擠過騎馬侍從，跳上查理的馬車，強行求見。這位驚恐的皇帝禁不住問，「你是誰？」

柯爾特斯回道，「我是替你掙得數個省的人，而且我所掙得的省，比你的祖先留給你的城市還要多。」查理讓柯爾特斯和他的兒子混血兒馬丁隨他一起前去攻取穆斯林所據有的阿爾及爾——就在另一名西班牙籍征服者，征服侯爵皮薩羅終於在利馬享用其成功果實之時。然而皮薩羅沒能享受太久。阿爾馬格羅的兒子——具一半印加人血統的「小伙子」（El Mozo）——企圖報復皮薩羅。一五四一年六月，他和一支殺手隊攻擊皮薩羅在利馬的宅邸。皮薩羅用一把戟反擊，殺死兩名刺客，而後脖子遭刺、倒地，開始乞求基督饒恕。

小伙子喊道，「去地獄裡懺悔」，拿一只甕奮力砸向他的臉，他的殺手同時往皮薩羅身上又刺了二十刀，然後砍下他的頭。但不管是皮薩羅家族，還是印加人，都未就此步下歷史舞台。[25]

一五四一年十月，查理率領艦隊從帕爾馬出征，柯爾特斯父子同行。這支艦隊有船五百艘，士兵三萬人。沒想到，一場暴風雨擊垮艦隊；阿爾及爾人反攻，差點擒下皇帝本人。柯爾特斯和馬丁差點溺死，雖失去所有珠寶，卻是保住性命。

柯爾特斯的存在促使查理關注起西班牙人的濫權。一五四二年，查理簽署《新法》（the New Laws），成立「印度地區事務顧問委員會」（the Council of the Indies），針對種植園設下限制，保護印第安人。皮薩羅兄弟裡唯一仍待在美洲的貢薩洛・皮薩羅大為憤慨，他一身鑲了珠寶的黑絲絨和羽毛，策馬進入利馬。在部眾的鼓動下，他自封為祕魯國王，娶法蘭西斯科的十一歲印加女繼承人法蘭西絲卡為妻，把印加、皮羅薩兩家系的血脈合而為一。這些造反者擊敗並殺害查理派駐的副王，但一五四八年四月，查理新派的特使重整官軍，擒獲並斬首貢薩洛。[26]

而誠如「印第安人保護者」巴托洛梅·德拉斯卡薩斯所說的，保護原住民之舉加速了非洲奴隸的引進。先前跟隨柯爾特斯的胡安·伽里多大概是第一個定居美洲的非洲人。[27]後人在墨西哥市聖荷塞土著皇家醫院（Hospital Real de San José de los Naturales）的萬人塚，找到三具據斷定葬於一五二〇年代的骨骸，可能是最早的非洲奴隸的遺骸——它們來自非洲，有骨折和從事粗活帶來的磨損；其中一具遭一發銅彈槍殺。依照條約，非洲歸葡萄牙國王所有，因此西班牙人的奴隸買賣最初由葡萄牙商人和蓬貝羅

25　後來小伙子遭刺客追捕、殺害，然後刺客投奔在叢林自建王國的曼科·印加。曼科信任他們，但後來，為得到西班牙赦免，他們暗殺了曼科。他兒子繼位為印加；他們的王國又存續了三十年，接著遭西班牙人攻破，印加人的統治自此告終。

26　自此，皮薩羅家兄弟只剩一人在世，即埃爾南多這個「高大粗俗之人」。他於一五三九年回到西班牙時，查理以他殺害阿爾馬格羅為由將他囚禁，但他生活豪奢，用金質餐具用餐，與朋友賭博，甚至獲准見了前來探視的情婦。他十七歲的漂亮姪女法蘭西絲卡·印加·皮薩羅於一五五〇年來到西班牙時，比她大了三十三歲、沒教養、嚴酷又小氣的埃爾南多娶了她。她搬進他的囚禁處，並為他生下五個孩子。最終獲釋後，埃爾南多和法蘭西絲卡回到特魯希略（Trujillo），在那裡蓋了氣派的「征服府」（Palace of Conquest）。這座宅邸今仍屹立，由繼承「征服侯爵」之位的家族擁有。埃爾南多於一五七五年去世後，法蘭西絲卡於一五八一年嫁給了較年輕的男人，並於一五九八年去世。

27　征服「新世界」後，俊男約翰定居墨西哥城，在那裡，他聲稱自己是在美洲種植小麥的第一人：一五三八年，他寫信給皇帝查理，說「我，胡安·伽里多，黑皮膚，住在此城（墨西哥），承蒙皇恩，在此向您表明，我有必要為我王的永久任期提供證據，有必要報告自瓦哈卡侯爵（柯爾特斯）進入這個『新西班牙』起，我在征服、平靖該地的行動中，為陛下做出何等的貢獻；與他在一起期間，所有的入侵、攻占及平靖行動，我無役不與，始終和這位侯爵一起，而我做這些事，全都自掏腰包，既未領到薪水，也未分配到印第安人或其他任何東西……也因為我是第一個想到在『新西班牙』這裡播種小麥、想確認小麥是否種得成的人」。

（pombeiro）商人經營。[28]這一買賣變得非常有賺頭。隨著印第安人大量死亡，非洲奴隸的價格暴漲，從一五二七年的四到五披索，漲為一五三六年的五十披索，再漲為一五五〇年的兩百披索。查理在位期間，三萬非洲奴隸來到哈布斯堡家族的美洲。

美洲迅即影響世界：美洲產的金銀為哈布斯堡家族提供了資金，但最終這些金銀都往東流至印度、中國，用以買進中印生產的奢侈品。諸位教宗、國君日益腐爛的面容，表明梅毒肆虐歐洲的速度，幾乎和天花將美洲人消滅殆盡的速度一樣快。[29]來自「新世界」的食物，猶如烹飪領域的征服者，征服了舊世界：易栽種的安地斯馬鈴薯成為各地可迅速食用的主食之一，尤以在俄羅斯、愛爾蘭為然。被歐洲商人移植出去的甘薯（地瓜），逐漸在非洲，尤其在中國，廣為植種。在中國，甘薯成為推動中國人口成長的功臣之一。而歐洲商人引進的玉米，改變了亞洲的農業面貌，在西非洲，玉米抗乾旱且易貯存的特性，有助於當地奧尤（Oyo）、貝寧兩王國國王集中權力。但玉米也有助於奴隸販子在把奴隸運過撒哈撒沙漠、大西洋途中餵飽奴隸。接著，又有紅辣椒、香草、火雞、番茄、鳳梨、南瓜等從「新世界」傳了出去。菸草成為全球性致癮物，巧克力成為流行飲品（在英格蘭，巧克力製造商於一八四七年製出固體巧克力之前便是如此）。在知識界，有著自身價值觀和知識的其他文明為世人所知，挑戰了歐洲人的思想，最終催生出新的好奇心和接受新奇事物的心態。

哈布斯堡和鄂圖曼這兩個猶如「雙生子」的君主國，這時都因各自的職責而精疲力竭，也都因為追逐權力而變得粗俗。查理運氣好，有個健康且能幹的兒子菲利普，菲利普具有查理經常欠缺的剛強自制力和強烈專注力。菲利普保證會在結婚前保持處子之身後，查理安排這個兒子娶與他有血緣關係的瑪麗亞・馬努埃拉（Maria Manuela），她是葡萄牙王若昂三世和查理的妹妹所生，新郎的媽媽的堂姪女。查理在治國方面給了菲利普很有見地的告誡：「絕勿在憤怒時做任何事」，最重要的，「誰都不可信任；聽每個人的意見，自己一人作主」。而他在性方面的告誡就沒那麼可取了。

查理繼續誘引女孩、生下孩子，同時又想要約束他的兒子：「你不久後就會結婚；務必約束自己的欲望」，欲望「有時對身體的成長和強健都有害，甚至要人命。王子胡安因此喪命，我從而繼承了這些王國……我規定且要求你一旦圓房，就託病不碰你的妻子。」在新婚夜，兩人上床兩個半小時後，有個廷臣衝進臥室，架走新郎。而一得知瑪麗亞懷孕，查理便祝賀菲利普：「我沒想到你這麼快就成功了。」菲利普不是傳說中那個冷峻的狂熱分子：他喜歡跳舞、打情罵俏，這時正享受和一個漂亮女官的婚外情（儘管這個女官的先祖中有一人是猶太教拉比）。他的妻子生下一子，卻死於產後感染，享年十七。嬰兒卡洛斯（Carlos）生下來就身心殘障——近親通婚和或許缺氧所致——從而最終可能不利於他父親和這個君主國本身。滿心「痛楚和遺憾」的菲利普退居隱修院一個月。

一五四三年，查理離開西班牙，菲利普開始在西班牙當家作主。「務必給我送來士兵」，他父親如此要求。而菲利普不從，並提醒父親，「你的諸王國國力耗盡」。索要士兵和金錢，加上糾纏不休，父子關

---

28 奴隸商人漸漸被稱作蓬貝羅人，因蓬貝（Pumbe）一地築有防禦工事的奴隸市場（feira）而得名。蓬貝位在今剛果、布拉札維爾剛果（Brazzaville Congo）兩共和國的交界上。

29 柯爾特斯來到墨西哥時，該地有多少居民不得而知，常有人說多達三千萬人，但應該沒這麼多。他們的確被歐洲人所帶來的疾病摧殘得很嚴重。講述西方人歷史的書籍，常把這些大流行病說成像是歐洲人蓄意施行的生物戰，事實並非如此。不過，原住民確實在不同時期遭不同的大流行病大量奪去性命，其中有些流行病奪走超過四分之一的人口。一五一九至二〇年的天花流行奪走五百萬至八百萬人性命。但為禍最烈的大流行病，發生於那之後的一五四五年、一五七六年，奪走一千七百萬條左右的人命。有人透過講述症狀的西班牙語著作做了新研究，根據該研究成果，這些人染上的不是天花，而是出血熱。出血熱較類似伊波拉病毒感染，患者耳、鼻、腸出血，靠鼠傳播，而在氣候變遷所導致的乾旱過後，多雨的年份期間，鼠輩大肆繁衍。如果此研究屬實，這病可能就不是歐洲人所帶來，而可能是本土病。

係因此惡化。與此同時，查理打敗法蘭索瓦，成功拉攏老邁、肥胖的英王亨利八世，於是，基於利害關係，對於亨利八世未善待他的姨媽凱瑟琳，查理未有動作。[30]一五四四年，亨利坐船來到加萊（Calais），兩位君主聯手攻打法蘭西，迫使法蘭索瓦求和。

查理原答應弟弟斐迪南，他死後將由斐迪南和斐迪南的兒子繼承皇位，但後來突然變卦，宣布他會立自己的兒子菲利普為皇儲。兩兄弟幾乎翻臉。查理告訴斐迪南，「我們得決定誰是皇帝，你還是我」。這本可能導致哈布斯堡家族分裂，但查理收回其主張。兩人談成「家族協定」（Family Compact），且將延續一百五十年之久：家族的兩個分支要相互扶持。菲利普會承繼尼德蘭、義大利、美洲和已歸他統治的西班牙；斐迪南則統治奧地利和帝國。

一五四七年，查理率領帝國內信仰天主教的諸侯，在米勒貝格（Mühlberg）打敗信仰新教的諸侯[31]，是為天主教陣營的一大勝利——查理一生事業的頂峰。然而一五五二年，新教諸侯憑藉法蘭西增強實力，出兵反擊，大敗查理，差點殺掉或俘虜查理。查理被迫乘轎逃走，在轎中半清醒半昏迷，還飽受債務、痔瘡、痛風纏身之苦——查理一生的最低點——鄂圖曼帝國的艦隊司令則在此時奪回突尼斯。查理寫信告訴斐迪南，「我什麼地方都去不了，什麼事都做不成」，語調愁苦。他破產、頹喪，不住抱怨道，「我籌不到一分錢，或找不到願意借我一分錢的人或日耳曼境內願意宣布支持我的人。」他甚至不信任他的弟弟：「我開始懷疑，斐迪南會不會已和那些陰謀策畫的人達成祕密協議。」

一五五六年，查理終於同意斐迪南主導諸侯協商，談成停止日耳曼內戰的和約，使日耳曼諸侯得以選擇自己要追隨的教派：教隨君定（cuius regio, eius religio）。一個家族同時產生兩位能幹的政治家，史上罕見，但查理五世的弟弟，那個謹慎、明斷、願意化解與人之分歧的奧地利大公斐迪南，已在中歐打造出一個涵蓋奧地利、波希米亞、匈牙利、克羅埃西亞的哈布斯堡家族國度，重建維也納的霍夫堡宮（Hofburg

Palace）為其總部，和他具有女繼承人身分的妻子成就一樁美滿婚姻，兩人生下了十三個存世的小孩，並培養出行事穩健的繼承人馬克西米連，安排他娶了查理的女兒西班牙的瑪麗，擊退了蘇萊曼的四次入侵。這個現年六十歲的蘇丹，這時正以鄂圖曼人的方式——以弓弦勒死人的方式——解決自己的家族危機。

30　信仰新教的湯瑪斯・克倫威爾已不在其位，此事因而較易辦到。克倫威爾不是英格蘭境內靠自己努力取得權位的第一人，但教會是取得權位的傳統途徑——他的恩公樞機主教沃爾西（Wolsey）出身伊普斯威奇（Ipswich）的肉販家庭。但克倫威爾，像隻永遠追求效率但有著無法消解敵意的獾，屬於新一類的大臣。他是中產階級釀酒業者之子，年輕時為法蘭西人在義大利打過西班牙的斐迪南軍隊，後來劫奪天主教隱修院的財富，供亨利分配給忠心的廷臣，從而使許多貴族家庭取得大量財產。置身凶殘多疑成風的亨利宮廷中，新王后安妮・博林在生下女兒伊莉莎白後碰上許多麻煩。隨著她的風騷迷人轉為因絕望而膽大妄為，亨利不再愛她，轉為恨她。克倫威爾利用她嘲笑亨利缺少男子氣概一事，誣陷她犯了叛國罪和亂倫。博林遭斬首，亨利娶她嫻靜害羞的女官珍・西摩（Jane Seymour），而身為國王書記官、掌璽大臣、國王的宗教事務代理人、埃塞克斯伯爵的克倫威爾，安排自己的兒子娶了這位新王后的妹妹。王后珍生下一子，但死於分娩。克倫威爾為亨利安排了第四樁婚姻，亨利以新教儀式娶了某日耳曼公主，未想這樁婚姻導致亨利在性方面受到羞辱、克倫威爾本人遭斬首。後來，亨利後悔殺了克倫威爾。亨利的第五樁婚姻，娶了一個輕佻、不貞的少女，使他受到更大羞辱，卻未澆熄他想有個妻子的欲望：他又結了一次婚。亨利是個讓人摸不清心裡想法且善於作秀的人，在位期間鞏固了他的王朝，消滅了任何威脅，但他的歷史名聲建立在一件事上，即他任性的和羅馬決裂反映了英格蘭人既追求政治獨立自主、也追求宗教改革的更深層本能。克倫威爾家族會有兩人成為英格蘭的統治者，差點自成一個王朝：克倫威爾的外甥理查・威廉斯—克倫威爾（Richard Williams-Cromwell）是奧利佛・克倫威爾（Oliver Cromwell）的曾祖父。

31　查理請來提香為他畫像，距第一次他讓提香為他畫像已過十五年。這位藝術家於查理打贏米勒貝格之役後，為查理所畫的騎馬像威風凜凜，重現了兩人在羅馬都見過的馬庫斯・奧雷利烏斯騎馬雕像的神韻，卻也透露了會把人累垮的皇帝生涯。查理說，「我的整個人生是趟旅程」，畫中的他看來的確疲累不堪、疲態顯露、神情憔悴。

鄂圖曼帝國皇后、幸運蝨、格拉西亞夫人

烏克蘭籍的前奴隸許蕾姆，這時已是蘇萊曼的皇后，依舊是他的事業伙伴，不斷和在外征戰的他通信，充當他在君士坦丁堡的耳目。「有時，妳待我親切和善，有時折磨我，」他寫道。「我的愛人，不管妳心情好壞，我始終會調適自己去接受。」他與羅克塞拉娜生的第一個兒子去世時，他哭得傷心欲絕，最初不願讓他下葬，後來為他禱告了四十天。但他在政治上冷酷無情。

蘇萊曼形貌乾癟、戒心很重、對什麼事都提不起勁，但密切注意他諸兒子的動靜。他與長子穆斯塔法很親，而穆斯塔法受土耳其禁衛軍——令蘇萊曼不放心的精銳滑膛槍部隊——愛戴的程度已令蘇萊曼感受到威脅。

一五四八年蘇萊曼征討波斯人，拿下大不里士和高加索地區許多地方，而如今，瘦又痛風的蘇萊曼已漸漸感受到歲月不饒人。[32]「你說，你高貴的腳發疼，」許蕾姆寫道。「請真主為證，我的蘇丹，我煩亂到哭了起來。」一五五三年，波斯王塔赫馬斯普反攻，蘇萊曼派幸運蝨予以擊退。幸運蝨娶了他的女兒米赫莉瑪，已當了九年的大維齊爾。他通報這位帕迪沙，穆斯塔法正在討論蘇萊曼「退位」之事。這個皇子可能認為，有妻子米赫莉瑪和岳母許蕾姆支持的幸運蝨想要殺掉他。

蘇萊曼反駁道，「我的穆斯塔法汗怎敢如此傲慢無禮。」但消沉的他還是率領自己的軍隊前去和幸運蝨會合，他的么子、駝背的奇汗季（Cihangir）同行。奇汗季對父親說，由於他駝背，他的兄弟不會殺他。蘇萊曼回道，「我兒，穆斯塔法會成為蘇丹，而且殺掉你們所有兄弟。」

在埃雷利（Ereğli），蘇萊曼召見穆斯塔法，穆斯塔法的母親哀求他不要去。穆斯塔法丟下自己的侍衛，隻身進入父親的大帳，然後，當著這位帕迪沙的面，無舌者拿著弓弦撲向他。他反擊，只是企圖逃走

時遭自己的袍服絆倒，隨之遭勒死，屍體被丟到蘇丹大帳外。軍隊為他哀痛，索要幸運蝨的人頭。蘇萊曼同意將這位維齊爾革職。人在君士坦丁堡的許蕾姆提醒他送來好消息以安定城裡的局勢，同時請求保住幸運蝨性命，信尾她寫道，「言盡於此。你卑賤的奴隸敬上。」

幸運蝨再度走運：即使米赫莉瑪婚姻並不快樂，還是繼續替丈夫幸運蝨說好話。兩年後，蘇萊曼將他的維齊爾勒死，讓幸運蝨回鍋當大維齊爾。許蕾姆贏了：只有她的兩個兒子塞利姆和巴耶濟德活了下來。但其中一人會繼位，另一人得死。

塞利姆身材圓胖，和藹可親，追求享樂，愛喝酒，寫詩，但詩難登大雅之堂。他的愛妾努爾芭努（Nurbanu）原是希臘籍貴族，後被紅鬍子擄走，淪為奴隸。他不受軍隊喜愛，軍中人叫他「公牛」；在君士坦丁堡，他被稱作「金髮男」。反觀巴耶濟德，則是好武、有雄心。

許蕾姆提拔塞利姆，巴耶濟德便有了造反念頭。許蕾姆居中調解，取得巴耶濟德的原諒。但一五五八年，她死在舊宮，葬在蘇萊曼為他們夫妻所準備的蘇萊曼清真寺的墓裡。母親死後，米赫莉瑪搬進舊宮，成為她父親的事業伙伴和顧問，創立慈善基金會，建造清真寺，包括委請——據說愛上她的——錫南設計精美的藍色呂斯泰姆帕夏清真寺，以紀念她的亡夫。有幅畫呈現她高傲姣好的容貌：她已成為歐亞大陸上呼風喚雨的人物，竭力維持她諸位兄弟間的和睦。

32　蘇萊曼信仰愈來愈虔誠：他重建了三百年前遭薩拉丁的家族拆掉的耶路撒冷城牆，美化了麥加，然後在一五五〇年，命令御用建築師錫南在君士坦丁堡設計他的蘇萊曼清真寺（Suleimaniye Mosque）。錫南是世界史上最出色的建築師之一，也設計了埃迪爾內（Edirne）的塞利姆清真寺（Selimiye Mosque），擘畫了多達三百項的工程。他生於基督教家庭，可能是亞美尼亞裔或希臘裔，原名約瑟夫，淪為奴隸，他改宗伊斯蘭教，後來，蘇萊曼在底格里斯河至多瑙河間四處征戰時，錫南身為軍事工程師表現出色，就此嶄露頭角。

然而，巴耶濟德仍打算奪權。這是個以詩談死、談叛國的掌權家族。蘇萊曼警告此兒子勿亂來，兒子則寫信回道：

> 原諒巴耶濟德的冒犯，饒了這個奴隸一命。
> 真主為證，我是清白的，我受命運眷顧的蘇丹，我的父親。

蘇萊曼回道：

> 我的巴耶濟德，你如果改過，我會原諒你的冒犯。
> 但就這一次，別說「我是清白的」。把悔罪之心表現出來，我的愛兒。

就是這時，歐洲最有錢的民間家族來到君士坦丁堡。他們是伊比利半島的猶太人，由格拉西亞夫人（Dona Gracia）和她的外甥約瑟夫・納西（Joseph Nasi）帶過來的門德斯家族。格拉西亞同時是納西的岳母，她女兒雷娜（Reyna）嫁給了納西。他們已走過一段不凡的人生：格拉西亞夫人身為門德斯／本維尼斯特（Mendes/Benveniste）銀行業家族的女繼承人，從西班牙被驅逐至葡萄牙，然後又從葡萄牙逃至安特衛普。當查理五世想要搶走她的財產，她和約瑟夫即取道法蘭西逃至威尼斯，然後經過談判，來到伊斯坦堡。由於有過假改宗和暗中遵奉猶太教儀式、習俗的經歷，他們天生善於逆境求生，有多個名字。[33]威尼斯人將格拉西亞囚禁，她的外甥約瑟夫得知後，寫信給蘇萊曼的猶太籍醫生。蘇萊曼命令威尼斯執政團釋放「夫人」（La Signora）。她和她女兒由盛大的船隊陪同，航入博斯普魯斯海峽，風光抵達君士坦丁堡。

約瑟夫隨後抵達。她和皇帝、教宗、國王做生意，在逆境中撐了下來，就女人、猶太人來說，是很了不起的成就。教宗將猶太人處以火刑時，格拉西亞夫人組織了抵制教宗所轄口岸的行動。塞利姆與其弟對抗期間，約瑟夫向塞利姆提供意見和資金。

一五五九年，巴耶濟德糾集兵馬。蘇萊曼派塞利姆前去平亂，打敗造反的巴耶濟德。巴耶濟德和其四個兒子逃到波斯，並在波斯得到國王塔赫馬斯普庇護。

這位波斯王精於和鄰邦玩家族政治。在西邊，他贏得一座要塞和來自蘇萊曼的一百二十萬弗羅林，他則允許塞利姆和一隊無舌者潛入波斯作為回報。巴耶濟德和其四個兒子遭塞利姆一夥人勒死。[34]在東邊，他玩不一樣的把戲，助失勢的印度皇帝胡馬雍（巴布爾之子、帖木兒家族後代）奪回印度領土，冀望他會改宗什葉派，冀望他使印度成為心懷感激的附庸國。結果，他協助恢復了自阿育王以來最偉大的印度統治者。

「謹慎王」和三個英格蘭王后

胡馬雍的兒子阿克巴在喀布爾由巴布爾的姊妹帶大，但波斯王借給胡馬雍一支騎兵團以助他奪回印度時，這個男孩在他們奔向德里途中前去和父親會合。這支入侵部隊共五千名波斯人和阿富汗人，由驃悍的阿富汗武將拜拉姆·沙（Bairam Shah）統領，就攻打一個次大陸來說，這支軍隊兵力太小。波斯文化

33　約瑟夫有João Miques、Dom João Migas Mendes、Giuseppe Nasi、Yasef Nassi諸名；她有Doña Gracia、Hannah、Beatrice de Luna、La Señora諸名。

34　有幅金髮男塞利姆的畫像，呈現他向某個無舌者發信號的情景。而無舌者的手語，他只懂一部分。

將成為蒙兀兒王朝風格本質的一部分，而胡馬雍於流亡期間就已深受波斯文化薰染。他一如這個家族的眾多成員，吸食鴉片且收藏圖書，有天從藏書室的梯子掉落，愛書人死在所愛的書旁。皇帝阿克巴任命拜拉姆為其瓦基爾（vakil）——宰相——一五六二年才要他退休。他遇事難決時，愈來愈常向他的前乳母——忠心且能幹的馬哈姆・安伽（Maham Anga）——請教意見，而且過度提拔她的兒子阿達姆・汗（Adham Khan）——這個和阿克巴一起長大的少年。當他的義兄弟阿達姆敢於和他作對時，阿克巴釋放出他內在的帖木兒本色：當著朝臣的面重擊他的臉，大喊「你這個婊子養的」，然後把他丟出陽台。阿達姆沒死，阿克巴命人把他抬上樓，再把他丟出陽台，這次，他摔斷了脖子。阿達姆的母親說，「你做的很好」，但「她臉上已沒了血色」。

阿克巴靠波斯籍騎馬弓箭手拿下天下，但他用鄂圖曼人的滑膛槍和火炮打造帝國，不久便自行製造起這兩款武器。阿克巴和帖木兒家族這時已入主印度。阿克巴以印度人頭顱搭造人頭塔，表明這十足是殺人如麻的征服：有個名叫普拉塔普（Pratap）的拉傑普特人君主（maharana）稱他是「壞透的突厥」入侵者，即道出普遍的心聲。阿克巴征戰二十年，先是以大型狩獵的形式逼近敵人，有千頭獵豹同行，有他的軍隊護衛——誠如他的大臣所說，「獵殺另一種野象」。這樣的陣仗往往直接讓敵人歸服。萬一這招不管用，他會動用他的蒙古籍騎馬弓箭手、戰象、最新式的大炮。他是神槍手，替他最愛用的槍取名桑格蘭（Sangram）——他的槍和劍都有名字。一五五六年，他利用火炮，先是奪回德里和亞格拉，接著是拉合爾和旁遮普，一五五八年後，奪回拉傑普塔納（Rajputana），逐個擊破拉傑普特的豪強。這些豪強奉梅瓦爾王國（Mewar）的國君烏代・辛格（Udai Singh）——建造了精美的多湖城市烏代布爾（Udaipur）——為共主。一五六八年二月，烏代的要塞吉托爾伽爾（Chittorgarh）遭攻破時，阿克巴屠殺了三萬人，將人頭展示在雉堞上。大多數拉傑普特人歸降；阿克巴結交安伯（Amber）的羅闍巴格萬・達斯（Bhagwan

Das），並任命他為統有七千兵力的曼薩卜達爾（mansabdar，「統兵官」），[35]稱他為法爾贊德（farzand，「兒子」），娶他的妹妹。他與拉傑普特人聯姻，促成帖木兒家族和拉傑普特人家族融合，梵語文化和波斯語文化就此融合。由於他精於擴大帝國影響力之道，這個靠武力征服天下的王朝開始扎根於印度。

而後，阿克巴往西南用兵以奪取古吉拉特——透過轉口港蘇拉特將印度與對歐貿易連結起來的沿海蘇丹國——和鄂圖曼帝國的軍需品。他把果亞的所有權授予比巴布爾還早來到印度的葡萄牙人。一五七三年，阿克巴攻破都城艾哈邁達巴達（Ahmedabad），又建造了數座人頭塔慶功。古吉拉特貿易促使這個王朝成為全球性商業強權。緊接著，這個帕迪沙突然揮師轉東、轉北，拿下孟加拉和喀什米爾。

阿克巴把鬍子剃到只剩連鬢鬍子，身材高瘦健壯，睫毛長，長相似蒙古人，炯炯有神的黑眼睛據說「目光便足以傷害你」。他城府深——「不讓人看出他的動機和情緒」，「從不浪費時間」，使用水鐘來「珍惜時間」，深信「懶散是惡的根源」。他喜歡騎乘正值發情期的象（牠們攻擊性變高的時節），用以測試自己的命運，「刻意騎上殘暴的象，如此一來，我如果已做了讓真主不開心的事，就讓象來了結我們」。他平日生活就不避危險，用特製發光球打夜間馬球，從事帶有風險的狩獵：他曾被一隻羚羊用角牴傷他的睪丸；也曾在古吉拉特作戰時傷到腹股溝，他因此有點像帖木兒那樣跛腳。一五六四年，他遭一名刺客襲擊，肩膀中了一箭。安全也是第一要務。阿克巴是用毒高手，下毒時若非把毒抹在他所贈送的袍服袖口上，就是把毒藏在折好的蔞葉裡，並由他親手遞上。

雖然他不識字，而且可能有閱讀障礙，但他獎掖文人，文人界龍頭便是他的瓦基爾暨理論家阿布爾——法茲勒（Abul-Fazl）和其詩人兄長法伊吉（Faizi），兩兄弟都屬於阿克巴朝中的「九明珠」（Nine Jewels）。

35　阿克巴以數字（一千、五千、七千或一萬士兵）標示位階（mansab）的高低，藉此組織起他的貴族。

阿克巴自認是神聖皇帝，不只納入伊斯蘭、波斯的傳統，還納入與它們類似但自成一體的突厥、拉傑普特傳統。他廢除吉茲亞（jizyah）人頭稅和殺牛行為，平息了印度教徒的不滿，對伊斯蘭本身提出質疑，還構思了一個兼容並蓄的綜合性宗教「迪尼伊拉希」（Din-i Ilahi，「神的信仰」）。這個新宗教將伊斯蘭教、印度教、祆教熔於一爐。隨著伊斯蘭教的千禧年逼近，他自稱馬赫迪和「使第二個千禧年繼續下去者」。一五八五年，他鑄造了印有「Allahu akbar jalla jalaluhu」字句的錢幣。這個句話多意為「真主偉大」，但也意味著「阿克巴是真主」，因為他有過以自己替代先知穆罕默德的想法。他後來不再把自己神格化，反而為蒙兀兒君主國營造神聖形象，宣揚自己是帖木兒家族出身的帕迪沙、伊斯蘭教的神聖統治者、印度教的轉輪王。他採納每天日出時在亞格拉堡的陽台上露面（jharokha darshan）這個印度教傳統：此一作為在群眾注視下進行，成為蒙兀兒帝國皇權的根本儀式之一。

他在性方面一如在所有事務上，精力充沛，堅決主張若看中他底下哪個埃米爾的老婆，那女人就一定要歸他，而他索要新女孩之舉，「在這個城裡……造成強烈恐懼」。但一如所有乾草原君主，他向家族裡睿智的女人請教意見，尤其是他的元配暨姪女魯凱婭（Ruqaiya）。

在如此風光的人生背後隱藏心理壓力：阿克巴苦於「憂鬱」。「這個外在的輝煌燦爛壓迫我的心，」他說。「我內心感到苦楚，我的靈魂被過度的悲傷攫住。」一五七三年，他三十一歲這一年，一次他喝得醉醺醺，正和人討論著往長矛一個勁衝去、直至被矛貫穿身體的拉傑普特英雄的勇敢事蹟時，他突然把刀固定在牆上，自己往刀的方向衝了過去，他的拉傑普特籍大舅子曼・辛格將他一把抱住摔倒，這才攔住他。

一如成吉思汗家族的汗王，帖木兒家族成員易酗酒：兩個兒子死於醉酒；他的儲君薩利姆（Salim，日後的皇帝賈汗季）有鴉片癮、葡萄酒癮、亞力酒（arrak）癮。後宮宮女自然也迷上這些會讓人快樂似神仙的麻醉品，而且癮頭甚重，以致阿克巴甚至要來訪賓客幫忙找她們。有時阿克巴邊喝鴉片水（post），邊與耶穌會士討論，談著談著就睡著了。後來，他喜歡上來訪的葡萄牙人帶來的菸草。大量湧進印度的美洲商品，不只尼古丁：美洲金銀使阿克巴的王國更加富裕。他提倡貿易：誠如阿布爾－法茲勒所說，「靠明智的法規，保住了稅收」。由於城市人口愈來愈多、作物豐收、工資上漲、專門從事織造的家庭作坊欣欣向榮了起來（這些作坊靠既能養兒育女、又能從事需專門技能的女工匠營運），人口一億五千萬的印度──其中一億一千萬為阿克巴的子民──生產了全世界四分之一的紡織品，以及胡椒、咖啡、鴉片、茶葉、香料、象牙和硝石。阿克巴鼓勵葡萄牙商人和後來英格蘭商人前來貿易，因為他們用金銀購買印度貨，帖木兒家族治下的印度因此和明朝中國並列世界上最富裕的王國。

然而，這些乾草原君主國都有個致命的缺陷：家族。為選出最有能力的接班人，諸皇子間彼此較勁，免不了手足相殘之事，從而有時拉垮帝國。阿克巴竭力管控他的諸兒子時，疲累的基督教籍皇帝查理五世、上述那些金銀的來源，則針對如何處理皇位繼承一事，給世人好好上了一課。

查理精神出了嚴重問題：他「日夜忙著把他的幾個時鐘調成同一時間；常把他的僕從叫醒，要他們幫他把鐘拆解再組裝回去」。他想在亂中理出秩序，想要它們報出同一時間。

而就在精神嚴重出問題之際，查理敲定菲利浦的下一樁婚姻。亨利八世已死，留下瘦弱的兒子愛德華六世。愛德華雖然年幼，卻是個掌控全局的新教徒。他十五歲死於結核，卻是他本人把接班人從他信仰天主教的同父異母姊瑪麗，改為他的表姪女珍·葛雷（Jane Grey）。珍是薩福克公爵的女兒、亨利七世的曾孫女，信仰新教。十六歲的女王珍成為英格蘭第一個當朝女王：即位十三天後，她就被支持瑪麗的勢力推翻。瑪麗畢竟出身顯赫，父親是令人畏懼的國王，母親是得人心的西班牙籍王后。瑪麗即位後處死愛德華的大臣，把英格蘭的宗教立場轉回支持天主教羅馬，滿心期待自己即將嫁給瀟灑迷人、時為那不勒斯暨西西里的國王菲利浦。[36]這樁天主教聯姻——旨在仿效一四六九年斐迪南、伊莎貝拉的結為連理——在英格蘭甚受支持。而瑪麗和她的大臣則以密謀反天主教為藉口，斬首了她的對手、前任女王珍。

菲利浦乘船前去英格蘭，在溫徹斯特主教座堂娶了那時三十七歲、不討人喜歡的瑪麗，成為英格蘭暨愛爾蘭的國王。查理囑咐，「一旦舉行了婚禮，和這個女王圓了房，就在六或八天後離開她。」瑪麗的長相叫菲利浦無法動心——他最好的友人嘆道，「只有偉大的上帝，才喝得下這杯酒」——但他還是展現男人本色，和瑪麗圓了房，交歡之激烈，令興奮萬分的瑪麗要求躺床上四天好恢復元氣。接著，瑪麗至為錯愕的是，菲利浦竟逃到布魯塞爾，參加他父親的遜位儀式。

下台離開揭露政治人物果決明斷的能力高低；懂得何時下台或如何下台的人不多。接班是對體制的重大考驗；而有辦法把接班之事處理好的體制不多。父親接受子女獨立自主，則考驗著家族的團結一心。查理在這三方面都處理得很完美。一五五五年十月，查理倚著他的尼德蘭籍寵臣奧蘭治親王（prince of Orange）「沉默者」威廉（William the Silent）的肩膀，向他的王公大臣講話：「我曾有遠大的志向——只有少許志向已實現，如今還懷抱的志向不多；而我為此付出多大的心血！它最終使我又累又病……」歷來僅少數領導人有勇氣如此坦白：「我知道自己犯了許多錯，而且是大錯，先是因為我年輕，然後因為我犯了人人都會犯的錯，因為我的激情，最後因為我的疲累。但我未曾蓄意傷害過哪個人，不管是誰。」而後他把西班牙王國交給菲利浦。在他摯愛的姊姊埃萊諾爾陪同下，查理帶著他的提香畫作（尤其是已亡故甚久的伊莎貝拉的肖像畫）和他的鐘，退居西班牙尤斯特（Yuste）的隱修院，在那裡禱告，修補他的鐘，五十八歲去世。

瑪麗迫害被她視為異端的新教徒，用火刑處死了兩百八十三人，軟禁她信仰新教的同父異母妹伊莉莎白。而她疾病纏身；菲利浦享受英格蘭暨愛爾蘭國王的權力，卻懼怕履行婚姻義務。這個可憐的女王很想有個孩子，一五五四年九月，她的肚子大了起來，每天早上作嘔，月經不再來。但菲利浦不相信她懷孕，她的廷臣漸漸清楚那是假性懷孕。

菲利浦白膚、金髮、瘦小，有著冰藍色眼睛，窄小的哈布斯堡家族下巴隱藏在金色鬍子裡。他聰明，一絲不苟，具有決定全球性帝國事務所需的明斷果決，而且記憶力甚佳，一連工作數小時也未顯疲態，具有下令開戰、殺人所不可或缺的沉著冷靜。這個年輕國王有時極具魅力，喜歡跳舞和女人，欣賞藝術，有幽默感，喜歡把他的寵物象推進一本正經的修士待著的小房間裡；雖說後來他表現出愛妻、溺愛女兒的一面，而他也具備他父親那種救世主般的使命感，卻沒有他父親那種足以拉攏人心的謙遜，而且誠如某廷臣所憶道，「他有副被劍砍過的笑容」。

菲利浦迫切需要孩子——和一個健康的嗣子。在他宮廷的中心，隱藏著他兒子的問題。他兒子阿斯圖里亞斯親王（prince of Asturias）唐·卡洛斯（Don Carlos）自小便不時虐待動物，他弄瞎馬、鞭打女僕。他的葡萄牙籍母親在他出生四天後就去世，他本人則可能因出生時缺氧而大腦受損；他駝背、跛腳又暴力。他是獨子，情感上的確受冷落，他父親一連數年不在他身邊；但他最大的問題在於不夠健全的基因庫。[37] 一再近親通婚，拼湊出一個世界性帝國，而旨在強化帝國的這項策略反倒嚴重削弱帝國。

36　提香為這樁求婚助了一臂之力：他為菲利浦二世畫了一幅完美的全身像，畫中的他英俊、修長、傲慢，穿著手藝精細的金邊盔甲。洽談這樁婚事期間，這幅畫送去給瑪麗·都鐸。在倫敦、曼徹斯特時，菲利浦一行人中包括外號「混血兒」的馬丁·柯爾特斯。

37　近親系數（inbreeding coefficient）最能衡量近親婚配的程度。父母和孩子婚配或兄弟姊妹婚配，近親系數是〇·二五。在此作法成為哈布斯堡家族的策略之前，特拉斯塔馬拉、阿維斯兩家族就一再通婚，因此近親婚配程度本就很高。卡洛斯是「瘋女」胡安娜的曾孫，而胡安娜的祖母即因精神失常而被關，死於囚禁期間；卡洛斯的祖父查理、父親菲利浦都娶了既是堂姊妹也是表姊妹的女人，他的近親系數就升至〇·二一一，近乎純粹亂倫。哈布斯堡家族下巴其實是該家族傷害性最低的表徵。

菲利浦統治亞非美歐四大洲境內的五千萬人，在位期間一如其父親不斷征戰——攻打法蘭西、教宗、鄂圖曼帝國——而且那是在他於四面八方面臨宗教異端挑戰之前。

這個具有救世主情懷的帝國主義者深信上帝會為他行奇蹟；在他看來，任何事都有可能。他的座右銘是「光有這個世界還不夠」（The world is not enough）。要批閱的文書沒完沒了，而他又兼任祕書一職——「他們白天時用工作耗盡我的精力，因此晚上我精疲力竭」。有天晚上他寫道，「晚上十點，我極度疲勞，快要餓死」。他的一意孤行導致犯錯，看不清現實。身擁龐大權力者的困境，在於該權力大到非一人所行使得來。有個助理寫道，「陛下一直以來工作賣力的程度甚於平常，讀寫文件直到有東西從他的屁股出來為止（願閣下原諒我），因為星期六早上三點，他嚴重腹瀉」。他什麼事都親力親為。獨裁統治帶來民主政體所欠缺的前後一致，但代之以被謬見僵化且溺死在瑣碎細節裡的嚴格死板。

菲利浦已為了控制勃艮第、義大利而和法蘭西交戰，這場衝突已打了將近百年。他下令從尼德蘭攻進法蘭西。一五五七年八月十日——聖羅倫斯日——在聖康坦（Saint-Quentin），他的泰爾西奧精銳部隊打敗法軍，為了慶功，他在馬德里附近建造了埃斯科里亞爾勝利聖羅倫斯宮殿—隱修院—陵墓（St Lawrence of Victory of El Escorial），由此彰顯出他神聖君王的偉大救世主觀點。

他把所有勝利都歸功於神的眷顧：「這是上帝所為」。菲利浦蒐集了一批聖徒遺骸，共十二具遺體、一百四十四顆頭顱、三百零六隻手腳，親手為它們上標籤，常用來治療家人的病痛。他的人生使命是打擊新教異端，同時擁護由羅馬教廷領導的天主教反攻。他常告訴大臣，為他效力和服侍上帝「是同一件事」，此一信念使一切作為都正當合理。在歐洲全境，這兩大教派間的衝突愈發加劇。菲利浦堅稱，「我不想統治異端分子，因此，我寧可失去我所有的國家，寧可死一百次，如果我有一百條命的話，也不願讓宗教和服事上帝的事業受到一丁點傷害。」他出席了多次異端裁判所的判決儀式（autos-da-fé）。有個被押去公開悔罪的異端分子對他大吼，他回道，「如果我的兒子和你一樣壞，我會扛木頭去燒死他。」在俗世生活處處受宗教約束的時代，菲利浦深信新教徒和背地裡信奉猶太教的基督徒潛入神的王國，他們的異端和不純正必須予以法辦，但相較於其他大部分歐洲王國境內，在他的國度裡遭處決的人數並未比較多。獵捕暗地信奉猶太教的基督徒一事，與血統純正證明（limpieza de sangre）的問世有關。此證明通常易於取得，係出任公職所不可或缺，卻會被用來對付原信仰猶太教的可疑改宗者。當不純正之人符合他所需，菲利浦就會對不純正一事視而不見。他以行動申明他在美洲的王權，消滅抗命的柯爾特斯家族，鼓勵年輕西班牙人移居美洲。[38]

招募到的移民中，有個年輕的巴斯克人（Basque）便具有這些移民的典型特色。此人叫西蒙・玻利瓦爾（Simón Bolívar），在卡拉卡斯（Caracas）發展得很順利，開發了數座種植園、數座銅礦場和一處口岸，他輸入非洲奴隸，又創辦學校、神學院。他同時擔任菲利浦的代理人。這時，五千名左右的西班牙人統治一萬名非洲人、三十五萬名印第安人。人稱曼圖阿諾人（mantuanos）的白種上層人士，樂於實施他

38　一五六二年，這位征服者的三個兒子帶著父親的遺體回到墨西哥。在墨西哥，他們捲入西班牙籍種植園主和墨西卡籍貴族欲擁立馬丁・柯爾特斯侯爵為「新西班牙」國王的陰謀裡。三兄弟遭逮捕；混血兒遭水刑伺候。多人遭處決，這個柯爾特斯倖免於難。菲利浦鼓勵血統不純正（祖上為猶太教徒）的改宗猶太人治理美洲，但也把宗教裁判所輸出到祕魯和新西班牙。一五七九年，他任命一名改宗的猶太人為「新萊翁」（New Leon）的總督，要他「發掘、平靖、殖民」今墨西哥西北部和美國德州。此人名叫路易斯・卡爾瓦哈爾（Luis Carvajal），生於葡萄牙，但回西班牙效力。卡爾瓦哈爾的對手向宗教裁判所告發他和他的家族，指他們重拾猶太教信仰。路易斯最後死在獄中。一五九六年十二月八日，路易斯的姊妹和她那才十幾歲的女兒、兒子勇敢宣告自己信奉猶太教，竟遭押到墨西哥城主廣場活活燒死。而此家族某些成員逃至義大利，其中一個男孩定居於佛羅倫斯的口岸利沃諾——梅迪奇家族領土——以托斯卡尼地區的蒙帖菲奧雷村（Montefiore，英語讀作蒙提費歐里）的村名取名，並開枝散葉，是為本書作者的祖先。

們的種族隔離，同時和印第安人、非洲人混向，由此開創造出由不同種族血統者構成的新世界，而玻利瓦爾正是這類上層人士的代表。[39]

一五五七年，在英格蘭國王菲利浦造訪了時年四十一歲的瑪麗並和她共度一段時間後，瑪麗再度以為自己懷孕，而可悲的是，她的假性懷孕很可是子宮癌的早期症狀。隔年十一月，她死於子宮癌。她的王位便由她信仰新教的同父異母妹、遭處決的博林之女伊莉莎白繼承。

菲利浦「以你們很可能會理解的方式」哀悼瑪麗，懷念他的英格蘭王國。他向伊莉莎白求婚。這個聰穎、專橫、只懷抱一個目標且決意實現目標的女王拒絕了他，並促使她的王國再度成為新教國家。菲利浦、伊莉莎白都認為，宗教是各自人生使命不可或缺的一部分。他的王位靠聖戰打出來；她得更務實才能存活——她說，她「無意窺看人們內心的信仰」，只要忠於她即可。她曾語帶挑釁說，「世間只有一個信仰；其他一切都是為了雞毛蒜皮事而起的爭吵」，但這兩個君王都願意為那些雞毛蒜皮之事殺人。伊莉莎白在她小小王國裡處決了將近兩百名天主教徒。而經歷過從公主至私生女至囚徒至君主這段驚險人生的淬煉，她如今已是玩政治的高手，善於讓人摸不透，善於在對立勢力之間保持中立。而這時她違抗菲利浦的意志，未讓他得逞，菲利浦因此決定採取更斷然的手段。

正當菲利浦控大局時，留里克王朝的一個年輕人正在莫斯科公國貫徹其意志。這兩人南轅北轍：一人是自制的典型，另一人是狂放的代表。菲利浦自稱謹慎者（El Prudente）；伊凡則成了恐怖者（Grozny）。

霍伊達！嗜血野獸

一五五二年十月二日，二十二歲的伊凡四世跪下禱告，就在他的軍隊——傳統的騎馬弓箭手和他新設立的滑膛槍槍兵隊（streltsy）、一百五十門火炮——強攻伏爾加河畔的某汗國都城喀山（Kazan）並殺害城裡的穆斯林籍居民之際。成千上萬的基督教籍奴隸因此役而得到解放。從喀山返國途中，他的愛妻安娜絲塔西婭（Anastasia）生下他們三個兒子裡的第一個。

這位信仰基督教的征服者在莫斯科慶功，在紅場建造了耀眼的九圓頂聖巴西爾教堂。短短幾年，這個積極的年輕獨裁者已擴大其王國疆域，將軍隊現代化，頒行新法典，確保王朝根基穩固。只是一場病和接下來某個人的死亡將導致他精神不穩，他逐漸展露他兼具神聖群眾魅力、激烈作風、瘋狂施虐欲的獨特作風。

這個男孩伊凡四世是令人恐懼的伊凡三世和他帕萊奧洛戈斯皇族出身的妻子索菲亞的孫子，他三歲大，父親瓦西里三世死時，他就是莫斯科大公。他父親死後，由他的母親埃蕾娜·格林斯卡婭（Elena Glinskaia）當攝政。而母親去世後，伊凡只剩他又聾又啞的弟弟為伴。「我已故的弟弟尤里和我，成長期間活得猶如流浪漢。缺衣少食，我苦不堪言。」他的說法很難讓人信服，但他無疑是個凶殘的戲劇化人物、歇斯底里的大說謊家，滿腦子擺脫不掉《聖經》裡的煉獄。他成長為高大男子，身體柔軟「如豹」，鷹鉤鼻、性感的嘴唇，眼睛炯炯有神。[40]他虐待動物，將牠們從克里姆林宮的塔樓丟出，青春期期間終日

39 在南美洲，必須擁有血統純正證明才能躋身上層階級，但此制度難以維持。就連自豪於本身白膚、身為克里奧爾人（在美洲出生的歐洲人後代）的上層人士，也多和不同種族混血，此情況助長了人們過度執著於具種族歧視意味的種族分類：梅斯蒂索人（mestizo，西班牙人、印第安人混血）、穆拉托人（mulatto，非洲人、歐洲人混血）、桑博人（sambo，非洲人、印第安人混血）、帕多人（pardo，三種族混血）、夸特隆人（cuarterón/quadroon，祖父母和外祖父母裡三人為白人、一人為非洲人者）。

40 以上描述根據蓋拉西莫夫（Gerasimov）所重建的伊凡模樣而得。一九五三年，他奉史達林命令，打開伊凡墓，根據這位沙皇的顱骨，重塑出鉅細靡遺的伊凡面容。

和一幫惡棍胡作非為，犯下搶劫惡行，等到一掌權，就將其中某些朋友處死，將他們插在尖樁上。他聽說過「釘刑施行者」弗拉德和他那異於常人的祖父伊凡三世的殘酷行徑，而他自身行徑，則和他們極為相像。

一五四七年一月，伊凡在聖母安息主教座堂獲加冕為「所有俄羅斯人的獨裁者」——和史上頭一遭——沙皇。他獲戴上拜占庭皇帝君士坦丁・莫諾馬霍斯（Constantine Monomachos）的「帽子」——可能是蒙古人所贈——他的最高級主教這時則把蒙古人、羅馬人的意識形態合為一體，宣稱他是沙皇、上帝的化身、國家的化身。

而後，伊凡主持了一場選妃活動——由半拜占庭、半蒙古血統的少女參加的選美比賽。為了選妃，伊凡向全國人民下令，「凡是家中有年輕未婚女兒者，立即將她們送去給我們的代理官員檢查……凡是隱匿年輕未婚女兒者一律受罰」。伊凡挑中安娜絲塔西婭・羅曼諾夫娜・尤蕾卡—札卡莉娜（Anastasia Romanovna Iureka-Zakharina）——第一個羅曼諾夫王朝成員——為妻，她生下不只一個兒子，達成了為沙皇添丁的要求。後來，他對她生起愛意，或至少在情感上依靠她。

伊凡住在克里姆林宮裡，身邊圍繞著信教虔誠的廷臣。克里姆林宮是由諸多宮殿、教堂組成且有紅牆圍繞的要塞，他的廷臣裡，則以相互聯姻、彼此關係盤根錯結的波雅（boyar，即貴族）和湧入莫斯科、被封為察列維奇（tsarevichi）的蒙古籍王公（黃金家族可汗的兒子）勢力最大。伊凡偏愛這些不構成政治威脅的察列維奇；他可能會講韃靼語，雖然信教虔誠到了狂熱程度，他的朝廷仍帶有濃濃蒙古風：就連他的貴族都如蒙古人自稱「你的奴隸」。

伊凡喜愛聲色宴飲和私通，空閒時禱告、齋戒，但受到白鬍神職人員席爾維斯特（Silvester）影響。在席爾維斯特眼中，連鏡子、音樂都是魔鬼的體現。伊凡年輕時把鬍子剃得乾乾淨淨，後來聽信席爾維斯特的話，認為雞姦者才剃鬍子，從此留起鬍子，並且推行蓄鬍。

他即位後不久，莫斯科許多地方毀於大火，成千上萬人喪命。伊凡被趕出城，一群暴民受到公眾歇斯底里情緒和宮廷陰謀鼓動，要求交出被指控為女巫的他的格林斯基祖母，而且放了更多火。伊凡不願交出祖母；他緊接著集結部隊，抓住帶頭作亂者，將他們插在尖樁上。宮廷生活本就讓人緊繃，而頻頻席捲莫斯科的大火和一再爆發的瘟疫，促使他更加覺得世界終將陷入地獄般的末日境地。

一五五三年三月，伊凡病倒了。他決定立他尚在襁褓中的兒子德米特里（Dmitri）為儲君，無奈他的王朝尚未訂定接班規則；廷臣不想再走上攝政的局面，想要阻止安娜絲塔西婭的家族掌權。許多廷臣屬意伊凡的十七歲堂弟弗拉基米爾，咸認為比起嬰兒，他是更理想的繼位人選。有十二天時間，忽而清醒忽而昏迷的伊凡竭力逼諸位波雅宣誓效忠於他的幼嬰。弗拉基米爾被迫照做。而後伊凡復原，且開始指控波雅想要「立弗拉基米爾為君，想要如希律王那般滅掉他神賜的兒子」。他啟程遠赴一隱修院朝拜，要安娜絲塔西婭和嬰兒皇太子德米特里（Tsarevich Dmitri）同行，但這趟旅程充滿驚險。奶娘抱著嬰兒下船時，不慎讓嬰兒掉進河裡（奶娘的下場未見諸記載）。伊凡就此失去他唯一的嗣子。

所幸安娜絲塔西婭不久後生下強壯的新生兒伊凡。她於十二年間生下六個孩子，包括另一個兒子費奧多爾（Fyodor）。費奧多爾可能天生患有唐氏症。緊繃的壓力傷害了伊凡。伊凡非常溺愛妻子，要安娜絲塔西婭時時陪伴在側，即使從事她不適合同行的危險旅程亦然，但他依舊性欲很強，沒有節制。

一五五六年，伊凡於拿下喀山後接著攻打伏爾加河的最大奴隸市場哈吉塔爾漢（Xacitarxan，阿斯特拉罕），橫掃並將該城夷為平地。這些汗國覆滅便是俄羅斯崛起為歐亞大陸強權之路。他支持一個俄羅斯籍征服者家族，而此家族之於俄羅斯，就和柯爾特斯之於西班牙一樣重要——阿尼凱・斯特羅伽諾夫（Anikei Stroganov）這個強悍的六十七歲老商人和他的三個有脫離自立傾向但能幹的兒子。他們之所以致富，是憑藉著在伏爾加河以東設陷阱捕捉動物取毛皮和北邊索利維切戈茨克（Solvychegodsk）周邊的鹽場。當英格蘭籍商人理查・錢斯勒（Richard Chancellor）乘船往北欲抵達中國，最終落腳於日後阿爾漢格爾斯克城（Archangel）的所在地時，便是由伊凡親自控制此地，他想要從英格蘭得到好處。他委請斯特羅伽諾夫父子越過烏拉山，進入失比爾汗國境內探索。此汗國由成吉思汗的後裔庫楚汗（Kuchum Khan）控制，境內居民為蒙古人和原住民部族。伊凡把位在烏拉山和失比爾的土地賜給斯特羅伽諾夫父子，他們在此興建了要塞，找來農民移居，開發礦場和鹽場，買賣木材和毛皮，供應硝石和貂皮給伊凡，自有一支軍隊——德魯日納（druzhina）——即以劫掠為業、人稱哥薩克人（Cossacks）的一群邊區居民。[41]然伊凡的下一個目標是波羅的海地區，他希望在波羅地海的利沃尼亞（今愛沙尼亞／拉脫維亞）取得一處口岸，藉此直接和歐洲貿易。

一五五八年，利沃尼亞——正式名稱為「聖母瑪利亞之地」（Terra Mariana）——的古老聖戰騎士團想要加入波蘭—立陶宛時，伊凡大舉進攻，最初拿下納爾瓦（Narva），但後來引發一場錯綜複雜的衝突，波蘭、瑞典、丹麥、克里米亞汗國等相繼捲入其中。伊凡在這場博奕中手法高明，贏得初期幾場勝利，未想這場二十年戰爭最終幾乎毀掉莫斯科公國——而且把伊凡逼瘋。

一五五九年九月，就在這場戰爭突然惡化成危機時，伊凡硬拉著安娜絲塔西婭一起前往莫札伊斯克（Mozhaisk）朝聖，但她實在對纏著她不放的丈夫感到厭倦，又因失去四個孩子而悲痛到身體較衰，以及因生產而疲累不堪，安娜絲塔西婭此時病倒了。伊凡趕緊送她回莫斯科：「日後，我要怎麼回憶和我們生病的沙皇后一起巡行我們所統治的城市這段殘忍的旅程？」一五六〇年八月，二十九歲的安娜絲塔西婭垂死之際，許多廷臣慫恿伊凡言和，此際莫斯科城裡冒出火災，克里米亞汗戴夫萊特・格來（Devlet Giray）襲擊南部，搶走數千名奴隸。伊凡深信，沙皇后被人施了魔法、中了毒。後人分析她的遺骸，發現每一百公克骨頭中有〇・八毫克的砷、〇・一三毫克的汞，不過在其他的王族成員遺骨中也發現差不多含量的砷和汞，因此這是江湖郎中的醫術所致，而非遭謀殺的表徵。

伊凡自此精神崩潰，忽而恣意殺人，忽而縱情性愛，他的顧問則懇求他再娶——他的某個兒子年紀太小，不適合主政；王朝需要嗣子來延續——而他的婚姻史，將使得亨利八世像是個從不拈花惹草的好丈夫。他想要娶波蘭的女繼承人卡塔吉娜・雅蓋隆卡（Katarzyna Jagiellonka）和瑞典某公主都未能如願後，他有了驚人之舉：一五六一年八月，他藉由婚姻打入成吉思汗家族和伊斯蘭教圈子。他迷戀上卡巴達汗（Kabarda）帖木留克（Temriuk）的漂亮女兒庫切妮（Kucheny），與她聯姻強化了伊凡在高加索地區的地位。她改宗東正教，成為沙皇后瑪麗亞（Maria），她的兄弟薩爾穆克（Salmuk）受洗，成為米哈伊爾・切爾卡斯基親王（Prince Mikhail Cherkassky），從而開啟了帝俄的諸多貴族家族之一。但伊凡已變了個人：在一票斯科莫羅赫藝人（skomorokhi）——小丑和豪門藝人——陪同下，他狂飲、尋歡作樂，開始和年輕貌美的廷臣費奧多爾・巴斯馬諾夫（Fydor Basmanov）搞婚外情，巴斯馬諾夫成為他的「孌童」。身為大波雅的德米特里・奧博連斯基・奧夫奇寧親王（Prince Dmitri Obolensky Ovchinin）嘲笑巴斯馬諾夫，說「我們以有用的方式服務沙皇，你以污穢的雞姦行為服務沙皇」，結果遭伊凡用滾燙熱水剝了他的

41　哥薩克一詞源自突厥語kozak，意為靠劫掠為生者。這些凶狠的邊區居民在莫斯科公國和諸蒙古汗國、波蘭—立陶宛之間的邊境地帶發展得非常順利，在陸上採用蒙古戰士的騎兵戰術，在海上採用維京先祖的襲擊戰術。他們由逃跑的烏克蘭農民、逃亡的莫斯科公國人、變節的蒙古人組成，共二十個左右的群體，發展出獨具一格的東正教暨重視才能甚於社會地位或財力的文化，每個戰隊（voysko，英譯為host）各自選出自己的頭人（ataman或hetman）。他們還稱不上是騎兵，而是常用大艇（chaiki，意為「海鷗」）遂行襲擊的步兵——一六一四年攻打君士坦丁堡時亦然。這些戰隊保有獨立地位，有時為沙皇打仗，有時為波蘭國王打仗，戰隊領袖人人都想躋身貴族階層。十八世紀時，俄羅斯沙皇這才把他們組建為騎兵部隊。

頭皮，然後將他刺死。

更多波雅逃到波蘭時，伊凡和他的指揮官——穆斯林籍前喀山可汗沙伽利（Shahghali）——奪下波洛茨克（Polotsk，今白俄羅斯境內），將該城的猶太教籍居民全數淹死於德維納河（Dvina River）。伊凡返回莫斯科後，批評他用兵、與韃靼人聯姻、搞同性戀的人密謀立弗拉基米爾為沙皇。在克里姆林宮，不管是當時或是現今，帶著狠勁的戒心是生存的唯一法門，但伊凡更有過之，他毆打、勒死波雅們，把他們縫進熊皮囊裡，丟給獵犬啃咬，或放進烈焰熊熊的火爐裡活活燒死。伊凡受到《聖經》中地獄形象的啟發，深信嚴厲懲罰他的王國子民是他的權利和使命，遭他毒手者身上背負著這個沙皇的罪過，一如這個沙皇背負著這個王國的罪過。對廣大農民來說，這是他們的「小父親暨沙皇」（tsar-batiushka）理該表現的行為。

看到沙皇和他的隨從變成「以聞所未聞的酷刑和處死方式」對待臣民的「狂暴嗜血野獸」，他的廷臣安德烈．庫爾布斯基親王（Prince Andrei Kurbsky）大為驚恐。一得知自己即將因為謀殺安娜絲塔西婭被捕，庫爾布斯基叛逃至波蘭，被他拋下的妻子、兒子迅即遭伊凡殺害。庫爾布斯基譴責伊凡那「令人難以忍受的憤怒、強烈仇恨、熊熊燃燒的火爐」。

一五六四年十二月，伊凡將眾多波雅斥為「叛徒」，說「他們想要狼吞虎嚥般吃了我」，表示願「把他的王國給這些叛徒，但日後他會要求歸還，會拿下它」。在瑪麗亞、安娜絲塔西婭兩人的兒子和瑪麗亞本人陪同下，伊凡離開莫斯科，乘雪橇至稱之為亞列桑德羅夫斯卡亞．斯洛博達（Alexandrovskaia Sloboda）的狩獵小屋。莫斯科公國臣民懇求伊凡回去，說「沒了主子，我們怎麼活？」並且表示願殺掉「沙皇所點名的惡人」。

同月，伊凡將王國一分為二：他的奧普里奇尼納（oprichnina，沙皇私有地）包含了國內最優質、最富饒的土地，其餘的傑姆什奇納（zemshchina），則由波雅治理。為保護自己的神聖人身，他組建了稱之為奧普里奇尼基侍衛隊（oprichniki）的殺手隊，由一群波雅、喜愛冒險者、外國人、韃靼籍察列維奇（包括他妻子的兄弟）統領。殺手隊成員一身黑，黑衣內穿奢華衣服，騎馬，馬籠頭上掛著狗頭，馬鞭柄上有刷子，宣誓：「我發誓忠於大王……一知道有人想要不利於沙皇，一律據實呈報……」伊凡常和他們一同大肆掠殺，並且對如何掠殺往往管得非常細，連枝微末節都要照他意思做。掠殺時，高喊「霍伊達！」（蒙古人作戰時的吶喊聲），大波雅和其子女命喪伊凡之手，遭砍頭、插在尖樁上、推到冰層底下。他以此方式處死變節者，將他們送進地獄。

在亞列桑德羅夫斯卡亞．斯洛博達，身為修道院修道士卻驕奢淫逸的伊凡，主持一座窮凶惡極的隱修院。在那裡，他和他從事殺人勾當的修士早晨四點起床做一天的第一段祈禱，衷心虔誠的唱悔罪歌，而後參加同性戀性派對和拷打活動，直到晚上九點就寢時間。接著，三個年老的瞎眼男子向患有失眠症的伊凡講故事。已和英格蘭女王伊莉莎白鬧翻的日耳曼籍占星家暨醫生埃利塞烏斯．博梅利烏斯（Eliseus Bomelius）前來加入伊凡的行列，如今已是他的巫師和下毒者。

一五六七年，伊凡揭發一樁欲立他的堂弟斯塔里察的弗拉基米爾（Vladimir of Staritsa）為沙皇的陰謀。弗拉基米爾擔心誤入陷阱，親自向伊凡透露此陰謀，伊凡隨之先出手痛擊他長年信任的波雅伊凡．費奧多羅夫（Ivan Fyodorov）。在令人聞之色變的新打手馬柳塔．斯庫拉托夫（Malyuta Skuratov）陪同下，這位沙皇將費奧多羅夫的隨從關在一間放有許多火藥的房間裡，然後他點燃火藥，轟的一聲，房間裡的人被炸成好幾塊飛上空中。接著，「他和他那些十惡不赦之徒，猶如被一群徹頭徹尾的瘋子圍繞著的一個瘋子，快馬加鞭前去察看那些殘破不全的屍體」。伊凡拿劍刺入費奧多羅夫身體，然後斯庫拉托夫挖出他的內臟。總共一百五十名波雅——和他們的大多數的家人、住在他們家的僕人、隨從——盡皆遭奧普里奇尼基殺手殺害，而戰況跟著伊凡的精神狀況一起惡化——為治背痛而服用汞，可能加劇他精神狀況的惡化。

一五六九年一月六日，眾多波雅變節投奔波蘭人之際，伊凡在他的兒子、滑膛槍兵、奧普里奇尼基侍衛陪同下，攻破特維爾（Tver）、諾夫哥羅德兩城。諾夫哥羅德是弗拉基米爾親王的次要居住地，城裡人民傳承了共和制、重商主義傳統，厭煩於這場妨礙他們與瑞典貿易的戰爭。數千人遭活活烤死，用繩索繫在一塊，推到冰層底下。十月，伊凡逮捕他的堂弟。弗拉基米爾、他的妻子、九歲女兒被迫飲下毒藥。[42]而後，他著手對付他的情人巴斯馬諾夫，逼他殺掉自己父親，再自殺；接著，伊凡對付他的諸位大臣——他的掌璽官伊凡．維斯科瓦提（Ivan Viskovaty）為這些大臣的領袖——為他們設計了一場特別盛大、令人髮指的公開行刑場面。

一五七〇年七月二十五日，伊凡一身黑色打扮，揮舞著斧頭和弩，帶著十六歲兒子伊凡和一千五百名騎馬滑膛槍手，來到莫斯科城外的波伽納亞草地（Poganaia Meadow），眼前是二十根打進地裡的木樁，樁與樁之間以橫梁搭接，還有數個盛了滾水和冷水的大鍋。在他、幾個外交官、民眾注視下，奧普里奇尼基侍衛將維斯科瓦提和三百名波雅（莫斯科公國政府的大部分官員）押上前，這些人經過嚴刑拷打，已幾乎無法行走。

伊凡告訴他們，「我要徹底消滅你們，讓你們完全不復存在於人們的記憶中」，然後他騎上馬，要民眾「走近一些，以目睹此奇觀」。

先前經手和波蘭人、瑞典人、鄂圖曼人談判事宜的維斯科瓦提被控叛國，吊在橫梁上。伊凡要他自白。

「你們要把一個無辜之人的血喝個夠，現在可以動手了，」維斯科瓦提喊道。「求上帝降禍於你們這些吸血鬼和你們的沙皇——」他未能把話說完，因為馬柳塔．斯庫拉托夫已割掉他的鼻子、耳朵、生殖器，他很快就一命嗚呼。伊凡為此大怒，他懷疑斯庫拉托夫心軟，讓他速速解脫。

一個接一個波雅，或遭砍頭，或被放進大鍋裡煮死，或遭活活剝皮，或被以伊凡所中意的新方法，穿過肋骨吊起來處死，其中有些人的妻小跟著他們一起死於酷刑——罹難者共一百一十六人。但伊凡自己招來的大禍才剛開始：這時一個新的鄂圖曼帝國帕迪沙揮兵入侵。

金髮蘇丹、信仰猶太教的公爵、塞爾維亞籍維齊爾

那年夏天，「金髮」塞利姆（Selim the Blond）察覺到莫斯科公國在伊凡統治下情勢大亂，隨即派遣他驃悍的大維齊爾穆罕默德·索科魯（Mehmed Sokollu，塞爾維亞人，本名索科洛維奇／Sokolović，曾任海軍元帥）率兵入侵莫斯科，企圖拿下阿斯特拉罕，建造連接裏海和黑海的伏爾加—頓運河（Volga-Don canal），而伊凡的守軍堅守不退，鄂圖曼人只得退兵。鄂圖曼帝國已在東起蘇門答臘、西至地中海的廣大地區用兵，因此這只是該帝國鼎盛時期的諸多冒險行徑之一。塞利姆即使未承襲他父親的冷漠沉著果斷，卻也承襲了他建功立業的野心，因而在三大洲用兵。

在此四年前，七十歲的蘇萊曼在不情不願下和索科魯、皇子塞利姆、軍隊一同攻入匈牙利。在某役期間，蘇萊曼死於帳中。索科魯拿下該役，向塞利姆通報蘇萊曼死訊。人在塞爾維亞的塞利姆，一一處決所有親眼見到蘇丹去世的人，將屍體安立在他的馬車上，祕不發喪四十八天——處理得非常漂亮。

塞利姆讓索科魯續任大維齊爾，把酒、蜂蠟的專賣權賜予他猶太教籍顧問約瑟夫·納西（Joseph Nasi），並封他為納克索斯島（Naxos）和七島（the Seven Isles）的公爵（自可薩人以來唯一信仰猶太教的

42 一九六〇年代檢測了這對母女的遺骨後，發現母親身上的砷濃度為十二·九，女兒是八·一：劑量都足以致命。

國君）。[43]這兩個大臣互看不順眼，而塞利姆認為他們兩人都不可或缺。

在約瑟夫、索科魯的影響下，塞利姆對西班牙人、葡萄牙人發動世界戰爭。他已於不久前派一支艦隊前去蘇門答臘，助亞齊蘇丹對抗葡萄牙人，派另一支小型艦隊去支持古吉拉特的蘇丹。在他姨媽格拉西亞夫人死後，約瑟夫住在豪華的伊斯坦堡「美景府」（palace of Belvedere），與哈布斯堡家族皇帝、法蘭西國王、波蘭國王、威尼斯執政團談判。約瑟夫收到來自這位皇帝和一票國王的來信，掌理自己的情報偵刺網，他本身無疑是個獨特的人物，人稱「厲害的猶太人」（Great Jew），與波蘭談成和約，並影響波蘭國王的遴選，與摩達維亞、瓦拉幾亞兩公國國君斡旋，維持住與法蘭西的結盟，並在法蘭西人不願還債於他時，扣押他們在君士坦丁堡的船隻，賣掉船貨。最後，他鼓勵沉默者威廉和尼德蘭人揭竿而起反抗菲利浦。

塞利姆繼承父親在地中海建立的地盤，很想將更多地中海地區納入其支配。一得知威尼斯人的軍火庫爆炸，約瑟夫便力勸塞利姆攻取賽普勒斯，塞利姆隨之出兵，最後拿下這座島。這是哈布斯堡家族所不能置之不理的挑釁，但眼下，菲利浦需要北部局勢平靜——和一個新老婆。

一五五九年，他與法蘭西人談成卡托康布雷西和約（Cateau-Cambrésis）和約，從而一舉了結這兩樁心願。此和約的簽訂，標誌著哈布斯堡—瓦盧瓦兩王朝的義大利爭奪戰自此告終，義大利落入哈布斯堡家族之手。菲利浦的新老婆是法蘭西人伊莎貝爾（Isabel），她是亨利二世和其義大利籍妻子凱瑟琳·德·梅迪奇的十四歲女兒，由凱瑟琳護送伊莎貝爾至邊境交給菲利浦。這樁婚姻是天主教勢力反攻新教勢力行動的一環，不過菲利浦見到她時很高興：伊莎貝爾時髦優雅、生活奢侈、嗜賭成性、充滿高盧人的幽默。[44]菲利浦愛上她，夜深時前去見她。伊莎貝爾驚訝於他火熱的愛意；她母親勸她回以熱情友好。不久，兩個女兒的出生軟化了菲利浦的剛硬，菲利浦終於嘗到天倫之樂。

沒想到，伊莎貝爾企圖影響菲利浦，使他成為法蘭西的助力。伊莎貝爾自幼受凱瑟琳・德・梅迪奇調教，而凱瑟琳則是當時傑出的女性政治人物，因受人痛恨，而有綽號「來自義大利墳墓的蛆」（Maggot from Italy's Tomb）。

43 約瑟夫促使塞利姆支持猶太人返回以色列，那是自西元七〇年以來歷代猶太人共同的夢想。當鄂圖曼人保護耶路撒冷等聖城時，約瑟夫恢復了神話中的城鎮薩斐德（Safed，加利利境內），而當教宗庇護五世驅逐猶太人時，約瑟夫便將他們安置在此。

44 和她一同前往馬德里的侍女為索福尼斯巴・安圭索拉（Sofonisba Anguissola），首批簽約獲聘為宮廷女性畫家的其中一人。

瓦盧瓦王朝和薩阿德王朝、哈布斯堡王朝和留里克王朝

「蛇夫人」：梅迪奇家族出身的法國王后

一五五九年七月十日，在巴黎孚日廣場（Place des Vosges）的女兒婚禮上，凱瑟琳望著她的丈夫亨利二世，「大鼻子」法蘭索瓦一世的兒子，騎乘在他的馬兒「不快樂」上，一身他的長年情婦黛安娜．德．普瓦捷（Diane de Poitiers）的招牌顏色，啪的一聲蓋上頭盔面罩，放低長矛，準備與對手較量。凱瑟琳求他罷手，但他吼著回道，「我就是為了妳而比武。」兩名騎馬鬥士，全副盔甲，策馬往對方衝去。

騎馬比武是亨利和凱瑟琳之婚姻的一部分：過度好色的國王法蘭索瓦據說曾監看兒子和兒媳婦的新婚夜，接著便宣告「兩人都在騎馬比武中展現了過人的勇武」。但她的堂叔教宗克雷芒去世，使原要隨她帶去法蘭西的嫁妝泡湯。對法蘭西來說，沒了價值的凱瑟琳，被視為只是個來自商賈家庭、工於心計的義大利人，「嘴巴太大，眼睛太凸、眼珠太淺淡，稱不上漂亮，卻是個非常傑出的女人，身材玲瓏有致」。她眼看著自己的丈夫愛上比她大十九歲的黛安娜．德．普瓦捷；凱瑟琳叫她「老女人」。婚後凱瑟琳未能懷孕，亨利談過將她休掉，但黛安娜鼓勵亨利臨幸凱瑟琳。凱瑟琳曾喝騾尿以保住生育能力，往她的「生命來源」抹上用鹿角粉和公牛糞調製成、並用搗碎的長春花和母馬奶予以美化的泥罨劑——讓男人打退堂鼓的氣味。

最後，一個高明的醫生檢查了這對夫妻，發現他們在性事上的微微反常之處，並且予以糾正。結果，凱瑟琳懷孕，生產九次，也都熬了過來。六個孩子，四男二女，也都長大成人，包括伊莎貝爾這位非常活

潑的西班牙王后。三個兒子成為國王，全是多病、精神錯亂，或許是因為承繼了梅迪奇家族的梅毒，不過他們的出生使凱瑟琳地位大漲。亨利繼承王位時，凱瑟琳必須討好他的情婦黛安娜，後來凱瑟琳憶道，「我真正要討好的是國王，那不是件易事，因為從未有哪個愛丈夫的女人做得到愛他的婊子。」而她忍了下來，因為「我非常愛他」。

兩名騎馬比武者交手，碎裂的長矛發出可怕的爆裂聲響。凱瑟琳尖叫了起來；群眾人人緊張得倒抽一口氣；亨利搖搖欲墜；他的面罩大開，血從插中他一眼的裂片、從他的太陽穴大量流出。他的妻子、情婦、兒子全昏了過去。菲利浦的醫生韋薩利烏斯（Vesalius）[45]被召了過來；當醫生試圖取出碎片時，亨利不住哀號。對陷入分裂的法蘭西來說，這是極為危險的一刻：國內一成人口是由納瓦拉王國（Navarre）的王后珍娜（Jeanne）、蒙莫朗西（Montmorency）家族的海軍元帥科利尼（Coligny）所領導的胡格諾派教徒（Huguenots）——即法蘭西新教徒——而亨利決意消滅此「新教害蟲」。

凱瑟琳衝到她瘦弱的兒子法蘭索瓦身旁。法蘭索瓦禁不住哭泣道，「天啊，萬一父親死了，我要怎麼活下去？」亨利感染了敗血症。新國王法蘭索瓦二世娶十六歲的蘇格蘭女王瑪麗，把權力交給她極端支持天主教運動的舅舅們——吉斯家族（Guise）的兄弟。瑪麗身材嬌小，個性衝動，具有一半法蘭西人血

45 為確認該如何處理亨利的傷勢，安德雷亞斯．韋薩利烏斯（Andreas Vesalius）找來剛遭處決的罪犯，把碎片插入他們頭裡，而他們的遺體從絞刑台取下時，往往還有體溫。此時，受限於解剖知識、無法止血、缺乏麻醉藥和抗菌劑等，能進行的手術不多。只有兩個體內手術可施行：顱骨穿孔和膀胱結石切除術。在後一手術中，病人被捆住，由一強壯男子按住，在未麻醉情況下，醫生將一根管子經由陰莖插入，固定住膀胱結石，而後割開會陰，用勺狀取出器將結石抽出；傷口未縫合，任其自行癒合。許多病人因此死亡。韋薩利烏斯嘗試兼用這兩種手法。他生於佛蘭芒人醫生世家；他祖父是皇帝馬克西米連的御醫，他父親是查理五世的藥劑師和貼身男僕，這個兒子則成為查理五世的御醫，最了不起的解剖學先驅：他解剖人體和獼猴，發現血液循環和骨骼的某些要素，證明已被人相信千餘年的蓋倫有許多主張不實。擊退宗教裁判所對其的異端指控後，他成為菲利浦二世的醫生。

統，為亨利八世的姊姊的後代。吉斯家族的兄弟決意消滅胡格諾教派。

十六個月後，法蘭索瓦死於耳朵感染，凱瑟琳以「法蘭西治理者」（gouvernante de France）的身分掌權，代另一個瘦弱兒子查理九世掌理朝政。查理九世當時十歲，綽號「頑童」（Brat）。如果說凱瑟琳失去雙親的幼年人生，體現了女人在權勢家族裡的困境，她成年後的人生則說明了何為行使權力的機會。[46]

凱瑟琳私下向女兒伊莎貝爾透露，「妳父王愛我的程度不及我所望，而上帝……留給我三個年幼的小孩和一個分裂的王國，而且在這個王國，我沒一個男人可信任。」凱瑟琳深信，為了為她的幾個兒子保住法蘭西，她必須和新教徒妥協，[47]但吉斯兄弟向菲利浦誹謗她，聲稱她要和異端分子妥協。他稱凱瑟琳為「蛇夫人」（Madame la Serpente）。「於是，我的女兒，我的朋友，別讓妳的國王丈夫（菲利浦）相信不實的說法，」凱瑟琳懇求伊莎貝爾。「我無意改變我的人生或我的宗教。」

一五六二年一月，凱瑟琳發布《聖日耳曼敕令》（Edict of Saint-Germain），安撫胡格諾派教徒，菲利浦對此大為反感。那年三月，在瓦西（Vassy）的一場衝突中，七十四名新教徒遭吉斯公爵（duc de Guise）法蘭索瓦殺害，引發全面的內戰，進而導致吉斯遭暗殺。凱瑟琳提議和菲利浦晤談，菲利浦不願見「蛇夫人」，便派出伊莎貝爾。伊莎貝爾替菲利浦辯護，站到她母親的對立面。[48]凱瑟琳提議將她的女兒瑪戈（Margot）嫁給菲利浦的怪兒子唐．卡洛斯。但有待菲利浦提拔的，不是他精神錯亂的兒子，而是他新家族的一個新成員。他召見了一個名叫傑羅尼莫的十二歲男孩。

「我很高興得知他是我的弟弟，」菲利浦寫道。他是皇帝查理和日耳曼籍侍女生下的私生子，出生後便是暗中被撫養，鮮為人知。菲利浦問他知不知道自己的父親是誰，傑羅尼莫回以「不知道」。菲利浦親了他，把自己的廷臣賜給他，把他改名為奧地利的唐．胡安（Don Juan of Austria）。唐．胡安與同年齡的姪子卡洛斯一起接受教養。

而兩人的發展大不相同。唐・胡安成為善戰、大出風頭的武將；卡洛斯則漸漸墮落為凶殘的狂人。只不過，這兩人都渴望權力。

46 凱瑟琳追求創新，據說她使刀叉等餐具從此流行開來；在此之前，就連國王用餐都用手指，用小刀切肉，用湯匙進食。一般人民外出時則帶著木匙；權貴使用銀匙。凱瑟琳據說也引進內衣，後來此時尚產業就屬法蘭西人最專精——她抽的美洲菸草被稱作「女王草」（la herbe de reine）。

47 凱瑟琳開始洽談讓她三個兒子查理、亨利、埃居爾—法蘭索瓦（Hercule-François）之中一人娶英格蘭的伊莉莎白之事。這兩位相互較勁的女王都是堅毅、剛強的政治人物，但家庭觀則大異其趣。伊莉莎白這位新教徒的當朝女王曾被視為私生女，可能受過她的監護人騷擾，又因她同父異母的姊姊而吃了不少苦頭，她認為家庭——和婚姻——是會招致禍患的。反觀凱瑟琳這位信仰天主教的義大利裔母親和妻子，觀念和義大利人的典型形象大相逕庭，一切以她的兒子為主，而她兒子和伊莉莎白的婚事一旦談成，便足以避免法蘭西內戰，制衡西班牙，把英格蘭拉到法蘭西這一邊：凱瑟琳的兒子法蘭索瓦已娶蘇格蘭人的女王瑪麗，而天主教徒的瑪麗有資格爭取英格蘭王位。此時此刻，凱瑟琳扮演起一個懷有雄心的母親，伊莉莎白則是她所期待的女兒。第一個被納入考慮的人選是查理，他比伊莉莎白小了十七歲；再來是小了十八歲、把伊莉莎白貶為「公用妓女」（putain publique）的亨利；然後，許久以後的一五五九年，當婚姻對象的考量涉及新國家尼德蘭的領導人之位時，這時四十六歲的伊莉莎白招待了二十四歲的阿朗松公爵（duc de'Alençon）埃居爾—法蘭索瓦，和他眉來眼去，至少裝出一副訂婚了的樣子。

48 途中，凱瑟琳見了諾斯特拉達穆斯（Nostradamus）。此人本名米歇爾・德・諾斯特勒達姆（Michel de Nostredame），是占星象、召亡魂問卜的巫師、醫生，生於本信仰猶太教的天主教家庭。她花了兩百埃居（écu），請他用星象為她的三個兒子算命。但他反倒注意到她的侍從之一——納瓦拉的亨利（Henri of Navarre）。這位算命大師「解讀」了他軀幹上的痣。他在王位繼承上排在第六順位，無足輕重，而諾斯特拉達穆斯預言他會當上國王。

菲利浦那凶殘鞭打成性的兒子和他威風颯颯的弟弟：勝利和心碎

一五六二年，唐．卡洛斯追趕一個他老愛鞭打的女僕時，不慎頭下腳上跌下樓。他的頭腫了起來，以致失明，還拚命索要一位受尊崇之方濟會修士散發香氣的遺體——後來被封為聖迪達庫斯（St Didacus）——也如願得到，並擺放在他的床上。卡洛斯入睡，但頭部已遭感染。醫生韋薩利烏斯在他的顱骨上穿孔，排掉卡洛斯腦子裡的液體，拿掉一塊顱骨，救了他的命——但菲利浦把功勞歸於這名身體皺縮之聖徒的「聖潔香氣」。

菲利浦答應將尼德蘭交給卡洛斯治理，卻也漸漸了解到「雖然我的兒子十九歲，雖然別的孩子發育得慢，上帝卻希望我的孩子落後所有人」。唐．胡安請求允許前去攻打地中海的鄂圖曼人。菲利浦不同意，但這位瀟灑的私生子違抗王命，加入海軍。他返家時，菲利浦驚豔於他的英姿勃發、衝勁十足。而卡洛斯相當眼紅；他的行為變得讓人更加驚恐：他學德語，研究自己家族的帝國，很慶幸已和既是堂妹、也是表妹的安妮訂婚，某天，他卻在卡斯提爾議會議事時衝出議場，把一名侍從官丟出窗，放火燒掉某間房子，試圖謀殺數名廷臣，使勁鞭打更多僕人。

菲利浦這時在七省（Seventeen Provinces，今尼德蘭、比利時）遭遇危機，而此危機給了他的瘋兒子插手危險事務的機會。一五六六年，菲利浦經由課稅和天主教強行貫徹哈布斯堡家族的支配地位，導致最富裕領土上，那些追求獨立自主、文化先進且往往信仰新教的城市爆發叛亂。身為國王者在眾人面前昂首闊步，趾高氣昂，但在大多數地方，他們的權力始終在某種程度上受制於議會、城市、行會，又以在散發多元精神的七省最是如此。七省的議會、城市、行會的權利和特權，此前已得到勃艮第公爵的確認。菲利浦派來的總督，、他的同父異母姊姊——「黑人」梅迪奇的遺孀奧地利的瑪格麗塔——有心和反對派修好。菲利浦不同意。

「在宗教事務上勿敷衍了事，」菲利浦下令。「以最嚴厲的手段懲罰。」一五六七年，他派個性陰鬱的武將、曾參加突尼斯之役、米勒貝格之役的阿爾巴公爵費南多・德・托雷多（Fernando de Toledo）前去平亂。當菲利浦利用瑪格麗塔誘使造反的貴族前來，並將他們逮捕，她隨之辭職，阿爾巴（Alba，尼德蘭人口中的「鐵公爵」，西班牙人口中的「偉人」）發動傳統的平亂戰役，擊敗造反勢力，將兩名為首的貴族斬首。他誇稱，他接著處決了一萬八千六百人，在奪取尼德蘭城鎮時殺掉成千上萬人。他喚來七省境內最有權勢的新教徒——奧蘭治親王沉默者威廉——前來一見。威廉早年受查理五世提攜，先前已被菲利浦任命為荷蘭和澤蘭（Zeeland）的省督（stadtholder）。威廉受到兩個人的暗中慫恿而逃到日耳曼，這兩人一是英格蘭的伊莉莎白，一是經由信仰猶太教的公爵約瑟夫・納西轉達其想法的蘇丹塞利姆。威廉和其兄弟在日耳曼擔起領導新教徒之責，求助於法蘭西的胡格諾派教徒，將捕拿敵船或敵貨的特許證簽發給名叫「海上乞丐」（Watergeuzen）的新教籍私掠船，率兵攻入荷蘭。這支海上勢力不久便擊敗西班牙軍艦。[49] 菲利浦此後在位期間，七省成了他擺脫不掉的泥淖，不得不在該地部署多達八萬的兵力——而我們眼中的近代世界，會有一大部分從此泥淖冒出。

他的兒子唐・卡洛斯與尼德蘭叛亂分子暗中接觸，向他信任的同齡叔叔唐・胡安提議，由他取得一艘槳帆船好讓他逃走，以便他拿下尼德蘭，並表示事成之後，會讓他當那不勒斯國王作為回報。唐・胡安將此叛國行徑向菲利浦舉報。而更惡劣的還在後頭。後來卡洛斯接見唐・胡安時，欲用火繩槍射殺他，但他的僕人把槍的擊鐵扳至非擊發位置。他抽出匕首，撲向他的叔叔，唐・胡安當即奪下他的匕首，把這個瘦

49 「海上乞丐」一詞濫觴於某支尼德蘭人代表團拜訪瑪格麗塔時。當時有個瑪格麗塔的顧問說，「別怕，夫人，他們只是乞丐。」「海上乞丐」以乞丐的隨身小袋為叛軍象徵。不到四年，就有八十五艘私掠船在服役，是為武裝貿易公司的先驅。

小駝背的王子摔到一旁，然後抽劍說道，「殿下，別再靠近一步！」卡洛斯決定殺掉父親。

一五六八年某個午夜，菲利浦戴上頭盔和胸鎧，糾集一批人，帶領他們走過馬德里阿爾卡薩爾王宮（Alcázar）的走廊，衝進唐・卡洛斯臥室。卡洛斯醒來，發現床邊圍著父親和數個廷臣，個個已抽出劍。菲利浦寫道，「我的用意是找個一勞永逸的辦法。時間不可能找到解決辦法。」

卡洛斯被囚禁在阿爾卡薩爾王宮裡，他在此絕食，企圖吞下一顆鑽石自盡，六個月後死去。他的死令菲利浦鬆了口氣。未想一五六八年十月，他的愛妻伊莎貝爾難產後死於感染，享年二十三。菲利浦傷心至極，不想再娶，但他的堂弟皇帝馬克西米連二世的二十一歲女兒安娜和卡洛斯已訂親，如今待字閨中。就連教宗都告誡他勿近親通婚，但他比以往任何時候都更需要一個兒子。

為確保他的奧地利諸堂兄弟支持他的反新教運動，菲利浦邀他們的子弟魯道夫（Rudolf）前來西班牙。魯道夫是他新婚妻子安娜的弟弟，這時是他的當然繼承人。他告訴魯道夫，「願無人阻止你信你所信，而你所信是真正的信仰！」魯道夫受了西班牙儀禮訓練，此後一直穿「西班牙式」輪狀皺領、男式緊身褲，卻也對菲利浦的教條主義深感惶恐。而令他讚歎的事物是埃斯科里亞爾宮的藝術——提香正在那裡畫〈最後的晚餐〉（The Last Supper）。「瘋子」魯道夫將是整個哈布斯堡家族裡最隨性、最特立獨行的人。

正當菲利浦漸漸在第四樁美滿婚姻安定下來時，他同父異母的弟弟唐・胡安也大放異采。

一五六七年一月，菲利浦禁止四十萬摩里斯科人（Moriscos）——一五〇一年遭強制改宗天主教的穆斯林——的信仰、習俗、語言、服裝。摩里斯科人受來自君士坦丁堡的約瑟夫・納西鼓動，回敬以在多山的阿爾普哈拉斯（Alpujarras）造反。這場造反由神祕人物埃爾哈巴基（El Habaquí）領導，得到來自非洲的伊斯蘭聖戰士和塞利姆所派來的土耳其禁衛軍助陣。菲利浦派唐・胡安前去消滅這些穆斯林，一場下流戰爭於焉展開。在此戰爭中，摩里斯科人村莊遭殺光，穆斯林籍叛亂分子則折磨天主教徒。唐・胡安於戰鬥中受傷。「你務必要保住性命，」菲利浦告訴弟弟。「我必須有你來完成偉大事業。」菲利浦下令將穆斯林集體放逐。「世上最悲慘的景象，」胡安寫道。「下大雨、颳大風、下大雪，迫使窮人緊挨在一塊哀嘆。將一王國的人口大幅減少，那景象絕對是最可憐的。」約九萬人喪命；菲利浦打算趕走剩下的摩里斯科人——這個悲慘的解決辦法由他的兒子菲利浦三世執行。

不久，塞利姆已從威尼斯手裡拿下賽普勒斯的消息傳來。庇護五世邀菲利浦加入神聖同盟共同對抗鄂圖曼人，這時，由於已和尼德蘭人停戰，菲利浦更有餘裕投入這些聖戰。菲利浦指派二十五歲的唐・胡安統領兩百零八艘槳帆船、六艘三桅划槳炮艦、二十四艘其他軍艦、六萬士兵（包括日後成為小說家的塞萬提斯），抗擊共有三百艘船、十萬左右士兵的鄂圖曼帝國艦隊。鄂圖曼帝國的槳帆船操控較靈活；基督教陣營則火炮較精良。胡安全然忽視菲利浦要他既避免沉迷女色、又要避免軍事冒進的指示，決意與敵交手，向艦隊中經驗老到的海軍將領請教，一再施行機動戰略。

胡安身披閃閃發亮的盔甲，搭乘快速靈活的輕武裝船巡視艦隊，用數種語言向水兵宣講：「我的孩子們，我們來此，不是征服敵人，就是戰死！」他命令將他槳帆船上的操槳奴隸（穆斯林居多）扣上雙重鐐銬，鄂圖曼方的艦隊司令暨帕夏阿里則向基督教籍奴隸保證，「打贏此仗，就給你們自由」。

在希臘外海的勒班陀（Lepanto），鄂圖曼人試圖以半月隊形圍住神聖同盟艦隊。戰況慘烈，鄂圖曼方的槳帆船遭唐・胡安的火炮轟出水面；唐・胡安在旗艦「國王號」（El Real）的船首指揮作戰，下令強攻鄂圖曼艦隊司令暨帕夏的旗艦「女蘇丹號」（Sultana）。這位帕夏遭斬首，首級送至唐・胡安處，然後插在尖樁上，鄂圖曼方士氣就此垮掉。被炸掉內臟的屍體漂浮在血紅的地中海上，成了海鷗的大餐。共三萬五千名土耳其人喪命，一百三十艘鄂圖曼帝國船隻落入基督教陣營之手，而基督教陣營八千人喪命，兩萬人負傷。成千上萬個的基督教籍奴隸和戰艦拴在一起，因而葬身海底，但有一萬兩千名這類奴隸獲解放。

這場大捷使唐・胡安成為基督教世界首屈一指的英雄，菲利浦因而相信他救世主般的使命終將實現。唐・胡安想乘勝追擊航向伊斯坦堡，但菲利浦拉住他。唐・胡安轉而拿下突尼斯。接著他想要有自己的王國。

因打敗伊斯蘭教而志得意滿的菲利浦，這時進而支持消滅法蘭西境內的異端勢力。要解決他在尼德蘭的難題，就不能放過這股勢力。一五七二年八月，凱瑟琳・德・梅迪奇正計畫在巴黎辦一場盛大婚禮——並殺掉她一半的賓客。

血色婚禮：頑童國王、鱷魚王后、精神病沙皇

法蘭西王后凱瑟琳曾對菲利浦在荷蘭的高壓統治不盡認同，這會兒卻打算消滅自己的新教籍子民。這些新教徒正不顧後果支持尼德蘭人對抗西班牙。

她正在洽談女兒瑪戈和信仰新教的納瓦拉王國王子亨利的婚事。亨利是這個庇里牛斯山小王國的女王珍娜和旺多姆公爵（duc de Vendôme）安托萬・德・波旁（Antoine de Bourbon）的十八歲兒子，旺多姆公爵出身卡佩家族的次要分支，與當朝法蘭西國王有親戚關係。這樁婚姻意在跨過宗教畛域，將家族重新一統。只是當胡格諾派教徒打算擄走凱瑟琳，她便考慮起利用這樁婚姻，以極端的方式解決新教徒問題。

瑪戈一頭深棕色頭髮，美豔動人，「討人喜歡的臉龐，無瑕的白膚」。她不接受這樁婚事。在孩子成長過程中，凱瑟琳竭力控制她凶狠的子女：查理軟弱，行為偏差，有結核病；安茹公爵亨利狡猾，道德敗壞，容貌被鼻眼間滲液的瘻管糟蹋。安茹偏愛異性裝扮的狂歡性愛派對。凱瑟琳想要把他導正，於是辦了侍女皆裸體的派對，只是要他在這類派對之前和之後自我鞭笞、祈禱、齋戒。安茹偏愛他的男情人「利涅羅勒先生」（sieur de Lignerolles）。凱瑟琳命人在小巷裡將利涅羅勒刺死，而這只是開始。

這些兒子不得不和其母親鉤心鬥角，無法抽身。「我不是那種為了自己才愛自己孩子的母親，」凱瑟琳告訴亨利。「我愛你，因為我最看好你有出息、最能功成名就。」他們迷上自家姊妹瑪戈，接著這兩個兄弟或是勾引她，或是強暴她：後來她告訴安茹，「就是你頭一個把我的腳放進馬鐙」，因他抱著她時那種不足為外人道的興奮而顫抖。

瑪戈已愛上一個非王族成員的表親。她母親和哥哥查理發現她和人眉來眼去後，夜裡便叫醒她，毒打她一頓，把她的睡衣撕碎。她同意聽母親的話：「我不能自主，沒別的選擇，只能由她作主。」

賓客來到巴黎時，凱瑟琳和她兒子安茹晤談。國王頑童查理與新教領袖伽斯帕爾・德・科利尼（Gaspar de Coligny）交情甚好，關係近乎父子，因此凱瑟琳和安茹決定，由於「海軍元帥（科利尼）的緣故，（查理）陛下對女王有不好且有害的看法」，照安茹的說法，「我母親和我決定除掉他們」。

一五七二年八月，酷熱、緊繃的巴黎到處是衣著華麗的賓客。信仰新教的新郎納瓦拉的亨利深膚色、鷹鉤鼻、肌肉結實，已帶著八百名一身黑色打扮、重武裝的騎馬人抵達。瑪戈當下令廷臣驚豔：「除了姣好面容和勻稱身材，她衣著華麗……頭髮上也妝點了又大又白的珍珠和稀世鑽石——（猶如）繁星點點的璀燦夜空」。

八月十八日，在巴黎聖母堂，瑪戈戴著白鼬毛皮鑲邊的冠冕，一身綴著亮晶晶珠寶的連身裙，站在有海軍元帥科利尼陪同的亨利旁邊，準備立誓成婚。據說樞機主教兩次問她是否同意嫁給亨利，瑪戈一語不發，查理於是伸出手，將她的頭壓下，表示點頭同意。這或許是後來波旁王朝的宣傳語，只是這場婚禮充斥著威嚇氣氛。接下來四天期間，凱瑟琳為襲擊作準備。她蒐集經過防腐處理的鱷魚絕對有其用意：七具鱷魚遺體懸掛在她書房的天花板上。

二十二日，凱瑟琳和安茹命令一名殺手射殺科利尼，結果只傷到這位海軍元帥的手。科利尼私下告訴國王查理，說他的權力已被他母親和弟弟安茹篡奪，查理聽後大怒。凱瑟琳和安茹被叫去向臥床不起的科利尼致敬，科利尼身邊則圍著報仇心切的胡格諾派教徒。在羅浮宮裡，凱瑟琳和安茹同意「不擇手段除掉海軍元帥。必須把國王拉到我們這一邊。我們決定晚餐後去他的書房找他談……」

鱷魚女王決定不只殺掉科利尼，還要殺掉胡格諾派貴族。有人告訴查理，科利尼打算不利於他和他母后時，查理吼道：「胡說！海軍元帥愛我如子。」凱瑟琳力陳科尼利在設計他。沒想到，這個精神有點失常的國王突然信了。「那就把他們都殺了！」頑童國王厲聲說道，「把他們全殺了！」

聖巴托洛繆日凌晨，安茹的瑞士侍衛殺手隊衝進科利尼住所，赫然出現在他臥房。「你是海軍元帥？」他們問。

「我是。要我死，至少讓我死在有身分地位的人手上，而非死在這個粗人手上，」未想這個粗人把劍一伸，刺穿科利尼胸膛，然後將他丟出窗，以此示意同夥可開始大開殺戒。在羅浮宮，即瑪戈的新丈夫亨利和其隨從下榻之處，瑪戈不被兩方信任，「於是直到那天晚上才有人告訴我怎麼回事」。她最後找她母親質問。「我母親回道，如果順利，我不會受傷害，但我無論如何得走，以免他們起疑。」祈禱上帝保佑自己平安後，瑪戈上床和亨利同眠，身邊圍著四十名胡格諾派衛士。瑪戈睡著。後來亨利走出他房間，但遭拘禁，關在安全處所，與此同時，國王的衛士逐房搜索，一一殺掉賓客。胡格諾派教徒逃至院中，遭弓箭手射殺。

「納瓦拉！」重重敲門聲吵醒瑪戈。一僕人打開房門，一名滿身是血的胡格諾派教徒踉踉蹌蹌進來，五名國王的殺手在後追殺，他緊緊抱住瑪戈，沾得她一身血。衛兵首領大笑，「把抱著我的那個男子交給我處置」。

西班牙大使寫信報告菲利浦，「他們要把他們殺光，把他們衣服剝光，拖著遊街，連小孩都不放過。

感謝上帝！」菲利浦感受到「我這輩子曾有過的最強烈快意之一」。

國王查理慌了，不住哭喊道：「死了這麼多人！上帝原諒我……我不知所措，」然後把一切全怪到他母親頭上，「王八蛋，妳是這一切的禍首！」納瓦拉的亨利改宗天主教。屍體堆在羅浮宮周邊。科利尼遭割掉生殖器，吊起來示眾，他的頭被送去給凱瑟琳，凱瑟琳又轉交給教宗。在巴黎，三千人喪命，全國則有兩萬人喪命。

有個外國君主說，法蘭西人是野蠻人。而說這話的那個君主——恐怖伊凡——一樣沒人性，[50]而且，由於他的暴行，此時他已失去他的都城。一五七一年五月，克里米亞汗戴夫萊特·格來率兵北征，攻破莫斯科，擄數萬人為奴，留下冒煙殘破的莫斯科。「他們燒掉莫斯科，十天不敢告訴我，」他埋怨道。「那是叛國罪」——而叛國者非死不可，其中有些人被醫生博梅利烏斯（Bomelius）毒死。

伊凡認定自己需要再娶，於是辦了一場選妃大會，這名日耳曼籍醫生協助他挑出入選的十二個女孩。他的角色是「檢查玻璃杯裡她們的尿，界定、說明尿的性質」，而後由沙皇親自挑選一人為妻，沒想到，這個妻子婚禮後不久就去世。他第五次娶妻後不久，可汗戴夫萊特再度北征侵犯。這一次，伊凡的將領利用由日耳曼籍傭兵操作的火炮抵擋住韃靼人。接著，伊凡再次一統王國，結束了奧普里奇尼納和傑姆什奇納的領土分割制。伊凡休掉或殺掉他的第五任妻子，想要第六度娶妻，並以來自英格蘭或波蘭的王族女人為對象。醫生博梅利烏斯提議娶英格蘭的伊莉莎白，此前伊莉莎白已表示如果伊凡失去王位，會給予他庇護。伊凡批評伊莉莎白「不像個君主」，批評她一直單身。與此同時，波蘭給了機會。

---

50 不過他的綽號「Terrible」是直到十七世紀才流傳開來，而那時，這個詞意味著「令人生畏的」，而非今日的「殘暴」之意，他的暴行與凱瑟琳·德·梅迪奇或亨利八世或切薩雷·博爾賈相比，殘酷程度相差無幾。從許多方面來看，他體現了他當時統治者的普遍作風。

一五七二年七月，最後一名亞捷王潮的國王去世，留下妹妹安娜為繼承人。安娜具有一半的義大利血統，受過良好教育，四十未婚。只是波蘭貴族（szlachta）不想讓女人當國王，貴族議會（Sejm）開會選出會娶安娜為妻的新國王。伊凡在某些立陶宛人支持下向她求婚，一名哈布斯堡家族成員亦然，未料突然冒出一個外人，而且對方展現出令人難以抗拒的靈活身段。安茹的亨利——凱瑟琳．德．梅迪奇那個柔弱、殘暴的兒子——先前未能如願成為英格蘭或荷蘭的國王，如今很想戴上自己的王冠。他令安娜心動，也答應娶她，且同意了一些條件——這些條件一旦實現，波蘭將是歐洲最自由民主的國家。[51]亨利雀屏中選，他一來到波蘭，他的濃妝豔抹和絢麗的隨從再再令波蘭人驚愕，而且他推遲與安娜的婚禮，又突然收到他哥哥查理的死訊。亨利成了法蘭西暨波蘭的國王。他拋下這時想要找個丈夫來繼續對抗莫斯科公國的波蘭公主安娜，像個灑了香水、搽了胭脂的小偷突然離去，憤怒的波蘭人騎馬追他，他則以亨利三世的身分重新出現在巴黎。他告訴他的母親，「法蘭西和妳比波蘭有價值」。

謀殺兒子：雙性人國王和西伯利亞沙皇

國王亨利戴著珊瑚手鐲、耳環，穿著帶有鮮紅褶且開衩的緊身上衣、紫色絲帶，頭髮灑了香水且燙得鬈曲，他被人取了綽號「雙性人島的國王」（King of the Isle of Hermaphrodites）或「索多瑪的國王」（King of Sodoma），但他無法止住宗教戰爭，再度查禁新教。瑪戈與納瓦拉在染血的婚禮中締結婚約，兩人的婚姻猶如受到詛咒：她婚外情不斷，致使國王亨利以淫亂之罪將她逮捕。瑪戈極為憤怒，想起他和他的哥哥查理如何勾引她。他們的母親凱瑟琳向女婿納瓦拉暗示，他們或許該除掉瑪戈。[52]

亨利三世承認再次信仰新教的納瓦拉是他的繼承人，但他決意獨攬大權。他組建自己的「四十五人」

殺手隊，暗殺他信仰天主教的對手、尚在世的吉斯家兄弟；其中一人在嘲笑說「巴黎的國王，呃？現在沒那麼大」時，直接在他面前慘遭殺害，另一人被切成細丁，放在火爐邊烤，猶如貴族的烤肉串。憤怒的巴黎人把亨利趕出巴黎。凱瑟琳驚恐不已：「可憐人，他做了什麼？為他祈禱吧。他在自取滅亡」。一五八九年八月，就在他母親於六十九歲去世後不久，亨利坐在便桶上接見了一名身為修士的訪客。這名天主教修士抽出匕首，刺進正在上大號的亨利。亨利按住肚子喊道，「啊我的天，這個壞蛋！」他在死前給了納瓦拉最後的建言：「你會在經歷許多災難後改變你的宗教信仰」。瓦盧瓦這個分支隨著亨利去世而斷絕，納瓦拉繼位，是為亨利四世，波旁王朝的第一任君主。他為他的王國奮戰——「我騎著馬、握著槍統治」——一段時日後，終於領悟他的前任國君講得沒錯。亨利第五次且最後一次改宗，這次改信天主教，且即使是未開口言明，也是懷著「為了得到巴黎，參加彌撒*也是值得」的心情。[53]

51　波蘭—立陶宛這個大國——因為今日沒有承襲而來的現代國家而遭遺忘——於波蘭貴族議會所選出的國王主政下，成為「貴族共和國」（Serene Republic）。波蘭貴族占人口一成五左右，因此有五十多萬選民，在一八三〇年前，其選民人數始終比英格蘭或法蘭西多。它極似被大貴族把持的威尼斯寡頭統治政體，但在宗教上寬容異己，甚至寬容猶太人和其他居於少數的宗教族群。這個「黃金自由」（Złota Wolność）政治體制此後存續了兩百年。其君主政體缺乏行政執行權力來對抗敵手——莫斯科大公。

52　令人驚訝的是，聖巴托洛繆日慘案並未終結凱瑟琳與伊莉莎白的婚事協商。一五七九年，已年過四十的伊莉莎白招待瓦盧瓦家族中最年輕成員阿朗松公爵，並語帶挑逗的稱他「我的青蛙」。但阿朗松在白跑一趟後不久便去世。

*　譯注：即改信天主教。

53　「偉人」亨利四世寬待新教徒，藉此解決多年的宗教戰爭，為現代法國打下基礎。他和瑪戈離婚，再娶瑪麗・德・梅迪奇（Marie de'Medici）為妻。這個胖乎乎、長相平凡卻又專橫、暴烈的女人是托斯卡尼大公的女兒，靠這樁婚姻，亨利還清他的債務。亨利的情婦叫她「胖銀行家」。亨利和瑪麗・德・梅迪奇生下日後成為路易十三的兒子和日後嫁給英格蘭王查理一世的昂莉埃塔・瑪麗亞（Henrietta Maria）。至於瑪戈這個性感且似乎一直神采奕奕的女人，直至五十多歲為止，陸續找了多個男人當情人，而且每個情人都比前一個情人年輕。她在一六一五年去世。

亨利的第二任婚姻還遠遠不及歐洲最溺愛老婆的君主。在莫斯科公國，伊凡這時已結婚第七、第八次，最後一個老婆替他生了一個兒子。一五七五年秋，醫生博梅利烏斯用星象算出伊凡將有災禍，於是伊凡退下俄羅斯大公之位，指派西米恩．貝克布拉托維奇（Simeon Bekbulatovich）接位。他是成吉思汗後代，沙皇后瑪麗亞的姪甥，「在位」一年後，伊凡取回王位。但一五七九年，戰事走上決定性階段：波蘭人奪回波洛茨克（Polotsk），入侵莫斯科公國。伊凡把他的諸事不順歸咎於醫生博梅利烏斯。博梅利烏斯把珠寶縫進衣服裡，想要逃走，結果被逮，插在烤肉叉上烤死。

當恐怖伊凡的兒子暨繼承人不是易事。伊凡．伊瓦諾維奇（Ivan Ivanovich）正當壯年，他父親，據骸的檢查結果，則因關節炎不良於行，幾乎無法走動：世上最危險的，莫過於跛腳的老虎。他父親兩度為他挑了老婆，然後把她們休掉。最後，年輕的伊凡出於愛意娶了第三任老婆。一五八二年十一月，老伊凡拄著他尖銳的金屬沙皇拐杖跛行，看到他懷孕的媳婦只穿一件袍服，而非傳統的三袍服，便甩了她巴掌。

他兒子吼道，「你把我的第一任老婆趕進女修道院，第二任老婆也是。現在你打了我的第三任老婆。」沙皇用他的拐杖刺進兒子的頭。不久，這個察列維奇就死了。媳婦接著流產。伊凡傷心發狂，猛抓牆壁。他以其一貫字斟句酌的嚴肅文學風格寫道，「唉，我這個罪人，我這個一身臭味的獵犬……老是沉緬於醉酒、私通、通姦、卑污行徑、謀殺、搶劫、掠奪、仇恨和各種壞事。」他列出那些未聽取懺悔而後獲赦罪就被他殺掉的人，下令為他們的靈魂禱告。伊凡已輸掉一場戰爭，失去一個兒子——就在他掙得一個新帝國時。

一五八二年九月，為他四處開疆拓土的斯特羅伽諾夫家族，不堪失比爾汗國的庫楚汗侵擾，找來哥薩克人首領葉爾馬克（Yermak）攻打比爾汗國。葉爾馬克和八百四十名以劫掠為生的人及奴隸，配備滑膛槍和幾門火炮，翻過烏拉山，與一部分抱持萬物有靈信仰且痛恨韃靼籍穆斯林的土著漢提人（Khanty）結盟，打敗庫楚汗，奪下比爾汗國都城喀什里克（Qashliq）。伊凡允葉爾馬克所請，封他為西伯里亞沙皇，他龍心大悅，下令鳴鐘，派人送禮物和一批滑膛槍給葉爾馬克。

一五八四年三月，五十四歲但疾病纏身的伊凡告訴英格蘭大使，「我被疾病毒害，」手上把弄著綠松石說道，「你看到了嗎？純淨顏色變成棺罩顏色，我的死期就不遠。」據說綠松石一碰到毒就會變色。

三　故王之戰：「沉睡者」塞巴斯蒂安和「金人」曼蘇爾

那天下午，恐怖伊凡沐浴、高聲唱讚美詩，而後就在他下棋之際，突然中風倒下。

伊凡去世時，葉爾馬克在喀什里克陷入絕境，遭韃靼人、奧斯提亞克人（Ostiaks）圍攻。經過苦戰，好不容易擊退他們，卻是孤立無援，火藥幾乎用盡。一五八五年八月五日，葉爾馬克遭庫楚汗伏擊，部下遇害，他本人欲泅水過河逃跑，但禁不住恐怖伊凡所贈盔甲重壓，因而溺死。

葉爾馬克的哥薩克人頓時驚慌失措，當下棄喀什里克而去。所幸在一五九八年，他們遇上援軍，返回該地，創建了歐洲人在西伯利亞的第一座城市托博爾斯克（Tobolsk）。征服並殖民西伯利亞之舉，被歷史學家嚴重忽視，卻類似兩百年後對北美洲的征服和殖民：拓殖者擊潰通古斯人、布里亞特人這兩支原住民族的抵抗，燒毀村莊，強暴、奴役女人，帶來貽害甚大的疾病，尤其天花；有些原住民部族集體自殺。[54]

54　伊凡死後由他的兒子費奧多爾接位，費奧多爾因信仰虔誠而有「鳴鐘者」之名。鳴鐘者死後無子女，王位被恐怖伊凡的最後一個寵臣暨費奧多爾的大舅子鮑里斯．戈杜諾夫（Boris Godunov）奪走。鮑里斯被控謀殺恐怖伊凡的最後一個兒子德米特里。他一掌權即推動西伯利亞拓殖，強化了對俄羅斯農民的控制。可惜鮑里斯未能贏得創建王朝所不可或缺的榮耀或未享有創建王朝所不可或缺的長命，他一死，國家即陷入十年戰爭，遭遇波蘭人、瑞典人、韃靼人入侵，而三個江湖騙子出現，加劇此危機。這三人

俄羅斯人再花僅僅四十年，就會抵達太平洋濱，而在太平洋，西班牙人已奪取菲律賓群島。菲律賓此一地名最初取自菲利浦二世之名，後來菲利浦下令攻取該群島。[55]這時，對這位謹慎者來說，似乎什麼事都有可能，他下令攻取中國，因在較接近本國處遭遇挑戰，才擱下此計畫。

菲利浦因這接連的成就而心情大好，他同時竭力控制他高調張揚的同父異母弟唐．胡安，決定派他去荷蘭當總督，要他談成永久的和約。菲利浦拿一個令人垂涎的大好前景逗弄他：同時要唐．胡安統領西班牙無敵艦隊，消滅伊莉莎白，娶蘇格蘭的瑪麗，成為國王。胡安被菲利浦的兩個書記唆使，違抗菲利浦指示，搞砸了和尼德蘭人的談判。菲利浦很有可能要人在馬德里的偏僻街道裡暗殺了胡安的書記。

菲利浦同時想要約束其外甥葡萄牙王塞巴斯蒂安（Sebastian）的擴張。塞巴斯蒂安也是近親通婚生下的怪胎，有時過動，有時很靜，但始終執著於救世主般消滅伊斯蘭勢力的使命。

塞巴斯蒂安得以活下來被視為奇蹟：一五五四年葡萄牙國王的獨子死於癆病，留下懷孕的妻子胡安娜（查理五世的女兒），塞巴斯蒂安的家族等於幾乎是死光了。沒想到，十八天後她生下「眾所期盼者」塞巴斯蒂安（Sebastian O Desejado）。他喜歡和年輕修士為伍，避免和女人相處，並主導了帝國的進一步擴張：在中國沿海取得澳門，在非洲東南部，他建立聖塞巴斯蒂安（São Sebastião，今莫三比克境內）要塞，在非洲西部建造了新的奴隸出口港盧安達（Luanda，今安哥拉境內），把勢力擴張到恩東戈王國（Ndongo）境內——使葡萄牙人成為至當時為止唯一在非洲建立領土帝國、而非海岸帝國的歐洲人。在較接近母國處，塞巴斯蒂安想要趁薩阿德王朝（Saadi）內部不和，順勢成為「摩洛哥皇帝」，於是支持一名聲稱有權當上摩洛哥蘇丹者對抗他親鄂圖曼帝國的叔父蘇丹。

菲利浦力勸塞巴斯蒂安打消計畫，但在一五七七年，眾所期盼者仍帶著葡萄牙貴族界的菁英、一萬七千名士兵、許多志願者登陸坦吉爾[56]。大隊人馬全副盔甲往內陸進發。天無比炎熱，塞巴斯蒂安不得不叫人把冷水倒入他的盔甲內，未料一五七八年八月四日，他在凱比爾堡（Ksar el-Kebir）遭遇六萬摩洛哥人士兵時未做好應戰準備。蘇丹阿卜杜·馬利克（Abd al-Malik）瀕臨死亡，不過他的弟弟艾哈邁德（Ahmed）包圍了葡萄牙人。塞巴斯蒂安換了三次座騎，三匹馬都遭打中倒地。他接著衝向敵人，遭截斷後路；他那位聲稱有權當蘇丹的摩洛哥人溺死（後來被剝皮製成標本），勝利者阿卜杜·馬利克已斷氣

——「假德米特里」（False Dmitris）——都自稱是恐怖伊凡遭謀害的兒子，也都幾乎毀掉莫斯科公國。波蘭人攻下莫斯科，此一長久不滅的心理創傷，催生出懼怕波蘭再起的心態，至今未消。從這個困境中，一個虛弱多病、說話結巴又跛腳的少年浮出檯面，少年不情不願的登基為沙皇，是為全新羅曼諾夫王朝的開始。他叫米哈伊爾·羅曼諾夫（Michael Romanov），恐怖伊凡的愛妻阿娜絲塔西婭的姪孫、沙皇費奧多爾的表兄弟。他得以活下來著實是不可思議，而他麾下的指揮官竟也趕走了入侵者。但戰爭已使廣大農民貧困不堪，農民因此常逃到邊境地帶：米哈伊爾的兒子阿列克謝（Alexei）允許貴族徹底控制他們的農民，藉此使局勢穩定下來。貴族的農民自此成為農奴，不得離開他們的土地。農奴制類似動產奴隸制（chattel slavery），但又不盡相同：農奴必須為主子服務，主子可懲罰、強暴、殺掉他們，但他們也為自己耕作、繳稅，常入伍服役。後來，他們又像奴隸般可被賣掉，往往和他們的土地一起轉讓給他人。

55 一支由五艘西班牙伽萊翁大帆船（galleon）和五百名士兵——超過半數為印加人和墨西卡人——組成的艦隊已橫渡太平洋，艦隊統領是米蓋爾·洛培斯·德·萊伽斯皮（Miguel López de Legazpi）。菲律賓地處印度文化圈外圍，境內的玻里尼西亞人受印度教羅闍和伊斯蘭教埃米爾統治，這些埃米爾奉汶萊蘇丹為共主，但享有很大程度的自主權。一四九〇年代，汶萊蘇丹靠武力建立帝國，這時該帝國亡於西班牙人之手。一五七〇年，時任總督的萊伽斯皮打敗呂宋島上邁尼拉王國（Maynila）的羅闍阿基（Ache），建立都城馬尼拉，從此馬尼拉作為西班牙籍統治者的首府直至一八九八年為止。菲利浦的珍寶船隊這時從美洲越過太平洋來到中國，船上人員多是西班牙籍軍官、墨西卡人或印第安人士兵。

56 其中最重要的人物是外號「健壯者」的湯瑪斯·斯塔克利爵士（Thomas 'Lustys' Stuckley）。時年六十歲的他是英格蘭德文郡騎士之子，統領葡萄牙軍隊的中軍。此前斯塔克利已在歐洲多地打過仗：他為英格蘭瑪麗一世效力過，但身為不願參加國教禮拜儀式的天主教徒，他和英女王伊莉莎白唱反調，吹噓他「不把（她）放在眼裡」，曾無禮的告訴她，他會自建王國，而後逃去為菲利浦和奧地利的唐·胡安出謀畫策，助他們入侵英格蘭、愛爾蘭。地中海世界很小：斯塔克利此前在勒班陀海戰為唐·胡安效過力，而在同一戰役中，先後當上摩洛哥蘇丹的兄弟阿卜杜·馬利克、艾哈邁德也正為鄂圖曼帝國效力。

——一場役死了三個國王。八千名葡萄牙人戰死，一萬五千人淪為奴隸（其中許多人是隨營女人）。塞巴斯蒂安的遺體自此下落不明：他成為「沉睡王」，被認為將在世界末日時醒來統治萬民。不過，有兩位君主反而受惠於他的愚行。

阿卜杜·馬利克的弟弟艾哈邁德——這時成為蘇丹「勝利者」曼蘇爾（al-Mansur），後來被稱作「金人」——勇猛、能幹，把摩洛哥打造成具樞紐地位的強權，與英格蘭的伊莉莎白結盟，希望和她聯手收復西班牙。曼蘇爾也希望用摩洛哥人拓殖美洲，使伊斯蘭教盛行於美洲，可惜未能如願。在南邊，他妒羨取馬利而代之的松蓋王國（Songhai）的富裕，要他們送上來自鹽、黃金的收入。松蓋國王（askia）傲然送去兩雙金屬鞋以示侮辱。凱比爾堡之役十二年後，曼蘇爾派一小股軍隊穿越撒哈拉沙漠。該軍隊配備大炮，由原信仰基督教、後來改宗伊斯蘭教的藍眼西班牙人朱達爾·帕夏（Judar Pasha）統領。帕夏小時候遭擄為奴，而且被閹割。這次出擊，這個宦官拿下廷巴克圖，帶回用三十頭駱駝運回的黃金。曼蘇爾統治西非洲境內的奴隸、鹽、黃金帝國達十年。[57]

菲利浦則是另一個受惠者。阿維斯家族幾乎死光，菲利浦是該家族繼承人：他奪下葡萄牙，統一這兩個最早的世界性帝國。他大出風頭的弟弟唐·胡安未死於戰場，反倒被小小的傷寒奪去性命，而他的死破壞了與尼德蘭人的談判，尼德蘭人再度開戰——這次菲利浦任命他能幹的義大利籍外甥帕爾馬公爵出掌兵符，帕爾馬拿下安特衛普和南部諸省。而對尼德蘭的這一分割具有決定性影響：一五七九年，在烏特勒支，北部七省（荷蘭、澤蘭等省）組成軍事防禦同盟，由諸省的三級會議（State-general）在威廉和奧蘭治家族協助下統籌同盟的運作。兩年後，「聯合省」（United Provinces）宣布獨立，南部（比利時）則宣誓效忠於哈布斯堡家族。這個同盟只有一百五十萬人，其由威廉和威廉之弟統領的軍隊敗於帕爾馬公爵之手。伊莉莎白派小股兵力援助該同盟，反遭帕爾馬擊潰。但靠宗教戰爭、日益高昂的愛國心、國際航行活動打造出來的「聯合省」，大大受益於他們許多有城牆圍繞的城市和多水的地形所提供的安全屏障，韌性十足；這個同盟也藉由三個層面強化自身實力：歡迎有能力者移入的多元社會、高度發展的經濟和金融市場、救助窮人的早期福利救濟制度等。「海上乞丐」襲擾哈布斯堡家族的船隻時，伊莉莎白派出她自己的私掠船船長——以傑克·霍金斯（Jack Hawkins）和法蘭西斯·德雷克（Francis Drake）為首的「海狗」（seadog）——展開一波英格蘭人的襲擊行動。反哈布斯堡家族的戰爭變成殊死戰。

國王巴亞諾、德雷克、狄耶戈

一五八〇年九月二十六日，頭髮花白的德文郡籍船長法蘭西斯·德雷克駕船駛入普利茅斯，船上載著歷來英格蘭人對哈布斯堡財寶的襲擊行動所掠得的最有賺頭的貨物。但他出航時帶著五艘船、八十名船員，回來時只剩一艘船、五十六名船員。伊莉莎白很高興：她的獲利據估計為四十七倍。

德雷克是彼此互為表親的德文郡三大航海家族——霍金斯家族、吉爾伯特家族（Gilberts）、羅利家族（Raleighs）——的後代，而他將成為英格蘭海外擴張和涉入奴隸貿易的先驅。此事業的中心人物是德雷克的親戚霍金斯家族，德雷克的崛起要歸功於這個家族。霍金斯家族老早便以英格蘭的羊毛和義大利城市進行貿易，一五三〇年代，威廉·霍金斯開始在幾內亞買賣象牙。他的兒子傑克還小時，就在西班牙的菲利浦（「我的老主子」）前來英格蘭娶女王瑪麗時認識菲利浦，並效力於菲利浦，但他積極利用英格蘭和這個最強大天主教國家關係日益緊張的機會，開創起自己的事業。一五六二年，他從倫敦商人募得資金，

57　在馬拉喀什（Marrakesh），他建造了相當古怪的宮殿「神奇宮」（al-Badi）。此建築以來自義大利的大理石圓柱美化；有一部分今仍屹立。工人是白人奴隸，為被俘的葡萄牙人，他們的處境可謂悲慘。

以襲掠非洲海岸和買賣奴隸，與他二十歲的表兄弟德雷克一起出海攻擊葡萄牙商人，把「三百名黑人納為己有，一部分靠武力，一部分靠其他方法」。然後，他乘船至西班牙島，並以奴隸換取貨物，「得到的獸皮、薑、糖、珍珠之多」，使他裝滿五艘船。他第二次遠航時賣掉五百奴隸；他第三次遠航時，非洲兩個國王找上他，請他幫忙對付他們的對手，他的報酬則是「靠戰爭所能擄獲的所有黑人」。

霍金斯為人坦率、個性堅毅、陰鬱，眼睛似豬眼，眼力敏銳，是英格蘭奴隸貿易的先驅。英格蘭的奴隸貿易日後將帶來龐大獲利，淪為慘無人道的事業，但此時此貿易的龍頭老大仍是葡萄牙人。十六世紀上半葉，十二萬奴隸被賣到大西洋彼岸；下半葉，增至二十一萬人，增加了將近一倍。來自哥倫比亞的黃金和來自祕魯的銀更值錢：兩支珍寶船隊（treasure fleet）往返於歐洲和加勒比海之間，每支船隊有五十艘伽萊翁大帆船，另一支珍寶船隊則從美洲航越太平洋至中國。及至一五九〇年，菲利浦的船隊一年運來的貨物價值已達一千一百萬披索。伊莉莎白派霍金斯擔任海軍的審計長，為海軍設計了足以環航地球、打敗西班牙伽萊翁大帆船的輕便船隻，但他也帶領了另外幾次行動，襲擊非洲和美洲。

菲利浦對英格蘭「海盜」的猖狂深感憤怒。但西班牙人從這些英格蘭人買進奴隸，直到一五六八年西班牙人在聖胡安（今墨西哥境內）擊潰霍金斯的船隊後，才停止向他們買奴隸：德文郡表兄弟勉強逃脫，只保住性命。但德雷克已看出祕魯白銀的陸海轉運作業——走陸路橫越巴拿馬，然後走海路至加的斯——的最弱環節，而且找到志同道合者助他搶劫。

一五七二年，他與巴拿馬境內馬倫人（Maroons，即逃亡奴隸）的國王巴亞諾（Bayano）談判。在牙買加、巴拿馬的西班牙人種植園從事勞動的奴隸經常造反，不久便建立起自己的馬倫人聚落，並由民選的國王統治，這些國王往往是被歐洲人擄來、原本為王族成員的非洲人。在委內瑞拉的金礦場，有個來自比亞弗拉灣（Bay of Biafra）的奴隸，名叫米蓋爾（Miguel），他殺掉殘酷的工頭後逃走，建立聚落，並仿西班牙君主國組織聚落，自立為王，他的妻子為后，由他們自己的主教加冕。後來國王米蓋爾被殺，他的王后再度淪為奴隸，但那是後話。這時，德雷克襲擊巴拿馬，遇到國王巴亞諾。有個叫狄耶戈（Diego）的巴拿馬馬倫人談成結盟，成為德雷克日後遠航的同伴。一五七三年三月，德雷克擄獲一整個西班牙白銀船隊。

伊莉莎白和其隨從投資他橫貫大陸的反哈布斯堡王朝襲擊行動。伊莉莎白告訴德雷克，「西班牙國王給我們帶來種種傷害，我們樂見向他報仇。」一五七七年十二月，五艘船從普利茅斯出發，陪同德雷克出航者，除了狄耶戈，可能還有另外幾個原是奴隸之人。航行途中，德雷克和與他並列船長職的人起爭執：德雷克指控他行巫術、背叛，並將他砍頭，航入太平洋後，他失去他的其他船隻，擄獲西班牙珍寶船，沿著加利福尼亞海岸往北航行，越過太平洋，來到摩鹿加群島（在此狄耶戈傷重不治），然後駛著他受損的「金母鹿號」（Golden Hind）緩緩回到普利茅斯。他帶回的財寶極豐，女王伊莉莎白分到一半——十六萬英鎊——比她的歲收還要多。

德雷克揚威海上，受封為爵士，但英格蘭西南部另一個硬漢不讓他專美於前。沃爾特．羅利（Walter Raleigh）也是普利茅斯航海家族子弟，但年紀較輕、處世較圓滑，具有浪漫主義文學家性格，集殺手、情人、詩人於一身，魅力令人難以抗拒。

他的同母異父哥哥韓福瑞．吉爾伯特（Humphrey Gilbert），透過德雷克妻子的關係成了德雷克的外甥。此前吉爾伯特已和尼德蘭海上乞丐交過手，然後協助組織了將此前從未被英格蘭完全征服的愛爾蘭再度納入控制的殘忍行動。對愛爾蘭的「拓殖」行動（Plantation），也是由這批英格蘭西南部出身、推動對西班牙開戰的人領導。經過這個具族群清洗性質的行動，原本治理該島的信天主教的盎格魯籍——諾曼籍——愛爾蘭籍伯爵，被信新教的英格蘭籍領主、移民取代。吉爾伯特得到羅利、德雷克前來共襄盛舉後，以征服者之姿對待愛爾蘭，用一排排愛爾蘭人頭裝飾營帳。這簡直就是日後征服行動的預演：他們逮捕菲利浦派來援助天主教籍愛爾蘭人的西班牙士兵時，羅利親自幫忙砍了其中兩百多人的頭。這三個具表親關係的人獲授予愛爾蘭境內五萬英畝的地。德雷克在愛爾蘭時，參加了屠殺愛爾蘭人首領索利・博伊・麥唐內爾（Sorley Boy MacDonnell）之六百名隨從的行動。

吉爾伯特、羅利與伊莉莎白的占卜師、占星家約翰・迪（John Dee）交好，約翰・迪影響力極大，伊莉莎白的加冕日便是由他用占星術選定。一五七七年，迪寫下他的《完美航海術》（*Perfect Arte of Navigation*），在其中提議於北美洲建立他所謂的不列顛帝國，從而促使吉爾伯特於一五八二年將今日加拿大的紐芬蘭宣告為第一個英格蘭人殖民地。吉爾伯特死於返鄉途中，伊莉莎白即授權羅利拓殖這些「未被任何基督教籍國君所真正據有或未有基督徒居住的……偏遠、住著異教徒的野蠻土地」，羅利則要將該地所發現的黃金的五分之一交給她作為回報。一五八七年，羅利資助建立了英格蘭人殖民地羅阿諾克（Roanoke，今美國北卡羅來納州境內），但他的拓殖民一個都不留，紛紛死於飢餓或瘟疫或美洲土著攻擊。而羅利告吹的殖民地，如迪所預言，建立起一個新事業：帝國。[58]

羅利本人被任命為伊莉莎白的侍衛隊隊長，就在菲利浦下令暗殺她之際。他的威脅不能掉以輕心。他已懸賞要他的另一個新教敵人奧蘭治的威廉的人頭。[59]菲利浦希望將蘇格蘭女王瑪麗扶上英格蘭王位，無奈瑪麗個性衝動愚蠢，衝勁有餘但判斷力差，於是成事不足而敗事有餘。一五六七年，在法蘭西王夫法蘭索瓦二世去世後，瑪麗回去統治新教色彩愈來愈濃厚的蘇格蘭。而新教徒約翰・諾克斯（John Knox）的煽動，致使蘇格蘭的政治、宗教情勢更加緊繃。諾克斯寫下《對女人的異常統治發起的第一聲號角》（*The First Blast of the Trumpet against the Monstrous Regiment of Women*），公開抨擊瑪麗，最後遭瑪麗放逐。她的第二任丈夫是瀟灑的天主教徒，十八歲的表弟丹利（Darnley）伯爵亨利・斯圖亞特（Henry Stuart）。斯圖亞特身高六呎，人稱「高個小伙子」（Long Lad）。這樁婚姻生下一子詹姆斯，卻激起新教徒叛亂。高個小伙子殺掉瑪麗的義大利籍心腹，為此，瑪麗很可能默許了由一名作奸犯科的伯爵統籌暗殺他。事成後，這個伯爵擄走瑪麗，並娶了她。他們建立在殺人一事上的婚姻激起群情憤慨，新教徒立嬰兒詹姆斯為王，瑪麗逃到英格蘭，得到英女王伊莉莎白庇護，瑪麗卻恩將仇報，和菲利浦密謀不利於伊莉莎白。「哎，這個可憐的蠢人直到丟了自己人頭才會罷手，」法蘭西的查理九世論道。「他們會要她死。那是她自己的錯和愚蠢所致。」

一五八七年二月，瑪麗的密謀遭揭露，伊莉莎白將她斬首，導致菲利浦發兵入侵英格蘭。這次入侵規模之大，唯有世界性帝國辦得以企及。

兩支艦隊：菲利浦和豐臣秀吉

菲利浦的策略很正確：要守住他的世界性帝國的每個口岸，不可能辦到；只有集中全力攻打敵人的大本營才能如願。這不是天主教籍狂熱分子昧於現實的愚蠢行動。此前已有多次從海上入侵英格蘭得手——

58 法蘭西人比英格蘭人更早建立殖民地，但下場同樣悲慘：一五三四年，法蘭索瓦一世指派雅克・卡蒂埃（Jacques Cartier）前去北美洲，卡蒂埃在那裡的魁北克建立了數個新拓居地，是為「新法蘭西」（New France）的濫觴。但這些拓居地不敵疾病和美洲土著攻擊，遭剷除淨盡。

59 一五八四年，威廉成了第一個遭手槍暗殺身亡的國家領袖，但他的遇害未使尼德蘭情勢改觀：他兒子莫里斯繼任省督。暗殺他的刺客未領到賞金，因為被捕，以令人髮指的方式遭到處死：扣扳機的右手被慢慢燒掉，在他身上六處切割、撕下他的肉；接著用培根油脂燒他，活活肢解再挖出腸胃，然後割下他的心臟，砸向他的臉，最後砍下他的頭。但菲利浦的確封他的家族為貴族，賜予他們大片土地。

從「八字鬍」斯韋恩到亨利・都鐸皆是——而細節攸關成敗：簡單的計畫和溫和無雨的天氣不可或缺。

但菲利浦的見識高明勝過專家：根據他的「大計畫」，會有一支艦隊從加的斯出發，擊退英格蘭人的進攻，在法蘭德斯外海與他外甥帕爾馬所統領的軍隊會合，帕爾馬必須登上這支艦隊，隨後入侵英格蘭——數個行動的時機要拿捏得非常精準，卻得看不可預測的突發狀況是否配合。造船廠為菲利浦建造艦隊以運送五萬五千名步兵、一千六百名騎兵時，現年六十歲的菲利浦挑選大貴族梅迪納・西多尼亞公爵（duke of Medina Sidonia）阿隆索・德・古斯曼（Alonso de Guzmán）為西班牙無敵艦隊司令。此人既無作戰經驗，也不具令人敬佩的人格。德雷克襲擊加的斯，摧毀許多船隻，且菲利浦因壓力過大而病倒時，梅迪納・西多尼亞和帕爾馬都批評此計畫。「我已把此重大行動獻給上帝，」菲利浦告訴梅迪納・西多尼亞。「鎮定下來，盡好你的本分。」

一五八八年七月，公爵帶著一百三十艘船出發，船上有八千名水兵和一萬八千名士兵，而菲利浦在埃斯科里亞爾的禮拜堂禱告。在英吉利海峽，無敵艦隊擊退德雷克、霍金斯這兩位英格蘭艦隊副司令的攻擊，拿下幾未見於英語史書記載的勝利，然後這個公爵和其完好無損的艦隊在加萊外海等帕爾馬的三萬大軍來會合。過了預定會合時間，這些部隊終於發現艦隊已到，隨即走向船隻，以便出海會合。未想英格蘭人派出載有易燃物、爆裂物的火船，迫使無敵艦隊駛離，進入暴風雨區，從而將艦隊打散。有些船失事，其他船踏上繞行蘇格蘭、愛爾蘭的三千哩航程。一萬五千名水兵死亡。

與此同時，在地球另一端，另一個目光遠大卻妄自尊大之人，正出動其艦隊，以入侵菲利浦曾考慮入侵的地方：中國。此人便是豐臣秀吉、農民之子，靠自身實力當上日本天皇的攝政（「關白」）。

一五九二年五月，豐臣秀吉命令七百艘運兵船載著十五萬八千八百士兵，在三百艘戰船陪伴下，登陸朝鮮半島，入侵中國，他叱吒風雲的一生在此時走到巔峰。他打算拿下朝鮮、中國後，接著征服印度。此時，為天照大神後裔的天皇，名義上統治日本已千餘年，但實權一直掌握在攝政手裡。而把攝政制度玩得最漂亮者，誠如紫式部所說，乃是藤原道長。但晚近，攝政已大權旁落，權力掌握在諸多地方「大名」手裡，大名有點類似封建領主。

一五六〇年代期間，身為一強大氏族首領的大名織田信長，開始逼迫各國歸順於他，發出「以武力取天下」（「天下布武」）的口號。織田信長行事大異於常人，因而被稱作「傻瓜」，繼承其父親之位，開始打勝仗之後，才令眾人刮目相看。在他的某場慶功宴上，有塗了漆、鍍了金的敵人首級擺在大淺盤上。

他嶄露頭角之時，招得貧窮男孩豐臣秀吉為他效力。豐臣秀吉最初只是負責替織田信長提草鞋，後來憑戰功當上他的將領。一五八一年，織田信長和天皇一起在京都校閱部隊，而織田信長被刺身亡後，替他報仇者暨接位者是不知疲累為何物、高調張揚且狂暴的豐臣秀吉。豐臣秀吉掌權後完成了一統日本的大業。

他一統日本之舉，得到德川家康這位傑出對手暨盟友的協助。德川家康遇事明斷果決一如豐臣秀吉，但不像豐臣秀吉那麼急躁。德川家康一旦支持某人，就絕不背叛該人，但他認為成功的基本要素是耐心，而非實力。他早年身為人質，差點斷送家族的勢力，但他很少吃敗仗，在他的妻子、兒子被告發不忠時，展現他臨危不亂的處世本領：他命人將妻子築山殿斬首，逼他的長子切腹自盡。他傾心於已兩度為人妻的朝日姬，看中她的美貌和政治智慧，並娶她為妻。朝日姬是助他崛起的功臣，三十七歲就去世，留下兩個健康兒子。兩子都成為他的繼承人。

出任攝政的豐臣秀吉，自視為「太陽之子」（因其母親被一道太陽光芒射中後懷孕）、「天下人」（世界皇帝），把目標轉向中國。明朝皇帝收到來自日本的名義性貢品，承認攝政為日本國王。但這時太陽之子稱日本為「神國」：聲稱「征伐如處女大明國，可如山壓卵者也！」他的計畫是「取道」朝鮮攻打明朝，但朝鮮國王不願讓日軍過境。精明的德川家康把自己的士兵留在國內，豐臣秀吉則派出艦隊，立即拿下戰果。第一次登陸朝鮮半島三週後，日軍擊敗朝鮮軍，拿下都城漢城，入侵滿洲。但日本人不久便遭遇朝鮮人叛亂。所有被捕的朝鮮官員，連同其妻小一律遭處死。日本人割下敵人鼻子和耳朵，用鹽醃過，裝進板條箱，送回去給豐臣秀吉。送回的耳鼻多到讓豐臣秀吉建起耳塚。有支分遣隊割下一萬八千三百五十個鼻子，據此受到獎賞。另有六萬朝鮮人被日本商人販為奴隸：「用繩子套住他們頸子，將他們繫在一塊，然後驅趕他們前進。魔鬼和食人魔在地獄中折磨罪人的景象，想必類似於此」。之後，入侵行動漸漸不順了起來。

一五九三年二月，明朝大軍四十萬人衝入朝鮮，擊潰豐臣秀吉軍，又殺掉一些朝鮮人。豐臣秀吉展開談判，要求朝鮮歸他。但北京提議照傳統作法封豐臣秀吉為中國的藩屬國國王。豐臣秀吉又派出十萬大軍，與此同時，他也忙著處理家務事，卻是亂無章法：他夢想著建立自己的王朝，於是任命傲慢的外甥豐臣秀次為攝政，自任太閤（退休的攝政）。豐臣秀吉的側室淀殿生下另一個兒子豐臣秀賴時，上述安排已幾乎維持不住。豐臣秀吉立秀賴為繼承人，接著決意殺掉秀次和其全家人。秀次被迫自盡，他的三十九個妾和孩子全遭砍頭。與此同時，以德川家康為首的諸大名宣誓效忠於這個嬰兒，以血簽名為證。

陷入困境的朝鮮戰事削弱了豐臣秀吉的實力，已有將近百萬人喪命於此戰爭（七十五萬朝鮮人和十萬日本人），但朝鮮戰爭也使明朝元氣大傷，為「夷人」努爾哈赤的崛起開了門。努爾哈赤是北方騎馬民族女真人的可汗，[60]主動表示願助明朝入朝鮮抗擊日軍。不到二十年，努爾哈赤就一統女真、蒙古諸部族。而這只是開端：他的滿人王朝將滅掉明朝，入主中國，直至二十世紀。

一五九七年，由於一名西班牙籍船長透露了西班牙如何利用神職人員為其殖民征服行動打前鋒，疾病纏身的豐臣秀吉便著手對付起本國基督徒。這時，葡萄牙籍耶穌會士和西班牙籍方濟會修士已使三十萬日本人改信天主教，並以長崎為根據地。此前，豐臣秀吉仿葡萄牙人的設計圖造船、造滑膛槍，但這時他宣布，「我國境內充斥叛徒……我珍視在胸懷裡的毒蛇」。在長崎，他將二十六名天主教徒釘死在十字架上。

此消息一傳到馬德里，菲利浦大為驚恐。在對英格蘭的戰爭中，他已遭遇更為嚴重的諸多挫敗。他寫道，無敵艦隊的失敗「傷我甚深」，「如果上帝不送來一個奇蹟（我所希望祂送來的奇蹟），我希望死去，去祂身邊」。但他並未死去，反而是從他那廣大的埃斯科里亞爾建築群裡、滿是聖徒遺骨的住所中，以事無鉅細皆要管照的作風管理著他的帝國，時值他信仰新教的敵人——英格蘭人和尼德蘭人——因他的敵意影響而大為奮發之際、靠掠奪他的財寶而財力大增之際。而當菲利浦集結第二支無敵艦隊時，他也正憂心忡忡看著他堂姪暨外甥皇帝魯道夫我行我素的愚蠢可笑行徑，是如何讓歐洲人感到驚駭莫名的。

布拉格的瘋皇帝

魯道夫的一票古怪人士，高視闊步走在布拉格堡的走廊上。這些人有召亡魂問卜的巫師，有占卜師，有科學家，有藝術家，有猶太拉比，還有一個丹麥籍金鼻占星家、一個解釋神祕的神聖事物和深奧原理的

60　努爾哈赤生於一五五九年，最初為明朝軍隊打仗，靠閱讀《水滸傳》學習漢字，但二十一歲時，他的父親、祖父都遭敵對首領殺害。他一生事蹟與成吉思汗有許多相似之處。他殺掉兄長和姪子，藉此申明他在族裡的最高地位，然後將女真人組織成精銳部隊，再將部隊編成數旗，然後開始攻打明朝，攻取北部地區。他將女真人改名為滿人，稱自己家族為愛新（「黃金」）覺羅氏。一六二六年，六十多歲的努爾哈赤發現他的太子和他年輕的妻子私通，憤而將這個兒子囚禁、殺害，將這個兒子和他不貞的妻子葬在一塊。努爾哈赤死後，他的第八子皇太極稱帝，建立清朝。

英國聖師、一個無耳的愛爾蘭籍崇拜魔鬼者、一個義大利籍情婦、一個已從猶太教改宗的情人、一個名叫尤利烏斯．凱撒的精神病年輕人——以及未被關在籠裡的寵物獅。

魯道夫是最古怪的哈布斯堡家族成員，把布拉格打造成具原創性的思想家和新思想的實驗室，同時和鄂圖曼人爭鬥，欲管控宗教戰爭。

魯道夫長下巴、凸眼、金髮，發育的比一般人晚，有好幾年幾乎不講話。他父親馬克西米連二世同情新教徒，他母親，即菲利浦的妹妹，則是讓人非常害怕的狂熱分子，魯道夫即位後，她曾企圖逼這個害羞、脆弱的年輕皇帝娶菲利浦的女兒。他想逃避這門婚事。「你怕失去你的國家和人民？」他母親嘲笑道。「如果你用侮辱回報上帝的和善，使你的母親陷入無法忍受的處境，你要以何種面目面對上帝和世人？」

魯道夫不願遵從，他對他的天主教持不同看法，他不想結婚，於是把他的母親留在沉悶的維也納霍夫堡宮，自己到布拉格堡打造隱密世界。布拉格是個多文化並存且新教氣息濃厚的城市，有富裕的猶太人群體（一萬人）和先前已受其父親贊助的眾多藝術家、占星家。魯道夫取消對猶太人的約束，決意掌握宇宙的所有祕密。他闢了一間房間收藏奇珍異玩，包括兩顆頭的嬰兒和獨角獸的角。他在他的實驗裡研究當時人所執迷的事物：煉金術這個旨在把賤金屬變成黃金且被許多人相信的「學科」；與赫耳墨斯．特利斯墨吉斯忒斯（Hermes Trismegistus）有關的神祕學——相信神靈和數學公式可讓人取得神力。他跟著猶太拉比雷武（Rabbi Loew）學得卡巴拉主義（Kabbalism）的一點皮毛，這位拉比據說能用泥土創造出一個神祕怪物——有生命的泥人（Golem）。一五八三年，他聘用了英格蘭籍白髮占卜師約翰．迪——這個眼光宏遠的帝國主義者，帶著一個心術不正的同夥愛德華．凱利（Edward Kelley）一同到來。凱利是愛爾蘭籍江湖騙子，雙耳已因為私鑄錢幣遭割掉。

一五八八年，魯道夫將一個想法不同於流俗的那不勒斯人招入其幕下。此人名叫喬達諾·布魯諾（Giordano Bruno），曾是神職人員，後來質疑起天主教教條，並進一步闡釋哥白尼的思想，主張宇宙裡有「多不勝數的天體」，主張星星是和太陽一樣的星體，主張宇宙無限大，主張人死後靈魂可能會移轉到其他人身上。布魯諾遭新教徒、天主教徒開除教籍，卻得到魯道夫獎賞。[61]一五九九年，丹麥貴族泰科·布拉厄（Tycho Brahe）傾慕魯道夫之名而投入他幕下。此前，布拉厄和某個堂表兄弟為數學問題爭執不下而決鬥，且在決鬥中失去鼻子，因此刻意戴上金質假鼻子。他蒐集了關於恆星的資料，將新恆星稱作新星（nova），後來有人將他的資料發表，是為「魯道夫星曆表」（Rudolfine Tables）。他在某種程度上接受哥白尼的日心說，但主張地球繞月球轉。他的助手約翰內斯·克卜勒（Johannes Kepler）身為路德宗教徒的數學老師，並不贊同他的說法，不過兩人依舊友好。

魯道夫非常欣賞他舅舅菲利浦在埃斯科里亞爾收藏的提香畫作，本身也熱中於收藏，他也買進提香畫作，支持他父親的宮廷畫家朱塞佩·阿奇姆博爾多（Giuseppe Arcimboldo）。阿奇姆博爾多利用天然物描繪人臉特寫，在其〈季節〉（Seasons）中，他用水果造出魯道夫，讓魯道夫化身為羅馬豐饒神韋圖姆努斯（Vertumnus）。

然而，魯道夫的世界正漸漸失去光采：獅子吃掉他的廷臣，他的帳簿記載了他為寵物獅嚴重傷人支付的賠償。甚至在爆炸實驗時，他的鬍子輕微燒焦了。他想方設法把「皇帝的女孩」和年輕男子帶進宮裡。

61　這類觀點並非首創：哥白尼已向教宗克雷芒七世提出日心說，不過在一五三三年，仍被視為新奇有趣的看法，到了一六〇〇年天主教復興期間，可能會惹禍上身。布魯諾看不出情勢險惡，回到威尼斯，就此被引渡到羅馬。在羅馬，他被控牴觸天主教教條，教宗克雷芒八世親自督導他的審訊工作。他不願聲明放棄數個世界並存的觀點。一六〇〇年被判死刑時，據說他回道，「你下此判決時心中的恐懼，或許更甚於我收到此判決時」。他被頭下腳上吊起，一絲不掛，活活燒死，舌頭「因發出邪說受到囚禁」。

他愛上他的藝術家斯特拉多（Strado）的女兒卡塔莉娜，然後生了五個孩子，包括奧地利的尤利烏斯・凱撒先生（Don Julius Caesar of Austria）——一個極離譜的怪胎，將在不久後做出極可怕之事。占卜師約翰・迪與魯道夫鬧翻；兩人嘗試換妻後，迪為保命逃走，無耳的凱利因詐欺和崇拜魔鬼遭捕，然後服毒自盡。

魯道夫雖不是軍人，且為藝術和性愛而活，卻是捍衛基督教世界。年輕的帕迪沙穆罕默德三世、金髮塞利姆的孫子[62]很想率軍出征，他在凱雷斯泰什（Keresztes）擊敗哈布斯堡軍隊，迫使皇帝魯道夫不得不出兵反擊。魯道夫打這場耗盡資源和理智的漫長戰爭，同時竭力兼顧天主教徒、新教徒的要求。

他疾病纏身的舅舅菲利浦自埃斯科里亞爾批評魯道夫，並做出一個將波及數百萬人的決定。一五九五年，菲利浦很想維持來自非洲的奴隸供給，於是開始授予葡萄牙籍、熱那亞籍商人許可證——asiento de negros（「黑人協議書」）——由他們各交付三千至五千名非洲人。菲利浦即將死於癌症時，他女兒把聖徒遺骨放置在他身上，成為舒緩他痛苦的唯一慰藉。然而即使這時，他仍主導對尼德蘭人、對英格蘭人的戰爭。伊莉莎白加強反攻。但西班牙人在科魯尼亞（Coruña）擊退德雷克，導致德雷克在該役損失一萬人和二十艘船，接著在一五九五年，西班牙人大敗德雷克，在今波多黎各的聖胡安（San Juan）大敗霍金斯。這兩個德文郡人死於痢疾，也都海葬，德雷克更是全副盔甲海葬。

隔年，伊莉莎白反擊，派遣一支小艦隊前去攻取加的斯。這支艦隊由她兩個令人捉摸不定的寵臣埃塞克斯伯爵和羅利統領。埃塞克斯更是個浮誇自負的年輕人，其才幹根本配不上所獲提拔的職位。一五九六年六月，兩人洗劫加的斯。而菲利浦尚未完成上帝的工作。十月，埃塞克斯在外襲擊時，自封謹慎者的菲利浦派出第二支無敵艦隊——一百三十艘船、兩萬泰爾西奧精銳兵力——攻取英格蘭。正當伊莉莎白和其武將驚慌失措之際，暴風雨竟把西班牙艦隊打散。但即使已有一隻腳踏進棺材裡，菲利浦仍不死心：一五九七年，他派出第三支無敵艦隊，共一百四十艘船、一萬士兵。伊莉莎白對於埃塞克斯未歸震怒不已，而菲利浦的上帝再度食言。兩艘伽萊翁大帆船爆炸，又一場暴風雨阻撓，但有艘船把七百名泰爾西奧精銳士兵送上康沃爾海岸。一發現自身孤軍作戰且被英格蘭民兵包圍，他們於兩天後回到船上，並打道回府。年老、頭髮稀疏、無牙且臉上搽了以鉛白顏料和醋調成的厚厚化妝品的伊莉莎白活了下來。然最大的隱患出自她自己之手：埃塞克斯。

一五九八年九月十三日，菲利浦去世，由他僅存的兒子菲利浦三世繼承大位。菲利浦三世繼續父親的志業，派出艦隊第四次入侵英國，在愛爾蘭登陸，並把西班牙境內所有穆斯林趕出境。在布拉格，他的表哥魯道夫面對自家人精神失常和叛國問題，深信天主教會必須反擊新教徒，於是動用教會所能運用的所有手段——戰爭、政治、藝術。新教徒支配哈布斯堡家族領地時，魯道夫便迫害匈牙利、奧地利的新教徒，但寬容布拉格的新教徒，在各種事務上未維持一貫政策。而儘管教宗已領導天主教徒反攻，情況看來依舊是新教徒勝券在握。魯道夫的幾個弟弟與教宗結盟，開始助長反對勢力，強迫新教徒改宗天主教。馬蒂亞

62　穆罕默德三世即位後下令勒死他的十九個年幼弟弟——這些弟弟親吻了他的手，被施行割禮，接著被勒死，其中一人鼓起勇氣說，「先讓我吃掉我的栗子，再把我勒死」。民眾流著淚遠望這些小棺木被人抬到聖索非亞清真寺，如今他們的小墓仍讓人看了心痛。穆罕默德受其在波士尼亞出生的母親薩菲耶（Safiye）左右，薩菲耶則事事倚賴她身為義大利裔猶太教徒的姬拉（kira，鄂圖曼皇帝后妃的代理人）埃絲佩朗察．馬爾姬（Esperanza Malchi）。馬爾姬的猶太教徒身分引發不滿。一六〇〇年，遭欠薪餉的士兵作亂，索要她的人頭。穆罕默德和薩菲耶犧牲了她：埃絲佩朗察被架在馱馬上，牽到戰車競賽場，在那裡，暴民「砍掉這個受了詛咒之人的一隻手，割掉她的外陰，把手和外陰釘在那些靠賄賂這個女人而取得職位的自大之人的家門上」。然後，她的「恥部」在君士坦丁堡遊街示眾。「如果處決她免不了，為何還要這樣？」鄂圖曼帝國太后問蘇丹。「本可以把她丟進海裡就了事。如此處決一個關係這麼密切的女人，會損及皇帝權威。」此後，再無猶太人當上高官，猶太人被迫戴上特別的帽子和徽章，以表明他們低人一等。

斯（Matthias）是這些弟弟的龍頭老大，他認為魯道夫威脅到君主制和教會的生存。魯道夫夾處在兩陣營之間，左右為難。一六〇五年，匈牙利人和外西凡尼亞人（位於今羅馬尼亞中西部）造反；奧地利新教徒懼於天主教勢力的強勢迫害而退縮。在倫敦，一個和魯道夫一樣舉棋不定的君主緊盯著這場衝突的發展。而擔心即將爆發的宗教衝突就要席捲歐洲者，不只他們兩人。

一六〇六年十二月二十六日聖司提芬節，世故的蘇格蘭國王暨新任英格蘭國王詹姆斯一世的三百名廷臣來到倫敦懷特霍爾宮的大會廳（Grand Chamber of Whitehall），一同欣賞演員暨劇作家威廉・莎士比亞的新劇演出。當時的倫敦，因一波瘟疫而奪走許多人命，導致劇院和麥芽啤酒館停業，加上一樁天主教徒恐怖活動的陰謀，已使這個王國人心惶惶。

第十二幕

世界人口

五億四千五百萬人

達荷美人、斯圖亞特王朝和維勒茲家族、帖木兒家族、鄂圖曼人

女巫之王——戀愛中的詹姆斯、宮廷裡的莎士比亞

君臣一同觀賞的戲是《李爾王》（*King Lear*），一齣氣氛陰鬱的戲，戲中有權力的旁落、父親的愚蠢、政治的對立以及子女的忘恩負義，並以一團混亂和悲劇收場。但在英格蘭、蘇格蘭合併後不穩定且令人憂心的局勢中，這齣戲的劇情似乎未顯格格不入。過去六年，這個新聯合體出現不只一次欲推翻年邁女王伊莉莎白和新國王詹姆斯的未遂政變，還有天主教陣營企圖殺害整個王族和統治階層的陰謀。

詹姆斯一世一歲就當上蘇格蘭國王；他的父母都不得善終，他則是在新教長老會——不接受神父、主教的存在——所把持的王國裡，在充斥凶殘大貴族和宗教狂熱分子的宮廷中長大。這個國王常喝醉又邋遢，思想迂腐，會含著淚向廷臣講授巫術和神學，而且講授時嘴唇不時滴下口水：有些看過此景象的英格蘭人說他舌頭太大，但這只是對他濃濃蘇格蘭腔的中傷。他自小接受長老會教友的養成教育，公認腦筋好且好探究新事物，卻也不足為奇的渴望愛——而且相信巫婆的作惡法力。

為了替一連串災禍——宗教戰爭、大流行病、作物歉收——找到原因，加上對離經叛道的女人的恐懼和談巫術的印刷書大為暢銷，一波女巫審判應運而生。一五八〇年，在今日德國的特里爾（Trier），有個大主教策畫了攻擊新教徒、猶太人、女巫的行動，導致三百八十六人慘遭燒死。一五八九年，這股可怕的歇斯底里心態來到最烈時，詹姆斯透過代理新郎，在丹麥和丹麥的安妮完婚，但她赴蘇格蘭之行因暴風雨而擱置。詹姆斯動身前去接回她——異性戀情的罕見情景——而他認定暴風雨是巫婆搞的鬼，回國後支持北伯里克鎮

（North Berwick）的一樁起訴案，眾多女巫因這件案子遭拷問、燒死。詹姆斯會是英國唯一的文人君主：他先是以巫術為題寫下《鬼魔學》（*Daemonologie*）一書，繼而寫了一本小冊子頌揚國王的神授權利。

伊莉莎白年邁之際，詹姆斯已暗中和她的廷臣商談接掌英格蘭王位之事：埃塞克斯迅即著手加快詹姆斯接位。但伊莉莎白已對埃塞克斯幼稚的耍脾氣舉動失去耐心。一六〇一年二月，這個自戀又自大的人出招，雇請莎士比亞的劇團演出他的劇作《理查二世》（*Richard II*），示意要消滅暴君，迎詹姆斯入主英格蘭。後來伊莉莎白悔恨道，「我就是理查二世」。埃塞克斯遭斬首。莎士比亞或許也遭訊問；他命在旦夕，但化險為夷。一六〇三年伊莉莎白去世後，她所信任的大臣羅伯特．塞昔爾（Robert Cecil）為這位蘇格蘭王的接位開了方便之門。[1]

詹姆斯即位後的最早決定之一，係把宮務大臣（Lord Chamberlain）的劇團指定為「國王的劇團」（King's Players），要他們每季為詹姆斯演十齣戲。莎士比亞即是劇團的老闆之一。詹姆斯的兩個兒子，迷人的亨利和瘦又害羞的查理，預示著政局會很穩定，而在倫敦，安妮捱過又三次懷孕，都由一名法蘭西籍醫生接生。這個醫生使用了不為人知的設備，使分娩得以更安全。[2]然而，隨著新一波腺鼠疫襲擊倫

1　然而，就在詹姆斯南下途中，與馬德里互通聲息的一群貴族陰謀擁立他的表妹——亨利七世的玄孫女阿爾貝拉（Arbella）——為王。這個「大陰謀」（Main Plot）大致只是紙上談兵，卻把沃爾特．羅利牽連了進去，詹姆斯將他處死。後來詹姆斯免他一死，但把他關在倫敦塔。詹姆斯承認阿爾貝拉為王位第四順位接班人，卻在一六一〇年她欲嫁給詹姆斯的另一個表親時，將她終身監禁。她死在倫敦塔，得年三十九，未婚，無子女，又是一個受害於掌權家族的女性。

2　彼得．張伯倫（Peter Chamberlen）是外科醫生、男助產士，巴黎胡格諾派教徒，一五九六年來到英格蘭。就在那時前後，他發明一項新設備，促使分娩有了革命性改變——抓住嬰兒頭顱的產鉗。張伯倫一家四代從事接生工作，彼得是這個接生世家的第一人。此家族接生了斯圖亞特王朝的大多數嬰兒，而且相當令人看不起的是，他們完全不公開此接生器具。他們把這個簡單的新發明物裝在鍍金大盒裡帶至產房，堅持要接生婆戴上眼罩。無數女人因為無緣享用他們所發明的器具而喪命：張伯倫家致富，買了一棟鄉間別墅，數百年後有人找到他們藏在地板下的接生器具。

敦，市內氣氛緊張。死於鼠疫者，從一星期二十人增為千人，詹姆斯不得不下令劇院關門，停止縱狗鬥熊的娛樂。這個國王開始和西班牙議和，但未取消加諸天主教徒的禁制，從而導致羅伯特．凱茨比（Robert Catesby）陰謀趁議會開議時炸掉上議院。如今這樁密謀被視為是個惡作劇，但這樁恐怖攻擊一旦得手，不只會斷送掉王族大多數成員，還會斷送掉整個上層階級，為數共計千人。一六〇五年十一月四日，塞昔爾收到一封匿名信而得知此陰謀，隨後在議會底下找到三十六桶火藥。參與此陰謀者遭追捕到案。

人心的多疑和含糊其詞以隱瞞真相的行徑、鼠疫和封城、政局的轉折、性格的關鍵性影響，給了幾乎為自己招來殺身之禍的莎士比亞創作靈感。英格蘭審判這些恐怖主義者並慶祝他們的蘇格蘭籍國王和他年輕兒子保住性命時，莎士比亞寫下蘇格蘭人的故事《馬克白》（*Macbeth*），內容隱隱以史實為本，談弒君這個滔天罪行和巫術的蠱惑人心。時年四十二歲的莎士比亞，頭髮已漸漸稀疏，留著小小的鬍髭，他生於米開朗基羅去世那年，父親來自沃里克郡（Warwickshire），一貧如洗，以製造手套為生。他最初可能以教書為業，一五八〇年代轉行演戲。莎士比亞憑著兩部史詩、一系列十四行詩、數部喜劇和歷史劇（儘管一波波鼠疫導致劇院時而歇業）而闖出名號，但他主要靠擔任演員和劇團經理致富。身為宮務大臣之劇團的老闆之一，他得以買下老家亞芬河畔史特拉特福鎮（Stratford-upon-Avon）最大的房子。他在史特拉特福鎮早早就結婚，生了兩個女兒、一個兒子哈姆內特（Hamnet），兒子十年前十一歲時就去世。莎士比亞人在倫敦時，往返於薩澤克（Southwark）的粗俗酒館和發著腐敗氣味的絢麗宮廷之間。在薩澤克，他花錢寄宿於他人家中，在宮廷，他擔任王室侍從官。他以愛和出賣為題、感情濃烈的十四行詩，用詞謹慎，直探內心，描述在充斥娼館和性病的倫敦與女人、男人的不倫情事，讓人覺得其中有他在俗世打滾的經驗：「我的愛人發誓她十足真心時，／我真的相信她，儘管我知道她說謊」。

一六〇六年一月五日，詹姆斯參加懷特霍爾宮宴會館的娛樂活動，慶祝埃塞克斯伯爵（那名遭處決之寵臣的十四歲兒子）和法蘭西絲・霍華德（Frances Howard）成親。新娘的父親是當初消滅新郎父親的諸多大貴族之一。詹姆斯安排這樁婚姻以示盡釋前嫌，沒料到，這樁婚姻將演變成一起凶殺醜聞。而眼下，莎士比亞觀看年輕貴族女子穿著猩紅戲服，在他的劇作界對手班・瓊森（Ben Jonson）所寫的表演節目中翩翩起舞。瓊森個性桀驁不馴，支持天主教一方，在決鬥中殺了兩名男子，卻已從砌磚工人、殺人凶手搖身一變為名聲遍及全國的詩人。這齣表演的歡快奢華令莎士比亞心有所感，由此寫下《安東尼和克麗奧佩脫拉》（*Antony and Cleopatra*）。在這齣戲中，這位埃及女王登上豪華平底船的那一幕，會需要類似的浩大場面調度來鋪陳——全然不同於他正在寫的另一部劇作《李爾王》所散發的那種令人難以忍受的苦楚。

這次表演數日後，詹姆斯暗中觀察了對那批陰謀作亂的天主教徒的審理。一月三十日，其中八人被裝進柳條籃，拖到絞刑架，行刑者再用繩子緊緊纏住他們的脖子，待他們一昏過去就放鬆繩子，割掉他們的生殖器後燒掉，把他們的腸胃、心臟被割了下來，最後砍頭。這樣的行刑手法意在使他們「懸在天與地之間上下不得，因為這兩個地方，他們都不配去」。

詹姆斯欣賞過《李爾王》之後不久，去看了一場騎馬持長矛比武，年輕的蘇格蘭籍廷臣羅伯特・卡爾（Robert Carr）在這場比武中被打落馬，摔斷一條腿。詹姆斯當場愛上他，不但照料他、教導他，還封他為爵士。卡爾自此開始把持宮廷，不久就被擢升為薩默塞特伯爵（earl of Somerset）。王后安妮很厭惡他，議會看不起詹姆斯贈給這個暴得大權的蘇格蘭人的厚禮。所幸，卡爾的當道受到具群眾魅力的威爾斯親王亨利制衡。時值世界大開，更多人得以前往世界各地，亨利亦深受吸引。

一六〇六年的倫敦，多元文化並存的程度令人意想不到。英格蘭籍奴隸販子出海，已把數百非洲人帶到倫敦，非洲成為盤據人心的焦點。伊莉莎白下令將他們遣送出境，但始終未得到貫徹。有個摩洛哥大使造訪倫敦，風靡了倫敦人。莎士比亞寫了充滿愛意的十四行詩給一名「深膚色的女士」：她可能只是黑色頭髮、淺黑色皮膚的女人，但很可能是非洲人，[3]他的劇作《奧賽羅》（*Othello*）首演於一六〇四年，以一名摩爾籍將領為主角。隔年，在主顯節（一月六日），王后安妮主持了瓊森的《黑色假面劇》（*Masque of Blackness*）演出。在此劇中，安妮和她的宮中侍女穿戴伊尼戈．瓊斯（Inigo Jones）所設計的黑面具和戲服，扮演黑尼格爾神（Niger）的女兒，她們都希望大洋神（Oceanus）可以把自己的膚色弄白。

威爾斯親王亨利自信，具學者氣質，會騎馬持長矛與人比武，會打網球，也是早期的高爾夫球打者，他請求父親讓他跟被囚的羅利學習。愛冒險刺激的羅利被囚於倫敦塔，欣然接納亨利，很可能為了他而著手書寫《世界史》（*History of the World*）。羅利講述了南美洲盛產黃金的王國埃爾多拉多（Eldorado）的故事，亨利大受鼓舞，於是出錢讓他的冒險家湯瑪斯．羅（Thomas Roe）遠赴圭亞那探險。羅利講的話很有公信力，因為正是他在美洲設立他的羅阿諾克殖民地且在一五九二年奪得一艘大型葡萄牙卡拉克帆船，催生出東印度公司（East India Company）和維吉尼亞公司（Virginia Company）。這艘船載著東亞的珍貴貨物——黃金、龍涎香、丁香、肉桂、胭脂蟲紅。東印度公司成立於一六〇〇年，旨在買賣亞洲香料，取得詹姆斯的支持，該公司第一次遠航的船隊隊長獲詹姆斯封為爵士。維吉尼亞公司則是在一六〇六年獲特許設立，以在北美洲沿海地區創立一殖民地為成立宗旨。[4]維吉尼亞公司派出的遠航船隊將登岸之處命名為亨利角（Cape Henry），並在此建立了新拓居地詹姆斯敦（Jamestwon）。儘管該地周邊的美洲土著波瓦坦（Powhatan）部落聯盟最初極為友善，但移民仍成群病死、餓死。這些悲慘收場的遠航，為莎士比亞最後一部獨力完成的劇作《暴風雨》（*The Tempest*）帶來了靈感。

至於東印度公司，在成立後的頭十年，每年僅派出三艘船。真正的要角是尼德蘭人，英格蘭人難望其項背。一五九八年，菲利浦不准尼德蘭的海員停靠他的口岸，卻無意間為尼德蘭人闖蕩世界的雄心開了大門。一五九五至一六〇二年間，尼德蘭人派出五十艘船攻擊哈布斯堡家族的船。一六〇二年，尼德蘭十七紳士（Heeren XVII，又名十七人董事會）——其中許多人是主宰尼德蘭政治的畢克爾（Bickers）、德格拉夫（de Graeffs）等兩個彼此通婚的經商世家成員——獲尼德蘭省督特許，創立自己的聯合東印度公司（VOC），擁有占領、維持位在亞洲的貿易口岸所需的軍力和治理能力。阿姆斯特丹證券交易所——世上第一個證券交易所——成立，用以買賣尼德蘭東印度股票。尼德蘭為多元結構體，由七省組成，境內有強大的城市和行會，因此，尼德蘭東印度很快便融入尼德蘭的多元結構裡，不過，尼德蘭東印度亦成為世上第一個跨國公司、第一個上市公司、第一個作戰公司。公司統治家族的作為，反映了社會中的變遷，促進現代組織、勤奮價值觀、贊助藝術，同時還有技術創新、惡性競爭。

尼德蘭東印度公司靠暴力從事貿易。公司總督揚・彼得容・庫恩（Jan Pieterszoon Coen）告訴「十七紳士」，「不動武，我們成不了貿易，沒有貿易，我們動不了武」。利潤豐厚，以致尼德蘭人對抗與之競爭的葡萄牙、英格蘭、中國商人時手段殘酷。[5] 一六〇七年，庫恩參與了遠征班達群島（Banda Islands，摩

3 「我情婦的眼睛一點都不像太陽；／珊瑚比她的唇紅上許多；／如果雪是白的，為何她的胸脯是暗褐色，／如果頭髮是金屬絲，她的頭上長的是黑金屬絲／……而說真的，我認為我的愛人世間罕有，／一如每個被誇大比擬的女人。」

4 據說羅利是頭一個把菸草帶到英格蘭的人。詹姆斯抱怨菸草「嗆鼻，傷害腦子，可能危害肺部，和其惡臭的黑煙最近似的，莫過於無底地獄的冥河所發出的可怕煙霧」。後來，這個會發出冥河般臭煙的，成為維吉尼亞唯一有賺頭的作物，在英格蘭也愈來愈盛行，詹姆斯隨即把大有賺頭的菸草專賣權獨攬在手。

5 這些具有準政府性質的作戰公司，由尼德蘭人首開先河。這些公司並非全新的創建，反倒是重振了十字軍、伊比利半島國土收復運動的軍事性兼宗教性修會的武裝重商主義，重振了半官營公司——例如在克里米亞半島經營熱那亞殖民地的熱那亞聖喬治銀行（Bank of St George）——的武裝重商主義。它們也非歐洲所獨有：朱羅王朝羅闍此前已和艾因努特魯瓦爾（Ainnutruvar）行會和其他從事私掠巡航的行會結盟，而彼此互通聲息的中國私掠船團首領則統治中國、日本的部分地區，其中最赫赫有名者是浙江雙嶼幫。這些新式作戰公司是在對西班牙戰爭時打造出來，當時歐洲諸國和國君太弱，無法在對外冒險事業中和西班牙一較短長，而且貿易和衝突已是互為表裡。於是，新教籍領袖伊莉莎白、沉默者威廉投資於德雷克、海上乞丐的遠征活動。這些公司的成立是折衷辦法，既能讓君主以股東身分參與，卻又足以分散風險和成本。

鹿加群島裡最富裕的島群）的行動，結果去到那裡的尼德蘭人大多遭當地印尼人殺害。庫恩這名嚴厲的征服者和狂熱的喀爾文宗信徒，靠令人髮指的暴力設立公司商館，使當地統治者間互鬥並以從中得利，打擊與他競爭的葡萄牙人、英格蘭人。他深信自己在代上帝行道，其作風嚴酷——「別絕望，別饒敵人，上帝與我們同在！」——對自己人亦然。他發現一名尼德蘭籍軍官和一女孩上床，即將他砍頭。尼德蘭東印度公司和英格蘭人、西班牙—葡萄牙人、中國人爭奪對摩鹿加群島的控制權，從葡萄牙人手裡奪下安汶。而尼德蘭東印度公司初期的成就之一，便是打入日本。

精於「忍道」的德川家康與這些商人打交道得心應手。一五九八年，欲征服中國的豐臣秀吉死於熱病，得年四十七，留下由德川家康領導的攝政團為他五歲兒子治國。不久，德川家康殺掉豐臣秀吉的派系，成為江戶（後來的東京）新政權的將軍，創建了將統治日本直至一八六八年為止的王朝。西班牙—葡萄牙人已透過長崎和日本人貿易；如今，新教徒也來了。尼德蘭人和英格蘭人最初受到這位將軍歡迎。一六〇〇年，愛冒險的英格蘭肯特郡籍水手、參加過德雷克襲擊行動的威爾·亞當斯（Will Adams），是尼德蘭東印度公司第一支遠赴東方的船隊中，少數倖存者之一。西班牙—葡萄牙人要求將失事漂流到日本的亞當斯視為海盜處死，但日本人把他帶入大阪城。經過一整夜晤談，亞當斯贏得德川家康好感，成為他的朝臣。亞當斯學習日語，接受武士訓練，在採納歐洲科技方面為這位將軍提供意見，為將軍建造了第一艘歐式軍艦。亞當斯和西班牙人、尼德蘭人作對，卻同時促進英國東印度公司的利益。尼德蘭人和英格蘭人獲准在日本常設商館，但一六二八年，已成為幕府將軍的德川家康兒子德川秀忠轉而敵視基督教，將天主教神父驅逐出境，燒死五十五名天主教徒。在德川將軍統治下，歐洲人進入日本受到限制，長達兩百年。

在其他地方，尼德蘭的聯合東印度公司繼續動用最大的武力開疆拓土。一六一八年，庫恩取得爪哇島上的雅加達（改名為巴達維亞），獲十七紳士賞以東印度群島總督一職。十七紳士要求拿下盛產香料的班達群島。庫恩寫道，「為好好解決此事，必得再度征服班達，移民於該地」。一萬多名原住民遇害，其他原住民遭遣送出境，尼德蘭東印度公司壟斷丁香、肉豆蔻供應。他們對付與之競爭的歐洲人，手段同樣殘酷，在安汶對二十一名英格蘭籍商人施以水刑，將他們砍頭。

只要有葡萄牙人存在的地方，尼德蘭東印度公司就攻擊哈布斯堡家族的這些海外據點：在台灣，該公司部隊強攻葡萄牙人的一處堡壘，以發展與中國的貿易。與此同時，尼德蘭東印度把目光轉向印度。一六〇八年，該公司攻擊位於科羅曼德爾的葡萄牙人，奪下普利卡特（Pulicat），經由談判獲毗闍耶那伽羅的摩訶羅闍給予特許權，然後找上東方最偉大的君主——新任蒙兀兒皇帝賈汗季（Jahangir）。而英格蘭人也很快跟著過來了。[6]

尼德蘭、英格蘭兩國所屬東印度公司找上身為帖木兒、巴布爾後裔的賈汗季時，係在博取世上最有權勢之統治者的好感。當時被稱作薩利姆（Salim）的賈汗季嗜食鴉片成癮，為「偉阿克巴一世的兒子：為了治他的毒癮，他父親一度將他關起來，要他一下子完全不碰鴉片以戒掉毒癮。只是薩利姆的鴉片癮至死

6　只是並非事事順利。一六二九年六月，尼德蘭東印度公司早期香料群島的某趟航行，「巴達維亞號」發生嚴重的狀況。巴達維亞號失事，船上人員於是登上澳洲外海的阿布羅略斯群島（Abrolhos Islands），未想副船長耶羅尼穆斯·科內利斯（Jeronimus Cornelisz）叛變，出於個人的狂妄自大和自以為是的喀爾文宗信仰，他以喪心病狂的恐怖手段對付船員及乘客，用刀捅、棒擊、溺死、吊死等手段殺害一百二十人，並將七名倖存的女孩納為性奴——直到船上其他成員起而反抗並逮住他，這才結束他的恐怖治理：科內利斯遭用鑿子截掉雙手，然後吊了起來。一段時日後，尼德蘭東印度另一名強悍的尼德蘭人阿貝爾·塔斯曼（Abel Tasman）抵達澳洲外海島嶼，先是來到一座小島，而他以打算攻取「南方大陸」（Great Southland）的雅加達總督之名，將小島命名為「范迪門之地」（Van Dieman's Land）。接著，塔斯曼來到更大的島，以荷蘭三級會議（States-General）之名，將該島取名為「三級會議之地」（Staten-Landt）——即今日的紐西蘭，毛利語稱之為奧泰阿羅阿（Aotearoa）——在三級會議之地，乘獨木舟的毛利人戰士殺了他的數個手下。

未消，但他的雄心抱負也並未被此癮頭束縛住。在帖木兒家族中，兒子、孫子爭奪王位，敗下陣者保不住性命：「不成王，就入墳墓！」阿克巴年老時，這個王子就爭奪權力，暗殺了維齊爾阿布爾—法茲勒。阿克巴看不下去，揚言將帝國交給賈汗季的兒子霍斯勞。

一六〇五年十一月三日，這個偉大的帕迪沙去世（天主教徒密謀炸掉倫敦議會的那個星期），薩利姆取名賈汗季（「奪得天下者」），他的兒子霍斯勞造反，奪下旁遮普。賈汗季擊潰兒子，並告訴他的將領，「該怎麼辦就怎麼辦，國王沒有家人。」[7]霍斯勞被押上大象遊行示眾，兩側是森然林立的成排長矛；他的部眾被迫行禮致敬，然後從肛門被插在尖樁上，「最痛苦的懲罰」（賈汗季語）。令人愕然的是，受此懲罰後，這個年輕小伙子再度密謀造反，這次是遭弄瞎眼睛。

賈汗季在拓展疆域和殘酷表現上展現了帖木兒家族的本色，曾因為某侍者讓一個盤子落地殺了他，因為某獵人打斷他瞄準獵物而殺了對方。然而他對藝術、科學、建築感興趣，受歐洲文藝復興藝術影響，將藝術視為科學工具——研究世界的工具。他的畫家阿布·哈桑（Abu a-Hasan）為了這位有毒癮且日益倚賴妻子努爾賈汗（Nurjahan）的皇帝，而將絢麗精美的蒙兀兒風格更是精進到完美之境。

亞格拉的皇后和君士坦丁堡的皇后：宮廷之光和美麗之月

努爾賈汗本名米赫爾·尼薩（Mihr al-Nisa），她是阿克巴朝中某大臣的女兒，那位大臣原籍伊朗並於印度任官。賈汗季第一次遇見她時，她還是有夫之婦，她的丈夫是個行事魯莽的武將，曾在一隻老虎衝向賈汗季時救了他。賈汗季賜名「拋虎者」（Sher Afgan）。數年後，拋虎者去世，賈汗季再度見到她。

在亞格拉的宮廷裡，為波斯新年納吾肉孜節（Nowruz）舉辦的米納市集（meena bazaar）是向心儀之人調情的絕佳時機。米赫爾．尼薩此時三十四歲，守寡，有個女兒；賈汗季已五十一歲，有十五個老婆和一大群後宮，但「不認為有哪個人較喜歡我」。這個精明的波斯裔女子在坎達哈長大，不只性情暴烈、身軀柔軟靈活、相貌美麗、波斯語和阿拉伯語流利，還很有趣，讓人樂於與她相處。她喜歡一手拿著酒作畫，而且槍法甚準，曾從一頭大象上打中四隻老虎，只用了六發子彈，彈無虛發。賈汗季寫道，「這樣的槍法前所未見」；「四隻老虎都沒機會躍起」。有個來自英格蘭的商人看過這對夫妻神情愉快同坐一車進入狩獵營地，車上只他們兩人，由皇帝駕車。

在婚禮上，他為她取名努爾瑪哈（Nurmahal），意為「宮廷之光」，後來將她晉升為努爾賈汗，意為「世界之光」。兩人結婚後，一六一二年，便安排他循規蹈矩、飲食絕不過量的三子呼拉姆（Khurram，後來的皇帝沙賈汗）娶她的姪女阿爾朱曼德．巴努（Arjumand Banu），她和她的姑姑一樣博學、迷人。呼拉姆是阿克巴最寵愛的孫子，為他取名「開心果」（Joyful），把他從他的拉傑普特籍母親身邊帶走，交給他沒有子女的元配魯凱婭養育。魯凱婭「無時不說他的好話」，並告訴賈汗季「我的其他小孩根本比不上他」。阿克巴「視他如親生兒子」，魯凱婭愛他「千倍於如果他是她的親生兒子」。呼拉姆被這兩個巨頭養大，覺得優柔寡斷而什麼事都做不好的賈汗季平庸，且立即愛上他剛成婚的老婆，將她改名為蒙塔茲．

7 王子霍斯勞的部眾之一——古魯阿爾真（Guru Arjun）——係旁遮普錫克教的領袖。一五三〇年代，兼有詩人、聖徒身分的古魯納納克（Guru Nanak）創立錫克教，創造一個與伊斯蘭教、印度教互不相干的獨立思想團體。錫克在梵語裡單純意為「學習者」。納納克公開抨擊婆羅門的剝削和穆斯林的壓迫，要人信仰一神，組成一共同體，廢除種姓制度。在他之後的九名古魯領導下，錫克教日益壯大。這九個古魯發展出一座聖城阿姆利則（Amritsar）、一座聖祠（金殿／Golden Temple）、一部經典（《阿迪格蘭特》／*Adi Granth*）。但他們的獨立自主與蒙兀兒王朝的權威相牴觸。這時，賈汗季先是對阿爾真施以酷刑，繼而將他處死。阿爾真的兒子古魯哈爾戈賓德（Guru Hargobind）培養錫克教的尚武文化作為回應：他佩戴兩把劍，兩劍象徵「米里皮里」（miri piri），即精神力量和俗世力量的結合。錫克教徒遭蒙兀兒皇帝殘酷鎮壓，反倒從逆境吸取養分，日益壯大。

瑪哈（Mumtaz Mahal，「宮中崇高者」）。而努爾賈汗接著將她自己的女兒嫁給賈汗季的另一個兒子——無能的么子沙里亞爾（Shahryar）——呼拉姆因此懷疑，賈汗季打算除掉他。

尼德蘭、英格蘭的東印度公司正是在這時來到亞格拉，要求給予貿易特許權。賈汗季的帝國是當時地球上最富強的國家，且即將走到該帝國經濟實力的巔峰：據估計其在全世界GDP的占比快速攀升，從一六〇〇年的百分之二十二·七升至一七〇〇年的百分之二十四·四，超過中國。帝國的人口一億一千萬，比全歐洲人口還要多。紡織品於成千上萬個家庭小作坊製成，出口至歐洲，而在歐洲，連同葡萄牙、阿拉伯商人所供應的珠寶、象牙、香料，這些紡織品日漸大受歡迎。但在一六一六年，賈汗季同意尼德蘭人在蘇拉特設商館，繼而在孟加拉設商館。與此同時，英國東印度公司派風頭甚健的全權代表、參與過尋找圭亞那黃金國行動的湯瑪斯·羅前去討好賈汗季。兩人暢快共飲，賈汗季同意羅在蘇拉特設商館。不過，對這位「奪得天下者」來說，這些歐洲人無足輕重。[8]

賈汗季統治北印度，而非南印度。他很想開疆拓土，於是命令呼拉姆南進德干高原（Deccan，源於Dakhin一詞，意為「南方」），並藉此戰功被父親擢升為最高階曼薩卜（mansab，阿克巴創立的軍階制），贏得沙賈汗（Shahjahan，「天下之王」）的稱號。「我抱住他，心中湧現毫不掩飾的父愛」，「他愈是表現對我的尊敬，我對他愈是關愛」。

然而，他們的南進受阻於蘇丹國艾哈邁德納格爾（Ahmadnagar）。當時艾哈邁德納格爾的統治者是能力過人的非洲籍武將馬利克·安巴爾（Malik Ambar）。安巴爾為哈巴希人（Habashi），而哈巴希人通常是來自非洲內陸的多神教徒，被基督徒或阿拉伯人抓走，再賣給古吉拉特人，為東印度、南印度的蘇丹打仗。[9]安巴爾被父母賣掉，而在巴格達的第一個主子的強迫下改宗伊斯蘭教，最終獲解除奴隸之身。據某個尼德蘭商人的說法，他是「黑膚色的卡菲爾（kafir，阿拉伯語，對不信伊斯蘭教者的稱呼，後來成為歐洲人對非洲人帶種族歧視意味的稱謂），有著羅馬人的鐵板面孔」，統領一萬名哈巴希人，以佩什瓦（peshwa，宰相）的身分接管艾哈邁德納格爾，把自己女兒嫁給該蘇丹國蘇丹。安巴爾一再打敗賈汗季，將近八十歲時才敗於沙賈汗之手。沙賈汗請人作畫，以慶祝此勝利。畫中他朝安巴爾射箭，寓意願望實現，由此可看出他多看重這個敵人，從而表明哈巴希人已變得多強大。安巴爾死後，蒙兀兒王朝才吞併艾哈邁德納格爾。

不過，這對父子的關係冷淡。賈汗季愈是溫情，沙賈汗愈是漠然。即使在父愛大爆發之際，家中還是有人死於非命：沙賈汗請求將他瞎眼的哥哥霍斯勞交由他照看，然後他將霍斯勞殺害。他的親情只給蒙塔茲·瑪哈一人。她告訴他，「別和其他女人生孩子，以免她們的孩子和我的孩子為了王位大打出手。」他下令其他女人一懷孕就墮胎。接著，他看著他父親身體日衰。

「本事、經驗強過醫生的努爾賈汗別姬想要減少我喝酒的杯數，想要治療我，」賈汗季回憶道。「她漸漸減少我喝下的酒。」努爾賈汗的權力繫於一個有毒癮的帖木兒家族成員，那人一死，她就會失勢，但在君士坦丁堡，有個與她同時代的女人更加不凡，她將主宰鄂圖曼帝國四十年。

---

8 這些談判透露了歐洲人和這些亞洲帝國實力的強弱。今人很容易誇大英格蘭、尼德蘭東印度公司足跡的廣布和實力：它們能打敗地方的統治者；能據有要塞；但這些歐洲公司未強大到足以攻取廣闊領土或挑戰強大君主國。一六二三年，尼德蘭東印度公司奪下澎湖後，部隊遭中國艦隊擊敗，而且並非最後一次敗於中國人之手。在日本，德川家康和他兒子禁止歐洲人入境。尼德蘭人、英格蘭人和明朝或蒙兀兒王朝、和毗闍耶那伽羅王朝或薩法維王朝談判時，一律得卑躬屈膝。後來，這些王國分崩離析，這兩個歐洲公司才轉型為建造帝國的公司型國家。

9 哈巴希人是印度史裡的要角，但常遭忽略。他們往往於當了數年奴隸後獲自由之身，但即使是身為奴隸期間，其中許多人仍獲提拔為廷臣和將軍——有時甚至奪權。一四八七年，在孟加拉，統領黑人宮廷侍衛隊的巴爾巴克·沙札德（Barbak Shahzad）暗殺了孟加拉籍蘇丹，成為統治者，直到被另一個阿比西尼亞人殺害為止。

鄂圖曼蘇丹艾哈邁德初見到她時，她叫阿娜絲塔西婭，係後宮中剛淪為奴隸的希臘籍宮女。兩人都十三歲，他改叫她馬赫佩克（Mahpeyker，「美麗之月」）。而他愛上她時，他改叫她科塞姆（Kösem），即「領袖」。威尼斯使者記載道，「她漂亮且精明，才華多樣，歌聲很美，極受國王喜愛」，國王甚至「在某些事情上聽她的」。他們生了九個孩子，其中五人是兒子，其中一個兒子天賦過人，另一個凶殘且精神失常。科塞姆有個競爭對手：艾哈邁德的長子奧斯曼是另一個宮女所生，然而，與科塞姆的關係卻變得很親，即便如此，她始終把自己的小孩擺在第一位。

蘇丹艾哈邁德據說聽了科塞姆的話，廢了新王登基後勒死兄弟的傳統：他饒了自己弟弟性命，把他關在後宮的「金籠子裡」。這時，鄂圖曼蘇丹耗費在統兵作戰的時間變少，他們的內廷人員因此權力大增：他們的非洲籍宦官這時的位階和大維齊爾一樣高。[10]

艾哈邁德幽默、有文化素養、體格健壯，會作詩，會擊劍，始終希望科塞姆陪伴在側，費心建造他的藍色清真寺（Blue Mosque）。這座清真寺是他和曾師從建築大師錫南的穆罕默德·阿伽（Mehmed Agha）共同設計，有五座令人讚歎的圓頂、八座較小的圓頂和六座宣禮塔、淺綠色瓷磚，展現豐富的拜占庭—鄂圖曼風格，如今仍是伊斯坦堡最賞心悅目的地方之一。鄂圖曼人最近在匈牙利拿下數場勝利，已從波斯人手裡奪下高加索地區，艾哈邁德因此不再把心力用在他的主要職責——戰爭——上。一六〇五年，他突然遭一位令人膽寒的新波斯國王攻擊。

阿巴斯的曾祖父是具有救世主情懷的少年國王伊斯瑪儀，而阿巴斯本人性格的形成，則受到薩法維王朝國王的凶殘整肅和他們尾大不掉的土庫曼人將領的趾高氣昂所影響。這些將領弄瞎他父親，把他母親大卸八塊。他十七歲時，其中一個將領罷黜他父親，立他為王。

阿巴斯身材粗壯，動作敏捷，膚色黝黑，有著綠色眼睛和下垂的長髭，喜愛享樂，但不願居人之下，有明確的奮鬥目標，行事難以捉摸，永遠劍不離身，常當著文武百官的面斬殺囚犯。在戰場上，他力氣大到足以將一名鄂圖曼帝國派來的刺客扳倒殺死。有次，士兵進行模擬作戰時，笨手笨腳的出了差錯，他怒不可遏，衝過去把其中四人砍成兩半。但他不拘小節，會自己作菜，在伊斯法罕的廣場上鍛練他的馬，與行經的路人閒聊。他喬裝改扮親赴市集，查看食物價格：商人騙了他時，他把其中一個麵包師傅放進烤爐裡烤熟，把一個肉販活活架在火上烤死。

阿巴斯很喜歡和年輕女孩、男孩廝混，而且通常是淪為奴隸的喬治亞人。在後宮，這些女孩有時「把他架起，繞著房間轉，把他摔倒在地毯上，他則喊道，『妳們這些婊子，啊妳們這些瘋婆子！』」一如君士坦丁堡的蘇丹後宮，阿巴斯的後宮由非洲籍、喬治亞籍宦官治理。阿巴斯有時親自操刀切除睪丸，手法乾淨俐落，死於他之手的受閹割者少於一般狀況。他的新軍隊主要由來自高加索地區的吉爾曼（ghilman）奴隸構成。一六〇五年，他攻打鄂圖曼帝國，奪回大不里士和高加索地區，俘擄十六萬人為奴。

拿下對鄂圖曼帝國的初步勝利後，魯道夫派了一名使者前去會見阿巴斯，阿巴斯欣然歡迎，同時當場打量兩把劍，然後挑了其中一把，砍掉一個鄂圖曼帝國的俘虜，並提出忠告，要魯道夫同樣如此對待土耳其人。只是這個滿腦子不切實際想法的神聖羅馬皇帝，眼前還得處理真實世界的難題。

---

10 鄂圖曼帝國宦官原本是來自俄羅斯／烏克蘭和高加索地區的白人奴隸，這些奴隸，照拜占庭帝國的作法，只失去睪丸，但這時，阿拉伯商人把在衣索比亞、達富爾抓到的非洲籍孩童賣給科普特籍神職人員，這些神職人員按照閹割馬穆魯克人的方式，將他們綁在桌上，把他們的睪丸、陰莖一律割除。他們被取了風信子（Hyacinth）之類引人芳香聯想的名字，成年時若非很胖，就是很瘦，患有骨質疏鬆症，出現手指特別長、過早長皺紋之類的骨骼生長異常症狀。宦官頭子——kizlar aga——一直是非洲人，而且這時出任後宮總管，權力往往建立在自身與蘇丹的愛妃或母后的關係上。

「從高處墜落」：黑暗王子和食糞的尤利烏斯．凱撒

「有人說你是煉金術士、占星家、喜好召亡魂問卜的巫術，」魯道夫的弟弟阿爾布雷希特（Albrecht）在信中這麼告訴他。「如果這是真的，如果陛下已沾染利用死人為你效力的習性，那真是奧地利王室的大不幸。」教宗克雷芒八世此時正領導好戰的天主教重振聲威，以回應澎湃的新教熱情，並打算促成布拉格政權更替，為此而監視魯道夫的一舉一動，並鼓勵以大公馬蒂亞斯為首的他的諸弟將他拉下台。克雷芒的使者回報，「布拉格的天主教徒普遍認為，這個皇帝已被施了法，與魔鬼同一國。已有人帶我看過這個皇帝與『黑暗王子』交談時所坐的椅子……以及這位陛下用來召喚亡靈的小鈴。」

一六〇六年，哈布斯堡家族的諸多皇弟和他們的姪子施蒂里亞的斐迪南（Ferdinand of Styria）於維也納密會。馬蒂亞斯說，「陛下如今已走到徹底拋棄上帝的地步」，整個心思都放在「男巫、煉金術士、卡巴拉主義者」。馬蒂亞斯逼魯道夫與鄂圖曼帝國言和。在布拉格，魯道夫誰都不信任且深信弟弟想殺他，午夜時刺死自己的內廷總管，而後自殺未遂。物色忠僕時，他把改宗的蒂羅爾籍猶太人菲利浦．朗格（Philip Lang）提拔為內廷總管──兩人可能是情人關係──由他掌控政府，而事事仿效前任總管、能力卻又不及的朗格竟賣畫，並和他的弟弟們勾結，出賣了他。魯道夫告訴朗格，「我知道我被惡魔附身，已經死了，注定要下地獄」。[11]

兩兄弟這時都在爭取新教徒支持。一六〇九年七月，魯道夫簽署《宗教寬容令》（Letter of Majesty），承諾讓新教徒享有信仰自由，沒想到，當新教徒威脅到他的權位時，他竟找來一批和各方都不對盤的傭兵。馬蒂亞斯的部隊進入波希米亞，逼他割讓匈牙利和奧地利。一六一一年三月，魯道夫在城堡走廊上怒氣沖沖叫嚷著「他已把我的王冠一個又一個搶走」時，馬蒂亞斯進軍布拉格，且受到布拉格人民歡迎。魯

道夫咒罵道，「布拉格，布拉格，我讓你出名，如今你卻把我趕出去……我要找你報仇！」

馬蒂亞斯讓魯道夫保有布拉格城堡。魯道夫的愛獅死掉時，他知道自己的末日已到。當上皇帝的馬蒂亞斯表示，會遵守魯道夫的宗教寬容承諾，但新教徒聲稱，他們有權在天主教徒的土地上興建新教堂。馬蒂亞斯即將離世之際，繼承人斐迪南二世承諾鎮壓新教，並有雅羅斯拉夫・博里塔（Jaroslav Bořita）、韋萊姆・斯拉瓦塔（Vilém Slavata）這兩名信仰天主教的官員助他執行此事。波希米亞貴族襲擊布拉格城堡，並告訴官員，「你們是我們和我們的宗教的敵人」，接著將其中兩名官員和他們的書記菲利浦・法布里修斯（Philip Fabricius）丟出窗外。把人丟出窗外堪稱是布拉格的傳統洩憤作法，讓人死相難看。未想這三人墜落二十一公尺都沒死，天主教徒說，聖母瑪利亞減輕了他們的墜勢，新教徒則提到有堆垃圾救了他們一命。法布里修斯快馬前去通報維也納，皇帝斐迪南封他為貴族，賜予馮霍亨法爾（von Hohenfall）的稱號（Hohenfall意為「從高處墜落」）。斐迪南鎮壓造反的波希米亞人，這些波希米亞人則罷黜哈布斯堡家族，推選信仰新教的法爾茨選帝侯（elector Palatine）腓特烈（Frederick）為國王。腓特烈的妻子是英格蘭王詹姆斯一世的女兒伊莉莎白。

詹姆斯被迫支持女婿，然而愛子亨利一六一二年去世，致使他意志大為消沉。亨利一死，未滿十二

11 長子尤利烏斯・凱撒的罪行，加劇魯道夫的崩潰。那年，魯道夫買了克魯姆洛夫堡（Castle Krumlov）給他，而這個二十一歲的凶殘青年在村子裡四處獵尋女孩，最後看上某理髮師的女兒瑪爾凱塔・皮赫萊羅娃（Markéta Pichlerová）。他迷上她，開始折磨起她，最後還刺傷她，將她丟出窗子。所幸她落在垃圾堆上，僥倖不死。尤利烏斯・凱撒懇求她父母將她送回他身邊，他們不肯，最後他揚言殺害全家人，接著逮捕她父親。這個殺害一連串妻子、沒有人性的怪物，最終如願將瑪爾凱塔抓回自己手裡。他折磨她數日，不久被人發現他一絲不掛，渾身沾滿糞便，抱著她沒了頭、被肢解、割掉耳朵、挖掉眼睛的軀體。一個月後，恐懼不已的皇帝魯道夫將沒有人性的他關了起來。

歲、毫無魅力的查理成了王位繼承人。詹姆斯則把更多心思放在他的寵臣薩默塞特伯爵身上。

不久後，一六一三年九月十四日，廷臣湯瑪斯・奧佛伯里爵士（Sir Thomas Overbury）死於倫敦塔，死前被人往直腸裡注入了東西。

灌腸殺人：詹姆斯的寵臣

一得知奧佛伯里遭人殺害，而且主使者是詹姆斯的愛人薩默塞特和他的新婚老婆，詹姆斯大為震驚。奧佛伯里原是薩默塞特的政治顧問，但隨著伯爵愛上有夫之婦埃塞克斯伯爵夫人法蘭西絲（Frances），他遭革去此職。法蘭西絲結婚時，莎士比亞在場觀看了婚禮的戲劇演出。奧佛伯里不贊同薩默塞特此舉，要他的主子提防她的「傷害和邪惡」，並寫下〈妻子〉（The Wife）一詩，數落她的不是。結果，她所屬的親西班牙的家族霍華德家勢力甚大，便誣陷奧佛伯里，說服為奧佛伯里與薩默塞特的親密關係而吃味的詹姆斯將他囚禁在倫敦塔——並同意她以丈夫埃塞克斯性無能為由嫁給薩默塞特。這對夫妻決意除掉奧佛伯里，他們先是將倫敦塔主管革職，代之以藉權牟私的貪官，然後將一個像惡棍般的獄卒安插進此監獄。他們找來像巫婆的妓院老闆安妮・透納（Anne Turner），由她從某藥劑師的妻子手中取得毒藥。奧佛伯里的醫生遭收買下毒，把塗了砷的蛋糕拿給他吃。奧佛伯里病倒但未就此斷氣，於是薩默塞特夫婦要醫生將氯化汞灌腸劑注入湯瑪斯爵士的直腸裡。奧佛伯里痛苦死去，不久後薩默塞特娶了法蘭西絲・霍華德。詹姆斯不斷提拔薩默塞特，卻逐漸厭煩於他的貪婪和浮誇。就在這時，這個國王某次狩獵時注意到一個性感迷人的男子：喬治・維勒茲（George Villiers）成了擊垮薩默塞特的工具，薩默塞特的敵人募資為這個美少年買了一套鑲了珠寶的新西裝，然後安排維勒茲出現在這個國王面前勾引他，讓他在宮廷假面劇中展現輕巧靈活的舞姿，展露他著名的美腿。薩默塞特失去靠山，不再是誰也動不了他，於是倫敦塔管理者告發他殺害奧佛伯里。

行凶者遭逮捕，且禁不住嚴刑逼供，招認主使者正是薩默塞特夫婦，兩夫婦隨即遭囚於倫敦塔。一六一五年十一月，在受審期間被說成是「婊子、妓院老闆、魔法師、女巫、天主教徒、重罪犯、謀殺犯」的安妮・透納，連同其他三人一起被吊死。詹姆斯心情煩亂，懇求薩默塞特勿「把我抹黑成是他罪行裡的某種從犯」。這是詹姆斯在位期間最著名的審判，詹姆斯忐忑不安的注視審判過程，最終薩默塞特夫婦被裁定有罪，判處絞刑。在二十一歲的喬治・維勒茲的一番安慰後，四十八歲的詹姆斯赦免了他們。有個垂涎維勒茲美色的主教形容他是「整個英格蘭境內身體最美的男人」：詹姆斯愛上他，封他為御馬官（master of horse），隨後又加官晉爵，授予他白金漢侯爵這個罕見的爵位。他稱維勒茲「我親愛的老婆」，白金漢後來憶起國王如何愛他，說「在法納姆（Farnham），我永遠忘不掉那次，主子和他的狗在床頭處緊緊貼在一塊」。白金漢稱他「親愛的老爸和密友」。

這個備受珍愛的人來到宮廷時，另一個這樣的人則遁去。在自己的最後一部（且今已佚失）的劇作《卡德尼奧》（*Cardenio*）搬上舞台後，莎士比亞退居史特拉特福。那時他若非有病在身，就是捲入某樁醜聞而損及名聲。有次難得來到倫敦，這位劇作家與其友人暨對手班・瓊森有過一次「愉快的會面」，而他「似乎喝太多」，因為返家後的一六一六年四月二十三日，他「死於在倫敦感染的熱病」。

在歐洲，詹姆斯想要讓兩個教派和解的夢想破滅於血泊中。一六二〇年十一月八日，在白山（White Mountain），皇帝斐迪南大敗波希米亞人。詹姆斯的女婿和女兒逃走，失去波希米亞和這個法爾茨伯爵領地。詹姆斯任命白金漢為海軍事務大臣主導政策後，著手與西班牙人談判，希望救回他女兒的領地，同時表示，事成後願讓他兒子查理娶西班牙公主瑪麗亞。

查理很高興。他非常矮小，舉止文雅，過度有禮到讓人摸不著頭緒的地步，是個虔誠的聖公會高教會派信徒（High Anglican），堅信王權的神聖本質，他只在某幅畫像裡看過這個哈布斯堡家族公主，就對她傾心不已。比他大八歲的白金漢鼓勵他追求她，教導這個笨拙的王子跳舞。他急欲得到父王首肯，於是非常尊敬似乎能幫他娶得美人歸的白金漢。

議會裡的新教徒不喜歡這種姑息天主教徒的作法。一六二三年初，議會抨擊他的大臣，詹姆斯與一個愈來愈虔誠且愈來愈得民心的新教教派陷入對峙。這個教派著重《聖經》本身、較簡樸嚴格的生活方式以及與上帝和基督直接切身的契合，帶來一種使其信徒自視為「蒙上帝選中者」和「聖徒」的恩典。詹姆斯警告道，「我要把他們趕出王國」。然而，信教的虔誠具有感染性，愈打壓反倒愈虔誠。天主教叛亂勢力愈是好鬥，這些一身黑、滿嘴《聖經》、愛挑剔的「聖徒」愈是狂熱——這些人被戲稱為puritan（潔癖者或頑固者），即莎士比亞《第十二夜》中的馬爾沃利奧（Malvolio）所嘲笑的那類人。由追求簡樸刻苦且自居為正道的貴族和紳士所組成的反對勢力，在詹姆斯與西班牙的談判陷入停滯時，對詹姆斯和其亂無章法、好出風頭的宮廷提出質疑，而這些「聖徒」在這個反對陣營裡的勢力愈來愈大。只是，查理認為自己定能打破此僵局，他打算進行從未有哪個英格蘭王子嘗試過的最古怪行動。

一六二二年六月，斐迪南在布拉格以「血腥劇場」（theatre of blood）慶祝勝利，他殺了四十八名波希米亞新教徒；其中某些人被吊死；說出褻瀆話語者遭割掉舌頭或釘在絞刑架上；這些人全都遭肢解。哈布斯堡家族贏了。[12]眼下確實如此。

與鄂圖曼人言和後，這位天主教皇帝得以騰出手破壞新教勢力。這會兒，有個精力十足的帕迪沙想要重新調整眼前的權力格局——而此一干預有助於科塞姆這位不凡的女政治家掌權。

捏爆睪丸暗殺人：科塞姆和她的兒子

家族掌權使女人有機會扮演全然不同的角色。在君主國裡，遠嫁外國統治者的無權女兒，比起攸關一小塊私有地經營成敗的農民之妻或女兒，更是不受重視。但科塞姆，以及類似她的女人，係兒子的保護者且往往代國王攝政，使她們有機會成為具有實權之人。一六一七年，丈夫艾哈邁德去世後，科塞姆立即透過談判促成他弟弟穆斯塔法接位。無奈穆斯塔法智能不足：他的嗜好是把錢幣丟給博斯普魯斯海峽裡的魚。科塞姆得盡快讓艾哈邁德的長子十四歲的奧斯曼二世（Osman II）即位，卻也得確保他不會立即殺掉他那些同父異母弟弟，即她的兒子。

這個固執的年輕帕迪沙打算逼迫波蘭—立陶宛，支持在鬥爭中落敗的新教徒對抗打敗所有對手的哈布斯堡家族，並在伊斯坦堡厲行中央集權。奧斯曼與科塞姆友好，但少了他自己的母后來管理托普卡普宮。他把喬治亞割讓給阿巴斯，然後（在將弟弟勒死後）率兵進入波蘭。豈料整個歐亞大陸的氣候改變——所謂的小冰河期——致使諸多社會動蕩，成為從君士坦丁堡到中國、從烏克蘭到巴黎的許多地方爆發動亂的推手：天氣太冷，導致博斯普魯斯海峽封凍，人們挨餓，土耳其禁衛軍不住抱怨，在前線，奧斯曼的大軍受阻於波蘭人。

一六二二年五月，就在斐迪南於布拉格設計出他的血腥劇場時，奧斯曼返回伊斯坦堡，打算將土耳其

12　布拉厄去世後，魯道夫的天文學家克卜勒完成了「魯道夫星曆表」，畫出行星運行圖，但把上帝置於宇宙中心。魯道夫、其弟馬蒂亞斯及後來的斐迪南這三位皇帝查閱新教徒克卜勒的觀察數據：天文學和占星學皆被視為科學研究。克卜勒也發明了一種新文學體裁——科幻小說——並寫下一部自傳性質的故事《夢》（*Somnium*），預言了太空旅行。他活到一六三〇年，留下如下的墓志銘：「我測量了天空，如今測量影子；／心向著天，肉體長棲於地」。

禁衛軍降級，另創一支與阿巴斯的軍隊類似的軍隊，結果引發政變，土耳其禁衛軍抓著繩索從宮殿屋頂下來，逮住這個蘇丹。奧斯曼被囚於耶迪庫勒要塞（Yedikule Fortress），怎麼也不願接受廢黜。他拚命抗拒，不讓人勒死，有個身材魁梧的摔跤手不得不捏爆他的睪丸，才能斷送他的性命——很體面的殺人法，因為未像國王那樣流血，但此舉的確表明奧斯曼所激起的憤怒有多大。這是鄂圖曼帝國第一樁弒君事件，不久，英格蘭也將出現類似事件，英格蘭自此退離王權無限大的君主制。

科塞姆以高明手腕平定亂局，將她活潑愛吵鬧的十一歲兒子送上蘇丹之位，是為穆拉德四世。她和大維齊爾、宦官頭子緊密結盟，重掌大權，致力於保護穆拉德和她尚存的兩個兒子。被群眾譽為「偉大母親」（Valide-i Muazzama）的科塞姆寫信給大維齊爾，坦然表達自己的想法。從這些信中可看出，她精於商業管理之道。她問「你要如何處理支薪的事？剩下的多嗎？」並且容不下廢話，下達了明確指示：「你大可說，應該把注意力放在動武前的準備工作上。如果由我負責，會更早就安排妥當，錯不在我或我兒子。」她也有幽默感：「你真的讓我頭痛，但我也讓你頭痛得厲害。我自問過好多次，『不知道他是否很討厭我』，但不這樣，我又能怎麼辦？」

穆拉德長大的環境，充斥著土耳其禁衛軍的策畫陰謀和暴民動私刑處死他大臣等情事，而他也因此將成為自蘇萊曼以來最偉大的帕迪沙。但眼下，蘇丹年幼，對伊朗國王阿巴斯來說，這是絕不容錯過的大好機會。當巴格達不服鄂圖曼帝國統治而造反時，阿巴斯打破和約，奪下伊拉克。他的開疆拓土不只如此：他也從哈布斯堡家族手裡搶走巴林，覬覦該家族手裡扼控波斯灣的荷姆茲要塞。他缺船，而英國東印度公司正想要和波斯談成貿易特許權，於是，一六二二年，他借到四艘船，終於攻破荷姆茲。

西班牙暨葡萄牙的新國王菲利浦四世，謹慎王的十八歲孫子，相當在意波斯，但他更在意兩個突然來到馬德里、名叫史密斯的神祕英格蘭男子。

兩個史密斯、「行星王」、兩名藝術家

一六二三年三月七日，菲利浦愕然得知湯瑪斯．史密斯和約翰．史密斯其實是二十三歲威爾斯親王查理和三十一歲白金漢侯爵。兩人此前已享受過走遍全歐的驚奇之旅。詹姆斯悲嘆「我的那些小孩」行為愚蠢可笑，卻也稱他們是「愛冒險的騎士」，把白金漢晉升為公爵以協助談判。

詹姆斯急著和西班牙聯姻，對象則是菲利浦的妹妹瑪麗亞公主，藉此，他便可避免英格蘭免捲入戰火，替他的女婿贏回法爾茨伯爵領地，得到一筆有助益的嫁妝。[13]查理相信自己已愛上瑪麗亞。白金漢一心想為詹姆斯實現結盟之事，但也想履行自己對這位王儲的承諾，於是鼓勵以這位王子的戀愛情懷為著力點，執行一帶有風險的計畫——照理這個公爵應該明智到不會這麼做。他們兩人忽略了宗教的複雜，快馬前往巴黎。在巴黎，他們不住讚賞哈布斯堡家族出身的綠眼睛法蘭西王后奧地利的安妮——菲利浦四世的姊姊——查理說她是「世上最美」，幾乎未注意到她的小姑昂莉埃塔．瑪麗亞（Henrietta Maria）。

這兩位史密斯接著快馬奔向馬德里。他們的到來令菲利浦難堪，又同時令菲利浦高興到一時把其他事都拋到腦後，迎接他們來到阿爾卡薩爾宮。菲利浦的父母為堂兄妹關係，他的母親是皇帝斐迪南的妹妹，菲利浦不只承繼了橫跨五大洲的西班牙—葡萄牙帝國，也承繼了哈布斯堡家族的下巴和西班牙王權的神聖嚴肅性質。他是宮廷「高貴劇場」的最重要人物，被譽為第四「行星王」（El Rey Planeta，當時太陽被視

13 詹姆斯為緩和他與西班牙的敵對關係，已葬送掉沃爾特．羅利的性命。一六一六年，他說服詹姆斯將他釋放，派他去圭亞那尋找黃金國，條件是他不得損害西班牙的利益。然而，羅利控制不了他底下的軍官，竟攻擊西班牙人——他兒子死於戰鬥中——而且沒找到黃金。他回國後，西班牙大使要求送上羅利的人頭才願簽條約。詹姆斯同意。羅利在絞刑架上表現令人激賞，檢查過斧頭後說道，「這是很烈的藥，卻能治百病和所有苦難，」然後告訴劊子手，「你怕什麼？動手，老兄，動手！」這場處決被許多人視為恥辱——羅利未能完成其世界史寫作。

為圍繞地球運行的行星體系裡的第四顆）——用餐時由廷臣跪著服侍。菲利浦行動緩慢，面無笑容，猶如鬼魅般的人形伽萊翁大帆船；有人開玩笑說，在他漫長的在位期間只出聲笑過三次。

反觀在私底下，這個「行星王」缺乏自信、信教虔誠、幽默、喜歡談情說愛，聽命於跋扈的首相（valido）。首相奧利瓦雷斯的伯爵暨公爵（count-duke of Olivares）體格結實，臉色紅潤，性格外向，鼻如紅鐵錘，憑輝煌戰功爬上高位。這個首相既玩老式的逢迎拍馬——親自提著已裝滿國王屎尿的夜壺、安排國王和女演員幽會——又具有迷人的自信，藉此已贏得國王的寵信：為讓因金融危機和用兵過度而失色的西班牙喚發活力，他擬定計畫，而且計畫已開始奏效。菲利浦紅髮，有著會隨風飄揚的鬍，本身絕非蠢人，卻承認應付不來「許多混亂和無數困難」，他因此需要奧利瓦雷斯。藝術家彼得．保羅．魯本斯（Peter Paul Rubens）非常了解這個國王，他寫道，國王「具有各種天賦，但不相信自己，太聽別人的話」。

正是在此時——就在查理、白金漢來到之前不久——另一個藝術家前來見菲利浦，他是二十三歲的迪亞哥．維拉斯奎茲（Diego Velázquez），來自塞維爾的公證人之子。奧利瓦雷斯邀他前來接受菲利浦面試。眼下，他得等菲利浦、奧利瓦雷斯處理好這兩個笨拙的英格蘭人，才能見到國王。若不讓英格蘭天主教徒保有信仰自由，查理若不改宗天主教，英格蘭王室要和菲利浦家族聯姻，這不可能辦到。白金漢這次來是要表示查理願意改宗?不是的話，這趟訪問會很尷尬。菲利浦允許查理一窺他戴著面紗的妹妹，但她不願嫁給異端分子。與此同時，奧利瓦雷斯和白金漢這兩個過度賣弄男子氣概的人起了爭執，差點打了起來。

菲利浦和查理的共通之處是熱愛藝術，查理這趟遠來一事無成，就只有在藝術上雙方相談甚歡。禮貌過度的菲利浦送了兩幅提香的畫給查理。兩人都擺好姿勢供維拉斯奎茲畫像。菲利浦很欣賞維拉斯奎茲的風格，在維拉斯奎茲筆下，這個哈布斯堡家族的一員既是個有缺點的人，又具有太陽的威嚴。維拉斯奎茲畫了奧利瓦雷斯，在畫中盡顯他的驕傲自大，也以敏銳筆觸畫了菲利浦和他的下巴，然後維拉斯奎茲被任命為國王寢宮的領賓員。

查理這時意識到，除非他簽署一份保住顏面的協議，奧利瓦雷斯不會放他回倫敦。他於是簽了。他和白金漢決意向哈布斯堡家族報復，兩人返國後，公眾看到未有西班牙公主跟他們一起回來，甚為高興。但各派系這時都想對西班牙開戰——也想和法蘭西結盟。查理和白金漢為了爭取到戰爭補助，輕率地允許議會彈劾他們自己的財務主管。一六二五年三月，詹姆斯去世，死時白金漢握著他的手——不久，查理娶十五歲的法蘭西公王昂莉埃塔·瑪麗亞，她的淺黑色眼珠透露了身上的梅迪奇家族血統。

白金漢前去巴黎接回新娘時，他以二十五套鑲了鑽石的西裝高調展現自身迷人風采，且在某場庭園派對上竟不知羞恥地對路易十三的妻子奧地利的安妮調情。在宮廷中，他遇見當時歐洲的萬人迷之一——佛蘭芒籍外交官暨藝術家魯本斯。[14]魯本斯過人的精力和抱負，有一部分要歸功於他父親臭名遠播的失勢。

14　在安特衛普成為哈布斯堡家族的十七省首府和商業中心期間，這座城市來到史上最輝煌的時期，這位藝術家的父親揚·魯本斯（Jan Rubens）是城裡最負盛名的律師之一。尼德蘭人叛亂，毀了安特衛普的繁榮，在此之後，城市地位由阿姆斯特丹取代。揚先是成為沉默者威廉的遺孀薩克森的安妮的法律顧問，繼而成為她的情人，和她生下一個孩子。他後來被捕，可能會遭處決；而他的妻子（魯本斯的母親）則可能藉由和威廉的弟弟私通，因此保住她不忠丈夫的性命。不管實情為何，以身為敗壞道德律師的兒子來說，小魯本斯得到這樣的人所難得享有的好處。他在對此醜聞毫不知情的環境下被撫養長大，但一得知此事，他有所改變，在追求個人事業時謹守分寸、不感情用事。他在義大利學習藝術（以皮耶特羅·保羅／Pietro Paolo之名在畫作上落款），然後既從事藝術創作，也投身外交工作，打造出令人讚賞的風光人生。他成為宮廷畫家，受聘於哈布斯堡家族出身的前後兩任尼德蘭總督——阿爾伯特（Albert）、伊莎貝拉——而這兩位總督要他從事外交、間諜工作，把他晉升為他們樞密院的書記官。他在安特衛普過著豪奢生活，調教年輕的畫家安東尼·范戴克（Anthony van Dyck），不久後范戴克將啟程前去倫敦。在巴黎，路易十三的母親暨亨利四世的遺孀瑪麗·德·梅迪奇請他為她的盧森堡宮繪製了一組畫作，時間就在他和法蘭西、西班牙談判期間。

魯本斯奢華、耀眼、豔麗、悅目的畫作，從審美角度體現了天主教的重振聲威，旨在打敗陰鬱的新教，使新教相形失色，並且展現哈布斯堡家族的輝煌燦爛。[15]沒想到，把閃閃發亮的鑽石綴在自己身上的白金漢，竟聘請魯本斯裝飾他的倫敦宅邸，而魯本斯則覺得白金漢此人平凡無奇。

當查理親眼見到昂莉埃塔．瑪麗亞時，很驚訝她如此嬌小。兩人很合得來，但她厭煩於宮廷裡的諸多限制，她寫道，「我是世上最苦的人」。她在巴黎長大，係遭暗殺身亡的亨利四世這位偉大國王的女兒，虔信天主教，生活非常豪奢，隨從多達兩百人，包括她寵愛的矮子傑佛里．哈德森（Jeffrey Hudson）。哈德森是白金漢所獻給她，全副盔甲從一塊大派裡跳出，成為她形影不離的「最小大人」（Lord Minimus）。哈德森的人生將幾乎和他的王族主子一樣充滿戲劇性。就在查理的婚姻受白金漢宰制之際，他們的政策在日益升高的歐洲戰爭裡則是窒礙難行。

查理和白金漢對西班牙開戰，派了遠征軍前去助腓特烈收回法爾茨伯爵領地，不過，他們兩人也支持正遭路易十三（昂莉埃塔的哥哥）徹底擊潰的法蘭西新教徒。兩人最終同時和西班牙、法蘭西兵戎相向——再糟不過的局面，也使查理的婚姻幾乎快要走不下去。白金漢發號施令，但他的幾次遠征都以大敗收場。為了遠征拉羅謝爾（La Rochelle）並拯救該地的新教徒，他花了一萬英鎊為自己置裝（包括花三百六十七英鎊買一只用來燒芳香植物的銀盤），且事後他並未支薪給他的士兵。他漸漸為人憎恨。就連為這個公爵畫像的魯本斯都論道，「一想到白金漢的任性和傲慢，我就為這個年輕國王感到悲哀」，且預言這個公爵「正朝懸崖走去」。議會則認定，「不阻止這個大人物插手國家大事，我們不可能有漂亮成果」。無奈查理不理會議會，戰爭繼續打。

一六二八年八月二十三日，以普利茅斯的格雷獵犬酒館（Greyhound Pub）為總部統籌西班牙遠征行動的白金漢，遭一名滿懷憤恨的軍人刺中胸部，此時他還只有三十五歲。白金漢喊道「惡徒」，接著頹然倒下。他懷孕的妻子趕下樓，發現他死在早餐桌上。正當群眾大肆慶祝之際，只見查理「趴倒在床上，悲痛萬分，淚流滿面」，待在房間兩天不出門。後來，他痛惡議會為白金漢遇害一事表現得欣喜萬分，反而接連表揚白金漢，並將他的兩個兒子和他自己的孩子一起撫養，形同收養他的兒子。而這樁暗殺事件也終止了查理的西班牙戰爭——魯本斯與英格蘭談成和約——並挽救了他的婚姻。[16]沒有白金漢在身邊，原本對昂莉埃塔冷淡的查理不再那麼冷若冰霜，日漸愛上了她。後來他寫道，「心肝寶貝，妳必得相信，為了享受有妳作伴之樂，世間沒有我不敢冒的險，沒有我承受不了的痛」。一六三〇年，昂莉埃塔．瑪麗亞在彼得．張伯倫（Peter Chamberlen）和其不為外人所知的產鉗協助下，生下威爾斯親王查理，接著陸續生下約克公爵詹姆斯和另外五個孩子。

查理私底下熱情和善，處理政事時卻是頑固、高傲。他相信君權神授，儘管英格蘭王位繼承老早就得經過議會確認這道手續。英格蘭議會由上、下議院組成，上議院議員為世襲或由國王指派，下議院議員則由人口中百分之五左右的人選出——而女人沒有投票權。這時查理把議會甩在一旁，挑釁般的課稅來為自己籌錢。他遠遠談不上暴虐：沒有人遭處決，但他新創的稅，不經議會同意就徵收，激起強烈反感。查理

15 在下個世紀，這樣的傾向被稱作巴洛克，而巴洛克一詞可能源自義大利語barrocco，意為有瑕疵的珍珠，但另有諸多說得通的解釋。

16 查理一世和菲利浦四世都封魯本斯為爵士。在馬德里，菲利浦請他繪製了八十多幅畫，而且喜歡看他作畫。這位藝術家富有到在安特衛普城外買了一大塊地。他的第一任妻子去世時，他五十三歲，而後他續絃，娶了十六歲的埃蓮娜．富爾蒙（Hélène Fourment），即他第一任老婆的姊夫（或妹夫）的妹妹，他也和埃蓮娜的姊姊有染。魯本斯的某個友人稱埃蓮娜「安特衛普的海倫，她的美遠勝特洛伊的海倫」。埃蓮娜裸身供他畫像——以她如此身分地位的女人來說，可是罕有的事。在〈毛皮〉（The Pelt）畫作中，她全身只披著一件毛皮，臉上泛紅。她一頭紅—金色的秀髮、雪白皮膚、豐滿性感的身軀，出現在他的諸多畫作裡，Rubenesque（豐滿的）一詞便因她而誕生。她與魯本斯生了五個孩子。

不認同議會裡清教徒的作法，採納美化教堂、支持國王權威的高教會派新教教義。與歐陸上的統治者不同的是，英格蘭國王有艦隊，卻無常備軍隊可用，因此無力否決議會決議。惡性的宗教鬥爭成為危機的引爆點，加上一個有雄心但手上資金不足的君主、陷入分裂對立的貴族階層、愈來愈有自信的議會、歐洲戰爭和經濟困頓所加劇的千禧年浩劫意識，使英格蘭陷入長達六十年的危機。而陷入此境地者不只英格蘭：日耳曼、法蘭西、西班牙、波蘭、中國、鄂圖曼帝國等，都各自經歷了令自身元氣大傷的危機。

在這股末日氣氛中，兩個來自水火不容之陣營的人——一個是信仰天主教的貴族，一個是來自都城以外地方的清教徒——眼光不是看向英格蘭，而是望向「新世界」。詹姆斯敦已幾乎要消亡：一六一九至二二年送去三千六百名移民，其中三千人已死。但這時，英格蘭各方人馬來到美洲尋找新生活，他們所追求的，與其說是所有人的自由，不如說是使他們自己不受他人擺布的自由。

亞美利加的聖徒：克倫威爾、沃里克、溫斯羅普

有個杭亭頓郡紳士選舉成為查理的最後一個議會的議員，他對這個國王的宗教暴政非常反感，於是考慮起移民亞美利加。奧利佛·克倫威爾將會是他的家族裡，第二個卓越不凡的政治家。

他的家族系出為亨利八世效力的湯瑪斯·克倫威爾的姊姊，靠分得搶自隱修院的財產致富，而且擔任國王宗教事務代理人的湯瑪斯·克倫威爾遭砍頭後，這個家族仍保有這些財產；奧利佛·克倫威爾的大伯奧利佛·克倫威爾爵士（Sir Oliver Cromwell）被女王伊莉莎白封為爵士，在辛勤布魯克（Hinchingbrook）這座大宅與其下屬開會議事。這座大宅款待過詹姆斯一世和親王查理，年輕的克倫威爾那時或許見過他們二人，只是他從父親手中繼承的遺產甚少。十年前他娶了伊莉莎白·布切爾（Elizabeth Boucher），與她

生了九個孩子。布切爾言行粗野，她的父親是交友廣泛的清教徒商人。斷斷續續修習法律後，奧利佛・克倫威爾突然陷入一連串危機：在杭亭頓選區選上議員後，他與士紳起爭執，離開杭亭頓，又陷入極端抑鬱（valde melancholicus，精神崩潰的一種）。他唯一的專長是相馬，而在他統領騎兵時，這是極重要的天賦。信念上突如其來且徹底的改變，使他得到救贖。經過此轉變，這個「最大的罪人」相信自己是「上帝的諸多長子之一」，被上帝選為注定要升天的諸聖徒之一。他不斷於筆下談上帝，談天意，但出奇慈愛、寬容自己的孩子，不過身為信徒，他還是擔心他愛玩樂的愛女貝蒂「追求自己的虛榮和肉欲」。克倫威爾自認是上帝所養大、言詞坦率的凡夫俗子——多數史家所一再陳述的克倫威爾為人——而且始終以此形象示人，不過，他其實和他所予人的觀感大相逕庭：壞脾氣、性情多變、咄咄逼人，常出現躁鬱症狀，忽而狂喜，忽而絕望。

在查理看似已壓制議會和清教徒的氣燄時，克倫威爾表現出想要去新的「應許之地」「朝聖」的那類人的一貫特點，而且他很可能和提倡拓殖最力、日後將與他有密切關係的沃里克伯爵羅伯特・里奇（Robert Rich）有粗淺的交情。沃里克極有錢，穿著華麗，交友極為廣泛，係東印度公司和維吉尼亞公司的早期投資人，統領自己的反西班牙私掠船隊，同情清教徒，在拓殖事業上敢於創新。他專注、行事狡猾，下巴末端留著馬刺狀的鬍子，具有「從事最偉大事業所需的勇氣」，在創建美國和導致查理一世失勢這兩件歷史大事上再再扮演了關鍵角色。

最早的拓殖者通常被描繪成唱讚美詩的謙卑清教徒，但美國的創建始終是大貴族和人民共同投入的風險事業：詹姆斯敦的居民大量餓死後，拯救維吉尼亞並與波瓦坦人對抗者，係一連串的貴族，而波瓦坦人不甘示弱，以一連串屠殺反擊。不過，這些拓殖者得以維生，主要靠栽種原產於南美洲、此際從歐洲再輸出的新作物菸草——他們的最大地主是沃里克，里奇內克（Richneck）菸草種植園的業主。

就在此時，一六三〇年，十七艘船載著一千名移民來到新英格蘭地區，創建麻塞諸塞共和邦（commonwealth of Massachusetts），構思著打造一個神權統治國度。這些移民的領袖是富裕的清教徒領袖，已被查理革除官職的約翰·溫斯羅普（John Winthrop）。新國度的構想受到《聖經》中古以色列人的耶路撒冷啟發，要成為耶穌登山寶訓中所說的「山上的城」。沃里克和他「敬畏上帝的友人」已買了麻塞諸塞灣公司（Massachusetts Bay Company）的股份，成為該公司股東。一六二八年三月，查理授予沃里克土地，供他創立新公司「新英格蘭公司」，此時，這個伯爵支持其他拓殖事業，即位於今美國康乃狄克州的塞布魯克（Saybrook）殖民地、位於今宏都拉斯／尼加拉瓜的普羅維登斯（Providence）殖民地。

新英格蘭的創建出於偶然。一六二〇年，「五月花號」（Mayflower）和「命運號」（Fortune）這兩艘船載著抱持極端清教主義的清教徒移民，航往維吉尼亞，結果卻在新英格蘭上岸，並就地創建了一個新拓居地普利茅斯。這些移民想打造一個神聖共同體，同時又因爭執神聖共同體的意涵而失和。一六三〇年代，又來了兩萬一千個移民。然而創建美國者不只清教徒。

一六三二年，查理核准信仰天主教的政治人物巴爾的摩男爵喬治·卡爾佛特（George Calvert）創建稱之為卡羅拉（Carola）的殖民地。巴爾的摩一如沃里克，是維吉尼亞、東印度兩公司的早期股東。卡羅拉一名乃根據國王查理之名而取，後來查理根據妻子之名，改稱為Maryland（馬里蘭）。[17]巴爾的摩在幾次遠航後備感精疲力盡，一六三二年去世，他兒子塞昔爾接班，成為特許殖民地第一領主（First Lord Proprietary）、亞美利加馬里蘭、阿瓦隆兩省法爾茨伯爵（Earl Palatine of the Provinces of Maryland and Avalon in America），派了「諾亞號」（Ark）、「鴿子號」（Dove）兩艘船從英格蘭出發，載了兩名耶穌會士和兩百名移民前去亞美利加，後來他的弟弟擔任馬里蘭省殖民地總督。

這些殖民地當下就不同於它們的母國。人們老早就看出，特許殖民地領主和創建殖民地的公司控制不了前來拓殖的移民。最早的維吉尼亞人享有豐沛的土地，但也苦於勞力短缺和與波瓦坦人日益加劇的摩擦，一六一九年七月創建了民選議會。議會每年改選，有投票資格者占人口比例較高（占白人男性七成以上），遠高於母國。然而，這些移民仍得想辦法解決勞力短缺危機。移民獲授公地——每個移民獲授五十英畝土地——此舉鼓舞有錢人運來契約僕役以取得更多土地。這些契約工工作七年左右即免除契約束縛。他們往往是男孩，男孩占了移民的七成至八成五。但沃里克等種植園主所擁有的菸草田需要更便宜的勞力——而首開先河引進奴隸以解決此問題者，正是這個清教徒伯爵。

一六一九年，葡萄牙奴隸船「聖胡安鮑蒂斯塔號」（San Juan Bautista），載著三百五十名淪為奴隸的姆本杜人（Mbundu）離開盧安達。在惡劣的渡洋期間，一百四十三人死亡。抵達加勒比海後，二十四個小孩在仍由哥倫布家族統治的牙買加被賣掉，但有二十個大人被沃里克的某艘船抓住，運送到維吉尼亞。在那裡，他們被派去里奇內克從事勞動。那時，在這些殖民地裡，大概已有一些非洲人，而這些人是最早被賣到北美洲的非洲人。一六二五年，在更南邊的加勒比海地區，英格蘭籍移民將原屬西班牙的島嶼巴貝多據為其有。接下來八十年期間，兩萬一千名非洲奴隸被帶到北美洲，[18]但要再過一個世紀，蓄奴才會成為殖民地生活所不可或缺。

17　巴爾的摩和沃里克、克倫威爾之流一樣涉入政治甚深：他原是詹姆斯的國務大臣，提倡和西班牙聯姻，在查理的一番胡作非為後，他失去工作，自此改宗天主教。

18　一六四〇年，兩名白人契約僕役（一為尼德蘭人、一為蘇格蘭人）和一名非洲人約翰・潘奇（John Punch）逃離某個英格蘭特許殖民地領主的土地，但被抓回去，判處三十下鞭刑。法官裁定，把這兩個白人送回去繼續當僕役，「第三人，名叫約翰・潘奇的黑人」，「在此至死」當奴隸。這項判決間接點出即將發生的事：建立在人身奴役上的一個法律暨意識形態制度，而由於太過擔心非洲奴隸造反，奴隸主被勸導勿將自家的奴隸解放。DNA研究顯示，潘奇是許多美國人（包括白人、黑人）的祖先，包括第一個美國黑人總統巴拉克・歐巴馬的白人母親安・鄧納姆（Ann Dunham）。

英格蘭正在創建這些殖民地時，西班牙則把從德克薩斯至加利福尼亞的領土據為己有；法蘭西人已在一六〇八年創建魁北克，正在探索五大湖區和密西西比河。一六二四年，尼德蘭人從北美洲土著統治者手中買下曼哈頓，創建新阿姆斯特丹。[19]他們所來到的大陸並非空無一人。不管歐洲人的地圖如何呈現，接下來幾百年，這塊大陸仍會是許多原住民族的地盤。只是北美洲人煙稀疏，或許只有兩百萬至七百萬人，而且這些人分屬多個彼此交相伐的部族——麻塞諸塞人、阿貝納基人（Abenaki）、莫霍克人（Mohawks）。這些部族的生活，只有少之又少的私有財產、沒有中央政府、沒有正式法律，但他們在大會上討論政策，進行令人信服的辯論，只有出於戰時需要才選出領導人。他們兼靠種植、狩獵維生，隨季節變化在不同獵場間遷徙。所有人都因為歐洲人所帶來的病原體而變得虛弱，且由於缺乏正式的指揮結構，他們終究處於劣勢。他們常彼此攻伐，急於取得歐洲滑膛槍，因此他們的領導人和歐洲人結盟，以相對於他們的敵對部族而占據上風。

他們若團結一致對抗白人拓殖者，美國的故事說不定要大大改寫。然眼下，歐洲人固守他們小又分散的新拓居地，在築有防禦工事的木柵裡務農、禱告，滑膛槍不離身。他們對分合不斷的原住民部族聯盟打了一連串規模小卻也凶殘的戰爭，足以守住自己地盤。白人移民攻打凶猛的美洲土著，從一開始就很凶狠，甚至懸賞獵取土著頭皮。[20]

這時克倫威爾很想加入沃里克的康乃狄克清教徒移民行列。此外，隨著他從某個表兄弟手中繼承了位在英格蘭的財產，他的生活逐漸穩定了下來。不過，更大程度的不穩定正在醞釀中。一六三七年，國王查理規定採用他的新公禱書，他的宗教革新隨之引發蘇格蘭革命。蘇格蘭人簽署《民族誓約》（Covenant）以示不從。查理企圖以武力鎮壓，然而，他是喜愛且欣賞藝術作品之人，即魯本斯口中「最出色的藝術迷」，可不是帶兵打仗的料，因此，他的軍隊慘遭蘇格蘭人擊敗。查理用兵失利，加上此時歐洲境內宗教戰爭正熾，引發英格蘭境內的反對風潮，抵制他推行的各項稅收政策。沃里克和與他志同道合的其他貴族、議會議員等，這會兒，無不深信查理是個暴君，不但違反神旨，而且和他信仰天主教的妻子狼狽為奸。沃里克親自譴責查理推出他那些課稅政策。為支應蘇格蘭戰爭的開銷，查理不得不召開議會，而他同時任命一個幹勁十足的人執行他的意志，即他的愛爾蘭總督史特拉福德伯爵（earl of Strafford）。恐懼和仇恨日益升高，促使雙方都走上暴力之途。沃里克和其盟友鼓勵蘇格蘭人入侵，史特拉福德打算引入愛爾蘭軍。倘使議會未消滅史特拉福德，他就會消滅議會：一六四一年，議會議員通過一道法案，遭判處死刑或被宣告不受法律保護的重罪犯將會被剝奪財產和公民權，形同判定他犯了叛國罪。五月，一場名正言順的殺人和一場新教婚禮揭示了當下的民心：寥寥可數的民眾慶祝查理的九歲女兒瑪麗與尼德蘭奧蘭治親王成親，卻有成千上萬人樂見史特拉福德遭砍頭。一六四一年十月，已然升高的緊張情事，因為愛爾蘭境內一場天主教徒叛亂而劇增。英格蘭籍新教徒在叛亂中遇害。反查理一世的議會黨人認定查理煽動此叛亂，不敢給他軍隊用以壓制愛爾蘭人，惟恐他反利用軍隊對付他們。愛爾蘭衝突導致倫敦政局更是惡化：雙方時刻擔心這是一場你死我活的生存鬥爭。

---

19 要在地球上找到非由遷徙者創造的地區並不容易，不過在近代，為殖民開拓、征服、通婚影響最大的地區是美洲（北美洲和南美洲）。一四九二至一八二〇年，共有兩百六十萬左右的歐洲人遷徙至美洲（其中一半是英格蘭人、四成是西班牙人和葡萄牙人），同時有八百八十萬左右的非洲人淪為奴隸，被迫在美洲從事勞動。一四九二至一六四〇年，四十四萬六千個歐洲人遷徙至美洲，其中八成七來自伊比利半島。大西洋世界的老大是西班牙人、葡萄牙人，而這樣的局面即將改觀。

20 凶狠的可不只男人。此世紀更後頭的一六九七年，時年四十歲、育有九個孩子的農婦漢娜・達斯頓（Hannah Duston）某次遭阿貝納基人攻擊，連同她的嬰兒一起被俘虜。那次攻擊期間，二十七名拓殖者遇害，其中大多是小孩。阿貝納基人殺了她的嬰兒後，漢娜與另外兩個同被俘虜者起而抵抗，割下十個印第安人（包括六個小孩）的頭皮，隨後帶著頭皮逃走，前去領取頭皮賞金，諷刺的是，頭皮賞金只能付給她丈夫。

十二月，反對派如願提出針對查理的《大抗議書》（Grand Remonstrance），並在其中呼籲改革教會和政府。在下議院，現年四十一歲的克倫威爾向鄰座議員附耳道，此法案若未能通過，他將動身前去亞美利加：「我會在隔天早上賣掉我所有財產，此生不再見到英格蘭。」議會的幾個委員會這時拿下大部分政府職能。一六四二年一月四日，查理和他的侍衛進入下議院，企圖逮捕五名議員，[21]沒想到他們早一步逃走，而且查理遭帶有敵意的群眾推擠。一星期後，他離開倫敦，在諾丁罕，他舉起他的令旗：開戰了。

正當英格蘭成為治理失靈的國家時，沙賈汗正把蒙兀兒印度帶往盛世。

努爾賈汗已讓賈汗季戒掉鴉片癮，但已太遲：這個帕迪沙已控制不了大局，淪為一叛變將領的階下囚，顏面掃地，而努爾賈汗騎著象帶人前來救夫，差點就救出他。賈汗季死後[22]，皇帝沙賈汗命令他的維齊爾阿薩夫汗（Asafkhan，努爾賈汗之兄、蒙塔茲之父）殺掉他唯一的弟弟、兩個姪子、兩個堂兄弟。這個兒子接位成為帕迪沙時，蒙塔茲繼她姑姑之後成為皇后。

沙賈汗深愛蒙塔茲，封她為馬利卡賈汗（Malika-i Jahan，「天下之女王」）。他的宮廷史家寫道，「他把他的寵愛全放在這個極出名的女士身上，以致他對其他女人的愛不及於他對她的愛的千分之一」。她十九年的婚姻歲月大多在懷孕中度過，每十六個月就生一個孩子。四個兒子、三個女兒存活。

這本該贏來兒女的尊敬和忠誠，沒想到，權力還是打破了家人間的親情：這七個小孩，連其中的女孩，都將投身於血淋淋的權力競逐。他們的長女賈哈娜拉（Jahanara）最得父親寵愛；長子達拉希科赫（Darashikoh）是繼承人，但三子奧朗（Aurangzeb）則展現了不可或缺的殺手本能：他少年時，有次在象群打鬥之中，一頭象徑直往他衝來，他冷靜穩住他的馬，握著長矛，等適當時機再出手。

沙賈汗從小到大不只受他拉傑普特人母親的教養，而且受阿克巴、魯凱婭教養，世上最有皇帝樣的人，就屬沙賈汗了。阿克巴以參與健身競技性狩獵的形象出現在宮廷藝術中，賈汗季則被描繪成敏感的皇子，而沙賈汗則以極似神、類似救世主的形象示人，自封為「第二個木星會金星之主」，與第一主帖木兒並列。

蒙塔茲是他在這種種方面的伙伴，獲賜前所未有的百萬盧比津貼，獲授帝璽以便查對所有文件。不管他到哪，不管戰時還是平時，她都跟在他身邊。

一六三一年六月，皇帝沙賈汗和三十八歲、第十四度懷孕的蒙塔茲南征德干高原。在布爾漢布爾（Burhanpur），她歷經三十小時陣痛產下女兒戈哈拉（Gohara），接著大出血。她的長女賈哈娜拉跑出去祈禱，向群眾布施，「癱瘓」的沙賈汗絕望啜泣。可是，仍是血流不止。

泰姬瑪哈：蒙塔茲的女兒和科塞姆的瘋兒子

蒙塔茲死後，沙賈汗嚎哭了一星期，頭髮甚至變白了。賈哈娜拉認為他可能會死。經過一年復原，他在賈哈娜拉支持下復出，賈哈娜拉取代蒙塔茲，角色如同他的皇后。沙賈汗構想為蒙塔茲和他自己蓋一座白色大理石陵，表達他對她的愛，是為泰姬瑪哈陵（Taj Mahal，「宮殿的王冠」）——沙賈汗統治當時世

21 昂莉埃塔．瑪麗亞，身為如此強烈的反天主教心態的仇恨對象，她很清楚客觀情勢，於是勸查理和議會坐下來談，甚至提議：「為了你在國內好做事，這事由我來。」可惜查理的個性不懂妥協，拒絕和議會談判。而一旦兵戎相向，她即支持他，不但替他弄來武器，甚至指揮部隊，有綽號「大元帥」（Generalissima）。

22 賈汗季死於從喀什米爾至拉合爾途中，遺體葬在當地耀眼的波斯—蒙兀爾風格的沙達拉巴格墓（Shahdara Bagh）。沙賈汗將其繼母努爾賈汗遣退至拉合爾，她在那裡不問政事度過十八年歲月，並於六十八歲那年去世，與賈汗季葬在一塊。

上最偉大的國家，幾乎沒有他做不到的事。[23] 即便如此，沙賈汗並未忽略帖木兒家族的第一職責：開疆拓土。

維持帝國，所費不貲：權力愈大，渴求愈大，花費就愈高。每個國家都會不顧自身國力的局限擴張其野心，即便只是稍微擴張亦甘心。這是皇權和人性的本色。第二個木星會金星之主想要將印度其他地方納入版圖，於是把無禮的葡萄牙人趕離孟加拉的胡格利港（Port Hooghly），兵鋒往南及於德干高原，往西及於阿富汗。咄咄逼人的鄰邦國君波斯王阿巴斯一世已然衰落，給了沙賈汗往西擴張的機會：阿巴斯自毀長城，或殺或截肢他的三個兒子。一六二九年，阿巴斯過世，王位落入凶狠、不識字、有鴉片癮的孫子薩斐（Safi）之手。薩菲是阿巴斯所殺掉的皇太子之子，即位後殺了大多數的皇族成員。後來沙賈汗奪下坎達哈，而更西邊的鄂圖曼帝國，在掠奪成性又有能力的年輕帕迪沙領導下，參與了瓜分波斯一事。

科塞姆那個精力充沛又意氣風發的兒子穆拉德四世不但身材高大、魁梧結實如公牛，且沉迷於狩獵、喝酒及摔跤。他長成大人之前，由他母親以攝政（naib-i-sultanat）身分掌理帝國，即便如此，她依舊控制不了他。穆拉德我行我素：例如會策馬繞著戰車競賽場快跑。他的母親要求大維齊爾哈利勒帕夏（Halil Pasha），「要他們停止在戰車競賽場裡擲槍，我兒子喜歡玩這個，我對此很反感。提醒他注意，但不是現在」。科塞姆指引著哈利勒——她是男性世界裡掌有實權的女人，掌理一個橫跨三大洲的帝國。[24]

這位「偉大的母親」備受愛戴，因為她掌權、貌美，更別提她樂善好施：在慈善月（Rajab，伊斯蘭曆七月），她喬裝改扮，替無力還債而入獄者還錢。可是穆拉德就是看她不順眼。她寫道，「我能怎麼辦？我講的話，他不喜歡聽」，那口氣一如為叛逆少年頭疼的世間任何母親。她告訴哈利勒，「只要讓他好好活著就好，他對我們所有人都很重要。」

一六二八年，十六歲的穆拉德掌權，隨即發動一波恐怖行動，用他的劍處決了貪腐的維齊爾，禁酒、禁止上咖啡館，微服出巡伊斯坦堡，處決每個做生意不老實者。但他特別留意薩斐主政下日益衰落的波斯，而且想將伊拉克據為己有。他親自統兵作戰。打敗波蘭人後，於一六三四年攻入高加索地區，奪回埃里溫（Yerevan）。為慶祝此次勝利，他在伊斯坦堡舉行了古羅馬凱旋式（並勒死兩個同父異母弟）。

他在外時，科塞姆是他的耳目。她得知穆夫提（mufti，伊斯蘭教法學家）陰謀作亂時，便命人將他勒死。

在國內，穆拉德臨朝聽政，展現他的摔跤技能，常邀他的廷臣下場較量，最終以將他們高舉在頭上收場。他的友人埃夫利亞．切列比（Evliya Çelebi）——蘇非派詩人、冒險家暨講故事高手，此時正著手書寫世上最出色遊記——記述了這些事。穆拉德很喜歡詩人涅菲（Nefi）的諷刺詩，卻勸這個妙語如珠的人勿嘲笑大維齊爾，並命令一名黑人宦官起草他的道歉信。一滴黑墨水落在此宦官的信上時，涅菲忍不住開了具種族歧視意味的玩笑：「你神聖的汗水滴落了。」穆拉德得知此事後，命人將他勒死。這個帕迪沙漸

---

23 泰姬瑪哈陵採波斯風格設計，在某些方面取法撒馬爾罕帖木兒陵、德里胡馬雍陵的簡樸，但規模宏大，潔白大理石非常耀眼。它花了十六年建成，而這只是他為顯揚神聖君主政體所付出的其中一部分努力；他也把都城從亞格拉遷到德里的沙賈汗城（Shahjahanabad）。新都城以「紅堡」（Red Fort）這座新宮殿為中心打造，紅堡又以此皇帝的晉見廳（diwan-i-khas）為中心布局。他在晉見廳時，安坐在孔雀寶座上召集群臣議事，每天現身大理石陽台上，執行向晉見群眾講話（jharokha darshan）的儀式——帖木兒家族獨樹一格的儀式。由於娶了拉傑普特人妻子，而妻子們把所屬文化帶到他們的後宮，蒙兀兒皇帝業已漸漸印度化。沙賈汗的母親是焦特布爾（Jodhpur）羅闍的女兒，沙賈汗身上有四分之三印度人血統，僅四分之一帖木兒家族血統，而他們的風格卻是波斯化的；他的維齊爾和皇后蒙塔茲是波斯人；他喜愛波斯語，甚於帖木兒、巴布爾的突厥語。

24 「我兒子早上離開，夜裡回來。我始終見不到他。我很苦惱……他不願因為天寒待在屋裡，他會再度生病。我告訴你，如此操煩會讓我垮掉。去和他說說。」科塞姆信任這個維齊爾，表示願照傳統作法將她的一個女兒許配給他：「準備好了就告訴我一聲……我們會立刻處理好。我有個公主隨時可嫁人。」亞美尼亞出生的哈利勒娶了她的一個女兒，成為駙馬（damad），奴隸出身如此飛黃騰達，世間少有。

漸成為殘暴的施虐狂：他會坐在博斯普魯斯海峽邊的涼亭裡喝酒，舉起他的弩朝靠得太近的船夫射出。一六三八年，他入侵伊拉克，大敗伊朗人。波斯王薩斐死於一場喝酒比賽後，穆拉德奪下巴格達。此後直至一九一八年，伊拉克一直是鄂圖曼帝國領土。

穆拉德在君士坦丁堡舉辦了又一場古羅馬凱旋式，他母親科塞姆坐在金馬車裡遊街。他才二十九歲，突然因肝硬化而生病後，他竟殺心大起，先是殺了他的大維齊爾，然後殺了他的一個弟弟——若非科塞姆求情，還會處決他最後一個弟弟、精神錯亂的易卜拉欣。一六四〇年他去世時，鄂圖曼帝國尚在世的皇子只有瘋子易卜拉欣（Mad Ibrahim）一人。易卜拉欣是個凶殘成性的色情狂，他離譜的行徑迫使科塞姆不得不做出身為母親者最不忍做出的決定。

身陷危機的王朝，不只鄂圖曼帝國；英格蘭的斯圖亞特王朝、法蘭西的波旁王朝都身陷內戰泥淖，哈布斯堡家族則正為保住他們在日耳曼的地位而戰。歐洲的危機這時升高為世界性衝突，因為尼德蘭人攻擊在非洲、美洲的哈布斯堡家族。

一六四一年，剛果國王賈西亞二世（Garcia II）決意趕走葡萄牙人，這些葡萄牙人「不想要黃金或白銀，反倒買賣起奴隸，而奴隸不是金或布製成，奴隸是人」，於是他邀尼德蘭人過來——此一決定將引發一場從巴西至安哥拉的戰爭，摧毀他的王國，加劇歐洲人對糖、奴隸之控制權的爭奪戰，最終則不只會對尼德蘭人、也會對英格蘭這個新玩家，打開進入大西洋的大門。

剛果國王賈西亞、女王恩津嘎、阿荷蘇・烏耶格巴賈：非洲三王

剛果國王賈西亞是剛果人、葡萄牙人混血，「一身華服，身上有金色錦緞，錦緞上綴了珍珠⋯⋯頭上

的王冠綴有最粗大的珍珠和珠寶，他的王座則以深紅色絲絨製成」。他在周邊掛著佛蘭芒織錦畫的大廳裡與群臣議事，身穿印度亞麻布衣服，在有爵位的剛果貴族和披著紅色彩帶的主教作陪下，用美洲銀質餐具用餐，書記官則在一旁寫下他的指示。賈西亞又名Nkanga a Lukeni a Nzenze a Ntumba，自其都城聖薩爾瓦多（São Salvador，今姆班札剛果／Mbanza Kongo）發號施令，統治剛果河周邊地區，曾受教於耶穌會士，看得懂葡萄牙文，在他私有的禮拜堂裡執行混合了剛果宗教的天主教儀式。他並未受害於葡萄牙人的奴隸買賣：殺害國王和自己的兄弟後，他甚至靠奴隸買賣發財，因此惡名昭彰。

剛果國王採用歐洲的國王服飾，葡萄牙人則日益非洲化，而且其非洲化的方式大不同於其他歐洲人。許多蘭薩多人（lançados，「遭逐出者」，即第一代葡萄牙籍移民）已娶非洲女人，定居下來，且生下葡非混血（Luso-African）的子女。這些混血兒往往採行非洲傳統，甚至施行疤痕紋身（scarification），同時實行兼有天主教、巫毒教（Vodun）特色的宗教。蘭薩多人透過婚姻成為非洲王室的一分子：托馬斯・羅布雷多（Tomás Robredo）娶了剛果國王阿爾瓦羅五世（Álvaro V）的女兒。許多葡非混血兒成了拚勁十足的奴隸販子（pombeiro）。

剛果王朝最初和葡萄牙走得很近，沒想到，當剛果國王邀尼德蘭人前來干涉，這份關係即已因為盧安達城的擴張和奴隸貿易的更加熱絡而被打破。這下子，剛果就要被撕裂，而這除了要歸因於葡萄牙人，也要歸因於賈嘎人（Jaga）和尹班嘎拉（Imbangala）戰隊的入侵。賈嘎人是出身不明的非洲籍襲掠者，尹班嘎拉戰隊則崇尚殺戮，以令人髮指的入會儀式——把嬰兒丟進穀物碾磨機裡磨成肉泥且吃人肉——吸收孩童，培訓成娃娃兵。在接下來的大混亂裡，這兩群人都會如魚得水，大為茁壯。

賈西亞還有個更麻煩的問題，來自南邊鄰邦恩東戈王國和其厲害的女王。為取得奴隸，葡萄牙人最初鼓勵恩東戈襲掠剛果，接著試圖征服恩東戈未果。恩東戈國王（ngola）姆班迪（Mbandi）擊敗葡萄牙部隊。國王姆班迪遭毒死後，他二十多歲的妹妹恩津嘎・姆班戴（Nzinga Mbande）奪取王位，把哥哥的遺體保存在聖骨箱裡以便向他請教。這個女王已受洗，曾受教於耶穌會士，會說寫葡語。如今，她打敗所有爭奪王位者，拿下鄰邦馬坦巴王國（Matamba），雇用尹班嘎拉傭兵為她打仗。這些傭兵的首領是自稱恩津嘎莫納（Nzinga Mona，「恩津嘎之子」）的軍事強人。恩津嘎不斷遭遇男人挑戰，以男國王的形象示人，穿男服，佩戴匕首，持長矛，養男妾，統兵作戰的本事絲毫不遜於她的歐洲籍或非洲籍男性對手。

葡萄牙人是唯一真正進到非洲內陸的歐洲人：在西非洲，五成的歐洲人來到非洲不到一年便離世，死因或是瘧疾，或是黃熱病，或痢疾，要攻取更內陸地方因此不可能。歐洲人在非洲的足跡幾乎都只限於沿海口岸，因此其他統治者能以不同方式處理涉及歐洲人的事務。貝南王國（奈及利亞南部）的「歐巴」（oba，即國王）拒斥外人干預；誠如某尼德蘭籍商人所指出的，「就貿易來說，他們非常嚴格，不容他們的習俗受到一丁點侵犯，一點變動都不行」，而且在一五二〇年代後，開始對直接涉入奴隸買賣之事設限——不過他們還是冊封奴隸海岸地區從事奴隸買賣的拉各斯（Lagos）統治者為歐巴。拉各斯統治者是貝南籍封臣，向貝南國王納貢。

與此同時，一個新豪強正開疆拓土，在征戰中擒獲數千人為奴，將他們賣給歐洲人。此人是豐族（Fon）軍事強人阿荷蘇烏耶格巴賈（Ahosu Houegbadja）。

他的王國達荷美（Dahomey，今貝南）由一六〇〇年左右開闢出自家地盤的三兄弟創建。這時，身為阿拉達索諾烏家族（Alladaxonou）第三位阿荷蘇（「國王」）的烏耶格巴賈，團結起眾多豐族人，建造了都城阿博美（Abomey）。在阿博美有十二座裝飾了淺浮雕的宮殿，浮雕內容記載了王國的歷史並刻畫出神聖的先祖。烏耶格巴賈主持一個結構複雜的王廷，總有個奴隸持傘替他遮陽，有女戰士衛隊隨侍在側，這支衛隊後來成為達荷美軍隊的先驅。他每年舉辦一場包含閱兵、接受獻貢、綏塔努（xwetanu）儀式的慶祝活動。在綏塔努儀式上，五百名、有時多達四千名奴隸遭砍頭，以作為獻給國王先祖的祭品，且往往由國王的女衛兵操刀。達荷美國王地位神聖，不過，是由親王和祭司家族所組成的委員會選出；國王駕崩時，數千名奴隸會被抓去獻祭。

烏耶格巴賈以奴隸換取滑膛槍，而為了取得更多滑膛槍，非洲的國王就必須俘虜更多人，這也意味著他們是受到外力因素所驅使：這些王國的對立引發戰爭，一如歐洲、亞洲境內，只是這些對立仍幾乎不為歐洲人所知。非洲的戰爭，如同亞洲境內的戰爭，奴隸因運而生。其中的獨特之處在於美洲存在著對動產式奴隸的需求。非洲籍統治者把自己手中的某些奴隸拿去獻祭——儘管其他奴隸後來大多獲釋——但這時，新的歐洲版奴役制——動產奴隸制——正漸漸成為定制。把擄來的奴隸賣給歐洲人的非洲本地領導人，最初不可能知道他們把這些奴隸賣到更為殘酷的新奴役制度裡，不知道歐洲人買走他們是為了先後替美洲菸草田、甘蔗田提供勞力，不過，後來他們肯定知道了這些細節。多數非洲人相信歐洲人是食人族，相信這些奴隸注定要被吃掉。

正是葡萄牙的巴西蔗糖帝國成為吞噬動產奴隸（chattel slavery）的熔爐，該帝國的胃口和獲利推動這個新的全球性衝突。一五三〇年，葡萄牙人把甘蔗這個新植物輸出至巴西，然而，他們開發這個龐大殖民地的腳步甚慢。及至一五四八年，約三千名印第安人在六座煉糖廠當奴工，但疾病、奴隸勞動、自殺導致這些印第安人愈來愈少，直到一五七〇年，在耶穌會士的推波助瀾之下，葡萄牙國王總算禁止將原住民貶為奴隸，除非是因「名正言順的戰爭」而俘虜到的。人稱班戴朗帖（bandeirante）的混血軍事強權向內陸發動襲擊（salto），將成千上萬人殺害、抓為奴隸，其中最有名的是安東尼奧・拉波索・塔瓦雷斯（António Raposo Tavares）。印第安人反擊，懷抱著將有救世主降臨的信念發動叛亂（sandidades），上述軍事強權因而可名正言順發動更多襲擊。至十六世紀末，已有五萬名左右的奴隸不堪工作負荷而死，勞力因此短缺，便由非洲籍奴隸來填補。

糖改變了世界。它不只是產物，還是大西洋兩岸世界的摧毀者和締造者。奴隸買賣此時擴大為龐大殘忍的事業。葡萄牙的種植園主遷移至巴西，靠糖業、奴隸業致富。一六〇〇年時，這些事業已涉及三萬名葡萄牙人、一萬五千名非洲籍奴隸；到了一六二〇年，已有五萬名葡萄牙人宰制五萬名非洲籍奴隸、印第安籍奴隸。之後，非洲籍奴隸人數逐漸超過印第安籍奴隸，奴隸貿易急速成長了起來：至一六五〇年為止，共有二十五萬名奴隸被帶去巴西，在許多區域，達七成五的人口為奴隸。

盧安達是這項新貿易的門戶；今安哥拉、剛果之間的那些王國是此貿易的狩獵場：一五〇二至一八六七年間，共有兩百八十萬左右的非洲人經盧安達被賣出去。就非洲籍奴隸人數來說，北美洲始終比不上巴西：據估計共有一千一百萬人從非洲被運到大西洋彼岸，其中四百九十萬運到巴西。這些奴隸是非洲籍統治者在襲擊行動中所擄得。較無價值者，也就是老人，往往遭殺害，有時，年紀太小或病得太重而無法工作的小孩也遭殺害。

在蓬貝（Pombe）等奴隸市場，他們被賣給蓬貝羅人，蓬貝羅人再將他們繫成一串，在其他奴隸護衛下，押著他們長途跋涉前去海岸。在安哥拉抓到的奴隸中，據估計有一成死於遭抓捕期間，兩成二死於前往海岸途中。在海岸，熬過這段跋涉的奴隸被關在龐大的奴隸堡裡，奴隸堡分布在從西南非洲的盧安達至西非洲的埃爾米納（Elmina）這段海岸上。在擁擠的臨時地牢禁閉營（barracoon），這些奴隸被有系統的拆散、拴住、烙印，男人遭鞭打，女人遭強暴，作為對他們「調教」的一部分。殺人和強暴就發生在離豪華的歐洲人用餐室、禮拜堂僅幾公尺遠的地方。這些奴隸被剝奪了人的身分，以「件」（peça）計或「頭」（cabeça）計，或被稱作「幾內亞烏木」（Guinea ebony）。其中一成奴隸死在奴隸堡裡。

倖存者被押著穿過「一去不回門」，進入被稱作「屯貝羅」（tumbeiros，「送葬者」）的奴隸船。奴隸船往往從巴西滿載貨物至此，貨物包括由甘蔗餾製的巴西甜酒（cachaça）、蘭姆酒、用糖蜜處理過的劣質巴西菸草（fumo）。這些商人從當地統治者手中買進穀物，以餵食作為其財產的奴隸，但供食的量甚少。

這些商人或殺或傷他們的貨物當然連眼都不眨，但他們也想盡可能多賺錢，於是將他們塞進船艙裡，只餵他們玉米、橄欖油、水。航行過程極不舒服，承受難以忍受的苦：據估計百分之六至十，有時百分之二十，死於航行途中（至里約要花上五十天），大多死於胃腸炎，但也有許多人自殺，屍體則丟給一路跟著船覓食的鯊魚。一六四九年，義大利嘉布遣會修士（Capuchin Friar）索倫托（Sorrento）和九百個奴隸一同踏上此航程，他後來回憶道，「那艘船惡臭難耐、空間不足、不時傳來許許多多可憐之人的哭聲，還有他們無窮無盡的不幸，船本身似乎就是地獄。」而甚至於地獄的是，由於非洲人普遍認為，死後若要和自己的祖先會合，必須死在自己人身邊，而死在奴隸船上，被丟下海，意味著他們的靈永不得安息，他們的魂找不到歸宿。

抵達目的地後，他們被清洗身子、塗油，獲予薑和菸草以消除他們的悲傷；然後他們被帶去拍賣，若買進後兩星期內生病，買家可退還。又有百分之三的人死在這階段。被非洲人襲擊擄走的那些人，僅一半的人在異鄉開始工作。

甘蔗田屬勞力密集產業，工作非常辛苦，一有奴隸死了，就需要再買奴隸填補。把奴隸操到死，再輸入新奴隸，往往比讓奴隸成家有小孩更為省事。非洲籍奴隸如牛一般被當成「會自己移動的貨物」，八歲就開始勞動。在田裡工作八小時後，接著在蔗糖廠被壓榨。平均餘命是二十五歲。有個甘蔗田經理記載，他底下的奴隸需要每年遞補百分之六。女奴隸不斷遭搜尋獵物的主子強暴，性侵奴隸很常見，性侵甚至是維持奴隸的奴性心理和奴隸制順利運作所不可或缺。奴隸主散播奴隸隨便和人性交的不實說法，但奴隸其實往往刻意禁絕性交以免生下孩子讓孩子受苦。自殺頻繁，往往以吃土方式自殺。奴隸主擔心同部落出身的奴隸生活在一起會引發造反，於是壓制部落關係和家人關係，拆散同氏族的人，把奴隸改名，一副他們從這時起才存在的樣子。[25]即使沒想過造反，每個奴隸都想得到自由之身。要讓奴隸乖乖聽話，需要不斷示出暴力威脅。種植園主動用多種懲罰：鞭子、鐵項圈、戴鐵面具任人慢慢死去。沒有暴力，奴隸制無以為繼，而最終，若沒有後來大行其道的天生種族優越那般意識形態，暴力和靠奴隸賺錢是不可能名正言順的。

而此時的歐洲，正陷入日益蔓延的宗教戰爭而變得黯淡無光，由皇帝斐迪南領導的哈布斯堡家族成就亮眼，拜精力充沛、反覆無常又讓人猜不透的捷克軍事領袖阿爾布雷希特・馮・瓦倫斯泰因（Albrecht von Wallenstein）之賜，征服了北日耳曼。只是，哈布斯堡的這場勝利破壞了權力平衡，而如流星般建功立業的瓦倫斯泰因揚言打敗毫無群眾魅力的斐迪南，以致斐迪南小心翼翼的將他解職。

一六二八年，已拿下利沃尼亞（從而將莫斯科公國拒於波羅的海之外長達一世紀）的瑞典國王「北方之獅」古斯塔夫・阿道爾夫（Gustavus Adolphus），率領一支兵力不多但戰力超強的軍隊攻入北日耳曼，情勢由此轉回有利於新教徒。古斯塔夫為瑞典帝國（Stormaktstiden）時代揭開序幕，發兵攻入南日耳曼。斐迪南旋即召回先前打敗過古斯塔夫的瓦倫斯泰因。然後，就在北方之獅於呂岑（Lützen）與瓦倫斯泰因交手且難分勝負之際，北方之獅子兩度負傷而倒在地上，不慎被一槍打中太陽穴身亡。[26]而破產又疲累不堪的哈布斯堡家族仍需要援助。[27]行星王派出弟弟樞機主教暨王子費南多（Cardinal-Infante Fernando），統領了一支西班牙軍隊前去支援。一六三四年九月，費南多駁回謹小慎微的將領的意見，打敗新教徒。在馬德里，菲利浦和奧利瓦雷斯建造了宏偉的布恩雷提洛宮（Buen Retiro Palace）以慶祝此勝利，並找來維拉斯奎茲繪製肖像畫裝飾宮殿。在其筆下，這位君主和首相被描繪成盔甲武將，騎乘在健壯的駿馬上。眼見哈布斯堡家族獲勝，聽從樞機主教黎希留（Richelieu）指導的路易十三於是宣戰。

就是在此時，剛果的賈西亞求助於尼德蘭人，尼德蘭人和法蘭西結盟，付諸實行所謂的「大計畫」（Groot Desseyn）——消滅哈布斯堡帝國並搶走糖、奴隸貿易。

25　這些奴隸擁抱他們自己不為人知的文化，在公開場合信奉天主教，卻發展出音樂、舞蹈、宗教——豐族人的沃頓教（vodun）以及約魯巴人所帶來的桑泰里亞教（santéria）和坎多姆布雷教（candomblé）。這些宗教將非洲神祇奧里沙（orishas）和天主教聖徒合而為一。而vodun一詞後來演變為voodoo（巫毒）。

26　在呂岑一役中，古斯塔夫最寵愛的指揮官之一是亞歷山大·萊斯利（Alexander Leslie）。他是私生子出身的蘇格蘭貴族，一六三六年被晉升為陸軍元帥，之後將以利文伯爵（earl of Leven）的身分在馬斯頓高沼地（Marston Moor）之役中統兵和查理一世交手。

27　戰場上的意氣風發卻也導致斐迪南幾乎破產，於是尋求帝國大元帥暨北海、波羅的海艦隊司令瓦倫斯泰因增援兵力和資金，並將轄有佛里蘭（Friedland）、薩甘（Sagan）、梅克倫堡（Mecklenburg）三公爵領地的王國授予給他。而此時，瓦倫斯泰因出賣哈布斯堡家族，打算談成歐洲和約。斐迪南唯恐瓦倫斯泰因想要奪取他的帝國，便命人暗殺他。一六三四年二月，在波希米亞的海布（Cheb），三名愛爾蘭籍、蘇格蘭籍軍官殺了他的隨從，緊接著進入他的臥室將他叫醒，再用長矛刺死他——成也野心，敗也野心。

尊巴家族和奧蘭治家族、克倫威爾家族和維勒茲家族

我會是群氓的妓女：阿姆斯特丹的十九紳士和新阿姆斯特丹的海盜王子

一六二八年九月七日，尼德蘭艦隊司令——五十歲的皮特．海因（Piet Heyn）[28]——在古巴外海攻擊哈布斯堡家族的珍寶船隊，奪取海軍劫掠史上最值錢的一批貨：十六艘伽萊翁船上載了值一千一百萬荷蘭盾的船貨，導致白銀行情暴跌，哈布斯堡家族瞬間陷入財務危機。這些白銀為尼德蘭人的攻勢——大計畫——提供了資金。

一六二一年，戰爭開打之初，尼德蘭三級會議已把西印度群島的獨家經營權授予主宰大西洋蔗糖世界的十九紳士所集資創立的西印度公司（West India Company，簡稱ＧＷＣ）。產糖就意味著蓄奴。尼德蘭人並非奴隸貿易新手：自查理五世起，佛蘭芒籍和尼德蘭籍商人就已在供應奴隸。一六二四年的這個當下，尼德蘭人企圖搶下盧安達和埃爾米納，無奈未能得手：一六二七年，他們奪下戈雷（Gorée，今塞內加爾的達喀爾／Dakar）。而對糖感興趣的歐洲人也不只他們：一六二七年，英格蘭商人正在他們取得未久的加勒比海島嶼巴貝多種甘蔗；一六三五年，法蘭西人在馬提尼克島（Martinique）種甘蔗。不過，尼德蘭人玩的規模不同。

尼德蘭國土甚小但善於解決問題、高度發展，其成就反映了歐洲社會獨特的發展過程：不斷的戰爭催生出極度激烈的競爭、技術創新、忠於國家和信仰的心態。鬥志高昂的新教鼓勵注重家庭、相互信任、勤奮刻苦，而尼德蘭寡頭統治集團最重要的成員雅各布．德．格萊夫（Jacob de Graeff）正是此精神的代表

人物。他靠糖、香料、奴隸致富，主宰尼德蘭政治三十年。他的同姓堂兄弟和畢克（Bicker）姓氏的表兄弟謀畫並實現荷蘭（Holland）的崛起大業，與奧蘭治親王維持著不穩定的並存關係，並視奧蘭治親王為贊成君主政體到了危險程度的人物。尼德蘭首開先河施行攸關貿易發展和打贏競爭對手的法治，創辦了培育法律系學生的大學，而對專門長才的需要，助長其他大學專門培養專業人士。商人不再只是把貨物運到附近市場賣給他們所認識的人，還與陌生人做生意，而這意味著他們必須培養公正、有禮、信任的精神，以及獲取利潤所不可或缺的無情貪婪之心：難以解決的資本主義難題。雅各布・德・格萊夫和他兩個兒子科內利斯（Cornelis）和安德里斯（Andries）前前後後擔任阿姆斯特丹市長，這座城市於是率先走上都市化：一五〇〇至一八〇〇年間，兩千萬人移入城市，其中又以北歐的城市居多。城市環境有害健康：許多人喪命——每年城市居民的百分之一——卻又有新移入者填補。城市愈大，工匠愈多，可花錢雇用、買到的技藝和使生活舒適的人事物品質也愈好。權貴安德里斯・德・格萊夫請林布蘭作畫，畫中他站著，臉色紅潤，氣色甚好，白領、喀爾文宗的黑色裝扮，顯得意氣風發。當時正值尼德蘭盛世，林布蘭則是最受喜愛的藝術家之一。

一六三七年，尼德蘭西印度公司奪下巴西大部地方，為了進一步奪取埃爾米納等非洲的奴隸堡，從巴西派去小型艦隊。一六四一年，受剛果國王賈西亞之邀，他們攻破盧安達。尼德蘭人是最早大規模進入奴隸市場的北歐人。女王恩津嘎與賈西亞、尼德蘭人聯手打了一場凶猛的戰爭，安哥拉就此滿目瘡痍。一六四七年，恩津嘎打敗葡萄牙人。賈西亞放手一賭和尼德蘭人共謀的大計畫得到回報：既小又混雜的尼德蘭聯省共和國（United Provinces）的軍事化公司衝出歐洲一隅，勢力遍及世界。

28 海因年輕時曾遭西班牙人擄為奴隸，在槳帆船上當了四年的操槳奴隸，他因此成為難得一見的反蓄奴者。

往東途中，尼德蘭人在開普（Cape）停留以補給物資，尼德蘭籍邊遠地區居民在此創建了開普敦，而後漸次往內陸遷移，將農地據為己有，壓制、消滅他們所遇到的第一個民族科伊科伊人（Khoikhoi），同時也和他們交往。科伊科伊人是游牧民族，面對滑膛槍和病原體，很快便遭摧毀。而在大西洋彼岸的「新尼德蘭」，西印度公司擴大位在曼哈頓島上的城鎮「新阿姆斯特丹」。一六四〇年代早期，有個愛冒險的少年移民名叫克萊斯．馬滕森．范．羅森費爾特（Claes Martenszen van Rosenvelt），即羅斯福家族（Roosevelt）的祖先，他來到新阿姆斯特丹開啟新人生。他在後來被稱作紐約中城區的地方買了一座小農場。

另一個不如前者典型的第一代移民，卻也是紐約一顯赫家族的祖先，他便是安東尼．揚松．范．薩雷（Anthony Janszoon van Salee）。他父親是原信仰基督教、後來改信伊斯蘭教的尼德蘭籍海盜穆拉德．雷斯（Murad Reis），曾任摩洛哥境內薩雷海盜共和國（Salé）的總統；母親則是摩爾人。范．薩雷本人身材魁梧，為穆拉托人（mulatto，黑白混血兒），是被稱作「土耳其人」的穆斯林，保護自由的非洲人，且閱讀《可蘭經》。一六三〇年，他帶著父親的一部分不義之財來到新阿姆斯特丹。即使以新阿姆斯特丹這個暴力頻仍的危險口岸為標準來衡量，范．薩雷這個非洲國家元首的兒子和他酒吧女侍出身的輕佻日耳曼籍妻子格莉策．雷尼爾斯（Grietse Reyniers），仍惹得尼德蘭歸正會（Dutch Reformed Church）至為反感。格莉策遭指控向水手露陰，在她的酒館裡用掃帚量客人的陰莖長度，還是總督的情婦。關於身為總督情婦一事，她開玩笑道，「我長久以來一直是貴族的妓女；從現在起，我會是群氓的妓女。」歸正會想以不敬神的罪名將這對夫妻趕走，他們卻待了下來，生下四個孩子，死時不但富有，更是曼哈頓最大的地主。在尼德蘭的黃金時代，憑恃不正當手段積聚龐大財富的商人科內利烏斯．范德比爾特（Cornelius Vanderbilt），正是他們的女兒安妮卡（Annica）的後代。尼德蘭人買賣毛皮，向阿爾貢金人（Algonquin）買地，後來阿爾貢金人反而被易洛魁人（Iroquois）趕走。而這些新來者把航海的尼德蘭人稱作「鹹水人」。

尼德蘭人能取得如此輝煌的這些成就，係因為另一個信仰新教的海上強權英格蘭已分崩離析。

聖徒和保王黨：查理、昂莉埃塔・瑪麗亞、克倫威爾

一六四四年七月二日下午三點至五點間，約克附近馬斯頓高沼地之役打得正激烈時，中將奧利佛・克倫威爾和其統領的五千騎兵衝向敵人。這是迄當時為止在英國土地上所打過的最大戰役——蘇格蘭籍將領利文（Leven）率領兩萬八千名議會派、蘇格蘭士兵，對陣英王查理的外甥萊茵法爾茨伯爵之子魯珀特（Prince Rupert of the Rhine）所率領的一萬八千名騎士黨人（Cavaliers）——即保王黨人。這將是決定這場戰爭之勝負的重大戰役，並造就克倫威爾的輝煌人生，只是當時還沒人知道。

自議會和國王訴諸戰爭至此時已過了兩年。雙方都未能予對方決定性的一擊，也都未能找到能征善戰的武將。查理最初占上風；受過訓練的議會派人有衝勁，但缺乏紀律。不過，最早招兵買馬組成騎兵隊者之一，是杭亭頓郡農民出身的克倫威爾。

仍只有二十五歲的法爾茨伯爵之子魯珀特身高六呎，愛穿騎士的高統靴、絲質和絲絨質套裝、寬帽，很喜歡養情婦、賭博，到哪都帶著他的幸運狗「男孩」（Boye）；他有銳氣逼人，但缺乏紀律。克倫威爾自豪於樸素作風：臉色紅潤，頭髮日漸稀疏，髮色淺紅，顴骨高，「聲音尖銳刺耳，口才好且充滿熱情」，衣服粗陋、暗淡。當魯珀特的帥氣騎兵主宰早期幾場戰役時，克倫威爾注意到「他們的騎兵是紳士的兒子」，而議會派的騎馬戰士是「年老衰退的男僕和酒吧侍者」。他決定招募信教者入伍：「必須找來有鬥志的人」。有人抱怨這些在克倫威爾領導下作戰的士兵「驕傲、自負、魯莽、教派意識強烈」，「自

稱信仰虔誠」，見過「異象和啟示」。克倫威爾把他們稱作他的「漂亮伙伴」（Lovely Company）。他迅即被擢升為上校，然後開始以自己為中心打造一個由志同道合的軍官組成的「家族」，這些軍官的領袖是娶了他女兒布莉姬特（Bridget）的亨利・愛爾頓（Henry Ireton）。議會派報紙稱他老硬漢（Old Ironside）；他信仰虔誠的騎兵則是「硬漢軍」（Ironsides）。

在這場戰爭中，早期的溫文爾雅此際已退化為誓不兩立的激烈衝突，雙方的攻防，直到在約克郡的那天為止，遲遲僵持不下，分不出勝負。但隨著蘇格蘭人簽訂「神聖盟約」（Solemn League and Covenant），同意遵循「上帝的話語」並想辦法「消滅羅馬天主教」，而後加入戰局，派出兩萬兩千人組成「兩王國的軍隊」，議會派即轉占上風。

焦急的國王向昂莉埃塔・瑪麗亞告別。戰爭開打時，這個信仰天主教而招來議會強烈敵意的王后人在荷蘭。她自荷蘭返回途中，差點遇上船難，所幸有驚無險。與查理團聚後，她再度懷孕，但為躲避議會派追捕，被迫輾轉於一個又一個城鎮居住。她如期生下一女，未料他們的兩個較年幼的孩子已落入議會派之手。就在馬斯頓高沼地之役開打前不久，查理派她去法蘭西籌錢。她寫道：「再見，我的心愛之人」，「萬一我死了，你肯定會失去一個始終完全屬於你的人」。兩人自此未再見面。後來她告訴她兒子，「我不該離開國王」。議會派的海軍事務大臣沃里克在後追殺，想要殺掉這個信仰天主教的王后，所幸她在其廷臣和最小大人陪伴下逃到法蘭西。[29]

英格蘭—蘇格蘭聯軍儼然即將拿下約克之際，魯珀特準備在馬斯頓高沼地打一仗，且已對克倫威爾的硬漢軍心存忌憚。

初夏的某天，魯珀特還聽得到清教徒唱讚美詩的傍晚，克倫威爾率領他的四千名「東部諸郡協會」（Eastern Association）騎兵和一千名蘇格蘭人衝鋒，擊潰一個國王騎兵師。克倫威爾是狂熱分子，但非嚴肅冷酷之人，反倒感情濃烈，經常一副輕浮放蕩的樣子，衝上前與敵廝殺時，總被一股自認替天行道的狂喜驅策而變了個人，不住的放聲大笑。他寫道，「騎馬善盡職責時，我總禁不住懷著讚美之情向上帝微笑，篤信勝券在握」。硬漢軍喊著「上帝和我們的力量」、「萬軍之主！」衝向敵人。

接著，魯珀特衝了過來。有個目睹此役的議會派成員說道，「克倫威爾的部隊碰上大麻煩，魯珀特最英勇的士兵迎面衝來……他們老早就準備好上前殺敵，砍死一個又一個。」克倫威爾脖子受傷。「但最終（令上帝大為高興的）他突破他們的包圍，把他們像小沙塵般驅散」。克倫威爾（和英格蘭的歷史學家）出於利害考量，忘了馬斯頓高沼地之役其實是蘇格蘭人打贏的；接下來兩年期間，英格蘭北部一直為蘇格蘭武將利文占領。

此役之後，立場溫和的議會派成員——即長老會派系——想要談判，然而身為獨立派教徒（Independents）領袖的克倫威爾堅持非徹底打敗對方不可。他問道，「我們最初為何拿起武器？」大權已從沃里克和他那些信仰虔誠的大貴族之手，轉移到這些強硬派人士手上。克倫威爾力主「強勁且有效的打這場戰爭，讓我們全力以赴！」他宣揚他充滿虔敬精神的謙卑，卻又是不折不扣的外顯謙遜、實則意在使人注意到他不凡的成就，把其他人的功績據為己有，暗地裡一個又一個的算計比他優秀的人，而後取代他們。當權的「兩王國委員會」把「新模範軍」（New Model Army）交給瀟灑的指揮官「黑湯姆」湯瑪斯·費爾法克斯爵士（Sir Thomas 'Black Tom' Fairfax）統領。他成為該軍司令，而克倫威爾是他的副司令，並

29　傑佛里·哈德森不再欣然接受她的廷臣嘲笑他。她的御馬官欺負他時，他反問對方敢不敢決鬥。這個廷臣帶著一根櫛瓜當武器來到決鬥場，而哈德森帶了一把手槍，朝他額頭開槍，將他擊斃。年僅二十五歲的哈德森遭判死刑，不過王后赦免了他。她把他送回英格蘭，但不知怎麼的，他所搭的船落入巴巴里海岸海盜之手，淪為他們的奴隸長達二十多年。在那期間，他遭性侵、奴役，一六六九年才回到英格蘭。

被升任騎兵隊隊長。兩人合作無間；一六四五年六月十四日，在內斯比（Naseby），克倫威爾帶隊衝鋒，兩人終於拿下決定性一役。

查理向蘇格蘭元帥利文投降，冀望將他拉攏過來，轉而與議會派為敵。結果蘇格蘭人反而將他交給他的敵人。一六四七年六月，這個國王兩度與克倫威爾在內的議會派諸指揮官談判，獲准見他兩個被囚的孩子伊莉莎白和格洛斯特公爵（duke of Gloucester）亨利：在克倫威爾眼中，「人世間最溫情的情景」。不到七歲的小格洛斯特認不出他父王。查理說：「孩子，我是你父親。」

議會這時為死硬派的清教徒所把持，那年六月，這些清教徒廢掉所有劇院，廢除聖誕節、復活節，然立場溫和的長老會教友仍希望透過談判止戰締和。八月，軍方終止了任何具妥協性質的談判。費爾法克斯騎馬帶領新模範軍進入倫敦，克倫威爾統領後衛部隊。他們的軍隊變得愈來愈激進：有些軍官提議制定成文憲法、人人共享權利、廢除上議院、所有成年男性皆有投票權。對社會議題持保守立場且打從骨子裡支持君主政體的克倫威爾，對此大為驚恐，不過，他或許贊同接下來軍隊對議會的整肅。費爾法克斯仍是新模範軍司令，而相對熱心政治的克倫威爾玩起令人摸不著頭緒的刻意退讓和愈來愈志在引人注意的自我貶抑，也終究嶄露頭角並掌握更大權力。在氣氛緊繃、議會或軍方評議會陷入爭執時，他會突然狂笑或佯裝打鬧。從那之後，他和他的心腹將領掌握實權。即便如上，又該怎麼處置國王呢？

英格蘭的內戰，相較於正在摧毀世上最大王國的天下大亂，猶如小巫見大巫。查理淪為階下囚，日暮途窮，但在遙遠的東方，明朝皇帝遭遇農民叛亂、饑荒、凶猛的滿人騎兵入侵，不意間找到了一個絕無僅有的極端解決辦法。

殺人國王：「獾」和黑特曼、「方糖」和弓弦

一六四四年四月二十五日，在北京紫禁城，才三十三歲的明朝崇禎皇帝召來妻子、女兒，並殺掉母女二人，隨後獨自走到外頭的煤山，上吊於樹上，上吊前在袍服上書遺詔曰：「朕死無面目見祖宗於地下」。[30]叛亂分子肆虐北京之際，他對中國大部地方已失去掌控，而且得解決滿人從北方進逼的問題。北京陷入混亂，六個月後的六月五日，有個身披盔甲、前部頭髮剃掉、後面留著一條辮子的滿人軍事領袖，帶著小股騎馬弓箭手護衛隊來到北京，亂局才平息。此人下馬，向群眾簡單宣布，他是攝政王多爾袞，皇太子馬上就要到來，然後問城民願不願意接受他統治。

城民回以願意。不久，一批騎馬弓箭手前來和多爾袞（其名意為「獾」）會合；多爾袞的六歲姪子暨滿清皇族創始人努爾哈赤的六歲孫子順治，這時是新王朝清朝的皇帝。能力過人的多爾袞受封為「叔父攝政王」，攻下中國其餘地方，殺光數座城市居民，後來，他打造新體制：把八旗軍安置在北京，重啟科舉，提拔漢人學者，探問如何促成「滿漢一家」。即便如此，多爾袞仍殺光明朝皇子，命令所有漢人男子薙髮留辮，違者處死。[31]

這個年幼的皇帝對叔父多爾袞極為反感，在某次狩獵時命人將他殺害，但那時多爾袞已為清朝贏得天命；愛新覺羅家族自此將促使中國再度成為世上最偉大的帝國——就在哈布斯堡家族的世界帝國正漸漸解體時。

30 這棵樹今仍屹立，但說不定是較晚近另行栽種的。

31 漢人痛恨這個表明順服之意的髮式，拒不薙髮，滿人則貫徹此命令。滿人婦女，一如唐朝、蒙古人的婦女，得到解放，可以騎馬馳騁，漢人婦女則愈來愈被局限在家裡，纏足以示順服和纖柔之美。

菲利浦四世的戰爭幾乎摧毀哈布斯堡家族的兩個君主國。法蘭西擊敗奧地利人，隨後入侵西班牙。葡萄牙人的帝國已大半被尼德蘭人奪走，並且將此歸咎於哈布斯堡家族；一六四〇年，一場大會宣告布拉干薩公爵——「幸運兒」馬努埃爾（Manuel the Fortunate）的曾孫——為若昂四世（João IV）。瑞典人拿下布拉格。行星王向某個具有群眾魅力的修女請教意見，這個修女以神祕手法讓德克薩斯的原住民族朱馬諾人（Jumanos）附體，接著奉勸他自行當家作主。他於是將奧利瓦雷斯革職，準備談判事宜。

各方都陷入僵持且疲累不堪。一六四八年十月，在西發里亞（Westphalia），菲利浦和堂弟奧地利皇帝斐迪南三世同意採折衷辦法，終止後來被稱作三十年戰爭的那場戰爭，認可日耳曼人自由選擇宗教信仰的權利。那時日耳曼已殘破不堪：在長達三十年的戰爭中，天啟四騎士已殺害約一千萬人。西發里亞條約確立了多極並存的歐洲境內的國家主權，確保接下來數百年歐洲享有創造自由——和破壞性競爭。輸家好幾個，而贏家有三個：統治波羅的海地區和日耳曼一部分（波美拉尼亞／Pomerania）的瑞典；贏得獨立的尼德蘭人；一個發跡於斯瓦比亞、鮮為人知的古老家族。

由選帝侯腓特烈·威廉（Frederick William）領導的霍亨佐倫家族（House of Hohenzollern），已把其以布蘭登堡、普魯士為中心打造的諸多貧困封地改造為北日耳曼強權。這個「大選帝侯」看著他的土地毀於這場戰爭——一六四八年時柏林只有六千居民。但他深信，「結盟是好事，但自身有實力更好」，於是把他的容克（Junker）——普魯士貴族地主——打造成戰士階級，利用這次戰爭打垮三級會議（Estates）這個代議機構，強推獨裁統治，而此獨裁統治將直至一九一八年才結束。[32]

這位選帝侯是普魯士公爵，而普魯士是波蘭—立陶宛聯邦（Commonwealth Poland-Lithuania）的一部分：在該聯邦的南方諸省境內，身為自由民且往往是小貴族、自治市居民和逃脫的農民和軍人的哥薩克人，在第聶伯河險灘段（Dnieper Rapids）南邊（即下游）、築有希契（Sech）要塞的諸島上，創建了一個共和國，由經推選產生的黑特曼（hetman）統治。黑特曼和農民講烏克蘭語，苦於信仰天主教的波蘭籍領主的支配。信仰東正教的哥薩克人發動一連串反天主教波蘭籍國王的叛亂，為這些黑特曼爭取貴族身分。具貴族身分的哥薩克軍官博赫丹．赫梅利尼茨基（Bohdan Khmelnytsky）長年為波蘭籍國王打仗，與鄂圖曼人交手，被俘而淪為奴隸兩年，接著在一六四八年春，即莫斯科公國人抵達太平洋濱那年，為了土地，為了一位波蘭籍大貴族的漂亮哥薩克籍妻子——人稱乾草原的海倫（Helen of the Steppes）——與這個波蘭人結仇。被選為哥薩克黑特曼的赫梅利尼茨基起兵造反，叛亂活動擴及烏克蘭全境。五月，他的哥薩克人與克里米亞格來汗所派來的諾蓋人（Nogai）騎兵聯手，打敗波蘭人，同年十二月，在基輔，他自封為黑特曼、魯泰尼亞公（prince of Ruthenia）、羅斯的唯一獨裁者（Sole Autocrat of Rus）。他的哥薩克人軍隊得到一些造反自治市居民和說烏克蘭語的農民助陣，屠殺波蘭籍貴族和神職人員，光是一六四八年，就有六千名猶太人因此喪命。這些猶太人在這裡安然度過數百年歲月，一直受困於信仰天主教的主子和信仰東正教的哥薩克人之間。

赫梅利尼茨基的獨立黑特曼國（hetmanate）只維持了五年：他需要靠山來保護其國度。被克里米亞汗出賣後，他表示願歸順鄂圖曼蘇丹，而這位蘇丹拋棄這個黑特曼，任他受韃靼人欺凌，他不得不求助於莫斯科。

一六五四年一月，這個黑特曼向莫斯科公國君主阿列克謝（Alexei）宣誓效忠，而阿列克謝和他之後直至現代的諸位莫斯科統治者，無不把烏克蘭和其兄弟「大俄羅斯」視為永久一體的一省——「小俄羅

32　一六七八年，這位大選帝侯與瑞典盟友失和，於是強徵農民的雪橇運兵，執行了稱之為「雪橇大驅趕」（Great Sleigh Drive）的行動，藉此將瑞典軍趕出境內。一九二九年，德國軍官海因茨．古德里安（Heinz Guderian）以此得到啟發，設計出坦克戰。

斯」。[33]鄂圖曼帝國對這個黑特曼國不感興趣，因為君士坦丁堡有自己的危機要處理。在那裡，瘋子蘇丹的「偉大母親」科塞姆正遭遇一個兩難。

母親殺了親生兒子，行嗎？

最初，現年三十三歲的瘋子易卜拉欣甘於由母親代他統治。他本來不好女色，可能性無能，於是求助於招搖撞騙的招魂術士辛奇·霍卡（Cinci Hoca），後者開了春藥給他服用，給他春宮書畫。結果，易卜拉欣反而陰莖異常勃起。有人將俄羅斯籍女奴圖爾罕（Turhan）獻給他母親科塞姆，科塞姆把她送給這位蘇丹，蘇丹不久就使她懷孕。只是鄂圖曼帝國國力相形衰弱之際，他的墮落行徑反而有增無減：他特別喜愛身形巨大的女人和毛皮，兩者同時存在，尤其令他滿意。他只能在滿是貂皮的房間裡巫山雲雨，只是他陰莖異常勃起的症狀太嚴重，於是他試著限制自己每個星期只和一個新女孩做愛，每個星期五換人。他向帝國全境下達命令，尋找身形最巨大的女人給他。然後，一六四四年，這個帕迪沙開始申明自己的蘇丹權勢，提拔辛奇·霍卡和他那幫成事不足敗事有餘的人，以及一名管理後宮的女官，且授予他們要職。

他命人鑄造母牛的乳房和陰部，並派人依此鑄件赴各省尋找與之相符的女人。十六歲的亞美尼亞女孩瑪麗亞胖到極點，被他取了綽號「方糖」（Sugar Cube）。除了俄羅斯籍的圖爾罕，他這時冊封另外七個妃子（haseki），包括被他改名為錫韋卡爾蘇丹（Sivekar Sultan）的方糖，把他最富裕的兩省大馬士革、埃及的稅收賜予她們——一次嚴重的失策。

據說方糖曾告訴易卜拉欣，有個妃子不忠。聽聞此事後，他命人將兩百八十個宮女縫進布袋，溺死在博斯普魯斯海峽；因為此事，科塞姆邀方糖共進晚餐，暗中將她毒死。

這個帕迪沙的下一個失策之舉，招來極大禍害。易卜拉欣對於馬爾它海盜攻擊一艘載有朝覲穆斯林的船一事相當惱怒，命令海軍奪取作為威尼斯共和國一省的克里特島。威尼斯人宣戰，襲擊鄂圖曼希臘，同時封鎖博斯普魯斯海峽，造成君士坦丁堡食物短缺、暴亂。大維齊爾和科塞姆討論罷黜易卜拉欣，易卜拉欣當即反擊，處決這位維齊爾，禁止母親和姊妹進入後宮。他打算以尼祿的方式殺害母親。

一六四八年八月八日，土耳其禁衛軍和暴民憤慨於易卜拉欣的無能，於是動私刑將新的維齊爾處死，在街上將他的肉割下，串起來燒烤販賣——他自此以「千塊肉」之名流傳後世。易卜拉欣這時變得疑心病很重——這絕非杞人憂天——命人將他和圖爾罕所生的小兒子穆罕默德丟入貯存雨水的地下蓄水罐裡。他的自私危及王朝的存續。科塞姆救了這個男孩。

諸位大臣尋求科塞姆解決此危機，還稱她「穆斯林之母」（Umm al-Muminin）——先知穆罕默德的愛妻的稱號——並暗示當今王朝具有哈里發的權威。「妳不只是蘇丹之母，還是所有正格信士之母。結束這場混亂吧」。她最終首肯，說道「他終究會殺了你們和我。我們會控制不了朝廷。我會帶來我的孫子穆罕默德」。而她堅持留易卜拉欣活口。諸帕夏逮捕易卜拉欣，替穆罕默德佩上奧斯曼的劍，然後請求偉大的母親處決她兒子。而唯有鄂圖曼帝國的宗教權威——伊斯蘭謝赫（sheikh ul-Islam）——作出裁定，身為母親的才能殺死自己的兒子。這位謝赫簽署了法特瓦（fatwa，教令）：「如有兩個哈里發，殺掉其中一個」。科塞姆默許。

---

33 把羅斯的心臟地帶納入他沙皇國的版圖裡，有助於這位羅曼諾夫王朝的第二位沙皇鞏固其勢弱的新王朝，而對此後直至二十一世紀為止的諸多統治者來說，烏克蘭成為他們所構想的俄羅斯不可或缺的一部分——既是具重大歷史意義的國度，也是糧倉。後來，烏克蘭民族主義者把哥薩克人黑特曼國視為第一個現代烏克蘭人國家，儘管該國為哥薩克貴族支配。這場危機把沙皇阿列克謝引到波蘭—立陶宛境內，波蘭—立陶宛遭波蘭人所謂的「大洪水」（the Deluge）撼動，就此一蹶不振。赫梅利尼茨基一死，這個黑特曼國跟著人亡政息。一六六七年，羅曼諾夫王朝沙皇和波蘭人國王瓜分烏克蘭。阿列克謝拿到基輔和第聶伯河左岸的土地，而哥薩克人依舊在他們的黑特曼領導下自治；南部由克里米亞汗統治，重要的要塞歸克里米亞汗的鄂圖曼主子據有。直到一九一七年，才會再有獨立的烏克蘭出現。

在諸帕夏和諸妃子從托普卡普宮窗子注視下「無舌者」靜悄悄的走向易卜拉欣。「吃過我麵包的人，沒有一個憐憫我嗎？」易卜拉欣喊道，「這些殘酷之人為了殺我而來。天啊！」套在他脖子上的弓弦拉緊。

正當鄂圖曼人處死他們的國王之際，英格蘭人也是如此。

在倫敦，克倫威爾正以其一貫壞脾氣的作風爭論著該如何處置他的階下囚——國王查理。他說，若有人建議將國王送上法庭，他會稱對方作「世上最大的叛徒」。新模範軍司令費爾法克斯覺得審判國王這想法令人不安，只是軍中虔誠的激進分子正提議審判查理，而他曾在北美洲新教徒殖民地待過的牧師休・彼得斯（Hugh Peters）或許也是這麼認為。克倫威爾指望上天作主：「既然天意和客觀需要已要他們負責此事，他便應該祈求上帝支持他們的審議結果。」換句話說，他認為是時候審判查理了，「我不得不聽從天意。」

不會朽壞的冠冕和偉大的母親

一六四九年一月，克倫威爾如願以償：殘餘議會（Rump Parliament，贊成與查理妥協的議員遭驅除後的議會）投票通過禁止上議院參與國家治理，宣告成立「共和國和自由邦」（Commonwealth and Free-State），將查理送上法庭。這個被嚴加看守的國王，身材矮小，穿著黑色絲質衣服，一派高雅的被押到西敏廳（Westminster Hall），他被控有「不良意圖」——叛國。費爾法克爾大人獲選為審判長，但他未現身法庭。「我想知道我被人用什麼權力叫到這裡，」查理質問。「切記，我是你們的國王，你們的守法國王，好好想想這點。」他拒絕配合，而克倫威爾毫不遲疑，說道，「我告訴你們，我們會砍下他戴著王冠的頭。」高等法院六十八名特派委員坐定時，休．彼得斯精心安排在場的人反覆齊喊「處死！正義！」但也有人高喊「上帝救救國王」。當有人提及費爾法克斯時，他的妻子安妮從旁聽席喊道，「他頭腦很清醒，不會出現在這裡」，而當諸法官聲稱代表「英格蘭的所有好人」行事，她嚴正表示，「才不是，而且也談不上代表其中百分之一的好人」，然後，她就被請出場。諸特派委員表決通過應將「這個叛徒、謀殺犯、我國所有好人的公敵」「以砍頭方式處死」。

「閣下，我有話要說。」查理說。

「不准，閣下！」法官回道，「守衛，把囚犯押下去。」

克倫威爾開始力倡將查理處死時，給予他指導的竟是神：「我們始終不缺主的卓越旨意和主的到來。他始終存在於我們之間。」一百三十五名「特派委員」未被事先徵求意見，就被一一點名出來審判這個國王；而其中四十七人始終未現身。四天審判結束時，其中六十七人裁定他有罪，但有些人不願簽死刑執行令。克倫威爾第三個簽名，他隨即恐嚇其他人：「這些被請進去的人會簽上名字；我現在就要他們的手。」期間，他幾次太過狂躁而打斷簽署程序，其中一次，他和某個特派委員互朝對方的臉潑墨水，而且他還邊大笑邊吼。最終，有五十九人簽下死刑執行令。

在聖詹姆斯宮，查理清楚自己無緣再見到他的長子威爾斯親王一面，也無緣再見到他已藉由扮成女裝逃出議會派囚禁的次子詹姆斯。「我寧可你當個好人查理，也不要你當偉大的查理，」他寫信告訴這位王子。「別了，我們即使不會在地上相會，也會在天上相會。」但他請求讓他會見他的兩個小孩——十三歲的伊莉莎白和八歲的亨利。他與這對姊弟告別的情景令人心碎。伊莉莎白忍不住啜泣了起來，查理要她「不要悲傷，別苦了自己……因為那將是光榮的結束」；他勸她讀書紓解傷痛，並代他轉達他對昂莉埃塔．瑪麗亞的愛。「他始終念著她，他的愛也會至死不渝」。而後他擁抱女兒：「寶貝，妳會忘掉這一切的」。

「只要我活著，我就絕對忘不了。」她回道。

然後，他要享利坐到他膝上。「寶貝……他們會砍了我的頭，或許會立你為王，」他說，「但只要你的哥哥查理、詹姆斯還活著，你絕不可坐上王位。」

「我會頭一個被撕成兩半。」這個男孩回道。查理吻了兩姊弟，懷著「欣喜和愛」的哭了出來。兩姊弟被帶走時，查理從窗子往外看，忍不住追了上去，又吻了他們，而後便倒在床上。

一六四九年一月三十日，冰冷刺骨的下午，克倫威爾在祈禱會上作禮拜時，四十八歲、鬚髮這時已白的查理穿上兩件襯衫，以免被人看到他在寒風中發顫，並且戴上鑲有四百一十二顆鑽石的嘉德騎士團吊襪帶，分好要留給他孩子的個人物品（以及要給他從未忘記的友人白金漢之女的一只金表）。

他說，「來，我們走吧」，然後，在鼓聲大作中，他於士兵圍繞下走過聖詹姆斯公園（St Jame's Park），進入宏大且古老、形狀不規整的懷特霍爾宮，接著出宮穿過宴會館——頂棚有他的朋友魯本斯所作的畫——走上斷頭台。出身劊子手世家的「年輕格列高利」布蘭登（'Young Gregory' Brandon）和他的助手已等在斷頭台上，兩人都戴假髮、漁網面具，穿水手服，手上拿著斧頭。當查理對群眾說話時，某個士兵不耐的敲打斧頭兩次。查理說，「不要讓會傷害我的那把斧頭受到傷害，」最後說道，「我離開會朽壞的冠冕，前往不會朽壞的冠冕，那裡不會有紛擾。這樣的交換很好。」然後，他把頭擱在墊頭木上，往外伸直雙手，以表明他已準備好。布蘭登手法乾淨俐落，一次就砍下頭。助手舉起頭顱：「大家看看叛徒的頭！」士兵鼓掌叫好；其他人只是默默站著，盡顯尊敬。這個助手——可能是在北美洲待過的那個傳道士彼得斯——丟下頭，以致它的臉部有淤傷。士兵和圍觀民眾爭相推擠，想剪下國王的頭髮、想把頭巾浸染國王的藍血、鑿下斷頭台的小塊木料作紀念。[34]幾天後，他的家人收到他的死訊。在巴黎羅浮宮，正在用膳的王后瑪麗亞端坐著「不發一語」許久，在海牙，他們的兒子查理，當他被人以「陛下」稱呼時，意識到父王已死。他啜泣了起來。

在君士坦丁堡，科塞姆代她七歲的孫子穆罕默德四世掌理政事。這個偉大的母親簾聽政，當著這個年幼帕迪沙的面怒斥男維齊爾。「我讓你當維齊爾，是為了讓你在庭園、葡萄園裡消磨時間？」簾後傳來指責之聲。「全心投入帝國事務，不要再讓我聽到你們尋歡作樂。」可是，這個蘇丹有親生母親，也就是受過科塞姆訓練、而後被獻給易卜拉欣的圖爾罕。圖爾罕想當攝政，陰謀不利於科塞姆，科塞姆隨之打算罷黜這個男孩，立另一個孫子為蘇丹，因為他的生母比較沒有野心。但科塞姆的隨從裡有圖爾罕的細作，後者將她女主子的計畫通報圖爾罕。這下子，就看哪個女人先下手殺掉對方。

「感謝主，我已活過四朝，已主政很長時間，」科塞姆告訴諸顧問大臣，「我死了，世界不會變得更好，也不會因此毀掉。」圖爾罕先動手。一六五一年九月二日，六十三歲的科塞姆在宮中遭追殺，一名忠心的奴隸想救她，於是喊道：「我是王太后。」

科塞姆躲在壁櫥裡，可惜未把身上的衣服藏好。當她被人用簾子勒死時，她拚命反抗，以致耳鼻出血。這件事傳了出去，君士坦丁堡城民停業三天，以哀悼這位偉大的母親。

一個新家族正在倫敦收拾亂局——而且他們不具王族身分。查理一世的遺體經防腐處理安置在聖詹姆斯宮，供人付費觀看，頭已縫回脖子。據說，克倫威爾凝視著遺體，低聲道：「如果不是國王，他會活得較久。」

34　在場觀看行刑並為此歡欣鼓舞的眾人中，有個聖保羅公學（St Paul's）學童，名叫撒繆爾．皮普斯（Samuel Pepys）。他後來效力於查理的兒子，在查理遭處死十一年後寫道，「我因此有機會親眼目睹國王在懷特霍爾人頭落地」。當時他支持處死查理，後來卻對當時的心態深感悔恨：「小時候，我是個十足的圓顱黨人。」

基督的腸子：護國公奧利佛和王子迪克

這個新共和國處境艱難。克倫威爾和他保守的軍官所統領的軍隊明顯掌控大局——只是軍隊士兵內心燃燒著危險的激進民主理想。在愛爾蘭，信仰天主教的叛亂分子攻擊新教移民。議會派深恐國王查理的愛爾蘭軍擊潰英格蘭，然而，前去愛爾蘭拓殖的英格蘭人長年以來把愛爾蘭人當成半野蠻人，未以慣常的戰爭規則對付他們。愛爾蘭人也是天主教徒一事，使他們成了無可救藥之徒。克倫威爾跨海前去愛爾蘭。他心懷自認在替天行道的熾烈仇恨，率兵攻破德羅赫達（Drogheda），燒死躲在某教堂裡的士兵；把投降的神職人員的頭砸碎；幾乎殺光所俘虜的部隊；共三千人遇害。克倫威爾解釋道，「這是上帝對那些野蠻壞蛋所作的正當審判，那些人的雙手沾了太多無辜者的血。」

二十歲的查理二世此時乘船來到蘇格蘭，而該地受利文領導的蘇格蘭人對克倫威爾深感驚恐，索性改變立場。費爾法克斯終於辭去司令之職，克倫威爾被任命為司令。克倫威爾警告道，「我以基督的腸子為證，鄭重懇請你們想想，你們可能做錯了」，然後在鄧巴（Dunbar）擊潰蘇格蘭人，查理二世隨之帶著另一支軍隊南奔。克倫威爾在後追擊，並在伍斯特（Worcester）得到「神的無上恩寵」，擊敗這個男孩，而他的拉丁文書記官、半盲詩人約翰·米爾頓（John Milton）以「我們的人主」形容他，促使他戰無不勝的威望因此更加鞏固。克倫威爾命令議會同意建立新不列顛國，但議會不願受他治理時，他暴跳如雷的衝進議場，瘋子般痛罵這些「皮條客」：「我要讓你們無法再瞎扯，你們不配當議員」。隨後他召來士兵：「叫他們進來！」一看到議長坐在他的座位上，他吼道，「拿下他！」並奪下權杖。「這個沒用的東西，我們要如何處置？把它拿走！」接著，他對著一臉驚愕的議員講話，並宣告，「是你們逼我這麼做，因為我日夜尋求主。」克倫威爾鄙視議會：「比狗吠還不如！」

有個激進將領提議施行神權統治，並稱之為「聖徒議會」（Sanhedrin of Saints）——任何政治人物群體都樂見的名詞——傑出將領約翰．蘭伯特（John Lambert）隨之打造出由克倫威爾領導的混合式君主政體，即既有國務委員會，又有民選議會。一六五三年十二月十六日，在西敏廳，他一身黑，在他的老戰友沃里克和其他貴族護送下，宣誓就任「護國公殿下」（His Highness Lord Protector）。他獲授予位於漢普頓宮（Hampton Court）和懷特霍爾宮的國王住所，會像國王般得到人們舉帽致意，他的妻子會被稱作「殿下」，他的兒女會是王子和公主，他的敕令會有署名「護國公奧利佛」（Oliver P），而且他可以指定自己的繼承人。奧利佛的宮廷沒有斯圖亞特王朝的豪華氣派，也完全不會有詹姆斯一世在位時的那種醜聞，但也非全然的毫無樂趣可言：他很享受和他那群活潑開朗的女兒及美麗動人的戴澤特（Dysart）伯爵夫人相處。他透過幾個親信將領和親戚治國；有個女兒先後嫁給兩名高階將領；兩個女兒嫁給擁護克倫威爾的貴族；第四個女兒嫁入最最偉大的清教徒殖民地世家——沃里克伯爵的家族。[35]他的兩個兒子——人稱迪克（Dick）的理查和亨利——都是國務委員會成員，而他能否建立自己的王朝，繫於迪克身上。迪克短下巴、臉長、生活豪奢，重債纏身，全然不同於奧利佛殿下。奧利佛想要好好栽培他，勸他「不斷尋求主和祂的臉」。他比較喜歡能幹的亨利，無耐迪克是長子，因此必須由迪克接位。

奧利佛，一如許多獨裁者，想要掌握權力，但又覺得追求權力的自己很可憐：「你看我多忙。我需要

35　這個新國務委員會的書記官是約翰．米爾頓；而委員會的文書之一是年輕的共和派人：撒繆爾．皮普斯。皮普斯靠他的恩公愛德華．蒙塔古（Edward Montagu）得到這份工作，蒙塔古則是個友善親切且有能的杭亭頓郡大貴族，他的母親出身皮普斯家族。蒙塔古此時擁有護國公奧利佛．克倫威爾的祖父奧利佛．克倫威爾爵士的辛勤布魯克大宅（Hinchingbrook），本身是克倫威爾的老朋友，和克倫威爾一起在內斯比打過仗，但因為第二場內戰，退居他的莊園，後來被克倫威爾找回去加入他的貴族院和國務委員會，並統領他的艦隊。

同情。我知道自己的感受。世間的豐功偉業不值得追求；我不會有舒服日子過，而我所希望的是置身主的面前。我未追求這一切；是主要我追求的。」奧利佛只是神的「可憐蟲和軟弱僕人」。

這個「可憐蟲」此時簡直就是新以色列國的國王：他告訴他的新議會，「你們和歷來的人一樣肖似『上帝所造』」，「你們就快要實現諾言和預言」。這個「基督復臨」（Second Coming）的發生，唯有在《聖經》中的預言得到實現時，唯有在猶太人回到錫安、而後在末日時改宗或被摧毀時。正是因為在天意中扮演這個角色，長久以來遭拒於英格蘭之外的猶太人得到克倫威爾的鍾愛。克倫威爾見了尼德蘭籍拉比瑪拿西・本・以色列（Menasseh ben Israel），逐漸允許猶太人回來。

奧利佛著手控制美洲的殖民地時，[36]他構思發動神聖攻勢，對付信天主教的哈布斯堡家族，以建立英格蘭帝國。此構想緣於湯瑪斯・蓋吉（Thomas Gage）的啟發，他原為天主教修士，後來轉向新教陣營，心懷報復之心，提出「西方計畫」（Western Design）之議——攻取西班牙人的加勒比海地區和南美洲。

奧利佛說：「上帝已把我們帶到當下的所在位置，好讓我們思考在國內和在世界我們所能做的事。」——而天意從未拒絕給予他勝利。已有兩萬五千多名白人移民湧至巴貝多的殖民地，島上大有賺頭的新甘蔗田本來有白人契約工（其中許多人是遭放逐的愛爾蘭天主教徒，其他人則是貧困人家子弟），但這時他們被非洲籍奴隸取代。英格蘭籍種植園主在人數上很快就居於劣勢，眼下擔心奴隸造反，還得處理蓄奴沒有英格蘭法律依據的問題。「強化黑人管治法」（Act for Better Ordering and Governing of Negros）應運而生。該法將會是北美洲、加勒比海地區所有奴隸法的殘酷基礎，載明他們「身為粗野的奴隸」，沒有權利；不聽話所受的懲罰，初犯者受鞭刑，再犯者割鼻、鞭打、烙印；如「有哪個黑人受主人懲罰時不幸喪命或失去手腳，也不會有人因此而處以罰金」。

正當奧利佛籌謀西方計畫時，他發現，他不只和信仰天主教的敵人西班牙開戰，為了貿易、為了查理二世的姊夫奧蘭治親王威廉支持斯圖亞特王朝的問題，他也和信仰新教的傳統盟友尼德蘭兵戎相向。奧利佛很想和這些新教教友言和，於是提議和尼德蘭聯合省組成政治聯盟，然後，在與法蘭西的樞機主教馬薩林（Mazarin）結盟後，他派遣艦隊攻打西班牙人。他派出他的「無敵艦隊」（Invincible Armada），並由性情暴躁的共和主義者羅伯特·韋納布勒斯（Robert Venables）和精力充沛的年輕紳士威廉·潘恩（William Penn）共同統領。時機正好：英格蘭部隊登上西班牙島這個富饒的產糖島時，哈布斯堡家族正為麻煩事而焦頭爛額。

甘嘎·尊巴——帕爾馬雷斯之王

這場侵略以大敗收場。韋納布勒斯坦言，士兵打得「一塌糊塗，苦於炎熱、飢餓、口渴」。一六五五年五月，他們反而拿下仍歸哥倫布家族所有的聖地牙哥（Santiago，今牙買加）。西班牙人起而抵抗之際，當地馬倫人支持英格蘭人，第一任總督於是邀「海上兄弟」（Brethren of the Sea），即英格蘭籍海盜，把根據地設在牙買加，要他們襲擊西班牙人的口岸。在威爾斯籍冒險家亨利·摩根（Henry Morgan）帶領下，他們把根據地卡格威（Cagway，不久後成為羅亞爾港／Port Royal）打造為世上最骯髒、最俗麗、致死率最高的妓院區。

36　勞倫斯·華盛頓（Lawrence Washington）為克倫威爾當政期間被趕出英國國教會的諸人之一，他遭革除堂區牧師之職，被控「常上麥芽酒館」，此時他前往亞美利加。一六五六年，他的兒子約翰·華盛頓買賣菸草，在維吉尼亞遇上船難後，拚命聚積土地和奴隸，輸入契約僕役以善加利用賜予每人五十英畝地的法律，他選上市民院（House of Burgesses）議員，統領民兵，攻打美洲原住民。喬治·華盛頓的曾祖父留下了八千五百英畝地。

英格蘭人這時逐步加快輸入非洲奴隸，用以供應他們在牙買加、巴貝多的種植園。[37]反觀國內，虔誠帝國的失敗令奧利佛震驚：上帝已收回祂對這個罪人國家的賜福。克倫威爾試圖糾正人民唯利是圖的墮落，透過麾下的諸多少將治國，這些少將關閉酒館，禁止違反神旨的舞蹈、鬥雞、足球、縱狗鬥熊等。依舊不准過聖誕節。而拜謙遜的葡萄牙新王若昂四世反擊尼德蘭人之賜，英格蘭即將得到一個機會。憑藉大計畫，尼德蘭人已在從埃爾米納、盧安達至曼哈頓、巴西這片大西洋地區占據中心位置，而在巴西，喀爾文宗尼德蘭籍奴隸主殘酷無情的高效率作風，已使白人貴族和混血印第安人、天主教籍奴隸主、掠奴者失和，導致後三類人於伯南布科（Pernambuco）帶頭叛亂。這場在巴西、安哥拉打的戰爭為多族群戰爭，戰況慘烈：雙方都向印第安人、非洲葡萄牙混血兒招兵買馬；葡萄牙人徵召奴隸入伍，承諾還其自由之身作為回報。

一六四九年二月，若昂的多種族軍隊在瓜拉拉皮斯（Guararapes）打敗尼德蘭人。此軍隊由非洲裔巴西人恩里凱·狄亞士（Henrique Dias）和外號「波提」（Poti）的波提瓜拉族（Potiguara）印第安人腓力佩·卡馬朗（Felipe Camarão）統領，[38]狄亞士是奴隸之子，後來獲自由之身，被封為「所有克里奧爾人、黑人、穆拉托人的總督」。而後，非洲裔巴西人橫渡大西洋，協助葡萄牙人恢復其在非洲的統治地位，並由非洲葡萄牙混血指揮官薩爾瓦多·科雷亞·德·薩（Salvador Correia de Sá）出任非洲收復領土的總督。十五年戰爭期間，尼德蘭人、他們的剛果盟友賈西亞、恩東戈王國女王恩津嘎反擊，雙方皆動用食人肉的尹班嘎拉民兵。葡萄牙人收回盧安達；剛果的賈西亞和恩東戈的恩津嘎退入內陸，保住性命，並安享天年，而由名為卡桑傑（Kasanje）的賈嘎（jaga，即國王）領導的尹班嘎拉人則自建王國，國祚維持了兩百年。只是就在此刻，懷恨在心的人要來算舊帳了。

一六六五年，在姆布維拉（Mbwila），賈西亞的兒子，即剛果國王安東尼奧（António）在尼德蘭人支持下，與葡萄牙人打了一仗。為他帶兵打仗者，包括公主阿夸爾圖涅（Aqualtune）、她的兩個兒子甘嘎·尊巴（Ganga Zumba）和甘嘎·佐納（Ganga Zona）、她女兒薩比娜（Sabina）。剛果人大敗，安東尼奧被殺，公主和其子女淪為奴隸，被送到巴西。但事情未就此結束，因為他們將成為美洲最大的造反奴隸王國的統治者。

奴隸打從一開始便有所抵抗，只是叛亂遭殘忍撲滅。另一個選擇是「逃到未開墾地區」，但也得有這樣的地方去。受雇將逃跑奴隸抓回來的人（capitães do mato）是不苟言笑的追捕者，受到聖安東尼（St Anthony）名正言順的保護，被奴隸主雇來將逃跑的奴隸抓回來或殺掉，他們隨身帶著皮袋，用來存放奴隸的頭以便拿去向奴隸主領賞。但自十七世紀初期起，逃跑的巴西馬倫人就已打造出名為基隆博（quilombo）的造反奴隸聚落——此乃根據安哥拉的尹班嘎拉軍營而命名。在這些稱之為馬孔博（macombo）的藏身處，逃亡奴隸建造起村落，靠種植棕櫚樹、豆類和養雞為生，並成為打游擊高手，使用槍和稱作卡波耶拉（capoeira）的戰舞來作戰。十七世紀初期，已有四十名某種植園的奴隸逃跑，在巴西最東邊的勒西菲（Recife）附近建立一處基隆博，根據他們所食用的棕櫚樹取名帕爾馬雷斯（Palmares）。此聚落的許多居民是剛果人，因此得名小安哥拉，其經由推選產生的領導人往往是來自非洲且在淪為奴隸後仍擁有威信的王子。尼德蘭人落敗後，葡萄牙人企圖摧毀帕爾馬雷斯，發兵攻擊二十多次，全數失敗。有個葡萄牙籍總

37　二十歲來到牙買加的彼得·貝克福德（Peter Beckford）成為最有錢的英格蘭籍奴隸主，死後留下牙買加的二十處地產、一千五百名奴隸、靠出口糖所賺進的一百五十萬英鎊。

38　波提間接點出大西洋世界的錯綜複雜：「我為何要對自己的同胞開戰，」他如此警告一名為尼德蘭人打仗的對手陣營印第安人。「過來我這裡，我會既往不咎，我會讓你再次成為擁抱古老先祖文化的人。那些仍站在對立面的，終將被摧毀。」若昂封印第安波提為貴族，但可能不願晉升黑人狄亞士。

督說道，「比起打敗尼德蘭人，要打敗基隆博更難。」

公主阿夸爾圖涅和其二子甘嘎．尊巴、甘嘎．佐納淪為奴隸後，紛紛被送到稱作聖麗塔（Santa Rita）的甘蔗田工作。聖麗塔位在巴西東北部的伯南布科境內，離帕爾馬雷斯不遠，而阿夸爾圖涅的女兒薩比娜更早淪為奴隸，已在帕爾馬雷斯生活。母子三人抵達後不久，甘嘎．尊巴和其家人就逃到帕爾馬雷斯，而當時三十五歲左右的他，身為剛果國王的孫子，又是經驗豐富的戰士，在那裡被選立為王。他的名字不詳——甘嘎．尊巴是根據指稱大領主的剛果語而取的稱號——不過，他要自家兄弟和母親阿夸爾圖涅掌管不同村落，他則一再打敗來犯的葡萄牙人，引來更多造反奴隸投靠，最後他統治的子民達三萬人（里約有七萬居民），其領土和葡萄牙一樣大。他在一個小宮殿裡臨朝聽政，朝堂上有三個妻子（兩黑人、一混血）、侍衛、廷臣，並一如在非洲時聽取較年長女人——他母親和名叫阿科蒂雷涅（Acotirene）的女族長——的意見。

一如在剛果時，臣民向這個國王行下跪、拍手之禮。每個鎮都築有防禦工事——木柵、陷阱——各鎮有一所禮拜堂、一名神父，但這是雜糅了自身族群文化的克里奧爾式天主教，容忍一夫多妻制和剛果儀式。甘嘎．尊巴提拔外甥尊比（Zumbi）接班。日期和家族成員間的關係不詳，但尊比於一六五五年生於帕爾馬雷斯，那時他的兩個舅舅還未來到該地。他於某次葡萄牙人來襲時遭俘，由名叫安東尼奧．德．梅洛（António de Melo）的神父撫養，受洗，取教名法蘭西斯科（Francisco），學葡語和拉丁語，擁有一個令他的老師大為欽佩的能耐。他老師說那是「我在黑人身上料想不到且在白人身上很少看到的能耐」。他十五歲時逃回基隆博，並取名尊比，這個名字與剛果人祖先崇拜文化裡的不死夜靈有關。這時他舅舅命他掌管帕爾馬雷斯軍隊。

一六七〇年代後期，尊巴的帕爾馬雷斯王國已名聞全美洲，從而助長奴隸造反。一六七七年，甘嘎．

尊巴某次出擊時負傷，他的某些家人於同一次出擊時遭俘虜。隔年，伯南布科總督佩德羅·阿爾梅達（Pedro Almeida）提出和平協議。根據該協議，凡是在帕爾馬雷斯出生者，只要承認葡萄牙國王為王，將繼續保有自由之身，而晚近逃跑的奴隸則要交還給他們的主子。

經過十五年征戰、二十場戰役，甘嘎·尊巴疲累不堪，他決定談和，可是他的外甥尊比反對將逃跑的奴隸送回去。尊巴簽署該協議時，尊比採納其妻子丹妲拉（Dandara）的意見，毒死尊巴毒，同時被選立為王。

「奪取天下者」：希瓦吉、奧朗則布、女詩人

葡萄牙人幾乎每年進犯一次，每次都被尊比擊退，但他未忘記他身為神父的恩師，三度冒極大的生命危險暗中探視他。就連阿爾梅達都欣賞尊比，說他是「具有獨一無二的英勇、偉大志氣、罕見的堅毅精神的黑人，掌管其餘人，因為他的勤奮、判斷力、實力，所以，對我們的人來說是個障礙，對他的人來說則是個榜樣」。

一六五七年九月，甘嘎王朝統治帕爾馬雷斯時，[39]世上最偉大的統治者沙賈汗未照例出現在紅堡的陽台上向群眾講話：他病了。

39 尊比在位二十年左右，但一六九四年，九千名左右的葡葡牙籍滑膛槍兵和印第安人在最嚴酷的混血軍事強人多明戈斯·喬治·韋柳（Domingos Jorge Velho）帶領下，炮擊並攻破帕爾馬雷斯。丹妲拉遭俘虜，最後自殺；尊比帶人突圍後，自此消失無蹤，他長生不死的名聲因此更加傳揚。一六九五年，尊比遭人出賣，然後身體遭嚴重傷害，頭顱用鹽處理過，放在勒西菲示眾，以證明他的夜靈真的已死。

蒙塔茲去世後，沙賈汗靠大玩女人撫平內心傷痛，並靠春藥助威。他不只找他的後宮女人洩欲，還勾引廷臣的妻子，往往在他巡查宮中市集時順便勾搭她們。巡查宮中市集時，總有兩名韃靼籍妃子同行，一一為他記下他看中的對象。後來，他作風似蒙塔茲的漂亮女兒賈哈娜拉替他安排幽會之事，如此私密的事由她處理，引發外界傳言她也成為他的情人。他四個兒子中，長子達拉舒科赫（Darashukoh）最得他寵愛。達拉舒科赫缺乏自信、天真、不喜歡一成不變，一如阿克巴質疑宗教正統觀，書寫完成《兩海匯流》（*Confluence of Two Seas*），提出伊斯蘭教和印度教合流的觀點。未想此舉觸怒嚴守教義的穆斯林，例如沙賈汗的三子奧朗則布。奧朗則布性格凶狠、陰鬱且脾氣壞、生活相當簡單，此時擔任其父皇的巡迴武將。一六三六年起，才十七歲的他便想從位在阿富汗的基地喀布爾擴張，未能如願後，他轉而看上德干高原。

奧朗則布娶了伊朗籍公主狄爾拉絲・巴努別姬（Dilras Banu Begum），和她育有五個孩子。[40]而後在一六五三年，這個太過一本正經又刻苦自持的皇子看到姨媽家中的歌女暨舞女希拉・拜・宰娜巴迪（Hira Bai Zainabadi）竟爬上樹摘取甜美多汁的芒果，「把他迷到失神的一個舉動」。奧朗則布「獲其溺愛的姨媽首肯，將她據為己有……他開始深深愛上她」。他替她倒酒，但自己不願喝，直到有一天，她「倒了一杯酒，放在他手裡，力勸他喝下。他苦苦懇求別逼他喝，她一味的不為所動，就在這個皇子準備喝下時，這個古靈精怪的女孩索性將那杯酒喝下」。

「這是為了測試你對我的愛。」她笑著對窘迫的奧朗則布說。

一年後希拉・拜去世，奧朗則布非常傷心，但他深思後認識到，「主對他非常仁慈，結束了那個舞女的性命。」經過此事，他變得冷酷無情。

此際，沙賈汗疾病纏身，由達拉舒科赫攝政，隨之引發凶殘的家族戰爭。當另外一個哥哥沙舒賈（Shahshuja）和弟弟穆拉德都自封為帕迪沙時，奧朗則布一逕的冷眼旁觀，靜待時機。沙賈汗想硬撐著病軀下床，力勸他的那兩個兒子回各自的省，只是太過自信的達拉舒科赫拒絕父皇的請求。他們的姊妹賈哈娜拉試圖居中調解，直到奧朗則布發現父皇和達拉舒科赫兩人彼此串通，賈哈娜拉這才死了調解的念頭。一六五八年六月，奧朗則布圍攻位在亞格拉堡的沙賈汗，切斷供水，老皇帝心有所感，寫下傷感的詩：

我的兒子，我的英雄……昨天我有兵力九十萬，
如今我缺一罐水。

奧朗則布讀了父皇的信後寫道：「善有善報，惡有惡報。」後來，他告訴父皇：「你不愛我。」沙賈汗投降。奧朗則布邀穆拉德前來暢飲。穆拉德喝到醉倒，遭逮捕，最後被殺害。達拉舒科赫逃走，沙舒賈吃敗仗，逃到緬甸，死於當地。

奧朗則布說：「達拉舒科赫非除掉不可。」一六五九年八月，達拉舒科赫遭出賣，而後被砍頭，他的兒子蘇萊曼舒科赫（Sulaymanshukoh）被迫喝下過量的鴉片。奧朗則布命人將無頭的達拉舒科赫身軀放在大象上遊街示眾。首級送到奧朗則布跟前時，奧朗則布不願看——「這個異教徒在世時，我不想看到他的頭，現在也不想」——但他可能派人將首級送去給與賈哈娜拉同住在亞格拉堡的父親。奧朗則布堅稱，

40　狄爾拉絲．巴努別姬非常聰穎、高傲，因此就連奧朗則布都欣賞她的「高傲，而直至她死，我始終愛她」。兩人生了兩男三女；最年長的孩子是很有才華的澤奔妮莎（Zebunnissa）公主；兒子阿札姆（Azzam）則成為當然繼承人。澤奔妮莎以化名馬赫斐（Makhfi，「祕密」）寫詩。而就在奧朗則布即將當上皇帝之際，狄爾拉絲離開了人世，為紀念亡妻，奧朗則布興建最豪華的紀念性建築，位於奧朗則布城（Aurangabad）的「夫人陵」（Bibi Ka Maqbara），設計者的父親正是泰姬瑪哈陵的建築師。他也在沙賈汗城的紅堡裡建造珍珠清真寺（Pearl Mosque）。

他接下「危險的皇位重擔，係迫不得已，若能選擇，他不想如此」。他以批評口吻告訴父親：「你病倒時，達拉舒科赫濫用權力提倡印度教、摧毀伊斯蘭教。」他能贏是因為「我始終是《可蘭經》的忠實捍衛者」。「為了正義」，他的兄弟都得死。

奧朗則布四十歲當上皇帝，成為阿拉姆吉爾（Alamgir，「奪取天下者」）。他在位時，帖木兒家族在印度的統治來到鼎盛時期。阿拉姆吉爾最初喜愛音樂，贊助音樂家。他迷上時值少女、具奴隸身分的喬治亞籍妃子暨舞女烏戴普莉（Udaipuri），他在殺了哥哥達拉舒科赫後而承接過來的女孩。他繼位時，他的愛女——女詩人澤奔妮莎——享有高度的自由，只是她變得太我行我素。她寫道，「噢，馬赫菲，妳該走的路是愛和獨來獨往之路」。她同時毫不遮掩的和一個年輕貴族男子不倫，與她反叛的兄弟有書信往來。阿拉姆吉爾將她囚禁了二十年。

這個事不分大小都要介入且作風如清教徒的皇帝想要限制會撩人性欲的事物，於是禁止女人穿緊身長褲，在喀什米爾規定穿內褲。他的宮廷變得更嚴格刻板且井然有序時，他告誡兒子阿札姆，「要警惕被壓迫者的嘆息」，並向維齊爾示警道，「壓迫會導致審判日時身陷黑暗之中」。阿拉姆吉爾或許是印度史上最勤於政事的統治者，埋首批閱文件，幾乎不睡：「上天派我來到世間，是要我為他人而活，而勞動，不是為了自己。」他常思索權力的真諦，認為為達目的就該巧施詭計，不必固守誠實之道——「沒有欺騙（和暴力），治不了國。」[41]他說，「最偉大的征服者不是最偉大的國王，」但這個帖木兒後裔為征服而活：「有敵人必須消滅時，絕對要全力以赴，只要是能讓你如願的事……都可放手去做。」

阿拉姆吉爾常把正義掛在嘴上，但藉由處決錫克教古魯泰格．巴哈杜爾（Tegh Bahadur）恢復對旁遮普的統治，擊潰阿富汗人抵抗勢力，並在此後的在位期間全心投入征服南印度的大業。而在南印度，他的野心與一名具群眾魅力的印度教戰士的野心有所衝突。

一六六〇年，阿拉姆吉爾發兵前去消滅印度教籍軍事領袖席瓦吉（Shivaji）。席瓦吉是安巴爾麾下某將領的後代，以浦那（Pune）為基地反叛比賈布爾的蘇丹，並著手在德干高原打造王國。一六五九年，與比賈布爾蘇丹國的某將領會面時，希瓦吉利用他袖子裡的一隻虎爪挖出該將領的內臟，然後擊潰他的軍隊。他強調蒙兀兒人是突厥裔外族，而他想打造信仰印度教的印度人王國（Hindavi swarajya）。在他擊潰阿拉姆吉爾的軍隊後，這個皇帝邀他前來宮中，希望以傳統的甜言蜜語拉攏他和他兒子森巴吉（Sambhaji）為他所用，結果反而將這兩個驕傲的馬拉塔人（Marathas）羞辱一番，然後打入大牢。就在他思考到底該殺了席瓦吉，還是該任命他為喀布爾省長時，這個「德干之虎」正每天將甜食裝簍送給窮人。有天，他和他兒子藏身在甜食簍中逃走，回到德干高原，要用武力打下自己的帝國。

阿拉姆吉爾奪取天下後不久，十七世紀最偉大的英格蘭統治者病倒。

41 在現今的印度，阿拉姆吉爾受到印度教民族主義者唾棄，被他們視為逼印度教徒順服和迫害印度教徒的伊斯蘭教徒。他的確自視為伊斯蘭戰士，不過，也自認是全印度的帕迪沙，提拔印度教籍官員（百分之三十一．六）多於他父親所提拔的（百分之二十二．四），而且不願開除非穆斯林：「世俗之事和宗教何關？」他和拉傑普特人通信，贊助印度教神廟——但如果神廟為造反者所用，他會摧毀神廟。他之所以掠奪，是出於政治目的，而非宗教目的。然而，他不顧姊姊賈哈娜拉的意見，重新施行針對非穆斯林的吉茲亞稅。此舉意在增加稅收，但很明顯以印度教徒為課徵對象。壓制印度教徒或其他人抵抗時，他毫不留情。第十任，也是最後一任的錫克教古魯戈賓德（Gobind）因此發動戰爭對抗阿拉姆吉爾，並成立軍事同道會「卡爾薩」（The Khalsa），同時下令錫克教徒必須留長髮，男人以辛格為名，女人以考爾（Kaur）為名。他的第四個兒子慘遭殺害；他自己則遭暗殺。然錫克教徒仍繼續作戰抵抗。

女王迪克

一六五八年九月，現年五十九歲且為愛女貝蒂痛苦死於癌症而茫然不知所依的奧利佛．克倫威爾，忍著腎感染所導致的血中毒上床睡覺。他的將領圍在他病床邊謀畫接班事宜。

一六五七年三月，下議院議長再度提議奧利佛接受加冕。他若稱王，他的長子迪克將繼承王位，而迪克對父親稱王一事拿不定主意。但迪克的弟弟——好看又有能力的愛爾蘭總督亨利——認為王冠只是「權威之帽上一根花俏的羽毛」。克倫威爾邊猛抽菸，邊思索這個提議，同樣稱王冠為「帽上的這根羽毛」。他決定接受此議，但後來，他在聖詹姆斯公園裡散步時，遇見他的三名共和派將領，隨之打消此念頭。那三名將領告訴他，一旦他接受加冕，他們就會辭職。「我不能用國王的頭銜照管這個政府，」奧利佛告訴議會。「上帝已除掉這個頭銜。」結果，六月時，他獲授以準國王般的威儀——一場穿過倫敦的盛大列隊遊行，隊伍中有權杖，有沃里克舉著的國家之劍，奧利佛則被簇擁在隊伍中，他的長子迪克在他身旁。他病倒時，並未明確交待由誰繼任。[42]

他問身邊人，「告訴我，大權是否有可能不保？」還說了他篤信不移的事，「信仰是上帝與人所立的約，唯一的支持」。就在他陷入昏迷之際，諸將請他指定接班人：迪克？「沒錯」，他低聲說，然後在早上振作起精神，告訴他的孩子，「快樂過日子」，接著死去。

三十一歲的迪克，當時與代表軍方的護國公女婿查爾斯．佛利特伍德（Charles Fleetwood）將軍、姻兄弟約翰．戴斯博羅（John Desborough）一同待在奧利佛病床旁。亨利．克倫威爾據有愛爾蘭。那天傍晚，國務委員會前去見迪克，任命他為國家元首。迪克欣然接受。一六五八年九月九日，克倫威爾的擁護者宣布他為名正言順的護國公，宣告「最尊貴、最著名的奧利佛，已故的護國公，已於生前宣布並指定最高貴、最知名的理查大人，前述已故殿下的長子，接掌我國政務」。查理二世從荷蘭遠觀這情勢，覺得返國無望。但望之不似人君、沒有經驗可恃且未得上天加持的迪克無法服眾。

克倫威爾的擁護者支持迪克當護國公，反觀眾多將領、鐵桿清教徒共和主義者，則想打造聖潔的共和國。迪克調漲軍餉，但苦於資金短缺，於是發動政變以控制軍隊，解散軍官評議會，召開新議會，而新議會的表現未如他所願。結果，他既控制不了議會，也按捺不住將領，諸將領逼他解散新議會，並且自行召回一六四〇年選出、至今仍在的議員。他的法蘭西盟友表示，願率兵入英格蘭支持他，但護國公理查——這時被取了綽號「女王迪克」（Queen Dick）——夾處在將領和克倫威爾擁護者之間、共和主義者和君主主義者之間，而且兩方陣營裡都有狂熱分子，迪克不知如何是好，思忖著權力「於他是個包袱」，他絕不願為了保住權力而流血。他的債務大到議會不得不授予他免於被捕的權利，不得不就他的養老金達成一致意見。世上只有一件事比稱職的獨裁統治還要讓人不屑，那就是不稱職的獨裁統治。一六五九年五月二十五日，即上任八個月後，迪克遭罷黜，名為「安全委員會」（Committee of Safety）的軍事執政團掌權。甚得軍方歡迎的蘭伯特將軍希望自己當家作主，沒想到，蘇格蘭境內擁護克倫威爾路線的指揮官喬治・蒙克（George Monck），在黑湯姆費爾法克斯助陣下，擊敗這個激進將領，揮兵往南，並暗中進勸查理二世先

42　就在這時，年輕的白金漢公爵喬治・維勒茲——父親為詹姆斯一世的寵臣——回到英格蘭，靠戴面具賣藝為生，以演員暨歌手的身分在街頭和位於查令閣（Charing Cross）的舞台上演出幽默小品和唱歌，由此可知，克倫威爾當政時期的倫敦並非全然陰鬱毫無娛樂，只是就身為公爵的人來說，扮演這樣的角色著實少見。他的一生身兼有政治人物、情人、劇作家、演員及謀殺者的角色，幾乎和他的父親一樣精采絕倫。接著，他前去北方執行他真正的任務——追求瑪麗・費爾法克斯（Mary Fairfax），並將她娶進門。她是議會派將領費爾法克斯的女兒暨女繼承人，第一任白金漢公爵的所有遺產都已授予費爾法克斯。年輕的白金漢公爵如願娶了瑪麗，沒想到，克倫威爾竟下令將他逮捕。靠費爾法克斯出面援救他才獲釋，且正好趕上王政復辟，他也得以享有自己的家產。

宣告和解、然後返國。

仍待在懷特霍爾宮且被債主包圍的「垮台迪克」（Tumbledown Dick）求助於蒙克：「我認為自己根本沒什麼出息，既是如此，你應該不會認為我這個人值得徹底摧毀。」奧利佛的書記米爾頓以〈伊甸園的墮落〉為題書寫《失樂園》（*Paradise Lost*）之際，克倫威爾的眾多擁護者，其中包括文書撒繆爾・皮普斯，正在協商請求寬恕及適當的懲戒。奧利佛的海軍指揮官暨友人愛德華・蒙塔古正率領艦隊轉而投靠對手陣營，駕船前去荷蘭將查理二世接回，他年輕的表兄弟皮普斯也在船上。蒙克保護迪克，迪克難過寫道，「出城」是「失業之人最合適的去路」，隨後逃往歐陸。[43]時值一六六〇年五月，比迪克小四歲的查理二世已在多佛上岸。英格蘭歡慶王政復辟。

行星王想必極其羨慕英格蘭有個年輕開朗的王子。由於急需兒子繼承香火，菲利浦四世率然和血親結婚，進而催生出該王朝最畸形的悲劇。

---

43 迪克把妻子和小孩留在英格蘭，在外漂泊二十年，在這期間化名約翰・克拉克（John Clarke），「繪製風景畫」，因而逃過暗殺，直到一六八〇年才得以返鄉，不再受查理二世追殺。迪克死於一七一二年，享年八十五，係伊莉莎白二世之前最長命的英格蘭國家元首。他死後不久，斯圖亞特王朝也覆滅。

清朝和希瓦吉家族、波旁王朝、斯圖亞特王朝和維勒茲家族

維拉斯奎茲、貝尼尼、阿帖米西婭

菲利浦老早就娶了一個法蘭西公主，卻眼睜睜看著兩人所生的八個孩子死了七個，接著他們的母親也過世。西班牙君主國沒有王位繼承人。一六四九年，四十四歲的菲利浦娶了他信仰虔誠的十四歲外甥女瑪麗亞娜（Mariana）。瑪麗亞娜只比她的繼女瑪麗亞・泰蕾莎（María Teresa）長四歲，接下來十年間，她接連生了四個孩子，只有一個得以長大成人。而就在繁重的傳宗接代任務進行之際，維拉斯奎茲記錄了這個家族的動態。

菲利浦經常在維拉斯奎茲的畫室待上數小時觀賞他作畫。維拉斯奎茲著迷於他的巴洛克畫風同僚：魯本斯和他結為朋友，兩人一起前往埃斯科里亞爾拜訪提香。而另一位巴洛克大家，則令維拉斯奎茲很想前去羅馬來趟審美之旅。

教宗烏爾班八世告訴一個年輕雕塑家的兒子吉安—羅倫佐・貝尼尼（Gian-Lorenzo Bernini），「你是為羅馬而被造出，羅馬是為你而被造出。」烏爾班還是樞機主教時，就已經人介紹認識貝尼尼。教宗保祿五世告訴他，「這個孩子，將成為他所處時代的米開朗基羅。」而這時，烏爾班指派他讓羅馬重現生機。烏爾班說，「噢，騎士（貝尼尼），你何其有幸，親眼目睹樞機主教馬斐奧・巴貝里尼（Maffeo Barberini）成為教宗，而我們更為有幸的是，在我們身為教宗期間，有騎士貝尼尼在人間。」貝尼尼大表贊同。

貝尼尼擔任教宗藝術品收藏館館長和聖彼得大教堂的首席建築師，賦予這座巴西利卡式教堂氣勢磅礴

的柱廊和堂內金碧輝煌的華蓋（baldachin）——為後來的教宗增添了位於納沃納廣場（Piazza Navona）上的四河噴泉。他以光滑細膩的性感美化他的信仰：把聖泰蕾莎雕塑成陷入宗教狂喜而身體扭曲的模樣，而他的羅馬，在不可一世的神采底下，隱藏著殘忍的性暴力。貝尼尼和有夫之婦康絲坦查・博努切利（Costanza Bonucelli）有染，愛慕她且將她化身為雕像，只是她和他狂野的弟弟路易基（Luigi）——邪惡之人，後來以肛交方式強暴了一個年輕的工作室助理——上床，令他怒不可遏，於是命令僕人用刮鬍刀片毀了她的容顏。憤怒的教宗逼貝尼尼立即娶一個年輕的羅馬女子，將那個用刮鬍刀將人毀容的僕人打入監獄——受害者康絲坦查也因私通入獄。

貝尼尼的罪行得到原諒。與他同時代的阿帖米西婭・簡提列斯基（Artemisia Gentileschi），也是藝術世家出身，也被認定為神童，同樣是身為受害者卻被當成犯罪者。她的祖父和她的一個叔伯是畫家，她的父親奧拉齊奧（Orazio）為倫敦的昂莉埃塔・瑪麗亞和其他眾多王族客戶作過畫。一六一一年，十七歲的阿帖米西婭仍是處子之身，有著鬈曲的赭色頭髮、厚唇、寬大的臉，正和大她二十歲的藝術家阿戈斯蒂諾・塔西（Agostino Tassi）一同作畫，遭他和一名男性助手強暴，且有一名女性房客助他們施暴。[44]塔西先前已因為亂倫受審，日後更因為試圖殺害一名有孕在身的交際花而受審。強暴阿帖米西婭之後，塔西承諾娶她，沒想到竟改變心意，她父親隨之將他告上法庭。簡提列斯基上法庭作證，從而得重溫那段痛苦歷程。心術不正且凶狠的塔西企圖收買證人作偽證，想把她抹黑為妓女。令人驚訝的是，她被帶去監獄探視塔西，並以拇指夾用刑，以測試她是否說真話。只見她一再說，「È vero, è vero, è vero!」（是真的！）

塔西大喊，「妳在撒彌天大謊。」他被裁定有罪，但他所受到的判決後來被翻案。

充滿熱情、個性獨立、不拘一格的阿帖米西婭重建自己的人生。受此苦難後不久，她畫了〈蘇珊娜和老者〉（Susanna and the Elders），呈現一個半裸女孩以嫌惡之情拒斥兩個色迷迷盯著她看的老者；她後來的畫作〈猶大和荷羅孚尼〉（Judith and Holofernes）、〈莎樂美和施洗者約翰的頭〉（Salome with the Head of John the Baptist），則描繪出將男人砍頭的女人。這些都是當時常見的創作題材，再再散發出報仇雪恨的欣喜。簡提列斯基搬到佛羅倫斯，並得到梅迪奇家族和詩人米開朗基羅．博納羅蒂（Michelangelo Buonarroti，米開朗基羅的姪孫）贊助，並嫁給佛羅倫斯籍畫家，兩人生了小孩——而她丈夫兼管她的事業，並且與她共謀，讓她和具貴族身分的法蘭切斯科．馬林吉（Francesco Maringhi）發展婚外情。馬林吉既是她的情人，也是她的贊助者，係她一生的愛人。人生來到五十多歲時，這個女強人更加自信：她寫信告訴她的那不勒斯籍贊助者安東尼奧．魯佛（Antonio Ruffo），「我要讓顯赫的大人您見識見識我的本事」，還說「你會在一個女人的靈魂裡找到凱撒的精神」。一六四九年，菲利浦允許維拉斯奎茲二度造訪義大利，以購買藝術品和習藝，那時貝尼尼和簡提列斯基都處於事業巔峰——而他在義大利見了新教宗英諾森十世，並畫了他的肖像。[45]維拉斯奎茲沾染了義大利的好色之風，在那裡留下一個孩子。在義大利或離開義大利之後不久，這個哈布斯堡家族的廷臣畫了〈維納斯和丘比特〉（Venus and Cupid），畫中一名美麗肉感的裸身女人背對觀者，欣賞鏡中的自己，而鏡中本該呈現她兩腿之間的部位，卻映照出她的臉。

維拉斯奎茲回到垂頭喪氣的菲利浦四世身邊，菲利浦晉升他主掌宮廷表演活動。擔任此職期間，他

44　她憶道，「他把我拋到床邊，按住我，一手放在我的乳房上，一腳的膝蓋頂在我兩個大腿之間，以致我雙腿闔不起來。他掀開我的衣服，一手用手帕按住我的嘴，使我無法尖聲喊叫。我抓傷他的臉，扯他的頭髮，在他再度插入我之前，我一把抓住他的陰莖，抓得非常緊，甚至扯下一塊皮。」事後她抓起一把小刀，大喊「你使我蒙羞，我要殺了你！」塔西嗤笑道，「來啊！」她拋出小刀，可惜未打中他。

45　奴隸胡安．德．帕雷哈（Juan de Pareja）與維拉斯奎茲一同前往，這個奴隸是維拉斯奎茲畫室助手，他的母親是非洲人，父親是西班牙人。胡安．德．帕雷哈展現繪畫才華，成為當之無愧的畫家，他所繪〈召喚聖馬太〉（Calling of St Matthew）現藏馬德里的普拉多美術館。在義大利，維拉斯奎茲還了胡安自由之身，並畫了他的畫像。

重新設計了埃爾埃斯科里亞爾一地哈布斯堡家族棺木的眾神像，[46]同時仍為此時傷心、面容鬆弛的行星王繪製肖像，直到菲利浦禁止再畫肖像為止。王后瑪麗亞娜生下女兒瑪格麗塔時，維拉斯奎茲記錄了這個哈布斯堡家族小孩的成長過程（菲利浦稱她「我的開心果」）。菲利浦把他已故繼承人位在阿爾卡薩爾的住所「主室」賜給維拉斯奎茲，他在主室裡度過許多時光，他於一六五六年左右所繪的〈侍女〉（Las Meninas），便是從這個房間得到創作靈感。畫作的正中央是淡黃色頭髮、神情愉快的瑪格麗塔，身旁有兩名侍女、三個廷臣、她的狗、兩個女矮子以及一幅維拉斯奎茲的自畫像，還有看著這一切的菲利浦和瑪麗亞娜：呈現宮廷的真實和虛假，以及家族的普世主題。

接著，終獲菲利浦封為爵士的維拉斯奎茲交出一件不同性質的代表作。一六六〇年六月七日，在法、西交界的費桑島（Isle of Pheasants）上，他精心籌畫了一場婚禮——把菲利浦的女兒瑪麗亞・泰蕾莎交給將會在接下來五十年主宰歐洲的年輕法蘭西國王。

安妮和馬薩林

二十歲的路易十四急著圓房，但他原本根本不想結婚。[47]他受他美麗動人的哈布斯堡家族出身的母親安妮和朱利奧・馬察里尼（Giulio Mazarini）調教，學習治國、密謀之道。馬察里尼是義大利人，原為神職人員，後來搖身一變成為如假包換的法蘭西人，人稱樞機主教居爾・馬薩林（Jules Mazarin）。

而正是馬薩林談成哈布斯堡家族這樁婚事。他先前被路易十三的大臣樞機主教黎希留相中培養，擁有和黎希留一樣深謀遠慮的高明手腕，還具有他所獨有的義大利式浮華作風和不以為恥的唯利是圖作風。路易十三臨終時，指定安妮擔任他兒子的攝政，馬薩林當他的教父。

這兩人是路易十四一生中最重要的人，而且兩人幾乎可肯定是情侶。現存的兩人通信，信中充斥著暗示愛和性的祕密符號和暗語，馬薩林在信中心有所感的寫道，「我和妳的友誼是我歷來和任何人的友誼所不能及」，「我至死＊＊＊」，這個太后則坦承，不能在信中說太多，聲稱「不論如何，我會始終表現得如我所應表現的……百萬次，直至嚥下最後一口氣」。他們以「密友」一詞代稱年幼的國王路易十四。路易十四敬愛馬薩林如父，和母親、母親的情人關係至為親密，就王族來說，絕非尋常。身為國王者始終信不過自己的生身家庭，他必須娶妻生子，打造自己的家庭。

但就在對哈布斯堡家族的戰爭致使法蘭西財力大傷時，法蘭西遭遇歷時五年的動亂——投石黨之亂（La Fronde）。暴民使用投石器（fronde）砸破其敵人的窗子，因此得名。作物歉收、太重的稅賦、王室的腐敗，使波旁王朝王子、權勢滔天的大貴族、巴黎暴民、遭欠薪餉的士兵和法院（parlement，也負責登錄國王敕令的古老法院）憤而發難。暴亂最盛時，年幼的國王被暴民嚇壞，不得不和其親、馬薩林逃離巴黎。投石黨之亂與查理一世遭處決、克倫威爾上台同時發生，以致路易更加驚恐。這段期間所受的羞辱，始終縈繞於路易心中。馬薩琳逃走，短暫流亡（他最信賴的心腹達塔尼昂／d' Artagnan同行），這對母子回到巴黎。而當危機解除，與西班牙簽了和約，三人再度團聚。

路易的早期情人是馬薩林的兩個外甥女（Mazarinettes）奧蘭普・曼奇尼（Olympe Mancini）和瑪麗・曼奇尼（Marie Mancini），但這很快就帶來麻煩。他對女色的愛好，就和他對榮耀的追求一樣強烈，他頻

46 在這些作品創作期間，有一次，菲利浦樂在其中的謁見其家族成員，只是氣氛相當令人毛骨聳然。他寫道，「我看到皇帝查理五世的身體，他已死了九十六年，沒想到身體依舊完整。從中可看到，主已如何回報他捍衛宗教的努力」。

47 疾病纏身、沒有兒子繼承王位的菲利浦，帶著維拉斯奎茲回到馬德里，不久就發燒病倒，與世長辭。死前，菲利浦說了一聲，「我完了。」

頻和瑪麗・曼奇尼隔著衣服摩擦身體來取得性滿足，因此把他的陰莖擦傷，不得不塗「蟻精」治療。

安妮和馬薩林著手為路易商談和西班牙王室聯姻的事，[48]只是路易完全拒絕對考慮這門婚事，他一心要娶瑪麗・曼奇尼。「我懇請你記住，你好幾次問我要成為偉大國王需要什麼條件時，我有幸對你講的話」，馬薩林致信路易。「那就是這個：別被激情宰制」。路易送一隻項圈處刻有「我屬於瑪麗・曼奇尼」的小狗給瑪麗時，馬薩林極為生氣。路易最終對她死了心。她說，「你是國王」，「你一哭，我就離開」。他娶既是堂妹也是表妹的瑪麗・泰蕾莎，九個月後生下一個兒子，是為王儲，而兩人近親通婚，以致生下六個孩子裡，只有第一個孩子活到超過十五歲。

一六六一年三月，五十八歲的馬薩林一腳已踏進墳墓裡。路易陪伴於床側，流著眼淚端水奉藥。他哭得太大聲，以致被人請出房間。這個樞機主教離世時，法蘭西已是歐洲最強大國家──有一千九百萬人口的專制君主國（英格蘭則是有四百萬人口的不穩定混合君主國）──而路易寫信告訴菲利浦四世，馬薩林的死是「最令我傷痛的事之一」。不久，路易的母親因壞疽、膿腫、潰瘍而病倒。路易睡在她床腳處，看著她漸漸死去，低聲道，「看看她多美，我從未見她這麼好看過。」

「照我說的做。」安妮死時低聲說。

路易曾私下透露：「失去太后，失去我的母親，我的痛苦超乎你所能想像。」

接著路易宣布：「從今起，我決心親自治國。」[49]他要取代他的哈布斯堡家族表兄弟，讓法蘭西當上世界霸主。他熱中於一連串的婚外情（王后瑪麗亞・泰蕾莎完全不當一回事，只說「我不是如他們所想的蠢蛋，但我很謹慎，我全看在眼裡」），路易同時設計了新的法蘭西宮廷。他聽從貝尼尼的建議改善了羅浮宮（貝尼尼從羅馬過來，很厭惡巴黎），卻又於一六六五年時請人在凡爾賽設計建造了新宮。在新宮，他表演了和他的神聖人身密切相關的複雜儀式，藉此讓他的貴族的心思遠離權力和巴黎。[50]

路易很清楚自己正在對一個本身毫無價值的形式賦予「無限的價值」。宮廷是個多功能的機構、家人的庇護所、權力掮客運作處、就業服務中心、受雇提供伴遊的公司、為自家子女招婚的場所、藝術市集和劇院，有一萬名僕人侍候。廷臣開玩笑道，「能坐下時就坐下；能小便時就小便，索要你能索要的工作！」由於沒有廁所，廷臣在樓梯間撒尿。有個財務官快死時，路易禁不住抱怨，「這個人還沒死，就有

---

48 馬薩林是「現實政治」（realpolitik）的高手——在這個名詞尚未創造出來之前。在仍和哈布斯堡家族交戰期間，他和弒君的共和主義者克倫威爾結盟，共同對抗西班牙，在沙丘之役（battle of the Dunes）擊敗對方。而奧利佛去世時，提議入侵英格蘭以支持護國公迪克的人，便是馬薩林。時間來到二十世紀，馬薩林成為法國總統密特朗心目中的英雄，甚至把私生女取名馬薩莉娜（Mazarine）。

49 路易得先解決馬薩林留給他的一大難題：他的財政大臣尼古拉·富凱（Nicolas Fouquet）在計畫讓法蘭西人接管「新世界」時，花錢買得「美洲總督」（Viceroy of the Americas）這個稱號，生活過得如同帝王，使身為國王的路易相形失色。路易從密探處得知，富凱打算當老大，「使自己成為國家的最高仲裁者」。路易決定消滅他，於是迅即暗中著手，找上他所信任的隨從達塔尼昂幫忙。後來成為達塔尼昂伯爵的夏爾·德·巴茨（Charles de Batz），年輕時曾加入法蘭西國王的御林槍隊（Mousquetaires du Roi），擔任馬薩林的侍衛和密探。路易始終知道達塔尼昂是他可信賴之人。如今，他命令五十歲的達塔尼昂逮捕富凱。富凱被判單獨囚禁十三年，後來，一個戴鐵面具的男子受到同樣的刑罰。這個男子身分不詳，但很可能是厄斯塔什·多傑（Eustache d'Auger），即馬薩林的財務主管的貼身男僕。多傑很清楚這個樞機主教嚴重貪腐的詳情。大仲馬的兩部長篇小說即根據此故事發展而成。

50 他每日的起床（lever）、就寢（coucher）儀式都經過細心編排。他的起床儀式共有一百多人在場觀禮，先是讓貼身男僕為他刮鬍子、著裝，然後貴族出身的國王寢宮首席侍從（premiers gentilshommes）盛大進場。他洗手、禱告時，他的寵臣和私生子會一一進來。首席侍從呈上他的襯衫和外套。在稱之為「進入寢宮」的第三階段，主教、元帥、大使獲准進入。最後，戴好假髮，他速速吃完早餐；接著，他戴上手套，執起手杖，展開了一天的工作。晚上十點，他在眾人面前用晚餐，然後花一個半小時脫下衣物，而最受恩寵者是那些把蠟燭遞給他、陪他去上大號的人。國王蹲在王座上的便桶大便時，特別受寵者（brevets d'affaires）與他聊天。

十六個人索要這份差事。」他一貫的答覆是Je varrai，即晚點再決定。

他有幽默感，曾對生病的藝術家勒布倫（Le Brun）開玩笑說，「就為了提高你畫作的價格，千萬別死啊，勒布倫。」他懂得國王的表演之道：「國王應滿足公眾的需求。」三十歲之前，他親自上台表演、跳舞——他很愛跳舞；他的著名廷臣尚—巴蒂斯特．波克蘭（Jean-Baptiste Poquelin），因鼻子大而被家人稱作「大鼻子」（Le Nez），寫了許多劇作而以莫里哀（Molière）之名為觀眾所知，他的使命便是「讓這個令全歐震動的君主大笑」。但在這些歡樂和流言蜚語背後，存在著為爭取一個男人的寵愛而展開的陰險鬥爭。

太陽王宮廷裡的性、毒物、戰爭

路易一個接一個地和眾多女人上過床，但前後換了許多女人，把國王的首席情婦（maitresse en titre）之位打造成半官方的職位。第一個首席情婦是野心勃勃、貪婪、藍眼、金髮、詼諧的法蘭索瓦茲—阿泰娜伊絲．德．羅什舒亞爾（Françoise-Athénaïs de Rocheshouart），她出身最尊貴的貴族家庭，嫁給蒙特斯龐侯爵（marquis de Montespan）。王后和路易的現任情婦都懷孕時，兩人極其不智的請求蒙特斯龐夫人款待性欲旺盛的國王，結果國王愛上她。有一段時間，他把兩個情婦分別安置在相毗鄰的住所裡，同時又一再勾引他不期而遇的每個女孩，包括這三個女人的女僕。蒙特斯龐夫人把持宮廷，與國王生下七個小孩。可是，她太過貪財而且任性：她的綽號是「多少錢？」（Quanto）。當她被最意想不到的對手取代時，她竟完全看不清情勢已有多大的轉變。

替自己小孩物色女教師時，蒙特斯龐夫人挑上一個安全的人選：三十九歲的法蘭索瓦茲．多畢涅

（Françoise d'Aubigné）。她有雙淺黑色眼睛，信仰虔誠，聰穎，沒有子女，是個寡婦，已故丈夫是個酗酒的詩人，父親是個殺人犯。而令眾人大出意外的，與一連數個較年輕女孩廝混過後，路易竟漸漸愛上她，把她晉升為曼特農女侯爵（marquise de Maintenon）；王后去世後，路易於一六八三年娶她為妻。曼特農對他講話直言無隱，極其厭惡宮廷，認為男女心智無優劣之分，對父權制心存懷疑。她說，「湊近一看，男人著實讓人難以忍受。」她經營一所教女孩學習歷史和數學的學校，不久她就掌握大權，儘管她自稱「無足輕重」。路易敬愛她：寫道「我始終很珍惜妳，對妳的尊敬非言語所能傳達，不管你愛我多少，我對妳的愛都更多，我全心屬於妳。」她是王儲之妻的第二女官（seconde dame d'atours），如今的她，已然主宰宮廷。

她的崛起令這時已肥胖不已的蒙特斯龐夫人無法忍受，蒙特斯龐夫人於是求教於拉瓦贊（La Voisin）、拉博絲（La Bosse）。這兩人是上流社會和下層社會之間那模糊地帶的居民：拉瓦贊是女巫、替人做非法流產、毒藥和春藥的供應者；拉博絲則在黑魔法裡使用遭殺害或死產之嬰兒的血。這兩個脾氣火爆的女人常被廷臣和失寵的情婦雇用。和路易上過床的蒙特斯龐夫人的女僕克蘿德・德・奧耶茨（Claude des Oeillets）求教於拉瓦贊，路易的另一個前情婦，馬薩林的外甥女奧蘭普・德・蘇瓦松（Olympe de Soissons），在路易移情別戀時求助於拉瓦贊。拉瓦贊據說曾在路易的食物裡灑上嬰兒的血。這樁施法之事於某貴族受謀殺罪審判時曝光。國王獲告知此事後下令調查，政治人物乘機興風作浪，加上有人告發，從而查出行巫術、[51]下毒、殺嬰之事：一百九十四人被捕、遭刑求。包含拉瓦贊在內共三十六人以火刑處死、刑求至死或以車輪刑處死。然而誠如警察首長所說的，真正的凶手地位太高，無法水落石出：「他們

51 「投毒事件」（L'Affaire des Poisons）的發生，比麻塞諸塞殖民地薩勒姆（Salem）女巫施法恐慌還早十二年。

的罪行大到反倒成了他們的護身符。」路易喊停，蒙特斯龐退居女修道院。

另一個轉移貴族注意力的法門是戰爭和帝國。路易把追求榮耀視為國王的消遣和職責，法蘭西龐大的人口則使他得以在長達五十年的歲月裡動用比其他任何國家都龐大的兵力，並為這等兵力配置必要的裝備。他讓士兵每次受訓數個小時，同時鼓勵貴族穿著打扮得有如戰場即宴會。他殺人不眨眼的貴族一身盛裝，講究外表的體面，引得歐洲各地貴族仿效，但在被黑火藥的濃煙弄得視線不清的戰場上，軍官和士兵身上顏色亮麗的外套有助於敵人辨識出他們。路易有計畫的開疆拓土：一六六七年，他發兵入侵西班牙的尼德蘭和法蘭什孔泰（Franche-Comté），順利攻下後，又吞併盧森堡。未想一六七二年，「不知感恩、無知且自大到不知天高地厚」的小小尼德蘭共和國竟敢與他為敵——相對於路易轄下兩千萬人口，該共和國僅一百五十萬人口，當時由最卓越的君主、約翰·德·韋特（John de Witt）所領導。德·韋特既是帝國的指導者，也是數學家，利用來自對死因的初步調查所得的倖存率計算壽險利率，同時設計出年金保險——業已以非正式的身分統治了二十年，成就斐然。

德·韋特身形瘦長、膚色深、英俊且專注，他受阿姆斯特丹長年攝政暨尼德蘭東印度公司總裁科內利斯·德·格萊夫（Cornelis de Graeff）的提攜，娶了他的外甥女溫黛拉·畢克爾（Wendela Bicker），從而使德·韋特成為透過東印度公司、西印度公司推動尼德蘭全球攻勢的諸多貴族世家所不可或缺的人物。一六五〇年，奧蘭治親王威廉早逝——他那個日後將統治英格蘭的兒子威廉，在他死後八天才出世。德·格萊夫和當時二十四歲的德·韋特看出可乘機除掉奧蘭治家族出身的省督，便宣告封年幼的奧蘭治親王為「國家之子」（Child of State，即受政府監護之人），其教育由攝政（regenten）掌理。

三年後，德·格萊夫助德·韋特晉升為荷蘭省的大議長（raadpensionaris），形同總理一職。德·韋特對英格蘭發動戰爭，猛攻不休，迫使新任英王查理二世投入路易懷抱，從而鑄下嚴重後果。

快活兩兄弟和非洲公司

一六六〇年五月十四日，艦隊司令蒙塔古帶著英格蘭議會給查理二世的現金來到海牙，這個衣衫破爛的國王一看到錢立刻大為振奮，叫來他的弟弟約克公爵詹姆斯，只為一睹這筆令人驚喜的現款。兩兄弟決意好好享受王位，而且要在飽受宗教仇恨和政治動蕩折磨的英格蘭，用盡一切手段保住他們的父親所為之而死的君主國。

查理搭上蒙塔古的旗艦，在諸多保王黨人伴隨下來到多佛。這些保王黨人組成複雜，為首者是詹姆斯、一些原本擁護克倫威爾的人[52]以及暴躁易怒的神職人員吉爾伯特・伯內特（Gilbert Burnet）。伯內特記載道，這個國王「對人，不分男女，評價都很差，因而極不信任人；他認為世間完全被私利主宰」。但他欣賞這個國王「對自身的神奇掌控能力：他有辦法在正事和享樂之間輕鬆轉換，好似任何事在他看來都沒什麼不同」。

流亡期間，尋歡作樂一直是斯圖亞特家族人的慰藉來源，掌權時則藉由報仇得到慰藉。手頭拮据的十二年間，據記載，查理只沉迷於兩名情婦的溫柔鄉，抱怨「盲瞽琴師（流言蜚語）太看得起我，竟把那麼多美女編派給我，一副我有辦法滿足其中一半人似的」。他愛上露西・沃爾特（Lucy Walter），與她生下一子——蒙茅斯（Monmouth）公爵——這個孩子甚得他溺愛。時至今日，他要好好彌補那段慘淡歲月。

52 皮普斯於一六六〇年一月一日開始書寫他著名的日記，正好趕上王政復辟，為此事留下寶貴紀錄——他跟著國王查理坐船回到英格蘭。他筆下流露出抑制不住的生存之樂，而此感受至少有一部分源於他安然捱過膀胱結石切除術。每逢一年的這一天，他都為餘生辦場盛宴以茲慶祝。率領陸軍和海軍投靠查理的兩名克倫威爾擁護者——蒙克和蒙塔古——獲封為阿爾伯馬爾（Albemarle）公爵和桑維奇（Sandwich）伯爵，躋身國王查理的最高階廷臣之列：年輕的皮普斯跟著他們青雲直上，獲查理授以海軍局（Navy Board）裡的要職。

沒有整肅，他反倒發出許多獎賞，但查理宮廷裡令人眼花撩亂的歡樂，遮掩了危險且不為人知的緊張關係：這時的英格蘭充斥多疑心態、有分裂傾向而且凶殘。弒君者遭吊死、開膛分屍；偉大的奧利佛遭掘墳，懸首示眾。

查理身材高大、膚色黝黑、幽默、無憂無慮，外表和氣質具義大利人風格（傳承自他梅迪奇家族出身的祖母），他精於暗中操縱，只是口才甚差——皮普斯指出，「他口才之差是我歷來所見識過的人中之最。我所看到的，就只有這個國王的愚蠢行徑，老愛和他的狗玩或把弄他緊身褲上的下體貼片*。」查理既溫文有禮又有性格缺陷，對於作決定，他能避就避——就政治上而言，這不盡然是個壞習慣。皮普斯寫道，「這個國王的確只在意享樂，極不想見到或想到正事。」查理絲毫不覺這有何不妥。他說，「欲求不受限制，全能的上帝絕不會因為人讓自己享點樂子就要那人下地獄。」其實他的欲求絕非不受限制，他仍靠議會來拿到錢。

王位繼承人不可或缺：葡萄牙公主布拉甘薩的凱瑟琳（Catherine of Braganza）帶來孟買和坦吉爾當嫁妝，無奈她生不出小孩，而當她丈夫仍繼續和別的女人生下小孩，她的處境就很難堪。他的王位繼承人依舊是他的弟弟約克公爵詹姆斯，但此事不久就成為一大問題，而這個問題不只具體而微的點出英格蘭的危機，甚至加劇了危機。

這對「快活兄弟」大相逕庭：查理是個猶豫不決的新教徒，勇敢，但願意配合新情勢而改變、細心、有耐心；詹姆斯於一六六九年改宗天主教，身材結實且膚黑，有勇無謀又頑固。他和查理一樣好色，不過玩女人不像查理那麼有品味：查理笑詹姆斯的「醜村姑」其貌不揚，必定是聽他告解的牧師要他和她們廝混，以補贖他的罪行。[53]兩兄弟流亡在外時，詹姆斯勾引安妮（父親是查理的顧問愛德華・海德（Edward Hyde），後來成為克拉倫登（Clarendon）伯爵和大法官（Lord Chancellor））——並保證只要她屈從，就會娶她。詹姆斯說到做到，娶她為妻，兩人生下六個孩子都未能長大成人後，她又生下兩個女兒瑪麗和安妮。兩個女兒都被當成新教徒來養育，後來也都成為女王。詹姆斯是海軍事務大臣，因此與皮普斯在工作上關係密切，皮普斯稱讚他謙遜、勤奮，注意到他深愛著女兒——「猶如民間普通父親」——不過，他也是個登徒子，「猛盯著我老婆看」。

兩兄弟立即發揮英格蘭的貿易活力，在全球舞台上和首屈一指的貿易強權——德・韋特主掌的荷蘭——一較高下。查理沿襲奧利佛的作風，通過旨在促進非洲奴隸、印度奢侈品貿易的航海法（Navigational Acts）。聽聞甘比亞有「金山」後，查理和詹姆斯當下創立「皇家冒險家公司」（Company of Royal Adventurers），一六七二年，公司獲重新授予特許狀，更名為皇家非洲公司（Royal Africa Company）。該公司於七年期間買賣了一萬六千名非洲人，在非洲沿海地區創建堡壘，奪下尼德蘭人的奴隸堡，即由瑞典人建造的「開普海岸」（Cape Coast）。這家公司由詹姆斯擔任總督，其股東形形色色，舉凡查理和萊茵法爾茨伯爵之子魯珀特，至哲學家約翰・洛克（其祖先約翰・羅克／John Lok就是赴西非闖蕩的先鋒）、皮普斯、來自布里斯托的商人愛爾華・科爾斯頓（Edward Colston）皆為股東。後來科爾斯頓出任公司副總督。在非洲，公司十名英格蘭代表中，九人病死，而且皇家非洲公司，一如其他歐洲籍奴隸販子，始終未

---

* 編注：下體貼片（codpiece），十五、十六世紀，由於褲型設計、裁縫技術的緣故，男性緊身褲的褲管各自分開，之間僅由一片薄薄的布料連接，因此生殖器官經常若隱若現，於是便另以一塊布遮住，此稱為「下體貼片」。原為遮羞的一塊布，後來反而成為貴族男性彰顯雄風的特製裝飾，有時甚至以金屬材質打造，或有鑲鑽等點綴。

53 詹姆斯最愛的女人是心思細膩的凱瑟琳・塞德利（Catherine Sedley），很清楚這個公爵的愚蠢，也很清楚自己的相貌平平。她開玩笑道，「絕不可能因為我長得漂亮，因為他肯定看出我根本不漂亮。也絕不可能因為我聰明，因為他未聰明到看得出我有何聰明之處。」她依舊是伶牙俐齒。數年後，在喬治一世的宮廷，她碰見查理二世的情婦（樸次茅斯公爵夫人）和威廉三世的情婦（奧克尼伯爵夫人伊莉莎白・維勒茲／Elizabeth Villiers），禁不住笑道，「天啊！誰想得到我們三個婊子竟會在這裡相遇？」

強大到足以打敗經常挑戰他們的非洲本地領導人。即便如此，英國人在奴隸貿易中的占比，頭十年間從三成三上漲為七成四。一六六二至一七三一年，該公司約運送了二十一萬兩千名奴隸，前後五百多個航次，其中四萬四千人死於航行途中。大多被賣到加勒比海地區。

與尼德蘭人起衝突，令「極度好戰」的英格蘭公眾油然憤慨了起來。詹姆斯告訴皮普斯，「全世界的人都騎到我們頭上，而我認為我們絕不會騎不到任何人頭上。」而事實上，英格蘭的時代就要來臨。一六六五年，這兩個新教強權兵戎相向，由詹姆斯統領艦隊，由皮普斯整備艦隊所需的一應必需品。在洛斯托夫特（Lowestoft）外海，詹姆斯打敗尼德蘭人，但他附近一名軍官的頭被打爆時，腦漿濺到他身上；英格蘭人拿下千里達和新阿姆斯特丹，查理將新阿姆斯特丹改名紐約，於是從新英格蘭至另一個新創立的殖民地卡羅來納（Carolinas），英格蘭人在北美洲東岸的諸殖民地連成一線。卡羅來納則是根據查理本人之名而取。[54]

德．韋特和尼德蘭人都深信上帝會懲罰英格蘭人的墮落。一六六五年，的確有一波鼠疫導致英格蘭陷入封城境地：數千人逃離倫敦；大學關閉。就在一星期死了七千個倫敦人時，皮普斯在職業和性事上正春風得意——「我從未這麼快活！」——有個對女孩或政黨都毫無興趣的牛津大學學生，則因為疫情封城而被困在他父母的林肯郡家中，而且受益於此事：艾薩克．牛頓以自己做實驗。他寫道，「我拿來一根針，放進我的眼睛和眼眶骨之間，盡可能貼近我眼睛的後部」，由此畫出他的眼球。這是極具啟示性的一刻：做重力、數學實驗的牛頓，係深信科學需要證明——即使那意味著要把針放在他眼球旁邊——的歐洲新一批博學者之一。

這波鼠疫過後，一場大火燒掉倫敦大半；也是皮普斯趕往懷特霍爾宮向國王示警，勸他炸掉房子以阻止火勢蔓延。[55]然後，德．韋特謀畫了致命一擊。他視察尼德蘭艦隊，吊死三名艦長以鼓舞士氣，接著指派他哥哥科內利斯．德．韋特（Cornelis de Witt）到船上，啟動其計畫。一六六七年六月十九日，尼德蘭人闖入麥德威河（River Medway），襲擊位於查塔姆（Chatham）的海軍基地，燒掉或挾持十四艘第一線作戰軍艦，倫敦人心惶惶。皮普斯心想，「整個王國完了」，這時突然想念起克倫威爾：「怪的是……這時怎麼人人想起奧利佛並且稱讚他」。查理則嘲笑「那些純潔善良的時光」，犧牲了他的大法官克拉倫登並求和，同時把詹姆斯的女兒瑪麗嫁給年輕的奧蘭治的威廉。

查理找上他最好的朋友，以向尼德蘭人報仇，並取得資金避開議會的掣肘：他二十六歲的妹妹亨莉埃塔（Henrietta）。

54　查理把北美洲的一大塊地劃給威廉．潘恩（William Penn），他是貴格會教徒，他實事求是的父親位處艦隊司令，曾為克倫威爾率軍遠征加勒比海，而後排除萬難隨同查理二世回倫敦，借給查理急需的資金。查理未還這筆錢，而是把北美洲大片土地授予潘恩，使潘恩得以創建賓夕法尼亞作為他「神聖的試驗地」。他在賓夕法尼亞草擬了寬容異己的憲法，最初和北美原住民勒納佩族（Lenape）談成和平相處之道。只是邊界劃分不明確，使他和信仰天主教、屬保王黨的第二任巴爾的摩勳爵的家族（馬里蘭殖民地的領主）起衝突。兩家族保有殖民地領主之位，直至美國革命為止。但兩家族的邊界緊張導致多年的敵對，甚至引發一場為時不長的巴爾的摩—潘恩戰爭。一七三〇年起，在科內霍埃拉谷（Conejohela Valley），隨著替第五任巴爾的摩勳爵殺害印第安人的湯瑪斯．克雷薩普（Thomas Cresap）上校步步進逼忠於潘恩家族的貴格會教徒移民，克雷薩普的戰爭（Cresap's War）最終演變為馬里蘭、賓夕法尼亞各自動員民兵。喬治二世介入調解，才解決這場衝突。喬治二世命令巴爾的摩和約翰．潘恩（賓夕法尼亞創建人之子）透過談判訂出新邊界，一七六七年邊界確立，是為梅森—狄克森線（Mason-Dixon Line）。後來，此邊界線成為北方和擁有奴隸之南方的邊界。與此同時，約翰．潘恩使計謊騙勒納佩人割讓一塊可在一天半裡走完的領土，然後雇用跑步甚快的人執行此測量作業，以擴大該地範圍——是為所謂的「步行購地」（Walking Purchase）協議。

55　這場鼠疫已在詹姆斯一世當政頭幾年奪走三萬條性命，一六二五年奪走四萬條性命。鼠疫先是在阿姆斯特丹奪走五萬條性命，然後傳到有五百二十萬人口的大不列顛島，並在一六六五年夏奪走其中十萬條性命。針對鼠疫猖獗的房子施行了隔離措施——在其上標注一個紅十字和文字「主對我們發發慈悲吧」——這場大火則有可能止住鼠疫的蔓延。一七二〇年，這場鼠疫在歐洲最後一波肆虐，奪走馬賽十五萬人裡的九萬人性命。在東邊，鼠疫則還要肆虐頗長時間。

米內特、芭芭拉和吃了德・韋特

這個公主，被查理稱作米內特（Minette，「小貓」），她嫁給路易十四的凶狠弟弟，即人稱「先生」（Monsieur）的奧爾良的菲利浦（Philippe d'Orléans）。她聰明、有文化素養、充滿熱情，令路易著迷不已，好不容易熬過了「先生」和他吃醋之男性情人的欺凌。查理很喜歡米內特，非常想念她：「在我有幸再見到我親愛的米內特之前，我肯定會一直很不耐煩」。而最讓她開心的事，莫過於讓查理開心。她寫道，「每個人都有自己不足為外人道的愛好，而我的愛好是用心注意你所關注的每件事！」還說，「世上最愛你的人就是我。」這時，她穿梭於兩個國王之間，談成一份密約，藉此表明她對她王兄莫大的愛。根據此密約，路易十四答應給查理錢，使查理得以免受議會擺布，查理則暗中承諾改宗天主教作為回報──相關的公開條約完全未提到這兩點。米內特的表現說明了王朝可以賦予女人多大的權力。未料她回到法蘭西後，死於痛苦的穿孔性潰瘍。傷心欲絕的查理吼道，「先生根本是個壞蛋！」認定米內特遭下毒致死。

事到如今，查理將全副心思放在一個天主教同盟上，這個同盟得到「五大臣小集團」（cabal）支持，[56]集團的領袖是已和路易談成公開條約的白金漢公爵喬治，此人行事油滑、舉止優雅、個性凶狠。而查理，也已和天主教徒上床。

查理十餘年間最愛的女人是芭芭拉・維勒茲（Barbara Villiers），即第一任白金漢公爵的孫姪女。芭芭拉身材曲線迷人，性情暴烈，為人放蕩不羈，被晉升為卡斯爾梅恩（Castlemaine）伯爵夫人，[57]她生下五個孩子，這些孩子全被封為貴族。而她更是毫不避諱地信奉天主教。

國王查理鼓勵寬容對待天主教徒，反觀議會，則禁止天主教徒出任公職。查理的密約遭部分揭露時，白金漢隨之失勢。而這正合查理的意，此時查理已移情別戀，愛上較年輕的情婦，他告訴芭芭拉，他「不在意她愛上誰」。此後她又結交了數個新情夫，這些情夫形形色色，從特技演員到名叫約翰・邱吉爾（John Churchill）的年輕近衛團士兵所在都有。約翰・邱吉爾的父親溫斯頓・邱吉爾是保王黨軍官，母親則是第一任白金漢公爵的甥孫女。邱吉爾「身形漂亮，其風采，不管是男人還是女人，都抗拒不了」；「身形修長如邱吉爾」（as slender as Churchill）這個片語漸漸流行於宮廷裡。他的姊姊阿拉貝拉（Arabella）在和約克公爵詹姆斯出外打獵時不慎墜馬，意外露出她的美腿和其他部位。她自此成為詹姆斯的情婦。

芭芭拉・維勒茲利用邱吉爾來詆毀與她爭寵的某個國王情婦；邱吉爾聲稱，國王到來時，他來不及穿上長褲就跳窗逃走。查理罰他禁閉於兵營裡，芭芭拉讓他享有年金作為補償。日後會成為馬爾博羅公爵（duke of Marlborough）的邱吉爾，正是這樣展開他的職業生涯。不久，邱吉爾娶美麗、威嚴的莎拉・詹寧斯（Sarah Jennings）為妻。在宮廷上，他與廷臣悉尼・戈多芬（Sidney Godolphin）結為朋友，國王查理

56　皮普斯寫道，「這時的確是一切白金漢公爵說了算」。「cabal」一詞源於以白金漢為首的五大臣的名字的頭字母，他們分別是Clifford、Arlington、Buckingham、Ashley、Lauderdale。王政復辟雖顯歡樂，然粗暴、貪婪、唯利是圖之風更盛，「有個懶惰的王子，沒有會議，沒有錢，沒有好名聲」。皮普斯所謂的「宮廷的凶狠」，便體現在白金漢身上。雖說這個公爵寫劇作，演出自己的短劇，在皇家學會攻讀科學，但在劇院和法庭裡公開和放蕩不羈的貴族打架，一六六六年愛上什魯斯伯里（Shrewsbury）伯爵夫人安娜・瑪麗亞（Anna Maria）。這段婚外情導致一場決鬥，而他在決鬥中殺了她的丈夫和她丈夫的助手，她則命人埋伏、刺殺一個嘲笑她和白金漢的前情人。皮普斯以嫌惡的口吻寫道，「當這個公爵、國王身邊最重要的人衝動到為了婊子打架，禁不住令世人思考，國王身邊是否有優秀的顧問。」然後白金漢要安娜・瑪麗亞住進他家，和他的妻子同住，他的妻子理所當然為此滿腹牢騷。於是，白金漢把妻子送回她父親家，自己則和「他所親手打造的這個寡婦」住在他們氣派的新愛巢「克利夫登宅」（Cliveden House）。

57　她的第一個稱號是楠薩奇男爵夫人（Baroness Nonsuch）——查理真的把楠薩奇的王宮給了她——後來她被晉升為克利夫蘭公爵夫人。她令皮普斯心蕩神馳，在御苑（Privy Garden），他注意到她穿著「我這輩子所見過最精緻的無袖寬內衣和亞麻材質襯裙，襯裙底部飾有富麗的蕾絲，令我目不轉睛」。在劇院，他色迷迷的猛盯著她看——「我貪婪的欣賞她」，「滿眼都是她」，而「我很清楚，她是個婊子。」

則稱讚戈多芬「從不礙事，從不亂事」；莎拉與約克公爵的女兒安妮公主結為朋友。日後將統治英國的這四人成為形影不離的好友。

一六七二年，路易和查理出兵攻打德．韋特的荷蘭。法軍攻入荷蘭，尼德蘭人潰敗，靠放水淹荷蘭才救了自己的國家。尼德蘭人稱這一年為「災難年」（Rampjaar）的確貼切，而經此打擊，他們的全球霸主地位自此一去不復返。

支持奧蘭治親王的政治勢力憤而指責德．韋特，他雖遭暗殺未遂卻也嚴重負傷，隨後被迫辭職。眾人把目光轉向二十二歲的奧蘭治親王威廉，威廉被任命為省督和總司令，竭力阻擋法軍。他說，「我國的確岌岌可危，不過有個辦法可使我們絕不亡國，那就是奮戰到底。」威廉性格剛強、不知變通又凶悍，且不懂愛人，他還在母親腹中時父親就去世了，他母親為自己父親查理一世遇害而痛苦萬分，而他和德．韋特的互不對盤，幾未因網球比賽而有所改善。他看到自己的機會。支持奧蘭治親王的民兵在威廉的組織下，或者代表威廉，將德．韋特和其哥哥科內利斯擒殺，接著把他們的遺體交給暴民。暴民挖出他們的內臟，剝了他們的皮，將他們赤條條吊著，在街上賣他們的耳朵、手指等「碎料」，然後將他們的肝煮熟吃掉——在歐洲最高度發展的城市裡，一場令人震驚的食人盛宴：德．韋特使尼德蘭國的「靈魂脫離軀體」；如今，尼德蘭人使他的靈魂脫離軀體。

路易看來勢不可擋，他接著吞併史特拉斯堡和亞爾薩斯。他被譽為「太陽王」，受到命運的溺愛，帶有自以為是的自戀（那些永遠掌權者固有的心態），深信自己是歐洲之主。法蘭西的迷人風采隱藏著冷酷的野心。他具有發動無休無止的戰爭、典禮、詭計所不可或缺的那種鋼鐵般的素質：後來他為了切掉肛門瘻管，在未麻醉下承受長達六小時的極痛苦手術，全程未哀一聲，只說了「我的天啊」兩次。[58]但接下來他會需要展現他的非凡鬥志：奧蘭治家族、哈布斯堡家族密謀對付他時，他正為足以在美洲和印度與英格蘭一較高下的世界性法蘭西帝國打基礎。

盛清、偉大蒙兀兒皇帝、恰特拉帕蒂

一六六四年，路易創立法蘭西東印度、西印度公司，以透過貿易和武力推動法蘭西帝國——但相較於他的葡萄牙、尼德蘭、英格蘭等對手，他還是落後甚多。一六八二年，在「我們的新法蘭西領土」上，他的探險家德·拉薩勒先生（sieur de La Salle）在北美原住民盟友的協助下，於五大湖周邊建造了數座堡壘，使法蘭西除了更早時在魁北克所建立的新拓居地外，又多了數個據點，這個探險家還聲稱，整個密西西比河流域為法蘭西所有，並稱之為路易斯安納（Louisiana）。只不過，從事海外拓殖的法蘭西人甚少。一六六三年起，路易派出八百多個女人——「國王的女兒」（les filles du roi）——要她們當移民者的老婆。

路易底下的征服者著迷於美洲原住民怪異的自由，這些原住民卻是瞧不起歐洲人，認為他們殘酷、貪錢、執迷於身分地位，甘於當國王和貴族的奴隸。有個法蘭西籍耶穌會士寫道，「他們認為，他們天生就該享有年幼野公驢那種自由，不必向任何人表示敬意。」另一人論道，「世上沒有人比他們更不受拘束

58 這個手術之所以得以成功，要歸因於外科醫生的地位有所改善。這個國王的理髮師兼外科、牙科醫生夏爾—法蘭索瓦·費利克斯（Charles-François Félix），克紹箕裘，擔任首席外科御醫，先前六個月裡已為七十五名較低下之人的肛門做過這項手術，這些人大多是長了「肛門瘻管」的罪犯。而他也已發明新的手術工具，即長柄大鐮刀狀的解剖刀和牽開器。當時沒有消毒措施。這個國王很討厭洗澡，瘻管滲漏，有個俄羅斯大使曾回報說路易「如野獸般臭」。一六八六年十一月十八日早上七點，費利克斯對國王的肛門進行手術，國王的情婦曼特農夫人、王儲、他的告解神父、他的國務大臣都在場，國務大臣握著他的手。術後不到三個月，路易就上馬；由於這個國王的一舉一動都蔚為流行，於是廷臣跟著在自己的臀部纏上慶祝性質的繃帶。最重要的是，費利克斯被封為貴族，獲授大片土地和金錢，後來其子繼任首席外科御醫，並服侍路易十五。

的」，並指出「在這裡，父親管不住自家孩子」。美洲原住民受大會統治，為統兵作戰或領導特殊的狩獵活動才遴選出統治者。在大會裡，女人和男人一樣可以發言、辯論。

一六九一年，溫達特（Wendat）部落聯盟（今加拿大安大略省）的使節得到路易接見，只是他覺得，太陽王沒什麼過人之處。這個使者的身分如今仍莫衷一是，但很可能是坎迪亞隆克（Kandiaronk）。此人被推選為溫達特議事會的「議長」，是個口才甚好、善於征戰、政治手腕高明的休倫人，挑動法蘭西人對付溫達特人的對手易洛魁人以從中得利。與路易的軍官拉翁唐男爵（baron de Lahontan）路易—阿爾芒（Louis-Armand）爭辯法蘭西人、易洛魁人社會的優劣時，坎迪亞隆克譏笑，「他們認為，在我們城鎮裡所觀察到的不端行為和混亂，都是因金錢所引發而來的」。這些原住民「嘲笑等級之分……他們對我們扣上奴隸的污名……說我們自貶身分，服從於一人……他們說，我們用在他們身上的野蠻人一詞，用在我們自己身上會更貼切」。美洲原住民所述觸及西方自由的本質：在當時──還有現今──所謂的自由，大多僅存在於理論上，因為多數人其實被自己在社會裡的位置束縛住。在坎迪亞隆克所處的社會裡，人們常不服領主的命令，離開原本的社會並加入其他部族。他不解為何會有人同意讓自己任由那些有錢的人管束，同時也認為，耶穌的故事（「偉大神靈」之子的生與死）可謂荒謬──但他後來還是識時務的改宗。他說，「認為人能在充斥錢的國度裡活著並保住自己的靈魂，猶如認為人能在湖底保住性命。」一七〇三年，拉翁唐出版他和坎迪亞隆克的對話錄，書名《與遊歷廣闊的明理野蠻人的奇妙對話》（*Curious Dialogues with a Savage of Good Sense Who Has Travelled*），該書促使新一代人質疑歐洲的權威和文明的起源。

在加勒比海地區，路易在糖、奴隸領域和西班牙人、英格蘭人競比高下：他接管聖多明哥（Saint-Domingue）、馬提尼克、瓜德魯普（Guadeloupe），而在這三個地方，以及路易斯安納，在甘蔗田工作的工人是每年由他的幾內亞和塞內加爾公司（Compagnie de Guinée et du Sénégale）供應的兩千名來自非洲的新奴隸（這個法蘭西王是該公司股東）。[59]路易十四去世時，法屬美洲境內已有七萬七千名奴隸。但他也追隨英格蘭人、尼德蘭人的腳步往東發展，欲使阿瑜陀耶王國（Ayutthaya）王國（即泰國）[60]改宗並將之吞併，同時支持他的東印度公司。這家公司將法蘭西島（Isle de France，今模里西斯）和波旁島（Île Bourbon，今留尼旺島）據為所有，當地新闢的甘蔗園此時以從東非運來的奴隸為工人。一六七四年，路易的使者請求蒙兀兒皇帝阿拉姆吉爾給予在印度的特許經營權，用以抗衡英格蘭人，與此同時，阿拉姆吉爾那信仰印度教的敵人席瓦吉創建了自己的王國。

一六七四年六月，偉大的席瓦吉在山中要塞萊嘎德（Raigad）獲加冕為馬拉塔王國（Maratha Swaraj）的恰特拉帕提（chhatrapati，君主）。這一極具象徵意義的舉動震撼全印度——一種完全未提及穆斯林

59　一六八五年，路易簽署「黑人法令」（Code Noir），以管理「美洲的黑奴」。這道法令規定，奴隸未享有法定權利，不能結婚，奴隸的子女仍是奴隸，奴隸主可鞭打、鎖銬奴隸，但不能殘害他們的身體，不能刑求他們。但可對第一次逃跑未遂的奴隸烙印，割下他們的耳朵；再犯的話，可割斷他們的腿筋；三犯的話，可予以處決。奴隸打主人的話，可將該奴隸處決；主人殺了一個奴隸，只會被處以罰鍰。這道法令禁止拆散奴隸家庭，但已入青春期的孩子不在此禁制之列；此法令禁止主人和奴隸上床（使奴隸懷孕生子，罰款兩千磅蔗糖）。對殖民地總督和奴隸主來說，這道法令形同具文。一六八四年，在印度為阿拉姆吉爾效力過的法籍醫生法蘭索瓦·貝尼耶（François Bernier），擬出一套日後會被用來將蓄奴合理化的種族優越理論：「根據世上不同人種或種族，對世界所做的新區分」。然而，法蘭西法律載明，法蘭西本土不得存在蓄奴：一六九一年，路易讓兩個在馬提尼克逃走、偷渡到法蘭西的奴隸恢復自由之身，「根據本王國關於奴隸的法律，他們一踏上本國土地即得到人身自由」。

60　在阿瑜陀耶王國，有個名叫康斯坦丁·佛爾孔（Constantine Phaulkon）的希臘籍冒險家，先前為尼德蘭人、英格蘭人打過仗，這時已是該王國國王那萊（Narai）的高級副官。他向路易暗示，如果路易派法軍防範英格蘭的東印度公司入侵，他能使該王國改宗天主教。那萊和路易互派了使節，一千三百名法軍來到泰國。只是佛爾孔把持朝政，導致國王的表兄弟暨象隊統領佩特羅查（Phetracha）政變。佩特羅查將國王拉下台，殺掉他的兒子，處決佛爾孔，娶那萊的女兒為妻，進而篡奪王位——從而使法蘭西的帝國主義野心無法得逞，打消了路易的夢想。一七八八年創立王朝的拉瑪一世是那萊派去晉見路易的大使戈沙班（Kosa Pan）的曾孫，該王朝統治泰國以迄今日。

籍蒙兀兒王朝的印度教主權國家的新語言問世。此舉激怒阿拉姆吉爾，以致他禁不住譴責這隻「山中老鼠」[61]。但他未能打敗這個恰特拉帕提。一六八〇年，席瓦吉死於痢疾，他的元配殉夫自焚，他的兒子桑巴吉（Sambhaji）繼任恰特拉帕提。桑巴吉很了解蒙兀兒王朝，協助阿拉姆吉爾的兒子阿克巴造反，結果阿克巴喪命，造反因此結束。阿拉姆吉爾打算讓這個插手他家務事的印度教徒不得好死。

一六八四年，阿拉姆吉爾御駕親征，試圖拿下馬拉塔的都城萊嘎德堡，可惜隨著桑巴吉沿西海岸北征，攻擊阿拉姆吉爾在果阿的葡萄牙籍盟友，阿拉姆吉爾未能得手。然而，桑巴吉終究太自不量力：一六八九年二月，阿拉姆吉爾俘虜桑巴吉本人。他的報復非常可怕：在巴哈杜爾格德（Bahadurgad），桑巴吉被帶到阿拉姆吉爾面前，被迫承受蒙兀兒士兵的夾道鞭打，然後被命令改宗伊斯蘭教。桑巴吉不肯就範，隨之被割開舌頭，再一次被要求改宗。他寫道，「即使皇帝介紹她女兒和我上床，我也不願！」阿拉姆吉爾當下震怒。桑巴吉被用金屬爪折磨了兩星期，眼睛被挖出，舌頭被割掉，指甲被拔掉，然後被活活剝皮、遭分屍，嘴巴和肛門裡都塞著金屬爪，屍塊被拿去餵狗。阿拉姆吉爾拿下萊嘎德，不斷追捕新任恰特拉帕提羅闍拉姆（Rajaram）——但終究無法消滅這個王朝。

阿拉姆吉爾同意法蘭西人在蘇拉特設立商館，在此之前，法蘭西人已在東海岸的本地治里（Pondicherry）設立商館，本地治里成為法蘭西人在印度的總部（直到一九五四年為止，一直由法蘭西人控制）。但路易對中國新王朝清朝的皇帝甚感興趣，一六八七年，他兩度派遣由耶穌會學者組成的使團訪華。一六六九年，路易成就最輝煌之時，康熙皇帝即位：兩人有諸多共通之處。

康熙帝是努爾哈赤的曾孫，七歲時被他的祖母孝莊皇太后選立為皇帝。孝莊皇太后是清朝第一任皇帝的遺孀，很疼愛這個孫子，這個孫子也很愛她。攝政鰲拜把持朝政七年後，這對祖母和孫子聯手用計將他逮捕，奪走他的權勢。

康熙體格健壯，臉上有天花留下的疤痕，[62]雙眼炯炯有神、帶有靈性，認為君主就該擁有不容置疑的權力，具備了從政者的三個必備特質——果斷明決、長遠眼光、足智多謀。身為滿人，他從小學習騎射，一年花三個月時間狩獵。他說，「當獮狩之時，獵騎雲屯，風生電發，其中精於騎射者，人馬相得，上下如飛！」但身為中國之君，他自幼學習儒家倫理學。他說，皇帝的職責就只是讓人活命和殺人。

康熙帝統治一億五千多萬人民，本身是個工作狂，天亮就起來審閱奏摺，其中一萬六千份奏摺目前仍存世，上頭全可見他的朱批。他細心斷案，說攸關生死之事不容有一絲差錯，於是養成細讀名單的習慣，查核每個被判死刑之人的名字、籍貫……然後和軍機大臣一起審查名單，決定該赦免誰。[63]康熙帝四處用

61　此時，席瓦吉已攻占印度中南部的大半地區，成立他的阿什塔普拉丹（ashta pradhan），即具有現代意義的八大臣政務委員會。這個政務委員會由佩什瓦（peshwa，即宰相）領導，佩什瓦統籌建設了數百座堡壘，委請葡萄牙人建造海軍，海軍兵員則來自馬拉巴爾地區的海盜，海軍統領為一名拋棄原本宗教信仰的葡萄牙人。這一切所需的資金都靠進貢和征服，靠襲擊英格蘭人、尼德蘭人在孟買、蘇拉特的商館而取得。襲擊這些商館，既令他們本身獲利，同時也妨礙了蒙兀兒王朝的獲利。席瓦吉和朱羅王朝之類的中世紀偉大國王同樣統治了印度南部大部地區，也很想稱王，但他的本薩列家族（Bhonsale）原只是村長；婆羅門視他為農民階級一員；唯有剎帝利能當國王。於是席瓦吉說服一位受敬重的學者捏造他的剎帝利家系，自封相當於皇帝的恰特拉帕提（「傘之主」）。

62　臉上有疤痕反倒成了他的優勢：天花太致命，於是選立皇帝時，通常挑選染過此病且倖存之人。

63　像他這樣嫻熟權力的所有面向並把這些面向看得如此透徹的統治者並不多見。他告誡他的皇太子，對遠方者要表現得仁善，要把賢人留在身旁，要哺育人民，把所有人的利益看成真正的利益；要對官員心存體諒，如父親般對待人民，兼顧原則和合宜，他還發揮冷幽默，說僅此而已。康熙帝用心監管本朝歷史的撰寫。在中國，寫史仍是危險的事業。他說，如果歷史有扭曲不實和謬誤，該為此負責且會受到後代子孫責怪者，乃是歷史寫成時在位的皇帝。史家戴名世批評滿人統治，康熙下令將他處決——「我處死的唯一一個士人」——刑部建議將戴名世凌遲處死，將他十六歲以上的男性親戚全數處決，將婦孺貶為奴，但康熙說他心存仁慈，將刑罰降為斬首。

兵，先是對付尾大不掉的滿族將領，接著對付今蒙古、西藏境內的瓦剌（西蒙古人），而他卻認為，由海盜國王鄭成功統治的台灣，特別有損天朝上威。[64]鄭成功的兒子、孫子打敗了尼德蘭—滿清聯合艦隊，在台灣發展得很順利，但一六八三年，在澎湖外海，康熙帝打敗鄭家艦隊，攻下台灣。

康熙帝改善大運河和通信設施，而鑑於人口暴增，這些舉措更顯重要。而人口暴增則是因為新品種稻米問世，加上美洲作物（甘薯和玉米）輸入，促使城居人口變多。中國商人輸出茶葉、瓷器、絲，買家以美洲白銀支付貨款：康熙的收入大增，但他想方設法限制商人發財和外人進入。清朝的歲入多到他得以廢除某些稅，可惜他多方用兵，也用掉了他大部分收入。

他對來自歐洲的新事物所產生的好奇，緩和了他所抱持的滿人優越意識：他向路易的耶穌會士學習科學、數學、天文和音樂，研究撥弦古鋼琴。而正當鄂圖曼帝國威脅基督教世界的心臟地帶之際，路易則欣然的幫助一名非基督教籍的君主，反而不願對他哈布斯堡家族出身的對手提供援助。

維也納，即將陷落。

64　滿人從明朝手中奪下華北時，會說多種語言的海盜鄭芝龍支持位於中國南部的明朝皇帝。鄭芝龍最初擔任尼德蘭東印度公司的通譯，助該公司從葡萄牙人手裡奪下台灣，接著打造一支有四百艘軍艦的艦隊和他自己的陸軍。他以逃離葡萄牙人掌控的非洲籍奴隸為侍衛，保護人身安全，統領稱之為「十八芝」、下轄八百艘船的海盜集團。十八芝的角色和尼德蘭或英格蘭的貿易公司無異，在擊敗尼德蘭人後，受南明政權招撫，他當上艦隊令。一六四五年，滿人說服他變節投清，而他勇猛過人的兒子鄭成功——具有一半日本血統且受過日本武士訓練——接掌中國南部沿海，被封為國姓爺，與滿清交手十五年。然後，一六六一年，就在路易十四即位時，位於中國東南沿海的福建落入滿清之手，鄭成功把尼德蘭人趕出台灣。許多荷蘭籍人妻淪為奴隸，被中國人納為妾。鄭成功患梅毒，雖性情不穩定卻有能，他殺了一名荷蘭籍傳教士，將他女兒納為妾。他採納一名放棄原本宗教信仰的義大利籍天主教修士的建議，自立王國，從而阻礙康熙中國的擴張。二十一世紀，中國再度面臨不願屈服於其意志的台灣，於是宣揚起康熙帝收復台灣的先例。

阿夫沙爾王朝和清朝、霍亨佐倫家族和哈布斯堡家族

「豬嘴」萊奧波德、「火藥」索別斯基、王后克麗奧佩脫拉：最後一次大衝鋒

一六八三年七月十四日，十七萬左右的鄂圖曼帝國兵力由大維齊爾梅爾齊豐魯．卡拉．穆斯塔法（Merzifonlu Kara Mustafa）統領，包圍他們稱之為「紅蘋果」的城市。優秀的科塞姆遭她的女性勁敵圖爾罕（Turhan）殺害後，此際身為皇太后的圖爾罕為她年幼的兒子穆罕默德四世掌理朝政，藉由任命一個七十幾歲的老人為維齊爾，進而解決了信心危機：殺人不眨眼的科普律呂．穆罕默德帕夏（Köprülü Mehmed Pasha），他生於阿爾巴尼亞的基督教家庭，後來淪為奴隸，成為洗碗傭僕。科普律呂殺掉任何不順他意的人，他寫信告訴童年友人，「我們兩個的確都在後宮長大，的確都受穆拉德四世提攜；即便如此，我還是必須告訴你，一旦讓可惡的哥薩克人劫掠你的任何一座村鎮，我發誓，我定會把你的正派為人甩到腦後，將你碎屍萬段，以儆戒世人。」這番警告奏效。科普律呂和他的兒子為鄂圖曼帝國多出川西瓦尼亞、克里特島這兩塊領土，穆罕默德則不理朝政，沉迷於狩獵：「父親（易卜拉欣）沉迷於女色，兒子沉迷於打獵。」

科普律呂的女婿穆斯塔法拿下對波蘭人的一場小勝後，「獵人」穆罕默德因此相信，征服過度擴張且近親通婚的哈布斯堡家族的時機已然成熟。

皇帝萊奧波德的下巴特別長，因而有綽號「豬嘴」（Hogmouth）。鄂圖曼籍作家埃夫利亞．切列比（Evliya Çelebi）描述道，「神讓他的頭顱長成葫蘆狀或水瓶器，眼睛圓得像貓頭鷹的眼；臉頰長得像狐狸

先生的臉，耳朵大得像小孩的拖鞋，鼻子皺縮得像葡萄，每個鼻孔能塞進三根手指，黑色鼻毛像惡徒的鬍子，和他的唇上髭混雜在一起，讓人分不清是鼻毛還是髭；嘴唇像駱駝，一講話，就有大量口水從他的駱駝唇流出」。豬嘴娶了他的外甥女瑪格麗塔，西班牙國王菲利浦四世的女兒。維拉斯奎茲的〈宮女〉（Las Meninas）畫作中，那個穿藍色連身裙的金髮公主，就是瑪格麗塔。他叫她格蕾特爾（Gretl），她則叫她舅舅，兩人婚姻幸福美滿，而不足為奇的是，他們四個小孩死了三個。她活潑開朗的個性使得他們的巴洛克式宮廷充滿歡樂。豬嘴是吹長笛、作曲高手，籌辦令人驚豔的演出——煙火點亮夜空，馬車和馬彷若飛過天空。然而，他的皇后也帶來她西班牙的反猶心態。她見到猶太人在維也納日子過得很好，不覺驚恐了起來，她慫恿豬嘴將他們趕走，搶走他們的財物。[65]

豬嘴有著更大的麻煩。在西邊，他的表哥路易十四已發兵入侵哈布斯堡家族統治的尼德蘭，而眼下在東邊，鄂圖曼帝國軍隊正步步近逼。豬嘴求助於東邊最英勇的武將：因哥薩克人叛亂和莫斯科公國擴張而實力變弱的波蘭—立陶宛國王。揚三世・索別斯基（Jan III Sobieski）是老練、才能出眾的波蘭人，說得流利的法語、土耳其語、韃靼語，此前遊歷過西方，娶了法蘭西貴族瑪麗仙卡（Marysieńka），和她生了十二個小孩，養了一隻水獺當作寵物（向來是好個性的正字標記），曾與土耳其人、韃靼人、瑞典人並肩作戰，又與他們反目，在戰場上和他們交手，最淋漓盡至的體現了這個最尊貴共和國的精神。他每日寫給瑪麗仙卡的信充斥著小道消息和政治見解，卻也洋溢著兩人的濃濃愛意：他叫她克麗奧佩脫拉，她則叫他「火藥」。索別斯基意識到，如果維也納遭攻下，波蘭會下一個倒下的，於是這時身材肥胖、五十四歲的他同意幫助豬嘴。豬嘴，連同六萬維也納人，棄此城而去，他要恩斯特・馮・施塔勒姆貝格伯爵（Ernst von Starhemberg）這位沙場老將留下來，帶著僅僅一萬五千兵力守住都城。所幸他有三百七十門大炮，而太過自信的穆斯塔法則帶著一千五百名嬪妃、七百名負責監督她們的黑人宦官，還有他養的一批動物前來，忽略了他的炮兵部隊，僅出動一百三十門大炮。雙方拚死戰鬥，攻方往城牆下挖地道，守方也挖地道以破壞對方地道。這個維齊爾展開炮擊時，維也納看來幾乎要守不住了，但索別斯基統領教宗的神聖同盟（Holy Alliance）聯軍共七萬兵力急馳前來解圍。這支聯軍以他的第聶伯河烏克蘭哥薩克輕騎兵和波蘭羽翼騎兵（winged Hussars）為主角——他們的盔甲背部插著鴕鳥羽毛。

穆斯塔法未派兵掩護後方，反倒倚賴克里米亞汗的四萬騎兵，而這些騎兵更感興趣的，則是掠劫奧地利。一六八三年九月十一日[66]索別斯基出現在穆斯塔法後方之際，維也納也即將遭攻陷。

索別斯基指出，「這個人營地配置很糟，根本不懂戰爭。」九月十一日下午六點，他和一萬八千名波蘭羽翼騎兵（簡直）像飛的一般衝下卡倫山（Kahlenberg），衝過鄂圖曼防線，進入穆斯塔法的營地。穆斯塔法帶著他的眾多女眷逃走時，命人將他心愛的鴕鳥砍頭。「上帝和我們萬福的主永遠賜予我們勝利，」火藥這麼告訴克麗奧佩脫拉。「帳篷和車輛已落入我手裡，et mille autres galanteries fort jolies et fort riches（以及另外一千件非常漂亮、非常昂貴的小東西）。」[67]

65　猶太人被驅離他們位於多瑙河對岸的郊區聚居區尹沃德（Im Werd）後，奧地利人將該地改名為萊奧波德城（Leopoldstadt）以茲慶祝。後來，這個居住區再度大受維也納猶太人喜愛，湯姆・史托帕德（Tom Stoppard）的劇作《萊奧波德城》便歌頌了他們在此處的生活。

66　四百年後的二〇〇一年，有個伊斯蘭恐怖分子把九月十一日視為伊斯蘭的正義使命遭基督教世界打斷的日子：奧薩瑪・賓・拉登選擇這一天攻擊信仰基督教的頭號強權美國。

67　這些東西包括數袋咖啡豆，但這些波蘭人最初以為是駱駝飼料。咖啡館已盛行於倫敦——皮普斯寫道，「我從那裡去到咖啡館，咖啡館裡可聽見不少令人激賞的交談」——而維也納完全沒有咖啡館。傳說索別斯基把這幾袋咖啡豆送給烏克蘭籍軍人暨間諜耶爾齊・法蘭齊塞克・庫利齊基（Jerzy Franciszek Kulczycki），後來，庫利齊基創立了維也納第一家咖啡館。可頌（croissant）麵包的彎月造形和名稱據說源於這場勝利。

這個波蘭王騎馬進入維也納，未等皇帝豬嘴回來。他誇稱，「所有人民一一親吻我的手、我的腳、我的衣服」，同時派人將穆斯塔法的一個金馬鐙送去給瑪麗仙卡。「其他人只是碰觸我，說：『啊，讓我們親吻如此英勇的手！』」豬嘴急忙趕回，對索別斯基極反感，兩人的會晤氣氛很冷淡——世上沒有比哈布斯堡家族的不知感恩更冷的事物了。豬嘴以勝利者的形象示人；鄂圖曼軍隊的大炮熔鑄為聖司提反教堂的新鐘。波蘭挽救了基督教世界，索別斯基則是波蘭最後一個偉大國王。

在貝爾格勒，蘇丹穆罕默德派無舌者帶著弓弦前去會見這個維齊爾。穆斯塔法問無舌者，「我會死嗎？」順勢引頸就戮。「如果這是真主的意思的話。」沒想到，蘇丹本人遭罷黜，鄂圖曼帝國從此未再主動出擊。豬嘴命令他最優秀的將領薩伏依公子歐根（Prince Eugen of Savoy）——年輕的法蘭西籍軍官，與路易十四失和——反攻，奪取布達和貝爾格勒，從而把哈布斯堡家族的領土擴大了幾乎一倍。而在西邊，路易幾乎稱霸全歐洲，為慶祝此成就，他撤銷了他祖父亨利四世所頒行的給予新教徒信仰自由的敕令。

唯有奧蘭治的威廉有辦法阻止「我的死敵」路易奪下「普世國王」之位，為此，他祭出驚人之舉：一六八八年十一月五日，這位三十六歲的荷蘭省督暨英格蘭公主瑪麗的丈夫發兵入侵英格蘭。

嬰兒調包、國王的內衣褲、奧蘭治家族

從某個方面說，這是場激烈的家族世仇，圍繞著查理二世、詹姆斯和他們的外甥暨詹姆斯的女婿威廉而展開。查理有十四個私生子，因一匹著名的牡馬而有綽號「老羅利」（Old Rowley），除了他不得人心、信仰天主教的弟弟詹姆斯，他沒有嫡嗣。新教議會反對由詹姆斯接位，從而引發一場要命的危機——五十年宗教、政治衝突的一部分。

此危機始於一六七三年詹姆斯娶了一個「高挑、婀娜多姿」的義大利公主莫德納的瑪麗亞（Maria of Modena）之時。比起他的女兒瑪麗及安妮，瑪麗亞的年紀只稍長一些。當他把妻子介紹給兩女兒認識時，竟極不得體的說道，「我給妳們帶來一個新玩伴。」他娶了「信仰天主教的新娘」和可能生下信仰天主教的繼承人一事，給了心術不正的陰謀論者泰特斯・奧茨（Titus Oates）大作文章的機會。此前奧茨已誣陷一名小學校長不當對待其學生，這會兒，他則聲稱瑪麗亞的醫生有「天主教陰謀」（Popish Plot），欲（藉由下毒或一顆金子彈）殺害國王，讓詹姆斯接任王位。他的指控引發歇斯底里和驚恐。[68]查理找奧茨——這個「壞人」——問話，反而被迫同意處死二十二名無辜者。這時已是國會議員且晚近升任海軍部書記官的皮普斯，公開譴責「這種混亂、恐懼的狀態」，但因曾受詹姆斯提攜而受到告發。不過他最終洗刷了天主教特務的嫌疑，回任原職。

議會企圖將詹姆斯排除在接位人選之外，想立查理的庶長子蒙茅斯（Monmouth）為儲君。從查理的性愛對象，總是可看出他當下的政治立場。這時他轉而勾搭上兩個信仰新教的女演員摩爾・戴維斯（Moll Davis）和內爾・格溫（Nell Gwynne）。他要內爾一絲不掛讓人畫像，而後將畫作藏在另一幅畫後面，不時掀開給心術不正的友人觀賞。皮普斯認為內爾演技不佳——「一個嚴肅的角色，而她演得非常差」——

68　這個愛胡思亂想者的誣告，先後被國王查理本人的首席大臣丹比伯爵（earl of Danby）湯瑪斯・奧斯本（Thomas Osbourne），以及先前擁護克倫威爾的沙夫茨伯里伯爵（earl of Shaftesbury）安東尼・艾希利（Anthony Ashley）所利用。奧斯本想要除掉宮廷中支持天主教的廷臣，艾希利則成為行事無下限的審訊員。白金漢有時加入他們的行列。一六七四年，父親死於白金漢公爵之手的年輕什魯斯伯里勳爵在議會中帶頭攻擊白金漢，白金漢因此下台，被迫和情婦安娜・瑪麗亞分開。陷入困境的白金漢加入抨擊查理二世的行列，遭查理關押入獄。這個浪蕩子最終退居他的約克郡莊園。政府編造他犯下雞姦罪，將他送上法庭，此後他漸漸失勢，他反省道，「噢！我一直虛擲了世上最寶貴的財富——『時間』！」

但她善於以三言兩語就讓人相信她的看法，有次遇到群眾攔住她的馬車，並指控她是查理的天主教籍情婦之一，她反而告訴他們：「各位好鄉親，你們錯了；我是信仰新教的婊子。」

然而，查理認為，若將詹姆斯排除在王位繼承之外，將導致他心目中的君主國構想就此終結。「我絕不會讓步，不會讓自己受威嚇，」他說道。「隨著年紀漸長，人通常變得較膽怯；至於我，我會更膽大。」任何獵巫行動，都不能操之過急，而「好人會站在我這邊」。他說得沒錯。他變成近乎不受約束的君主，透過數個年輕大臣統治。這些大臣被取綽號「小孩」（Chits），包括他的寵臣戈多芬。查理和「小孩」決定拆除作為王后嫁妝一部分的坦吉爾城（位於北非），而當時該城正受到新摩洛哥蘇丹的步步進逼。皮普斯奉命前去督導此任務。不久，坦吉爾就被綽號「戰士」的伊斯瑪儀・伊本・沙里夫（Ismail ibn Sharif）拿下。這個戰士是摩洛哥帝國的締造者，其阿拉維（Alawi）家族係先知穆罕默德的後代，發跡於錫吉爾馬薩（Sijilmassa），然後一統摩洛哥，接著往南用兵，靠武力拿下南抵廷巴克圖、塞內加爾河的疆域。伊斯瑪儀是非洲籍女奴之子，一六七二年奪取了王位。他是當時最大的奴隸販子，將二十二萬非洲人貶為奴隸（其中某些人組成精銳部隊），另有數千名歐洲人被他位在塞拉（Salé）的海盜貶為奴隸。這些奴隸全都受到非人的對待：他利用非洲人來管束白人。[69]

由於腎功能衰竭，查理於五十四歲離世，而醫生對他進行的醫療，無異於折磨：瀉藥、催吐、灌腸、燒灼、拔罐、吃山羊胃裡的毛球、人類頭骨磨碎後的滴劑、大口喝下阿摩尼亞、放血放到幾乎要失血，根本就是醫源性死亡。查理不再快樂，不住的喃喃自語道，「我承受的苦難，超乎你的想像。」臨終時改宗天主教，而且未忘掉他的諸多女友，要詹姆斯勿「讓可憐的內爾餓著」。詹姆斯當上國王。王后的廷臣莎拉・邱吉爾（Sarah Churchill）說，「要不是因為天主教，他會是很好的國王。」詹姆斯簽署了為非新教徒而擬的《信仰自由宣言》（Declaration of Indulgence），利用此宣言解除天主教徒所受的束縛，同時打造他的軍隊，逮捕異議人士。反對勢力以瀟灑卻稚嫩無經驗的蒙茅斯為核心蠢蠢欲動了起來。蒙茅斯逃到荷蘭，後來帶領僅僅八十五個追隨者入侵英格蘭，威廉隨即向詹姆斯示警，詹姆斯的將領約翰・邱吉爾輕鬆擊潰這批入侵者。詹姆斯隨後將他的姪子斬首，然而他的繼承人依舊是他信仰新教的女兒瑪麗，即奧蘭治的威廉的妻子。

親切友善、標緻的瑪麗令尼德蘭人極為喜愛，卻無法激起威廉熱情，且經歷了幾次流產和一次嬰兒夭折——兩人近親通婚的結果。詹姆斯想方設法拆散這對夫妻，於是要女兒提防威廉和她的廷臣伊莉莎白・維勒茲有染。瑪麗逮到威廉從他情婦的臥室出來，不過威廉保證不再和她往來——這談不上是讓步，因為這個省督更愛英俊的軍官漢斯・班廷克（Hans Bentinck）作伴。當年威廉得天花時，班廷克曾照料過他。

就在詹姆斯的王后瑪麗亞在巴思（Bath）泡溫泉，同時也懷孕時，七名不滿於政府的英格蘭大貴族找上威廉。一六八八年六月，令天主教徒歡欣鼓舞而新教徒大呼不敢置信的是，休・張伯倫（Hugh Chamberlen）用他祕藏的產鉗為王后接生，[70]並生下一子，亦即為國王生下信仰天主教的繼承人。詹姆斯

---

69 據說伊斯瑪儀親切和善時的穿著會是一身綠，可能殺人時則一身白，始終有八十名非洲籍侍衛隨護，據法蘭西使者的說法，「他的長臉偏黑，而非偏白，是個黑白混血兒。」有個歐洲人說，「他的尋常娛樂之一，係上馬時抽出劍，把握住馬鐙的那個奴隸砍頭。」他的兩個大老婆是非洲籍女奴宰妲娜（Zaydana）和英格蘭籍女奴「蕭夫人」（Mrs Shaw）。兩人各自的兒子宰丹（Zaydan）和穆罕默德（Muhammad）爭奪王位。伊斯瑪儀砍斷宰丹的一手一腳以示懲罰，後來命宰丹的妾將他殺害。他完全不缺繼承人：伊斯瑪儀是史上生最多小孩的父親。及至一七〇三年，他已有八百六十八個孩子；一七二七年去世時，則有一千一百七十一個孩子——今日摩洛哥許多人是他的後代。他和路易談判，要求娶她的一個私生女。他八十一歲去世時正打算入侵西班牙。他的家族如今仍統治摩洛哥。

70 第一代的彼得・張伯倫曾替詹姆斯一世的老婆接生，而休正是他的姪孫。休的兒子（也叫休）是這個接生世家的最後傳人，未有兒子繼承家業，並允許將產鉗公諸於世；這個接生器具拯救了無數生命。

不准女兒安妮或他信仰新教的廷臣幫忙接生，從而引發有人暗中將男嬰帶入聖詹姆宮中掉包的陰謀論。為「挽救教會和國家」，瑪麗毅然決然和父親反目，七名貴族簽署了一封加密信給威廉，請求他帶兵入侵。威廉於是集結起艦隊。

詹姆斯愚蠢一如既往，他拒絕了路易的軍援好意。瑪麗在海牙等待時，威廉帶著兩百五十艘船、三萬五千兵力出海，在英格蘭德文郡的托貝（Torbay）上岸，其中包括「從尼德蘭在美洲的種植園帶來的兩百名黑人」。

威廉攻勢緩慢。詹姆斯的指揮官邱吉爾勳爵變節（後來被威廉賞以馬爾博羅伯爵領地），與邱吉爾的妻子莎拉交情甚密的公主安妮跟著投向威廉陣營。詹姆斯痛心於兩個女兒都背叛他，不覺慌張失措了起來，竟試圖把國璽丟入海，致使他的對立者無法召開議會。沒料到，他遭漁民逮住，而且漁民甚至粗暴的搜索他的內衣褲。威廉警告他的舅舅暨岳父詹姆斯，他無法保證詹姆斯的安全。身為海軍部書記官的皮普斯安排了船隻，將王后瑪麗亞和她的兒子接到歐洲。[71]威廉進入倫敦時，任由詹姆斯逃到法蘭西，詹姆斯在法蘭西另立王廷以表對立，其追隨者被稱作詹姆斯二世黨人（Jacobites）。就在「善變的群眾」——mobile vulgus，原為拉丁語詞，自此時起簡稱為the mob（暴民）——不住的狂歡，揮舞橘子（orange）以慶祝奧蘭治（Orange）的威廉入侵時，這個陰鬱的尼德蘭人把瑪麗從荷蘭召來。她滿心「竊喜」，同意由威廉當家作主：同意「她將只會是他的妻子；她將力所能及的使他終身為王」。而這份喜悅「不久就因為考慮到自己父親的不幸而有所收斂」。當非常議會（convention）——不是正規議會（Parliament），因為唯有君主可以召開正規議會——質疑此舉，威廉揚言若不讓他當王，他會回荷蘭。非常議會同意他的要求。這對國王和王后的繼承人、瑪麗的妹妹安妮，先前為了新教而背叛父親，她認為瑪麗是第一接班人，後來為了威廉接掌王位一事而心生怨恨了起來，甚至把他稱作「尼德蘭怪胎」。

威廉三世則批准《權利法案》（Bill of Rights）作為回報，解決了國家運作失靈的五十年間導致英格蘭癱瘓的致命難題，同意強化議會、貴族寡頭統治集團、君主三者間保持權力平衡，行政機關由君主掌控。[72]

沒人知道這項新安排是否管用。國王會繼續擔任英格蘭的主要統治者長達一世紀，得以任命政府官員並開戰——而且如果有更多國王是像威廉那樣，同時勝任控制大局的軍事領袖，國王就有可能仍是主要統治者。

這個尼德蘭人實現了穩定、法治，帶來打造世界級強權所需的強勁創造力。他促成英格蘭銀行的問世，而且理解到英格蘭貨幣貶值到危險程度，於是施行「大改鑄」（Great Coinage），並由英格蘭專家艾薩克・牛頓主持此事。這時五十三歲的牛頓已獲授皇家造幣局局長這個閒缺，而局裡的管理階層庸碌無能，

---

71 皮普斯將他的海軍文件交給威廉，然後退休。他既是不知疲累為何物的公僕，也是無可救藥的熱愛人生者——「我認為我或許可說是世上最快樂的人」——但他也是說故事高手，為鼠疫、倫敦大火、尼德蘭人闖入麥德威河、「快活君主」等留下歷史見證。他的日記極為出色，記載了他的婚姻、他在海軍部的青雲直上、他的宮廷政治經歷、他對諸多女友的漫不經心。但日記內容僅涵蓋他事業順遂的九年期間，即從他選上國會議員至當上皇家學會會長為止。他事業的巔峰是一六七三年被查理任命為海軍部書記官，一六八八年才卸下職務。威廉在位頭幾個月局勢相當不穩，在這期間，多人被懷疑是詹姆斯二世黨人而被捕，皮普斯正是其中之一。他最終獲釋，且樂於和他家世甚好的情婦共度日子，索性退居克拉珀姆（Clapham），一七〇三年去世。

72 此法案將奧利佛的共和國和查理二世的君主政體去蕪存菁熔於一爐，並化為現實。頻頻召開的議會將監督國王的財政，議員在議會中能暢所欲言批評政府。君主成為領薪水的國家主席，但擁有龐大權力，前提是他在議會中掌握多數。這不是民主政體，只是新寡頭政治的開端。此寡頭政治持續了一世紀，在這期間，君主與人數甚少的一批有地大貴族、鄉紳、「倫敦城」（City）商人保持有起有落的伙伴關係，並在這樣的關係下統治國家。這批人分成兩派：一派人支持這個新安排，人稱輝格黨，另一派敵視此安排，人稱托利黨。該法案的《寬容法》（Toleration Act）是歐洲境內第一個此類法令，然寬容程度並非特別高：猶太人既無投票權，也不能擁有財產，也不能出任公職；異議分子和天主教徒也不得出任公職。

他於是同意接下主持大改鑄這個重任。這可是個很有賺頭的職位，每生產出一枚錢幣，該錢幣價值的一定比例都歸他。

查理二世為科學家成立了皇家學會（Royal Society），牛頓是早期會員之一，但他獨來獨往，易因小事而生氣，總是無法自在的與人相處，一結怨就心存報復，終身未婚，或許根本一點性欲也沒有。他與瑞士科學家尼古拉・法西奧（Nicolas Fatio）的深厚交情，可能是當時典型的男性情誼——或說是他唯一的情愛事件；兩人交誼的結束令他情緒崩潰。他與友人約翰・洛克嚴重翻臉，洛克「試圖讓我和女人廝混」。他的新工作不過是他為理性科學探索這股新精神作出的最新貢獻而已。他在其《數學原理》（*Principia Mathematica*）裡寫道，「我不揑造假設」：[73]知識必須建立在對證據的需要上，而非建立在迷信上——當時歐洲眾多思想家共享此信念，彼此往來愈來愈頻繁——也將會照亮下個世紀的知識輝煌時代的開端。

牛頓離開劍橋，搬到倫敦，以策畫現代貨幣並起訴偽造貨幣者（死罪）。他追捕製造偽幣者，展現了身為偵探者樂於摘奸發伏的心態和足智多謀，起訴了二十八個私自造幣者，其中許多人遭處以吊剖分屍之刑，即被馬拖到行刑處，將其吊到快斷氣，然後予以閹割、挖出內臟、砍頭、分屍——只是沒有證據顯示牛頓曾喬裝改扮深入作奸犯科者盤踞的世界調查。靠著造幣局致富後，他又憑藉精明的投資富上加富。

威廉徵用英格蘭的資源投入對太陽王的不斷征討。而得到路易十四支持的詹姆斯企圖暗殺威廉未果，由是挑起蘇格蘭人叛亂，然後發兵入侵愛爾蘭。蘇格蘭人叛亂在鄧凱爾德（Dunkeld）遭擊敗，引發格倫科（Glencoe）一地支持詹姆斯二世的宗族慘遭屠殺。威廉在博因河（Boyne River）和奧赫里姆（Aughrim）擊潰岳父詹姆斯，接著和路易陷入僵局——英格蘭為阻止法蘭西稱雄歐洲而進行了一百二十七年的戰爭於焉展開。即便如此，兩人亦都密切注意西班牙哈布斯堡家族國王「遭施法者」卡洛斯（Carlos

El Hechizado）即將歸西一事。[74]

所有人都不敢相信，被施了法的卡洛斯、路易十四的姻兄弟竟然還活著。他是過世已久的行星王和其外甥女瑪麗亞娜所生，受哈布斯堡家族近親通婚的習性毒害，天生腦部腫大，只有一顆腎、一顆睪丸，而且下巴畸形到幾乎無法咀嚼，喉嚨則大到能吞下肉塊。他始終識字有限，跛腳，苦於多種病症纏身，包括麻疹、天花、風疹。英國歷史學家馬丁・拉迪（Martyn Rady）寫道，卡洛斯屬「雙性人，具有難以明確劃定性別的生殖器」；從發育不完全的陰莖下側排尿，而歐洲的和平就建立在他身上這個小地方上：他能生孩子？如果生不了，會由誰來繼承他的帝國？

他母親已安排他娶了一個漂亮的法蘭西公主，而且他愛上她，但可想而知，兩人行房不順，性生活想必令他們壓力大到難以承受。經過數年其樂融融的婚姻生活，這個困惑的女孩思忖，她「已不再是處女，而就她所能理解的程度，她相信自己永遠生不了小孩」，她私下向路易的大使透露，「儘管（他）很起勁」，「醫生稱之為加熱器（coction）的那個玩意兒有缺陷」。那些醫生開了一道不管用的催欲藥方：和經過防腐處理的卡洛斯父親的遺體同睡，將有助於卡洛斯勃起。卡洛斯的第一任妻子過世後，他娶了日耳曼籍公主。這個妻子從他的宮殿竊取小東西，逼他接受驅魔，以除去被施的魔法。他母親要卡洛斯坐在椅

73　《數學原理》探索微積分和重力，闡明所有物質都被其他粒子吸引，解釋了行星和潮汐的運行。這一理性分析未使他就此不相信上帝一位論，也未使他不相信煉金術：一如他當時的大多數聰明人，他認為這類不為人知的知識與自然法則不相牴觸。

74　瑪麗於一六九四年去世後，威廉的繼承人是瑪麗的妹妹安妮和她的兒子格洛斯特公爵，卻沒想到，一七〇一年這個孩子去世，威廉和議會同意《王位繼承法》（Act of Settlement），安排由親緣最近的新教繼承人索菲婭（Sophia）和她的兒子喬治繼承王位，略過具有繼承資格卻信仰天主教的詹姆斯二世的家人。索菲婭是漢諾威的選帝侯，也是詹姆斯一世的孫女。此後直至二十一世紀，王位繼承都遵照此法的規定。

上讓人抬著走以節省他的力氣；他腦筋夠清醒，不願讓她成為獨攬大權的攝政，他信仰虔誠，願意一連十四小時出席宗教裁判所的悔罪儀式，身體強壯到足以打獵，聰明到邀他的宮廷畫家喬達諾（Giordano）欣賞維拉斯奎茲的〈宮女〉。卡洛斯問，「你覺得如何？」

喬達諾回道，「陛下，這是繪畫的神學（theology of painting）。」

當卡洛斯的健康每下愈況，他前往埃斯科里亞爾的先賢祠，瞻仰家族先人的遺體。與此同時，奧地利的哈布斯堡家族和法蘭西的波旁家族都想爭取繼承權。

而眼下，世界正面臨四位君主的臨終時刻——家族戲碼裡劇力萬鈞的時刻，足以毀掉帝國的致命權力轉移的時刻——歐洲和亞洲的局勢因此極其不穩。當時最偉大的君主阿拉姆吉爾便說道，「一眨眼、一分鐘、一吐納間，世界局勢變了樣。」

四巨頭臨終時刻：卡洛斯、阿拉姆吉爾、路易、康熙

一七〇〇年十月下旬，在馬德里，卡洛斯苦於猛爆性痢疾，「十九天瀉了兩百五十次」，忍受著腳上被塗以西班牙蒼蠅粉作為起疱劑，死鴿擺在他頭上，還得服用珍珠粉牛奶。最終，十一月一日，他喃喃道，「這下我完了。」西班牙君主國於是交給路易的孫子菲利浦（Philippe）。[75]

路易樂見此事，但他的西班牙策略，受到奧地利哈布斯堡家族和英格蘭極力抵抗，引發一場會把他的夢想帶到災難邊緣的十五年戰爭。在遙遠的東邊，脾氣古怪的老皇帝阿拉姆吉爾仍未停止為消滅席瓦吉王國而打的二十年戰爭。

一如路易的征戰功績，阿拉姆吉爾在其大陸上的征戰偉業前所未有：放眼整個印度史，他在印度

的疆域之廣，僅次於後來統治印度的英國人——而驕傲和帝國都沒有盡頭，也都停不下。阿拉姆吉爾的維齊爾建議回德里時，奪取天下者吼道，「我不懂像你這樣無所不知的世襲僕人，竟會提出這樣的請求。」在這期間，席瓦吉的家人依舊在德干高原頑強抵抗，此際，其領導者是羅闍拉姆那傑出的遺孀泰拜（Taibai）。這位戰士女王此時只有二十五歲，是席瓦吉之總司令的女兒。「只要這個人一息尚存，我們就無法鬆懈下來，」阿拉姆吉爾說。一名已感到厭煩的軍官禁不住抱怨，「他太想拿下所有堡壘，於是親自東奔西跑，一心要找到石堆。」而且他用兵規模龐大：一六九五年，他的營地周長三十哩，有六萬騎兵、十萬步兵、五萬駱駝、三千大象和兩百五十處市集部置在他的紅色御帳周邊，他在御帳裡召集群臣議事，他的諸兒子和他的喬治亞籍舞女暨情婦烏戴普莉全數列席。

只有世上最大的經濟體，扛得起如此規模的戰爭：印度的GDP占全球的百分之二十四，阿拉姆吉爾的歲入是路易歲入的十倍。歐洲人原本穿毛質或亞麻質衣物，這時，由於歐洲人能取得印度棉製品，「印度棉布熱」（calico craze）於焉興起，印度紡織品炙手可熱——印花棉布（chintz）、寬鬆褲（pyjamas）、卡其布（khaki）、絲質塔夫綢（taffeta）、印花大方巾（bandanna）等名詞進入歐洲語言——於是，一六八四年時，光是英格蘭東印度公司一年就輸入一百七十六萬匹布，占該公司貿易額的八成三。在非洲，奴隸買家則以印度棉布買進奴隸。

阿拉姆吉爾把印度境內的歐洲人視為有利可圖且有用的中間人，從葡萄牙人手中買進船和大炮，但誰是老大，毋庸置疑。一六八六年，英格蘭東印度公司完全料想不到法蘭西人在印度的勢力成長，要求給予

75　卡洛斯得年三十八。驗屍發現「他的心臟只有胡椒粒大小；肺部受腐蝕，腸子爛掉且生壞疽；只有一顆睪丸，睪丸黑如煤炭，腦子裡滿是水」。

更多貿易權。一六八八年，阿拉姆吉爾征服戈爾孔達（Golconda），把矛頭對準英格蘭人在馬德拉斯（今清奈）的聖喬治堡（Fort St George）。英格蘭東印度和阿拉姆吉爾同時擴張到新領域裡，而雙方起衝突時，阿拉姆吉爾輕易便獲勝。

阿拉姆吉爾要漲稅；英格蘭人不從，阿拉姆吉爾便攻擊孟買和蘇拉特：英格蘭人顏面盡失的屈從，匍匐在這個皇帝面前，為索回商館交付了巨額賠款。然後，一六九五年九月，從事奴隸買賣的英格蘭籍海盜隆班（Long Ben，即亨利・埃佛里／Henry Every）幹下一樁大搶劫，攻擊阿拉姆吉爾每年派去麥加的二十五艘船的船隊，挾持載有黃金的獨桅三角帆船甘吉薩瓦伊號（Ganj-i-Sawai，「過多財寶」）。這些海盜對印度籍高級船員嚴刑拷打，逼他們交出藏在船上的黃金，輪暴了船上的女孩——其中許多人自殺——但隆班吹噓他掠得的財物，價值之高前所未見，達六十萬英鎊。這據說是史上最大一筆船上戰利品，但價值肯定無法估算。由於這筆贓物的確非常值錢，英格蘭人受池魚之殃，差點在印度待不下去。[76]阿拉姆吉爾的海軍索要隆班的人頭，攻破孟買，沒收東印度公司的所有商館。

倫敦派出對印貿易經驗豐富的商人新任馬德拉斯轄區總督，並前去和阿拉姆吉爾談判。湯瑪斯・皮特（Thomas Pitt）是一流的盜獵高手，後來憑藉這本事轉而成為獵場看守人。更早三十年時，這個來自多塞特郡的教區牧師之子已開始以非東印度公司貿易商（「港腳商人」／interloper）的身分私自從事貿易，因此遭罰款，但也發了財，使他得以返鄉買下一大片鄉間莊園和國會議員席位。這會兒，皮特受雇於東印度公司，被派去撫平正在圍攻聖喬治堡的阿拉姆吉爾的怒氣。皮特談成交付十五萬盧比的巨額罰款，而後阿拉姆吉爾將孟買還給英格蘭人，英格蘭人在加爾各答創立一座新商館，在馬德拉斯，他則為這個人口愈來愈多的城鎮構築了防禦工事。趁著許多印度籍士兵在德干高原打仗，他開始雇用印度籍傭兵（sepoy）。

皮特氣憤於英格蘭人所受的羞辱，抱怨「本地人政府很善於踐踏我們，強索他們所想要的一切」——

「在讓他們見識到我們的實力之前」，他們絕對會繼續這麼蠻幹。而只要阿拉姆吉爾在位一天，這所謂的見識實力就不可能成真。

皮特已把他賺的第一筆錢花光，就在即將退休之際，他入手一顆四百二十六克拉的鑽石。這顆鑽石開採於科盧爾（Kollur），被一個奴隸偷帶出礦場——藏在身上的傷口裡。後來，一個英格蘭人殺了這個奴隸，搶走鑽石，再賣給印度商人。一七〇一年，這個商人以兩萬英鎊左右的價錢賣給皮特，皮特把鑽石藏在兒子羅伯特的鞋子裡，輾轉送回英格蘭，後來以令人咋舌的十三萬五千英鎊的價錢在巴黎賣掉。[77]皮特家族將主導英格蘭在印度和其他地方的崛起。

如今，八十九歲的阿拉姆吉爾身形乾癟、陰鬱、疾病纏身，最終在艾哈邁德納格爾——「我旅途的終點」——倒下，由他的女兒齊娜屯妮莎（Zinatunnisa）照料。「我不知道自己是誰，自己在做什麼，」他向兒子阿札姆坦承。「我完全喪失治國本事。」他在遺囑中，他勸接班者「絕不要信任自己的兒子，也不要和他們太親……」一七〇七年三月三日，他向阿札姆說了生前最後一句話「再見，再見，再見」，而後死去，死時「颳起一陣極猛烈的旋風，吹垮營地裡所有帳篷。許多人喪命……村落遭毀」。這一次，他諸兒子間的戰爭由穆阿札姆（Muazzam，即巴哈杜爾沙／Bahadurshah）勝出，阿札姆遭他殺害。蒙兀兒帝國歷經這場戰爭就此垮掉。而阿拉姆吉爾生前已示警道，「我走後，天下大亂！」

與他同時代的路易十四表達了同樣的看法，說「我死後洪水滔天」（Après moi, le déluge）。他同樣會

76　隆班瓜分戰利品時，英格蘭正對他展開全面追捕。他逃到加勒比海，靠賄賂闖出生路。六名他的海盜因為此滔天惡行受審、吊死，隆班和財寶依舊消失無蹤，下場不詳。

77　這顆鑽石花了數年才完成琢磨並賣掉：買家是擔任攝政的奧爾良公爵菲利浦，他將這顆鑽石嵌入路易十五的王冠裡。

體認到他對英格蘭——和奧蘭治的威廉——用兵終歸徒勞。

一七〇二年三月，威廉三世正在他的住所肯辛頓宮（Kensington Palace）附近騎馬時，座騎踩中鼴鼠洞而摔倒，以致他摔落馬。他死時，詹姆斯二世黨人舉杯為「這個穿著黑絲絨背心的小個子紳士祝酒」——但對路易的戰爭未歇，接位的女王安妮把馬爾博羅伯爵約翰·邱吉爾晉升為總司令，要他和他最親密的友人財政大臣悉尼·戈多芬一同領導內閣。女王安妮經歷十二次懷孕失敗，身心飽受折磨，疾病纏身且缺乏自信，莎拉·邱吉爾試著為她出謀畫策。這兩個女人是好友，相知甚深，分別取了化名佛里曼夫人（Mrs Freeman，即莎拉）和莫利夫人（Mrs Morley，即安妮），然這份伙伴關係裡還有兩人：佛里曼先生（馬爾博羅）和蒙哥馬利先生（Mr Montgomery，即戈多芬）。安妮寫信告訴莎拉，「每多活一天，我都更加認識到全能的上帝給了我大大的恩惠，讓我擁有親愛的妳、佛里曼先生、蒙哥馬利先生三個這樣的朋友。」

戈多芬身材矮小、膚色黑、沉默寡言、清廉自持，歷任查理、詹姆斯、威廉三朝的財政部門，成為第一個真正的首相、有絕對權威的議會暨財政機關的管理者，受他提攜的羅伯特·沃爾浦爾（Robert Walpole）稱讚他「善於管理、謹慎、老練」。[78] 此前從沒有任何大臣必須像戈多芬那樣，為歐洲戰爭籌措那麼龐大的經費，而他也透過談判促成英格蘭、蘇格蘭合併，說服蘇格蘭議員和倫敦議會合併，[79] 於是在一七〇七年成為大不列顛王國（此後行文通稱英國）的第一位財政大臣。與他共同執政的馬爾博羅時年五十歲，未經過歷練，但他最終成為最了不起的英國將領。馬爾博羅寫信告訴戈多芬，「我很想待在你身邊」，又說收到戈多芬的來信是「我最快意的事情之一」。這名將軍在外打仗時，莎拉向戈多芬提供意見。這兩個執政者安排兩家子女聯姻。

馬爾博羅前往歐洲，針對尼德蘭人和哈布斯堡家族結盟一事給予意見，但他也打贏數場仗，他最輝煌的時刻是一七〇四年夏往南強行軍兩百五十哩，以擊退法軍，挽救維也納。他和哈布斯堡家族指揮官薩伏依公子歐根會合，兩人在巴伐利亞的布萊尼姆（Blenheim）聯手擊潰法蘭西—巴伐利亞聯軍。馬爾羅博寫信告訴莎拉，「代我向女王致敬，告訴她，她的軍隊已拿下大捷。」歐根——五官稜角分明、長得醜、不修邊幅、渾身鼻菸味，但極聰明——表現毫不遜色，[80]兩人惺惺相惜，締造一樁世所罕見的合作佳話。「歐根公子和我在共享殊榮上始終未有意見分歧，」馬爾博羅如此說道。「我不只敬重這位公子，而且打心裡喜愛他。」馬爾博羅在戰場上帶頭衝鋒，有時在掌馬官於他身邊遭砍頭時會被拋下馬，卻在短時間內取得數場勝利，而身為大使暨將領，他維持結盟關係於不墜。一七〇七年四月，他啟程展開一重要任務，赴薩克森拜訪刻苦自持的瑞典戰士國王卡爾十二世（瑞典語Karl XII）。

彼時，莫斯科公國沙皇彼得一世和其盟友波蘭王暨薩克森選帝侯「壯漢」奧古斯都（Augustus the Strong）已出兵攻打瑞典，冀望瓜分瑞典的波羅的海地區。沒料到，卡爾竟攻到波羅的海對岸，打敗彼得，罷黜奧古斯都，接著又占領波蘭。還只有二十五歲的卡爾，思忖著到底該和法蘭西聯手對付哈布斯堡

---

78 有些人傾向將民主的興起推到更早時。誠如後面會提到的，沃爾浦爾向來被稱作「第一個首相」，然在作風上，他與其恩公戈多芬小有差異。兩人都是君主所任命，而非議會遴選，而且兩人都精於管理財政和議會。不同的是，戈多芬是首位為歐洲戰爭籌措經費的人；沃爾浦爾從不需這麼做。戈多芬培養沃爾浦爾，沃爾浦爾敬愛戈多芬，甚至為了保護其恩公而辭職。要再過八十年，議會才能逼迫君主照其意任命大臣，首相這才成為現代人所認知的內閣領袖。

79 蘇格蘭的人口是英格蘭人口的九分之一，財力則是英格蘭的四十分之一：就人口來說，蘇格蘭人將在英國國會裡得到八十五個議員席位；就財力來說，則是十三個議員席位。雙方談定蘇格蘭在上下議院將分別得到十六個、四十五個議員席位。

80 歐根的父親是薩伏依公子，母親是馬薩林的外甥女暨路易的情婦奧蘭普。只是奧蘭普捲入「投毒事件」一事，在歐根心理蒙上一層陰影。不討人喜歡的歐根，係一票同性戀貴族的一員，路易非常瞧不起他，要他去當神職人員。被趕出凡爾賽後，他投效奧地利哈布斯堡家族，奪下鄂圖曼巴爾幹半島大部。身為將領，他機動、靈活、目光銳利，論及紀律時他說，「和善往往不管用，這時就只有嚴厲一途。」

家族，抑或是攻打莫斯科公國。一心想促成卡爾攻擊彼得的馬爾博羅，[81]大肆諂媚卡爾，而無論如何卡爾都把莫斯科公國視為更大的威脅。一七〇八年一月一日，這個瑞典王發兵入侵莫斯科公國，是為低估俄羅斯幅員之遼闊的三個近代侵俄者的頭一個。卡爾兵鋒轉南進入烏克蘭。

身體會不自覺抽搐的彼得，身材高大，有六呎七吋，是軍人也是改革者，心心念念於船、大炮方面的新技術，決意使其王國改頭換面並重新武裝。他天生具有想要有所成的政治人物所不可或缺的三個特質：高遠眼光、明決果斷、足智多謀——以及剛強的體格和對狂歡酒宴的嗜好。在這類酒宴上，總有會喝出人命的痛飲烈酒，有裸女和跳出蛋糕的矮子，以及拳頭互毆。而為了取得軍事技術，他已去造訪過尼德蘭和倫敦。這個令人害怕又有本領的獨裁者，貫徹其手中權力，屠殺且親自折磨對手，而後重新形塑貴族階級，要他們穿日耳曼式服裝，剃掉鬍子。他在奪自瑞典的領土上建造新都聖彼得堡，但也靠籌自農民稅的資金將陸軍現代化，創建波羅的海海軍。他強徵農民入軍隊終身服役，與被迫為他打仗的貴族並肩作戰，從而將社會軍事化，打造出一支三十萬兵力的龐大常備軍。憑此龐大規模的兵力，沙皇得以將其士兵當作炮灰，彌補俄羅斯的落後。

一七〇九年七月八日，在今烏克蘭境內的波爾塔瓦（Poltava），彼得擊潰卡爾，將波蘭納為俄羅斯的附庸國，奪取瑞典在南波羅的海地區的土地。[82]這個羅曼諾夫王朝的沙皇成為彼得大帝，第一個俄羅斯（Rossiiya，Rus 一詞的希臘語化）皇帝（imperator）。俄羅斯躋身為歐洲新強權暨歐亞大陸帝國。這個新強權靠歐洲技術打造而成，並藉由歐洲藝術、禮儀、奢侈品予以美化。但這個國家本身是由獨特的國家使命和宗教使命——永不饜足的擴張——所催生出來，而且是由獨裁者統治的帝國。其獨裁者正是這個國家的化身，未受到在歐洲其他王國境內所見的代議制議會、貴族權利或公民機關所約束。

在東邊完成任務後，馬爾博羅於國內面臨一挑戰。他已為自己掙得一公爵領地、神聖羅馬帝國的一個公國、一座位在牛津附近的布萊尼姆的宅邸、一大筆錢財，但他不如戈多芬那麼穩定，他很容易過度緊張、激動且非常善變，一下子充滿鬥志，但一遇上危機又突然的墮入情緒性崩潰之中。「我其實非常厭煩於世事，」他告訴戈多芬。「除了期待和你、和馬爾博羅夫人在一塊，我了無生趣。」

未料，安妮和莎拉的關係惡化。體重過重、皮膚有斑且身體不適的安妮相當崇拜漂亮的莎拉，然貴為女王，情感無所依附的安妮卻碰上凶悍又不夠體諒的莎拉。「發現莫利夫人和佛里曼夫人的關係仍無法改善，我很遺憾，」蒙哥馬利先生寫信告訴佛里曼先生。「我確信她們最終會沒事。」結果卻是背道而馳。馬爾博羅的諸多對手對他極為眼紅，而且對他心存懷疑，隨之擔憂起這個武將可能成為又一個克倫威爾：他們利用安妮的斯圖亞特王族驕傲和莎拉的不良居心，提拔了艾比蓋爾・馬沙姆（Abigail Masham）這個較溫柔親切的王族友人。在他們的對手羅伯特・哈利（Robert Harley）慫恿下，馬沙姆促使女王和她的三個友人翻臉。

一七〇八年，哈利說服安妮將戈多芬革職，馬爾博羅反而以辭職作威脅，迫使安妮讓戈多芬回復原職，而且這件事此時得到受戈多芬提攜的一個年輕人支持。此人正是言行粗魯、臉頰紅潤的諾福克郡國會議員暨陸軍事務長（secretary at war）羅伯特・沃爾浦爾。此際，安妮和莎拉已有了嫌隙，而且雙方滿是

81　彼得表示，倘若馬爾博羅能夠說動卡爾攻打哈布斯堡家族，願授以基輔公或西伯利亞公這種聽來有異國情調的稱號。

82　彼得擊潰黑特曼伊凡・馬澤帕（Ivan Mazeppa）所領導的烏克蘭哥薩克騎兵，馬澤帕曾為伊凡的盟友，後轉而支持瑞典並爭取獨立地位。卡爾和馬澤帕雙雙逃往鄂圖曼領土內的本德里（Benderi）。後來，卡爾順利回到瑞典，可惜大勢已去，聲望無可挽回。馬澤帕死後，由俄羅斯的代理人伊凡・斯科羅帕茨基（Ivan Skoropadsky）接任黑特曼，執掌這半獨立的黑特曼國，也是和俄羅斯關係緊密的盟友，直至一七七五年黑特曼國仍存世。彼得企圖擴張至鄂圖曼烏克蘭、摩達維亞（Moldova）以及瓦拉幾亞境內，可惜在一七一一年七月遭大維齊爾擊潰而且差點被俘虜，最終慘敗而收場。一七七二至七三年間，這食髓知味的帝國建造者進攻波斯，並奪下亞塞拜然（Azerbaijan）部分地區。

怒氣和惡意。馬爾博羅察覺到安妮對他的厭惡，請求終身擔任總司令，這位斯圖亞特王朝君主因此大為警覺，唯恐克倫威爾式獨裁政權再現。馬爾博羅在寫給莎拉的某封加密信中說，「我有理由相信，四十二歲（安妮）眼紅三十九歲（他本人）的權力。」

不出所料，安妮已痛恨起莎拉：「我不喜歡抱怨，但還是不由得要說，自我即位以來，沒有哪個人被朋友利用的程度，像我被她利用那麼嚴重，」她如此告訴馬爾博羅。「我只求她不要再揶揄我、作弄我。」從古至今寫下這種信的君主不多，與此同時，莎拉則「道出許多令人震驚的事」——甚至指安妮有同性戀。馬爾博羅和戈多芬想必很絕望，而沃爾浦爾則把莎拉叫作「可惡的婊子」。馬爾羅博與路易十四的和平談判失敗，安妮最終將戈多芬革職，任命哈利接替。此時的戈多芬，遭抹黑為講話含沙射影的沃爾波內（Volpone，班．瓊森〔Ben Jonson〕劇作裡的人物），哈利則接著拿下議會多數。馬爾博羅遭革職，戈多芬於隔年去世。這時，身為牛津伯爵暨首相的哈利策畫了對馬爾博羅的彈劾，馬爾博羅得到沃爾浦爾全力辯護，可惜依舊被迫流亡。女王安妮理解到自己受人操弄，遺憾於如此對待這兩位共同執政者，索性將牛津伯爵革職，不久後的一七一四年，她亦離世。

一六八八年的寡頭政治家確保王位由新教徒繼承，從而有了喬治一世這位新王。這個五十四歲的漢諾威選帝侯，[83]鑑於眾多托利黨人支持讓斯圖亞特家族復辟，於是提拔輝格黨人，讓馬爾博羅復出擔任總司令。詹姆斯二世的繼承人詹姆斯．斯圖亞特在路易的支持下登陸蘇格蘭，在愛丁堡自立王廷，而馬爾博羅的最後貢獻在於使這場叛亂失敗收場。

馬爾博羅在戰場上的勝利，標誌著自一四五三年英國失去在法蘭西的領土以來，英國首度崛起為歐洲強權，而英國也日益成為全球性勢力。對年邁的路易十四來說，結束西班牙王位繼承戰爭而簽定的烏特勒支和約（the peace of Utrecht）可謂好運當頭，他的孫子菲利浦依舊是西班牙國王，哈布斯堡家族則得到那不勒斯、米蘭、比利時作為補償；英國只得到直布羅陀——以及為西屬美洲殖民地供應黑奴的許可證（asiento de negros），由特別成立的南海公司（South Sea Company）拿到此特許權，其投資人——從國王和其情婦至沃爾浦爾、牛頓等——買賣該公司股票，而且股票一漲再漲。

這個和約讓路易感到些許安慰，但路易的妻子曼特農寫道，「法蘭西已擴張過度，或許擴張得沒有道理。」她說，「我們的宮廷依舊是糟透了。我們談的全是小麥、燕麥、大麥、麥稈編織品。他念茲在茲的是救助人民。」一七一一年四月，天花奪走路易的長子的性命，而後是他長子的長子、他長子的長子的長子。[84]路易傷心欲絕。曼特農指出，「我從未看過宮廷裡……這麼悲傷的氣氛。」

83　喬治一世帶著他的兩個日耳曼籍情婦到來，其中一女瘦骨嶙峋，因而有「稻草人」的綽號，另一女則特別肥胖。倫敦人根據倫敦著名酒館「大象和城堡」，分別將兩人以此取綽號，而這個酒館名本身又是根據西非洲貿易而來。喬治則不如他表面看來那麼討人喜歡：一六九四年，這個選帝侯發現老婆和菲利浦・馮・科尼斯馬克（Philipp von Königsmarck）伯爵這個年輕瑞典人有染，隨之將他殺害，而且有可能是將他分屍，埋在漢諾威宮底下；他的老婆遭囚禁了三十年，不准再見她孩子一面。

84　十八世紀期間，天花每年奪走四十萬歐洲人的性命。而隨著開始接種來自天花痂的人痘——注入抗原——此局面即將改變。從非洲至中國的諸多地方，這種方法已行之有年。一七〇六年，有個被送給美洲新教牧師卡頓・馬瑟（Cotton Mather）的非洲阿坎族奴隸——馬瑟替他取了名字奧內西穆斯（Onesimus）——向馬瑟解釋這個預防辦法。馬瑟告訴倫敦的皇家學會，「我的黑人奧內西穆斯是個很聰明的傢伙，我問他有沒有得過天花，他答以既得過，又沒得過；然後他告訴我，他做過一個『手術』，把天花痘上的東西注入他體內，從此永遠不會得天花，還說古拉曼特人常這麼做……還把他手臂上的疤給我看。」那些不相信非洲人會比歐洲人先進的人完全不接受這種作法，但馬瑟利用種痘減輕了波士頓的天花疫情。一七一五年，身為英國公爵的女兒暨英國駐伊斯坦堡大使的妻子，被天花毀了容顏的瑪麗・沃特利・蒙塔古夫人（Mary Wortley Montagu）帶著鄂圖曼版的預防方法回到倫敦。她為自己的小孩種痘之舉，促使威爾斯親王夫人（即日後喬治二世的妻子）卡洛琳願意為自己小孩接種。值得注意的是，承認種痘可能收到預防之效者，不是醫生，而是具有見識的外行人。而在這些幼時曾接受種痘者中，亦包括後來改進此方法的愛德華・金納（Edward Jenner）。

締造了歐洲史上最長在位紀錄（七十二年）後，一七一五年九月一日，路易身上處處壞疽，左腿全黑，且以無可挑剔的表現處理了他的臨終時刻。他告訴五歲的曾孫，即不久後將成為路易十五的這個孩子，「我親愛的孩子，你就要成為世上最偉大的國王」，不過「不要學我用兵。」然後他告訴大臣：「再見了，各位……我就要離開，但我們的國家將永存。」最後他轉向曼特農，說「夫人，那妳呢？」「我不足為道，」她回，「心裡只想到上帝。」僕人聽了放聲哭了起來。「你們為何哭？」路易問，「你們以為我不會死嗎？」他念了祈禱文，然後「像熄滅的蠟燭」般離世。

在中國，另一個時代巨人康熙，則有其痛苦的皇位繼承問題要解決。

他在六十五至七十歲間寫道，如果他死時毫無亂子發生，也就了無遺憾。他兒子胤礽生於一六七四年，他母親在生下他時難產而死，他本人成長為凶狠的戀童癖患者，買進孩童供他性虐，而且企圖推翻他父皇——他可能有精神病。眼見康熙身體日衰，他的二十四個兒子更是熱中於陰謀陷害，康熙隨之以殘酷狠毒為由下令將胤礽永遠囚禁。這個皇帝逐漸表現出對十一子胤禎的寵愛，胤禎則向康熙引見自己的兒子，即十一歲的弘曆，很快的，康熙對這個孫子滿是溺愛。這個老皇帝遇到這男孩的母親時直說，她很有福氣，生下一個會讓她備感榮耀的兒子——言下之意，她自然心領神會。

一七二二年十二月二十日康熙去世，皇位傳給胤禎，是為雍正帝。法蘭西正在復原；蒙兀兒印度正日漸天下大亂；而康熙離世時，中國是世上最強大的國家：他的孫子弘曆則成為乾隆帝，未來將造就另一個輝煌時代。

另一方面，重現活力的哈布斯堡家族苦於一個性別問題。在維也納，豬嘴的兒子卡爾六世（Karl VI）未能拿下西班牙，但承接皇帝暨大公之位，他聊以自慰。只是他的繼承人是他的年幼女兒——且有個掠食者對此帝國虎視眈眈。

雄知更鳥、普魯士怪物、波蘭海克力士

卡爾娶了日耳曼籍公主伊莉莎白，她金髮、秀氣、活潑：他叫她「白莉茨勒」（White Liezl）。一七一六年，莉茨勒生下女兒瑪麗亞．泰蕾莎（Maria Theresa），而為助她懷個兒子，醫生開了熱量甚高的飲食，並要她用烈酒增進食欲，導致她身材像氣球般鼓起，最終外出走動都得坐在機械椅上由人抬著。

瑪麗亞．泰蕾莎金髮藍眼，信仰虔誠又聰慧，受教於耶穌會士，在家庭歌劇裡高歌，喜歡騎馬。她十九歲時嫁給親切和善的洛林公爵法蘭茨．施特凡（Franz Stefan），對他愛慕不已，二十年間為他生了十六個孩子。她未展露出特殊才華，但也未有人如此寄望於她。只有在極危險時刻，她才展露才華。卡爾平白浪費掉他的資源，時值次要強權普魯士竭盡所能儉省、廣羅身材異常高大之人之際。

普魯士的霍亨佐倫家族君主腓特烈．威廉（Frederick William）的父親已透過談判讓自己升格為國王，威廉本人則不只有點精神錯亂，嚴格要求他人遵守紀律，還是儉省、精明、具有遠見之人，把普魯士打造為歐洲的斯巴達。他於二十五歲時繼承王位，將他父親所推行的那些法蘭西化的俗麗事物自王國中剷除，專注於吸引勤奮的移民到他的領地開墾，推動貿易，創建了一支特別龐大的陸軍和一支「波茨坦巨人團」，並以步兵為軍隊的主角。這些步兵開起槍「猶如行走的排炮，裝填彈藥極快，火力由此增加了兩倍」（其兒子語）。他從歐洲各地找來身材特別高大的人入伍，派專門綁架巨人的人前去擄回他們。他說，「世上最漂亮的女孩，我完全看不上，但高大的軍人不然——他們是我的罩門。」

他很愛他的王后漢諾威的索菲亞．多羅特婭（Sophia Dorothea of Hanover），但她對他的粗暴惡行、「可怕的貪婪」、沒有文化教養的粗魯很是反感。他考慮和她離婚，但不能冒風險觸怒她的娘家：她父親已是英國的喬治一世。

南海公司的股票挑起席捲倫敦的投機狂熱，這家從事奴隸買賣公司的創立則是為了償還政府債務。人們靠著買進賣出股票賺錢。上了年紀的牛頓賣了很多股票，忍不住又買回。可是，知道該公司經營甚糟的人不多。股票一暴跌，許多投資人血本無歸。年老的牛頓和其外甥女同住（她丈夫已接替牛頓出任造幣局局長），在這波投資中吃了大虧，損失了一半財產——即便如此，他還是非常富有。投資人非常憤怒，將這件事歸咎於腐敗的政治人物、大象和城堡、日耳曼籍國王喬治。喬治找上受戈多芬提攜的羅伯特·沃爾浦爾，沃爾浦爾最初扮演「掩護者」（Skreen），保護那些犯錯之人，接著著手解決此危機。沃爾浦爾被稱作「雄知更鳥」（Cock Robin），個性沉著冷靜，認為人行事皆出於私利，作風務實，喜歡在下議院一臉開心的啃蘋果，吹噓那些寄給他的獵場管理人的信，都是他先打開來看的，他自稱「不是聖徒，不是斯巴達式的人，不是改革者」，但他此前一直忠於戈多芬和馬爾博羅，因而曾遭哈利囚禁。他買賣過南海公司股票，而且賠了錢（並非傳說中獲利十倍），但靠另一家奴隸買賣公司皇家非洲公司的股票賺進大錢，彌補了虧損。眼下，他把南海公司一分為二，藉此轉危為安：一家是會再販賣奴隸數十年、藉此大發利市的奴隸買賣公司，一家是發行官方債券的銀行。沃爾浦爾把數十年積累的債務轉化為一個可輕易買賣的債券，創造出第一個現代債券市場，從而使英國有了獨一無二取得資本的管道，而這些資本的取得攸關英國成為世界性強權。

沃爾浦爾嘲笑公共道德，他戲稱為「幼稚的異想天空」。他揶揄年輕人道，「你們要成為老羅馬人，愛國志士？你們不久將不再執著於此，變得更懂事」。有個友人憶道，他「和藹、開朗、愛和人交往、舉止不雅、道德觀念寬鬆」，有著「粗俗的風趣」，卻是「我眼中歷來最能幹的議會管理者」。沃爾浦爾為其諾福克郡的堂皇鄉間宅邸豪頓府（Houghton Hall）積累了大筆錢財和藝術品，娶了商人之女凱瑟琳，兩人都熱愛感官享受，婚姻變淡時，索性養了一批情人。她死後，沃爾浦爾娶了他言談風趣、美麗動人的情婦，比他小二十五歲的瑪麗亞・史凱利特（Maria Skerritt），但三個月後她死於難產，他落得孤家寡人。

沃爾浦爾善於駕馭他的國王主子，先是長得像德國香腸的喬治一世，然後是他兒子喬治二世。[85]他常說，「每個人都有其價碼。」有個對手想要和喬治二世的情婦結交時，沃爾浦爾便和國王那活潑的妻子王后卡洛琳結為朋友，藉此反制；他以玩笑口吻直白說道，他的對手「選錯對象，而我選對了」。謠傳他介紹自己的老婆和喬治二世上床（喬治身為威爾斯親王時），他自己和王后上了床。他二十年的當權生涯，確立了下議院的最高地位，他的輝格黨寡頭統治集團（Robinocracy）在接下來四十年統治英國。

漢諾威王朝君主和自家兒子長期不和，但比起霍亨佐倫家族、羅曼諾夫家族的家庭暴行，這完全算不上什麼。[86]腓特烈・威廉和索菲亞（喬治二世的妹妹）生了十五個孩子；她獨獨鍾愛長子腓特烈，希望透過聯姻使他成為英國王朝一員。可惜腓特烈・威廉搞砸了婚事談判，然後，她又意外懷孕時，他想以通姦為由將她殺掉。他欺凌、毆打兒子腓特烈，腓特烈只要犯任何小過失（例如戴手套或被摔下馬）就遭他懲

85　沃爾浦爾從未自稱首相。朝中最高階官職其實是財政大臣（lord treasurer），最後一個擔任此職者是一生精采不凡的什魯斯伯里公爵。一六六八年，他父親遭母親的情夫白金漢殺害，後來他毀了白金漢，為父親報仇。他兩次於王朝危機時出任國家舵手，掌理英國的走向：一六八八年，他邀威廉三世入主；他獲賞以公爵領地，被視為當時最尊貴的貴族，就連威廉都稱他「紅心K」（king of hearts）；一七一四年，斯圖亞特王朝最後成員安妮女王去世時，他以擁有無上權力的財政大臣身分總領國政，促成漢諾威選帝侯順利接位。他於同年辭去財政大臣之職。一七一五年起，財政一直「由委員會掌理」，以第一財政大臣為委員會之首，該大臣日益被稱作首相。一七三二年，喬治二世致贈一棟城中住宅給沃爾浦爾，沃爾浦爾以此作為第一財政大臣的官邸：唐寧街十號。

86　彼得於一七二五年去世前，就因兒子阿列克謝（Alexei）逃到奧地利，便將阿列克謝折磨至死。他死後，王位留給他的妻子凱撒琳。凱撒琳是立陶宛人，曾是洗衣婦和隨軍雜役——她的出人頭地，在歐洲歷史上絕無僅有，她也是一系列俄羅斯女獨裁者的第一人。

罰。索菲亞一直是她孩子們的後盾。腓特烈憶道，「不管父親命令我弟弟做什麼，我母親都會要他反其道而行。」

腓特烈．威廉只有五呎三吋高，即便如此，仍令他的士兵和廷臣感到害怕，而天生患有紫質症所帶來的痛苦──躁狂、痛風、充滿膿的瘡、發熱、痙攣──更是加劇他的火爆脾氣。他說：「我想要很有耐心的承受一切痛苦。」於是提筆作畫以紓解他的「痛苦」。王后鼓勵現年十六歲的腓特烈發揮其藝術天分，在軍事操練的空檔練吹長笛，而且暗中積累起一處法文圖書室。他怪物般的父親這會兒懷疑起他欠缺「真男人的本色」。

一七二八年，這對父子啟程前去訪問普魯士的傳統對手──薩克森選侯國的統治者。壯漢奧古斯都身材魁梧健壯，據說生了三百六十五個孩子，兼任波蘭國王，他的表現處處令腓特烈．威廉異常反感：道德敗壞、奢侈、不信神──為了奪取波蘭王位而信仰天主教──毫無影響力。他的盟友彼得大帝已使波蘭淪為俄羅斯的附庸國。奧古斯都是拋狐狸比賽冠軍（曾主持一場令人髮指的慶祝活動，在整個活動期間有六百四十七隻狐狸、五百三十三隻野兔、三十四隻獾被拋向空中），以盛大遊行、歌劇、邁森（Meissen）瓷器宣揚自己的聲威（為發展造瓷，擄來邁森瓷的創造者），把德勒斯登（Dresden）打造為「歐洲最耀眼的宮廷」。

奧古斯都的眾多情婦以才華洋溢、活潑的奧蘿拉．馮．科尼斯馬克（Aurora von Königsmarck）[87]和他土耳其籍奴隸法蒂瑪（Fatima）為首，但據說他漂亮、菸癮重、愛女扮男裝的女兒奧傑爾斯卡伯爵夫人（Countess Orzelska）安娜，也是他的情婦。二十歲的安娜當下便把來訪的腓特烈迷得神魂顛倒，而當時的腓特烈才十六歲。據他後來回憶，「這個嬌小的自然奇蹟處處令人著迷，兼具高尚的品味和秀美」，據他姊姊威廉明妮（Wilhelmine）的說法，「為了擁有這個美女，他的第一個愛人，（他）承諾不惜一切」。

奧古斯都企圖轉移腓特烈的目光，不要再迷戀他的女兒暨情婦，於是打開一道簾幕，露出壁龕裡一個赤身裸體的歌劇歌手，以致眾多普魯士人當下驚駭不已。腓特烈・威廉急忙把他兒子趕出房間，只是那時腓特烈已愛上奧傑爾斯卡，他回到陰鬱的柏林時心情甚為低落。他的父親對於此行所見太過震憾，不住引以為傲的說道，「我和離鄉時一樣純潔。」返國後，這對國王和王子便起了衝突，起因正是身為父親者口中的腓特烈那「陰柔、好色的氣質」。

這個國王用他的權杖毆打腓特烈，出拳打他的臉，把他摔到地上，逼他吻他的腳。他的女兒威廉明妮為哥哥挺身而出時，他則甩她耳光，把她打到不省人事。而這時的腓特烈，已愛上一個男孩。

哲學家王子、啟蒙思想家、侯爵夫人

與某個蘇格蘭籍軍官過從甚密後，[88]腓特烈被送到外地悔罪。結果，這個十八歲的普魯士王子反而和年長他八歲、具美學涵養的軍官漢斯・馮・卡特（Hans von Katte）建立起親密關係；兩人一同計畫讓這個王子逃到英格蘭，一旦成事，就是叛國。

一七三〇年八月腓特烈被逮到後，他父親找他問話，「你勾引卡特，還是卡特勾引你？」接著他下令在這個男孩面前將卡特斬首——「與其讓正義得不到伸張，不如讓卡特死」。腓特烈被帶出去親眼目睹他

87　奧蘿拉是瑞典—日耳曼將領的女兒；英國的喬治一世以菲利浦和其妻子通姦，將他殺害，而這個菲利浦正是她的弟弟。

88　蘇格蘭籍、愛爾蘭籍軍官——通常是一六八八年後擁護詹姆斯二世的流亡人士——如今充斥在霍亨佐倫家族、哈布斯堡家族、波旁家族、羅曼諾夫家族的軍中，且被稱作「大雁」（Wild Geese）。

遭行刑，顯然是為了清除他不正常的性欲。

「請原諒我，親愛的卡特，以上帝之名，原諒我。」腓特烈不住哭喊道。

「沒什麼好原諒的，」卡特回答。「為你而死，我心甘情願！」腓特烈當場昏了過去。腓特烈．威廉決定處死腓特烈，並告訴他的王后，他已經死了。「什麼！」她禁不住尖叫了起來，「你殺了你兒子？」

「他不是我兒子。不過是個可悲的逃亡者！」

「天啊，我兒！」王后和女兒威廉明妮尖聲喊道。腓特烈．威廉忍不住又毆打起女兒，旁人將他拉開，她才未被打死。哈布斯堡家族皇帝卡爾在場，出手救了腓特烈一命——後來他女兒瑪麗亞．泰蕾莎想必遺憾於他當初的慈悲心腸。

腓特烈始終未原諒父親——「多可怕的人」——但接下來十年間，他漸漸體認到腓特烈．威廉「比任何大臣或將領更清楚國家的最佳利益。由於他的努力，他孜孜不倦的辛勞，我得以完成自此之後我所成就的每件事」。

腓特烈盤算著好好報復父親，如飢似渴般的閱讀涉及一場正席捲歐洲的新運動——啟蒙運動——的著作。他心目中的英雄伏爾泰便是啟蒙運動的代表人物，此際，這個王子已開始和他通信。

一七二七年三月二十八日，三十三歲的伏爾泰已是臭名遠播的劇作家，有時得寵於國王，有時不滿於時政，如今，正流亡倫敦，出席了牛頓的葬禮。那是極重大的一刻。伏爾泰深信，英國的混合式憲政優於法蘭西的君主專制，而且非常欣賞牛頓的科學，他曾訪問牛頓的醫生，一得知這個科學家死時仍是處男，他很是著迷，不過，他也從牛頓的外甥女口中得知，牛頓的重力理論源於一顆落下的蘋果，令他更是心神嚮往。這是接棒的時刻：伏爾泰自認是牛頓的傳人。

伏爾泰本名法蘭索瓦—馬里．阿魯埃（François-Marie Arouet），律師之子，在家中綽號「佐佐」

（Zozo），他不願攻讀法律，倒是寫起詩來。他父親送他去為法蘭西駐荷蘭大使工作時，他和一個名叫屏佩特（Pimpette）的未成年少女不倫，導致他被革職，而他寫詩談法蘭西攝政與女兒亂倫，則導致他進入巴士底獄。後來，他冒犯某個貴族，招來毒打，再度入獄。從英格蘭回來後，他加入一聯營企業，該企業買下國營彩券公司，他藉此發了大財。接著他愛上一個貌美、才華洋溢的較年輕作家——夏特萊侯爵夫人艾密莉（marquise du Châtelet Émilie）——（在她丈夫同意下）住在她的城堡，兩人在此書寫哲學、歷史、小說、科學[89]——她將牛頓的著作譯成法文，推廣牛頓的學說；她是第一個獲法蘭西學院出版論文的女人。後來，他們各自愛上別人——他受肉欲之惑愛上他的外甥女——但兩人依舊是伙伴，直到她死於難產為止。

一七三四年，他的《哲學通信》（*Lettres philosophiques*）主張宗教、政治包容異己，在歐洲聲名大噪，不過，這只是他反迷信運動的開端——不久，他便在「消滅恥辱」（Écrasez l'infâme）這個口號中表達了他反迷信的主張。許久之後的一七六二年，慘遭冤枉的尚・卡拉斯（Jean Calas）被不當刑求並處死一事，催生出他最著名的運動。他深信人類會進步，但進步不多：伏爾泰以其《憨第德》（*Candide*）裡的人物潘格洛斯（Pangloss）嘲笑愚蠢的樂觀心態。他批評所有宗教——基督教、猶太教、伊斯蘭教——嘲笑「從亂倫的床上起床」的神職人員，「製造了一百個版本的上帝，然後吃喝上帝，接著把上帝當屎尿排出來」。他開玩笑道，「世間沒有上帝，不過，別這麼告訴我的僕人，以免他夜裡殺了我。」

伏爾泰是第一個啟蒙思想家，提倡一種心存懷疑的、理性的、科學的、包容異己的、為人類尋找最大

89 他們還不清楚自己的發現具有什麼實際用途，但達尼埃爾・華倫海特（Daniel Fahrenheit）於一七一四年發明了溫度計，安托萬—洛朗・拉瓦錫（Antoine-Laurent Lavoisier）發現氧的性質和其燃燒作用，亞列桑德羅・伏打（Alessandro Volta）發明了電池，儘管電被視為娛樂之用，而非實用之物。

幸福的全新態度，質疑盲目的信仰和神聖的君主政體。該世紀更後期柯尼斯堡（Königsberg）的日耳曼籍啟蒙思想家伊瑪努埃爾．康德（Immanuel Kant）主張，如果我們選擇膜拜上帝，「我們這些壽命有限的動物絕無法釐清真實（reality）的無限本質」。康德以兩個詞總結啟蒙運動精神：Sapere aude!——要敢於運用自己的智力！

比自己的友人更有錢且更出名的伏爾泰，除了他的其他種種才華，還精於理財，扮演了保護者的角色：有個年輕的窮作家碰上麻煩時，伏爾泰出手援助。德尼．狄德羅（Denis Diderot）是粗野的刀剪匠之子，他的父親在他不願成為神職人員後，聲明和他斷絕父子關係。狄德羅邋遢、愛惡作劇、狂躁，對從陰陽人到聲學的種種事物都想一探究竟，寫了許多質疑國王統治和天主教支配地位的著作，也寫了許多情書給他的情婦，還有長篇小說、色情出版品：他的《洩密珠寶》（*Indiscreet Jewels*）是光怪陸離的情色小說，讓宮女的陰道開口講述一名具有窺淫癖的蘇丹，係為說明女人和男人一樣享受性愛而寫。他因發表此小說而被捕。伏爾泰出手讓狄德羅獲釋，接著狄德羅發表了《百科全書》（*Encyclopédie*）。此書界定了這個新思想運動的特點，其中的文章以啟蒙運動所闡明的種種主題為要。

可惜舊思想未就此退場：世上仍有眾多宗教狂熱分子；有些啟蒙思想家反對蓄奴；有些不反對蓄奴；稱得上是民主主義者的啟蒙思想家不多。康德寫道，「民主是專制主義，因為它確立了一種行政權力，在此行政權力裡，『所有人』決定支持或決定反對與他們意見不同的『個人』。」大多數人相信從上而下改革的混合式君主政體，不同的是，伏爾泰為彼得大帝立傳，提倡「哲王」。

受盡吹捧的啟蒙運動，其實是幾近於精神崩潰、陷入身分認同危機而且彼此相關聯的歐洲菁英階層的知識運動，其內裡仍然充斥著勢利、偏執、陰謀論和大吹大擂推銷的手法。這是個喬裝改扮和重新發明的時代，好交際、旅行、講究個性、性自由的時代，作家喬科莫．卡薩諾瓦（Giacomo Casanova）便是此時代精神的代表。從威尼斯某監獄逃脫後，卡薩諾瓦一舉成名，而後遊歷歐洲各地，經常苦於債務纏身、宗教迫害、性病，研讀科學和煉金術，尋找貴族贊助，提出金融計畫，取假名和假頭銜，賭法羅牌戲（faro）輸錢，會見皇帝和啟蒙思想家。在這期間，他到處拈花惹草，享受魚水之歡。與他交歡的女人，出身有高貴有低下，年紀有老有少，其中某些豔遇兩情相悅，有些冒險刺激（曾與修女玩3P），還有些則是只想占便宜、霸王硬上弓、乃至戀童癖作祟。

當他金盆洗手，至波希米亞某宮廷管理藏書時，在回憶錄中講述了他上述的一切，內容表達了置身新的大我意識環境下新的小我觀。狄德羅寫道，「我自豪於身為世界這個大城市的市民。」這股精神以寫信的方式抒發：從麻塞諸塞至莫斯科，受過教育之人就著燭光熬夜振筆疾書，寫下他們往往認為友人會抄寫下來並與世界各地的評論家分享的信件。

一七三六年，最出色的寫信人之一是王子腓特烈，他寫了一封信給另一個寫信高手伏爾泰，伏爾泰認出來信之人是世間少有的身分，但也和所有作家一樣，一受到領導人抬舉，便失去理智。腓特烈正暗中和他父親唱反調，不但留起長髮，還穿起錦緞材質的猩紅色晨衣。他鄙視基督教、日耳曼人的欠缺文化素養、陽剛尚武的精神；他崇拜法蘭西的所有事物，把詩和哲學著作送去給伏爾泰過目。與此同時，他反覆思考哈布斯堡家族的王位繼承問題：他考慮娶瑪麗亞．泰蕾莎，直到父親逼他娶一名日耳曼籍公主，他才死了這條心。他的姊姊形容說，這個公主很臭，「身上想必有十二個肛門瘻管」。完婚後，腓特烈告訴姊姊，「謝天謝地總算結束了」，此後兩人婚姻期間，他始終冷落妻子。在此期間，他父親任他隨年老的薩伏依子歐根出征，腓特烈因而得以仔細打量這個傑出的老漢——暴躁、有文化素養、同性戀：「我如果對我這一行有任何了解，那都要歸功於公子歐根。」雖然腓特烈著迷於啟蒙運動，且曾撰文抨擊《君王論》作者馬基維利，卻打算著手使出即將震撼歐洲的馬基維利式行動。

正當腓特烈夢想著大膽征服時，另一個自命不凡的國君、不世出的統治者伊朗的納迪爾．沙（Nader Shah），正盤算著他的入侵行動。他的目標是印度。一七三八年，納迪爾拿下坎達哈和喀布爾，接著拿下拉合爾。然後，這個十八世紀最偉大的征服者暨最後一個部落式四處掠奪者，仿效他心目中的英雄成吉思汗和帖木兒，進向德里。

一七三九年二月二十四日，蒙兀兒皇帝穆罕默德．沙（Muhammad Shah），即阿拉姆吉爾的曾孫，在卡爾納爾（Karnal）抵抗納迪爾．沙。穆罕默德．沙以薩達．蘭吉拉（Sada Rangila，「永遠的花花公子」）之名寫詩，本身深諳印度作曲家薩達朗（Sadarang）的音樂作品、尼達．馬爾（Nidha Mal）的畫作、塔外夫（tawaif）的歌唱藝術。所謂塔外夫即從事交際花工作的女人，為首者是缺了牙的歌手暨女詩人努爾拜（Nur Bai），她「歌聲如夜鶯，貌美如天國美女」，靠著演唱稱之為加札爾（ghazal）的抒情詩而得到豐厚報酬。努爾拜是蘭吉拉的固定情婦，喜歡折磨他歌手出身的正宮老婆古德夏別姬（Qudsia Begum），不過，她對他藏在頭巾裡的一顆大鑽石更感興趣。諸多掌有實權者的大象在她的豪宅外排隊等待，努爾拜本人則乘著她鑲嵌了珠寶的大象遊走於德里街頭。凶殘殺害前任統治者後，蘭吉拉毫不意外的投身於情愛和音樂。這個花花公子的宮廷藝術家描繪他用無堅不摧的陰莖插入舞女體內，然而一碰上納迪爾，這招可不管用。

阿拉姆吉爾過世後，蒙兀兒王朝已控制不了他們的大貴族和蘇巴達爾（subahdar，省長）。年輕的蘭吉拉求助於阿拉姆吉爾所提攜的秦奇利赫汗（Chin Qilich Khan，少年劍客汗），此人的父親是來自布哈拉的突厥族武將，如今身為德干副王，被封為「尼札姆．穆爾克」（Nizam al-Mulk，「王國的綱紀」）。但尼札姆被這個「花花公子」皇帝的「弄臣和妓女」惹火，這些人嘲笑他是「德干高原上跳舞的猴子」。尼札姆轉而自建王國，創建了將統治海德拉巴直至一九四七年的王朝。但這麼做的不只他一人。印度各地，蘇巴達爾奪取稅收和領土，自立為一方霸主——納瓦卜（nawab）。帖木兒家族以突厥語征服者的身分來到印度，透過與信印度教的公主聯姻漸漸印度化，但這個王朝和一小群廷臣搜括帝國的民脂民膏，以支應戰爭、奢侈品開銷。有人估計，全印度一億五千萬人，其中六百五十五個大貴族擁有GNP的四分之一。沙賈汗未能攻取撒馬爾罕一事和他好大喜功的工程——泰姬馬哈陵——加上後來阿拉姆吉爾不斷用兵，導致蒙兀兒王朝垮台。阿拉姆吉爾臨終時坦承，「我未能盡到保護人民之責。」這下子，這個靠強大皇帝和未有強大競爭者與之抗衡來運行的掠奪性尋租體制已然瓦解。美國歷史學家理查・伊頓（Richard M. Eaton）寫道，這個體制「從內部、從底下被掏空，就像白蟻無聲掏空木結構物的基部」。在東邊，孟加拉被該地的蘇巴達爾據為己有；在西邊，錫克教籍首領班達・巴哈杜爾（Banda Bahadur）奪下旁遮普。

在中部，席瓦吉的孫子夏胡（Shahu）已任命勇猛、能幹的馬拉塔籍將領巴吉・拉奧（Baji Rao）為佩什瓦（即宰相）。巴吉侵占蒙兀兒帝國領土，積極擴大疆域，打造出馬拉塔帝國，培養他的兒子巴拉吉・拉奧（Balaji Rao）為接班人；這個騎兵作戰高手已打敗海德拉巴的尼札姆和其他國君，最終開始對付日益衰敗的帖木兒家族：「猛力砍這棵逐漸枯萎大樹的樹幹，樹枝便會自行掉落。」一七三七年，巴吉北征德里，打敗蒙兀兒王朝，樹枝開始掉落。只是他本人疲累不堪，未滿四十歲就去世。帖木兒家族令不出德里，而打垮蒙兀兒王朝者是個外來侵略者。

性高潮、征服者、鑽石、交際花：納迪爾、蘭吉拉、腓特烈

「我來這裡不是為了讓這個國家天下太平，而是要引發翻天覆地的改變」，納迪爾嚴正表示，他體格健壯，飽經風霜，外表粗獷，身高六呎，精力充沛，曾說「我不是人，而是真主所派來懲罰世間罪惡

者」。由於薩法維王朝君主墮落，才使得他有機會叱吒風雲。該王朝君主因酗酒、梅毒、嗜食鴉片而早逝，導致波斯國力大衰，因此，一個阿富汗軍事強人憑藉小股軍隊，就得以征服這個帝國。一場浩劫使納迪爾掌握了權力。

一七〇九年，屬遜尼派的普什圖族吉勒宰（Ghilzai）部落，痛恨什葉派籍薩法維王朝的統治，在米爾維斯·霍塔克（Mirwais Hotak）這位備受敬重的首領領導下，反叛他們的波斯籍統治者。版圖同時涵蓋西邊高加索地區的薩法維王朝將巴格拉季昂王朝的國君——女王塔馬拉的後代——擢升至高位，並招募喬治亞籍軍人暨奴隸組成軍隊：薩法維王朝國王胡笙（Shah Hosain）打敗造反的喬治亞籍國王——勇猛善戰的喬治十一世（Giorgi XI）——而後又讓他重登王位，任命他為總司令和坎達哈省長。改宗伊斯蘭教並改名古爾金·汗（Gurgin Khan）的喬治帶領喬治亞軍東征，奪回阿富汗，任霍塔克屠殺與他同屬普什圖族的對手阿卜達利人（Abdalis）。這些對立將在不久後於阿富汗境外爆發，演變為兩個阿富汗人帝國。

國王喬治派米爾維斯·霍塔克前去伊斯法罕，在那裡，霍塔克提醒薩法維王朝國王提防這個治理阿富汗和喬治亞而權勢過大的小國君。人稱「祖父米爾維斯」（Mirwais Baba）的霍塔克被派回去監看喬治，喬治則索要這個阿富汗人的女兒為妾。霍塔克要另一個女孩喬裝成他女兒，把她送了過去，而後在他的策畫下，於某場盛宴時殺了喬治和其喬治亞人。霍塔克一統諸阿富汗人首領，問道，「你們之中是否有人沒有勇氣去享受上天所送來的這份寶貴禮物——自由？」臨終時，祖父米爾維斯命令他十八歲兒子馬赫穆德（Mahmud）「拿下伊斯法罕」。

一七二二年五月，馬赫穆德·霍塔克和一萬五千名阿富汗人配備普什圖人的一項新武器——安裝在駱駝上的輕火炮「小黃蜂」（zamburaks）——入侵伊朗。在古爾納巴德（Gulnabad），五萬波斯大軍擋住去路。「如果你們贏了，伊斯法罕的財寶就歸你們，」霍塔克告訴他的普什圖人。「萬一輸了的話，你們沒有退路，只有一死，蒙受恥辱。」靠一百門小黃蜂助陣，他們大敗伊朗人，然後圍攻伊斯法罕，城裡八萬人餓死。馬赫穆德拿下伊斯法罕，自立為王，但為控制波斯，他費了很大工夫。他被疑心病和劇烈腹瀉折磨到發狂，先是殺掉薩法維王族大多數成員，接著又殺掉自己的家人。「他的肚子不舒服到糞便從嘴裡排出」，最後他被自己的姪子阿什拉夫（Ashraf）勒死。波斯因而解體。

薩法維王族只有王子塔赫馬斯普（Tahmasp）一人保住性命，且直到被一個沒沒無聞的軍事領袖拯救，他的前途才由黯淡轉為光明。這個軍事領袖正是納迪爾。納迪爾是阿夫沙爾族（Afshar）土庫曼人羊官的兒子，最初是個具群眾魅力的凶殘土匪，但不久就統領自己的軍隊：他認得每個軍官、許多騎兵的名字，被底下官兵稱作「大老爹」（Baba Bazorg）。這時，他表示願撥兩千兵力給這個窮途潦倒的波斯國王，只是他有個對手法特阿里．汗（Fath-Ali Khan）——卡札爾人（Qajars）的可汗，他們是土庫曼人裡的一支氏族，來自裏海沿岸。一七二六年，納迪爾殺了他，但後來卡札爾人會統治伊朗。這時，納迪爾奪回破敗的伊斯法罕。當阿什拉夫．霍塔克逃回阿富汗時，大老爹把塔赫馬斯普這個自大魯莽的酒鬼重新送上王位。而後，納迪爾出動一支半部落式、半正規軍的軍隊，奪回伊拉克數大片土地和高加索地區。這支軍隊由騎馬弓箭手、小黃蜂、滑膛槍兵（jacapyrchi）組成，成員有伊朗人、庫德人、土庫曼人、阿富汗人、烏茲別克人。塔赫馬斯普授予他「塔赫馬斯普的奴隸」（Tahamsp-Qoli）的稱號，接著擢升他為攝政。然而，納迪爾想要的可不只如此。

一七三一年，塔赫馬斯普失去納迪爾攻下的高加索地區。在伊斯法罕，納迪爾和這個醉得頭腦不清楚的波斯王狂飲，直喝到他醉倒，而後邀請諸位大貴族前來看看這個不省人事的國王，並將他罷黜，扶立嬰兒阿巴斯三世（Abbas III）取代他。讓一個衣衫破爛的土庫曼人取代神聖的薩法維王族，這事太離譜，但納迪爾最終還是漸漸被視為王位的角逐者。他在四年歲月裡打敗東邊、西邊的外族，拿下波斯灣、馬斯喀特、巴林，又召集兩萬社會賢達開會，這些人提議由他當王。他很有禮貌的接受此議。大毛拉（the chief mullah，伊斯蘭教神學家）私下向薩法維王族表態效忠時，納迪爾命人將他勒死，要求徹底效忠於他本人，而且以激進手段揚棄什葉派。

他自豪於自己的卑微出身，和長子禮薩·庫利（Reza Qoli）分別娶了波斯王的姊妹——他的阿富汗人和薩法維王族融為一體。大老爹的消遣是參加飲酒大會，他的妾也會出席。在這些派對上，信口胡說的人可能招來殺身之禍：有個人拿納迪爾的名字開雙關語玩笑，結果遭當場勒死。但真正讓他覺得快意的事是征戰。

一七二九年，納迪爾擊潰赫拉特（Herat）的阿卜達利人，招募其中一萬兩千人組成特種部隊。一如波斯人利用喬治亞人打垮阿富汗人，眼下，納迪爾則利用阿富汗人打垮喬治亞。九年後，他揮師東征阿富汗，把霍塔克家族趕離坎達哈，將這座城賞給阿卜達利人。他挑選阿卜達利人首領的十六歲兒子艾哈邁德為貼身侍衛。艾哈邁德英俊、強悍、和善，後來被稱作杜拉尼（Durrani，「珍珠」）。

當納迪爾的阿富汗籍敵人逃奔蒙兀兒皇帝蘭吉拉，納迪爾要求蘭吉拉將他們送回，沒想到卻遭到拒絕，納迪爾隨之有了藉口先攻打印度，從而拿下拉合爾。一七三九年一月，他攻打德里，準備重現帖木兒精神，對付帖木兒的後代。蘭吉拉找來他的老練顧問尼札姆迎敵，納迪爾和其十萬兵眾——包括由喬治亞少年國王海克力士二世（Hercules II）統領的喬治亞人部隊和由杜拉尼統領的阿富汗人士兵——攻向蘭吉拉的三十萬兵眾和兩千頭大象。納迪爾的小黃鋒和滑膛槍兵出擊，數不清的蒙兀兒王朝士兵倒下。尼札姆根本未應戰，一逕坐在他的象轎裡喝咖啡，直到他安排蒙兀兒皇帝投降後，他才現身。

納迪爾在兩萬騎兵護衛下，騎馬進入有四十萬居民的德里——沙賈汗城——得到蘭吉拉接見。蘭吉拉坐在由沙賈汗委人建造的宏大謁見廳裡那鑲嵌了珠寶的孔雀寶座上，廳上有銘文曰：「如果世上有樂園，這就是，這就是！」納迪爾禁止洗劫，但伊朗人過波斯新年納吾肉孜節時，納迪爾遭暗殺身亡的謠言傳開，民眾開始攻擊他的士兵。納迪爾快馬奔至羅夏努道拉清真寺（Roshan ud-Daula Mosque），他爬上屋頂。早上九點，一聲槍響，納迪爾抽出劍，屠殺開始。及至下午三點，已有約兩萬五千人喪命。蘭吉拉派年老的尼札姆去見納迪爾：尼札姆引述哈菲茲的詩：

噢國王，你已殺了這麼多人
如果你還想殺人，讓他們重生。

納迪爾回道：「因為你鬍子已花白，我原諒你。」並止住殺戮。然後，他任由屍體橫陳街頭，開始搜括戰利品，包括人和寶石。阿拉姆吉爾的一個曾孫女嫁給他兒子納斯魯拉（Nasrullah），自命不凡的阿夫沙爾人自此和帖木兒家族搭上關係。廷臣寫下這個新郎的七代家世時，納迪爾只回道，「告訴他們，他是納迪爾．沙的兒子，劍的兒子，劍的孫子，以此類推，上溯七十代。」

尼札姆注意到納迪爾的侍衛、阿富汗人杜拉尼。「他會當上國王，」他說。納迪爾叫杜拉尼進來，同時抽出匕首，往他的雙耳各割下一小塊肉。

他說，「當你成為國王，這會讓你想起我。」後來，他把杜拉尼叫上前，「過來，切記你有朝一日會成為國王。」

「陛下，請原諒我。這些話全不是真的。」

「善待納迪爾的子孫。」納迪爾說。

納迪爾喜歡這濺血後的寧靜，邀請交際花努爾拜前來演唱一首加札爾。她唱道，「你在我心上留下什麼」——並告訴他，花花公子皇帝的頭巾裡藏了一顆超大的鑽石。納迪爾決定勾引這個著名的塔外夫，把她帶回家。她先是裝病，然後消失無蹤：她說，若和納迪爾上床，「我會覺得自己的身體像是犯下屠殺之行」。

納迪爾讓蘭吉拉重新登上皇位，讓他戴上附在皇帝頭巾上的皇帝羽飾，把大權還給「這個顯赫的駙馬家族」（黃金家族駙馬是帖木兒的稱號之一），還說「別忘了，我離這裡不遠」。納迪爾把掠奪物裝上三萬頭駱駝和兩萬匹騾子，孔雀寶座也被他搶走，並成為伊朗王權的象徵，蘭吉拉交出那顆一〇五．六克拉的鑽石，納迪爾將它比喻為「光之山」（Koh-i-Noor）。這顆鑽石日後輾轉經過伊朗籍、阿富汗籍、錫克教籍君王之手，最終落入英國王室手裡，其足跡反映了南亞權力的變化。納迪爾已把脆弱的蒙兀兒王朝威望打碎：該王朝精緻且令人垂涎的象徵努爾拜遭懷疑通敵，死於貧窮潦倒；貪婪的蒙兀兒王朝諸省長和拉傑普特人羅闍爭奪蒙兀兒王朝這塊大肥肉，如今又加上同樣貪婪的外人加入這搶食行列。納迪爾打算把已透過婚姻成為帖木兒家族一員的兒子納斯魯拉送回印度統治該地。

俄羅斯的新女皇埃莉札維塔（Elizaveta，彼得的女兒）自彼得堡遠望著納迪爾大掠印度而歸，懷著恐懼之情將他和歐洲版的納迪爾——腓特烈大帝——相提並論。

一七四〇年五月，紫質症發作奪走了吃人妖魔般的腓特烈．威廉的性命，他二十八歲兒子，那聰明、行事不顧後果、神經質的腓特烈，從此可以大展身手。他以光榮的姿態登場，打造了若他父親在世定會氣到發狂的同性戀宮廷。他最心愛的人是雙性戀的威尼斯籍唯美主義者法蘭切斯科．阿爾伽羅蒂（Francesco Algarotti），而且這個新王創作了〈性高潮〉（The Orgasm）一詩慶祝他們的一見鍾情，把這首寫給「帕多瓦的天鵝阿爾伽羅蒂」的詩寄去給伏爾泰。詩中流露出腓特烈大不相同的一面。[90]

這時他能將伏爾泰的理念付諸實踐，自稱「第一公僕」：「我的主要工作是打擊無知和偏見，啟迪心智，使人快樂。」伏爾泰將他譽為「哲王」。腓特烈邀他來柏林看看。

但腓特烈也繼承了他父親的作風——成了大小事都要管的獨裁者，害人之心甚烈，而且他想要傷害的對象，除了他的對手，還有他的手足和人民。他欺負他的弟弟，嘲笑每個人，痛恨大多數女人，曾對侍女吼道，「這些可怕的母牛，十哩外就聞得到。」他唯一愛的女人是他姊姊威廉明妮。他既展現處逆境仍泰然自若的美德，又不信世間有真誠：「若可以從正直得到好處，那我們就正直；若需要用到欺騙，我們就當狡詐之人。」他裁撤父親的「巨人團」，但受其八萬兵眾和滿溢的國庫鼓舞，他看到擴張機會：法蘭西這時在放縱自我的路易十五和他精明情婦龐巴杜夫人（Madame de Pompadour，腓特烈口中的「可惡的婊子」）的統治下，為守住其霸主地位而焦頭爛額；俄羅斯不時因為羅曼諾夫家族的凶殘陰謀而陷入停擺；英國不想淌歐洲的渾水。到了十月，哈布斯堡家族的卡爾六世死於食用了「改變歷史進程的一鍋蘑菇」（伏爾泰語）之後。二十三歲的瑪麗亞·泰蕾莎突然成為奧地利女大公、匈牙利和波希米亞的女王，卻不可能成為女皇。腓特烈準備趁此絕妙的時機大展身手，他寫道，「我是最幸運的自然之子。」

不要再讓女王受苦：瑪麗亞·泰蕾莎——母親、皇后、戰爭夫人

一七四〇年十二月十六日，腓特烈發兵入侵哈布斯堡家族的富裕省分西里西亞（Silesia）。此時，他

---

90 「此夜裡，阿爾伽羅蒂滿足其熾烈的欲望，／悠遊於歡愉之海……／我們的快樂愛人，極度興奮，／他們愛得如痴如醉，眼中只有對方；／肏（baiser）、高潮、撫摩、嘆息、結束，／繼續肏，回頭尋找更多歡愉。」此前，阿爾伽羅蒂享受和瑪麗·沃特利·蒙塔古、赫爾維勳爵（Lord Hervey）這對夫婦同住一屋簷下的三人歡愉，招來倫敦人憤慨，然後他隨美洲馬里蘭殖民地領主巴爾蒂摩勳爵乘遊艇前去參加某俄羅斯人的婚禮，中途在日耳曼停留，在那裡遇見腓特烈。

仍寫信給阿爾伽羅蒂，只是一門心思都放在不計代價拓展普魯士疆土上，即使為此戰死亦在所不惜。瑪麗亞·泰蕾莎在維也納坐困愁城，她反思道，「我發覺自己沒錢、借不到錢、沒有軍隊、沒有經驗、不了解自己。」他的將領只想著藉權牟取私利。「至於讓我找到軍隊的那個國家，我一點都不想提，」她說。「歷史上大概沒有哪個君王一開始就陷入這麼悲慘的處境。」

瑪麗·泰蕾莎陷入王朝破滅的危機，但她以明斷果決、頻頻爆發的盛怒、充滿戲劇性的愛情、舉重若輕的手段等迎接挑戰。她也懷了孕，並於一七四一年三月生下一子約瑟夫，哈布斯堡家族終於有男丁繼承。未料，她的大臣是怯懦的前朝老臣：「他們個個最初都想坐觀情勢發展。」其中一個老臣辭職時，她回道，「你最好留下，試試有所貢獻，」還說「我絕不會讓你出什麼紕漏。」對另一個老臣，她則厲聲道，「哎呀，在嘀咕什麼，那張醜陋的臉龐……不要再讓女王受苦，要幫她！」她得解決嬰兒、戰爭、君主國治理失靈的問題，還得提振她沒有自信的丈夫法蘭茨的信心：「老公……我像隻小狗不放心你。愛我，原諒我只能寫到這裡……再見，『小老鼠』……我是你的快樂新娘。」但她熱中於懷孕。「真希望我再懷胎六個月，」她於生下約瑟夫後不久如此說道。

腓特烈不期然進攻西里西亞，開啟了長達二十年的戰爭。他的第一場仗是莫爾維茨（Mollwitz）之役，他逃離戰場，卻赫然發現自己竟打了勝仗。但身為自歐根以來至拿破崙大展身手之前最善戰的將領，他很快便掌握帶兵打仗之道，大敗瑪麗亞·泰蕾莎麾下那些笨拙的將領。隨著一心要摧毀其哈布斯堡家族對手的路易加入瓜分哈布斯堡君主國的行列，戰事迅即擴大。巴伐利亞選帝侯、維爾特斯巴赫家族（house Wittelsbach）的領袖暨哈布斯堡家族的對手選上神聖羅馬皇帝，並奪下布拉格。匈牙利於是有了獨立的念頭。

瑪麗亞·泰蕾莎處變不驚，一身黑色喪服趕去布達佩斯，宣布「匈牙利王國，我們自己人的王國，我們的小孩的王國和我們的王室的王國，如今陷入危急存亡之秋。我們被所有人背叛，只有匈牙利人的忠誠、武器、古老勇氣可倚恃。」匈牙利人答應提供四萬兵員，答應繳更多稅，她則抱起她的嬰兒，讓他們認識他們未來的國王約瑟夫，以如此戲劇性的一幕回報他們的慷慨赴難。在這整個期間，她既遵守一絲不苟、戴假髮的西班牙儀禮，又發揮不拘小節的家族作風，藉此統治其龐大宮廷。她展現一貫的歡快風格，喜愛舉辦「女子騎術比賽」（carousel），也就是她和她的眾多仕女，打扮得極其漂亮，以側坐方式騎馬，遊行維也納，並對空鳴放手槍，而後整個下午跳舞，接著舉辦假面舞會，她在舞會中打扮成村姑。

八年後她體認到無法靠戰爭消滅腓特烈。她從未死了收復西里西亞的心，反之他透過談判停止了戰爭，助她丈夫選上皇帝，然後全心改革其君主國。

她和小老鼠的婚姻很幸福，唯一美中不足之處是她吃他的女演員的醋。兩人為了情婦和他的其他要求而爭吵，並以「我們一貫的逃避、愛撫、眼淚」結束此類爭吵，然後「我又發起脾氣」，法蘭茨走了出去。她寫道，「如果他真的離開，我若不是追上去，就是把自己關在女修道院。」她於西里西亞戰爭期間大多有孕在身，在霍夫堡宮或她的新夏宮申布倫宮（Schönbrunn，美泉宮）養大十六個孩子：她寫信告訴某大臣，「我分四次才寫成這封信，房間裡有六個孩子，還有我和皇帝：這封信讀起來就予人這樣的感覺。」她管教孩子甚嚴，寫了長篇的囑咐給他們的私人教師：「我要他們吃任何東西都不挑剔，不挑食，不挑三揀四。」她把她的女兒當成王朝的資產，養大她們只為了聯姻：「她們絕不准和門房、司爐講話，絕不可讓她們下命令；她們生來就要服從人……」這些孩子的優缺點受到她極不留情面的剖析：「喬安娜固執，但頗聰明；約瑟夫乖順，但不是很有能力。」她最寵愛的孩子是漂亮又聰明的米米（Mimi），即瑪麗亞·克莉絲蒂娜（Maria Christina）。後來米米憶道，「感受到愛的同時，我也始終感受到一分不信任和明顯可感的冷淡。」權力是個殘酷的母親。

她的倒數第二個孩子，在她三十九歲時出生，名叫瑪麗亞．安東尼婭（Maria Antonia），即後來的路易十五的妻子瑪麗．安東尼（Marie Antoinette）——長大後的她，衝動又輕浮。繼承人約瑟夫極聰明，可惜欠缺同理心，處事不夠圓通——「我兒子從小以最大的慈愛被撫養長大，但必須坦承的是，他的欲求和要求在諸多方面是有求必應，他受到奉承，讓他太早就認為自己高人一等。」他欣賞啟蒙思想家，沒想到，他心目中的英雄竟是他母親的勁敵腓特烈。這個皇后對未來憂心忡忡。

小老鼠對婚姻不忠，使她的虔誠信仰更加古板不近人情：裸身畫被遮住，她的「貞潔委員會」監視婚外情，趕走言語輕佻的女演員，把妓女塞進平底船，送到多瑙河更下游處定居——她因此遭歐洲開明人士嘲笑。雖然她對啟蒙思想家心存懷疑，但她的改革奏效。腓特烈指出，「奧地利人已改頭換面，」而且這時他禁不住埋怨，「這個野心勃勃且心存報復的敵人，由於對方是女人，因此更加危險。」她熬過危機，但腓特烈保有西里西亞。伏爾泰將他譽為「偉人」，但他對軍事強人暗暗心存懷疑。「不准殺人，」伏爾泰寫道。「因此，所有殺人者都受罰，除非是殺了許多人而且就著小號聲殺人者不在此列。」兩人的會晤以失望收場。這兩個歐洲最了不起的男人都自居為老大，兩人進而起衝突，惡言相向了起來。兩人還是各走各的比較好——而戰爭尚未結束。

亞洲的腓特烈——納迪爾——同樣不甘於自己眼前的成就。他從德里回來，成為千年來成就最輝煌的波斯王。但成功始終只是一時。卓越始終離瘋狂不遠。

何為父親、何為兒子？大老爹發瘋

納迪爾這時自稱沙汗沙（Shahanshah），即諸王之王和結合之主（Lord of the Conjunction），返鄉後，他發現摯愛的長子禮薩．庫利——他在外征戰時，授以副王之職留在國內的彪炳將領——竟密謀在納迪爾遭遇不測時奪取王位。禮薩也已殺害前波斯王塔赫馬斯普和他的諸多年輕兒子。而禮薩的妻子，即塔赫馬斯普的女兒，此時已自殺，禮薩則埋怨道，「我父親想要攻下天涯海角，不讓我們所有人順心。」納迪爾的寵臣塔奇．汗（Taqi Khan）於喝酒比賽時款待納迪爾，將禮薩的行徑告訴這個國王。納迪爾非常喜歡他，甚至承諾不管他做什麼，都絕不會將他處死。不過，兩人的關係並不穩定。納迪爾對塔奇心存懷疑，塔奇則覺得未受到納迪爾器重。

禮薩帶著他自己的一萬兩千名滑膛槍兵前來向凱旋歸來的父親致意。納迪爾滿腦子疑心病，偏愛一個較年輕的兒子和姪子阿里．庫利（Ali Qoli），於是將禮薩貶職，把最漂亮的蒙兀兒王朝公主賞賜給阿里．庫利。一七四一年，納迪爾騎馬在外蹓躂時，一名刺客朝他開槍，禮薩騎馬前來安慰他時，他直指禮薩是同謀。而後納迪爾找到刺客，經嚴刑拷打後，對方全盤供認。納迪爾揚言挖掉禮薩雙眼。

「把它們挖出來，塞進你老婆的屄裡。」禮薩不住吼道。

禮薩的雙眼送到納迪爾面前時，納迪爾啜泣道：「何為父親，何為兒子？」納迪爾擁抱禮薩，淒厲長嚎。

「你應該知道，」禮薩最終如此說道，「拿掉我的眼睛，你等於弄瞎了你自己，毀了自己的一生。」

納迪爾出兵攻打鄂圖曼帝國，但從摩蘇爾後撤，如今他疾病纏身且看來比實際年齡老了許多，同時面臨蜂起的叛亂。

在設拉子（Shiraz），他的親密戰友塔奇造反。納迪爾瘋狂掃平設拉子，建造了數座人頭塔。先前已承諾絕不處死他的這個朋友，頓時想出一個巧妙的折磨手段讓他受罰，卻不會要了他的命。塔奇遭閹割，一眼被挖出，另一眼留著，好讓他親眼見他的兒子、兄弟一一遭處死，再目睹他的諸多愛妻遭士兵輪姦。

遭閹割且剩一眼的塔奇被帶到納迪爾跟前時，說了一個保住他性命的笑話，然後納迪爾派他去治理喀布爾。然而這個暴君的所作所為，正使得他諸多追隨者離心於他。他下令逮捕姪子阿里．庫利時，因為這個王子開始密謀造反。

一七四七年，納迪爾召見他的諸多子女和他寵愛的孫子沙羅赫（Shahrokh，遭挖掉眼睛的禮薩和其薩法維王族妻子所生），不尋常的盯著他們看了頗長時間，然後懇求他們接下王位。眾人擔心有詐。六月，和造反的庫德人交手時，大老爹紮營於法特哈巴德（Fathabad），孤單且多疑的他懷疑他的阿夫沙爾籍侍衛和阿里．庫利同謀不利於他。於是，他命令杜拉尼和他的阿富汗人處決伊朗籍禁衛軍，但不知怎麼的，侍衛事先聽聞欲誅殺他們的風聲。就在納迪爾和其愛妾楚姬（Chuki）同眠時，刺客衝進大帳。楚姬搖醒他；納迪爾猛然起身，不料竟絆倒，一名侍衛當即揮劍，砍下他一臂。他乞求饒命時，他們直接砍了他的頭。

杜拉尼和阿富汗人想拯救他卻未能如願，找到他的無頭屍體時忍不住哭了出來。接著他們洗劫大帳，奪走納迪爾手臂上的「光之山」鑽石，扯下他的圖章戒指。

隨後，他們快馬奔回坎達哈。

杜拉尼王朝和賽義德家族、海明斯家族、圖桑家族

阿富汗籍征服者和阿拉伯籍國王：杜拉尼王朝、紹德家族、阿曼人

納迪爾的人頭被送去給阿里・庫利，此時的阿里・庫利自封「沙・阿迪勒」（Shah Adil，「公正王」），而後追捕他伯父納迪爾的兒子、孫子，不只將他們全數殺害，甚至連兩歲者也不放過，還挖出納迪爾懷孕中妃子的腹中胎兒。卡札爾部落爭權時，阿迪勒殺掉他們的酋長，閹割他的四歲兒子阿迦・穆罕默德・汗（Agha Muhammad Khan），數十年後，阿迦・穆罕默德・汗會向所有人報復，恢復伊朗，成為史上罕見的人物，即創立王朝的閹人。殘暴的阿迪勒遭暗殺，納迪爾的倖存孫子沙魯赫被弄瞎眼睛，由此引發數十年動亂——但納迪爾的侍衛杜拉尼乘著這波亂局壯大，他的阿拉伯籍盟友則擺脫伊朗人支配。

阿富汗人杜拉尼騎馬返鄉途中，一度停下來並召開一場大會（jirga），與會眾人選他為國王，是為杜里・杜蘭（Durr-i-Durran），即「珍珠中的珍珠」；他宣布從此不受波斯控制，隨即攻向坎達哈，把密謀者踩爛在象腳下，然後著手首度創建維拉耶特（vilayet）——在此意指國家——是為阿富汗的前身。他趁波斯、印度天下大亂之際，仿納迪爾開疆拓土，但從霍塔克王朝（Hotaki）的愚蠢中吸取教訓：他將建立一個以阿富汗人為核心的帝國。他率兵東征，吞併土地，往南及於今巴基斯坦信德省境內的印度河，而後往西攻，拿下今伊朗境內的馬什哈德（Mashhad）和尼沙布爾（Nishapur），在尼沙布爾，他履行他對納迪爾許下的承諾，立大老爹的瞎眼孫子沙魯赫為傀儡。

從納迪爾的倒台得利者，不只杜拉尼；[91]在阿拉伯半島，出現了兩個至二十一世紀的今天仍居統治之位的王朝。當納迪爾被殺的消息傳到阿拉伯半島，他在阿曼的盟友艾哈邁德・賓・賽義德（Ahmed bin Said）邀請駐守阿曼的伊朗軍隊前來參加盛宴。在他位於巴爾卡（Barka）的要塞裡，他殺光他們，創建了最終會從巴基斯坦沿海綿延至非洲海岸的新帝國。一七四九年，他被推選為伊瑪目，[92]但他在阿拉伯半島上的對手——正在建立自己的第一個王國的紹德家族（Saudis）——並不樂見他的得勢。自薩拉丁以來，身為先知穆罕默德後裔的沙里夫卡塔達（Qatada）所創建的一個家族持續統治麥加、吉達、漢志（Hejaz），控制來自聖地朝覲的收入；一五一七年，冷酷者塞利姆進一步確立他們的地位。只是，鄂圖曼帝國從未統治阿拉伯半島的內陸，即稱之為內志（Najd）的地方。迪里耶（Diriyah）這個典型的綠洲小鎮，只有幾百個居民，是紹德家族的封地。如今，該家族的領導者是地主暨商人穆罕默德・伊本・紹德（Muhammad ibn Saud）。而後在一七四四年，曾從事椰棗種植、出身宗教名人世家的穆罕默德・伊本・阿布杜・瓦哈卜（Muhammad ibn Abd al-Wahhab）來到迪里耶。此前，瓦哈卜赴聖地朝覲回來後已開始傳道，朝覲之行使他深深反感於麥加、麥地那的污染不潔，並認為這兩處聖地已被聖徒墓和聖徒的崇拜玷污。真主和人之間的任何中介都是異端邪說。先前走訪巴斯拉時，他曾見識到基督徒和猶太人共同生活在離經叛道的納迪爾統治下。

這個挑起騷亂者鼓吹聖戰以淨化伊斯蘭，申明真主唯一說（tawhid），以回歸伊斯蘭教源頭——賽萊菲（salaf）——為基礎，創立了一個神聖的埃米爾國。瓦哈卜不追求自身的飛黃騰達，善於組建政治同盟，同時善於令其追隨者心生敬畏。他問，「真理之外，除了迷誤，還有什麼？」宣告和他的父親、哥哥以及自己的一些孩子斷絕關係。在他善惡分明的世界觀裡沒有妥協之道：要「拔劍」對付偶像崇拜者、冒牌貨、什葉派。與異教徒的任何交往，都是惡事。他用石頭砸死一個姦婦，讓他老家歐耶伊奈鎮

（Uyayna）的居民大為震驚。他遭驅逐，逃到迪里耶，於此締結了改變世界史的同盟。

「這個綠洲歸你，」伊本・紹德說，「別怕你的敵人。我們絕不會拋棄你！」

「你是此鎮的首領，」瓦哈卜回道，「答應我，你會對異教徒發動聖戰。我會當宗教事務的領導者。」

這個伊瑪目暨謝赫立即發動他們的聖戰，徵召所有十八至六十歲的男子入伍（後來又有貝都因族駱駝騎兵加入他的陣營），拿下內志地區一個又一個城鎮，暗殺掉反對者。一七六四年紹德死後，他的兒子阿布杜阿濟茲（Abdulaziz）採納瓦哈卜的意見，拿下利雅德。紹德—瓦哈卜同盟雄心無限，不只要攻占麥加、麥地那，還要攻占伊拉克，甚至徹底打敗鄂圖曼帝國。而他們最先威脅到的，是漢志的哈希姆家族和令人痛惡的阿曼伊巴德派。

艾哈邁德・賓・賽義德和其後的接班人正逐漸擴張，把馬斯喀特打造成印度、非洲之間的轉口港。正當法蘭西人擴大在模里西斯（即法蘭西島）上的甘蔗田、咖啡園，同時印度境內的軍事衝突加劇，阿曼人則自以尚吉巴為根據地的東非洲帝國供應奴隸，而後奪占基盧瓦。阿曼的蘇丹每年交易五萬奴隸，而如此大的交易量，比起大西洋上正發生的事，不過是小兒科。

91　納迪爾的喬治亞籍盟友、隨他至德里的國王海克力士二世，已一統卡特利（Kartli）和卡海提（Kakheti），使喬治亞重現數百年未見的一統局面。

92　阿曼人屬伊斯蘭教伊巴德派（Ibadites），崇奉八世紀一位拒斥某些遜尼派、什葉派教義的學者。阿曼人的統治者是經推選產生的伊瑪目，這些伊瑪目都來自一個家族，該家族已趕走葡萄牙人，在非洲斯瓦希利海岸重操舊業，做起傳統貿易。

阿嘎賈、維達的副王、牙買加的怪物

在西非洲，具侵略性的小國達荷美的國王（dada）阿嘎賈（Agaja）攻打將奴隸賣給法蘭西人和英國人的兩個豐族王國阿爾德拉（Ardra）和維達（Ouidah）。阿嘎賈是開國國王烏耶格巴賈的兒子，遭遇強勢鄰邦奧尤王國（Oyo Kingdom）不斷挑戰。奧尤王國的國王（alafin）統領一支令人聞風喪膽的騎兵隊，靠著與歐洲人交易奴隸而致富。國王阿嘎賈同意向奧尤王國稱臣納貢，但還是決定搶食時值市場極熱的英法奴隸貿易。阿嘎賈觀察了維達、阿拉達（Allada，即阿爾德拉）兩口岸賺進巨額利潤的方式。「國王（維達的哈豐／Haffon of Ouidah）是頭十足的公豬，」有個英格蘭海軍軍官指出。「只要得不到足夠的奴隸，他就派兵去擄人。他和鄰邦阿拉達的國王在內陸大肆劫掠。」

哈豐以薩維（Savi）為都城，四周林立著歐洲人的奴隸貿易站。他坐在法蘭西西印度公司所贈的寶座上，戴著英國皇家非洲公司所送的王冠，找到奴隸供應商並控制他待售的奴隸。一七二四年，達荷美的阿嘎賈先奪取阿拉達，後於一七二七年奪取維達，殺掉哈豐，吃掉他養的神聖蟒蛇，藉此打破他的法力。阿嘎賈肅清異議分子時，把他們當奴隸賣到巴西。他組建了兵力達一萬的正規軍，並招募女囚擴編既有的女侍衛隊，讓逃離主人的奴隸得到自由，並訓練他們殺人和奪取奴隸以賣給歐洲人。這些武力以阿嘎賈在阿博美（Abomey）的都城為根據地，攻擊無辜村子，嚇壞鄰邦居民。在這些村子裡，他們殺害老人和小孩，擄走強壯的男女，將這些男女押到奴隸市場出售。即使今日，他們的後代仍講述著這些先祖的豐功偉業。女衛兵的存在充分反映了女人在達荷美宮廷的勢力。在宮廷裡，「大屋」（Big House）宮殿的所有居民，包括男性大臣，一律稱作阿荷西（ahosi「國王的妻子」），而真正的公主們，全都在宮廷裡肩負特殊職責，係「妻子會議」（Council of Wives）的一員，而妻子會議得以否決達荷美國王的意見（在奧尤王國，國王不得民心時，會遭他的妻子們勒死）。

阿嘎賈和他一七四〇年接位的兒子泰格別蘇（Tegbesu）經營奴隸專賣事業，每年據估計賺進二十五萬英鎊。泰格別蘇殺掉他的對手或將他們貶為奴隸，包括將他的弟弟特魯庫（Truku）賣到巴西。每當泰格別蘇和歐洲人談成交易，並接見他們時，總「坐在一張鋪著深紅絲絨、飾有金質緣飾的堂皇座椅上，抽著菸草，頭髮飾有金飾帶，插著鴕鳥羽毛，身穿華麗的深紅錦緞長袍。」在達荷美人治下，維達成為西非最繁忙的奴隸口岸：一七〇〇年後，每年有二十五至五十艘船航至美洲。

就在附近，達荷美的西邊，黃金海岸（迦納）背後的內陸地帶，阿坎族領袖奧塞．圖圖（Osei Tutu）將獵人和農民統整成部隊，使用尼德蘭槍，打敗盛產黃金的對手王國登基拉（Denkyira），然後稱王（asantehene，「阿散蒂人的國王」）。一六八〇年，奧塞．圖圖在內陸的庫馬西（Kumasi）建都後，聽從其祭司阿諾克耶（Anokye）的建議，以從天上送來的純金弧形椅子「星期五誕生的金椅」（Sika Dwa Kofi）作為他王權的象徵和阿散蒂人精神的標誌。這位開國國君於一七一九年去世後，據飽受阿散蒂王國傷害的龔賈族（Gonja people）記載，繼位者奧波庫．瓦雷（Opoku Ware）「殘民以逞如暴君，從他的權威中得到樂趣」，「各方人民都很怕他」。

阿散蒂人的國王由兩百人大會從這個家族裡選出，兩百人大會則由四大家族支配。選立國王時會聽取由十八名官員和母后（ohemmaa）組成的評議會的意見。王宮是「一座宏大的建築」；王宮的金質勝利紀念頭像和首飾手藝精湛。在阿散蒂人的醫學傳統方面，他們老早就懂得接種預防天花。十八世紀末，有兩萬五千人住在都城（當時格拉斯哥有七萬七千人、紐約四萬人），統治百萬左右的子民。阿散蒂人最初從安哥拉輸入葡萄牙籍奴隸，以替他們採礦、務農、在宮廷中服務，並在阿散蒂人的國王去世時陪葬。然此時阿散蒂人襲掠內陸，藉此擄得奴隸賣給英國人和尼德蘭人，並拿黃金、布及堅果換取武器和金屬。

這些奴隸被歐非混血代理商毫無人道的繫成一長串押著趕路，其中許多代理商為女性。在葡萄牙位於西非的奴隸口岸卡謝烏（Cacheu），勢力最大的奴隸商是畢比亞娜．瓦茲（Bibiana Vaz），她出手打擊另一個女性奴隸販子克莉絲皮娜．佩雷斯（Crispina Peres），佩雷絲被控「崇拜物神」（肯定是兼採天主教和非洲宗教之特點的物神崇拜），被押送至里斯本供宗教裁判所審判。

這些代理商將奴隸送到駭人聽聞的奴隸堡，而由英國人、法蘭西人、尼德蘭人把持的跨大西洋奴隸貿易，在奴隸堡裡正如火如荼的成長中。據今人的估計，一七〇一至一八〇〇年間，共有六百四十九萬四千六百一十九個奴隸被賣到大西洋彼岸，占了一四九二至一八六六年間整個大西洋奴隸貿易的一半以上。一六一八至一八〇七年英國船運送了三百多萬人，大多集中在十八世紀期間。法蘭西人於一六二五至一八四八年運送兩百多萬人。這是個幾經試驗而運作順暢的脅迫體系，卻也不乏抵抗之舉。

三萬六千趟航行中，出現五百次造反。尼德蘭奴隸販運船「海神號」（Neptunus）的故事，說明了這些造反為何鮮少成功：一七八五年十月十七日，在西非外海，兩百名淪為奴隸的囚犯被非洲籍奴隸商用獨木舟送到海神號上。這些囚犯造反，奪下船隻，但非洲籍的奴隸獵人——拿錢替人抓回逃跑奴隸者——在英國人的奴隸販運船協助下包圍海神號。眼見要被抓回，這些勇敢的造反奴隸點燃船艙裡的火藥，集體自盡。

英國人的種植園對待奴隸的殘忍無度，係白人移民生活不可少的一部分，以致牙買加的種植園主湯瑪斯．席索伍德（Thomas Thistlewood）在日記中以欣喜之情記錄了他的暴行。他是林肯郡某農民的小兒子，二十歲時來到牙買加，掌管島上稱之為埃及的一座大種植園。這座島受創於逃跑奴隸的漫長叛亂，眼下仍在復原當中。這場叛亂的帶頭者為女王娜妮（Queen Nanny）和上校庫糾（Colonel Cudjoe）所統領的馬倫人武裝群體。娜妮和庫糾都是來自黃金海岸的阿坎人，兩人擊敗英國人，贏得自由之身——條件是他們得協助英國人平定日後的奴隸造反。一如許多種植園主，席索伍德雇用馬倫人追捕逃走的奴隸，他形容庫糾「長相威嚴」，頭戴「飾有羽毛的帽子，身側佩劍，肩扛著槍……赤腳，光著腿」。來到牙買加九年後，席索伍德目睹了另一場奴隸叛亂，叛亂首腦塔基（Tacky）和女王阿夸（Queen Aqua）都未躲過軍人、移民的民兵、庫糾的馬倫人追捕。

這些造反震撼了英國人——這是和廢奴運動一樣，致使蓄奴漸漸受到唾棄的諸多叛亂裡最早的一樁。席索伍德買下名為「麵包果」（Breadnut）的大片土地，過著啟蒙時代紳士的上流高尚生活，從倫敦訂購科學書籍，與女奴斐巴（Phibbah）同居，和她生了小孩——同時以施虐狂心態管治他的奴隸，以鞭打、上腳鐐手銬、醃肉刑（將逃跑的奴隸毆打後，把鹽鹵和胡椒粉抹進他們傷口裡）和他驕傲自創的一種刑罰來懲罰他們。這是他針對偷吃甘蔗的奴隸德比所創的懲罰，他因此稱之為「給德比服的藥」（Derby's Dose）。一七五六年一月，他記載道：「用鞭子毒打德比後，要（另一個奴隸）埃及往他嘴裡拉屎。」另一個奴隸波特羅伊爾（Port Royal）逃跑時，席索伍德「給了他中度的鞭刑，用醃肉刑好好伺候了他，要海克特拉屎在他嘴裡，在他嘴裡塞滿屎時立即塞住他的嘴，他就這麼被塞著四或五小時。」據席索伍德本人記載，他強姦（包括輪姦）了三千八百五十二次，受害女子共一百三十八人，其中許多是未成年，從而無意中散播了性病。

啟蒙時代的大多數碩學俊彥——從巴黎的狄德羅至倫敦的塞繆爾·詹森——無一不驚駭於慘無人道的蓄奴。伏爾泰對此事則是立場矛盾，一方面強烈譴責蓄奴制度，視非洲人為堂兄弟姊妹——「對待自己的親人如此惡劣，無人能及」——並在其小說《憨第德》中問道，「我們為了吃糖付出什麼代價？」然而，他卻也認為非洲人的起源不同於歐洲人。[93] 狄德羅和紀堯姆·托馬·雷納爾（Guillaume Thomas Raynal）

93 對於猶太人，伏爾泰的看法更是卑劣，他把猶太人形容成「無知、野蠻之人，長年以來既最貪得無厭，又抱持最令人厭惡的迷信」。

在他們的《東西印度哲學史》（*Histoire philosophique des deux Indes*）中譴責蓄奴，贊同奴隸叛亂。反觀日耳曼的啟蒙思想家康德，他則反對「種族融合」，並在〈論不同人種〉（On the Different Races of Man）一文中支持蓄奴，深信蓄奴反映了以白人為最高等、亞洲人和非洲人居中（「黑人能被訓導、教化，但絕不會達到真正的文明開化……自願墮入野蠻」）、美洲土著「遠低於黑人」的種族等級體系。康德的種族主義意識形態在這些圈子裡很不尋常，但歐裔美洲人的蓄奴要繼續走下去，需要一套理論來為其違反道德的支配行徑、維持蓄奴所不可或缺的暴力、奴隸主靠蓄奴所享有的豪奢生活和龐大利潤自圓其說。歧視非洲人的種族主義觀並非十八世紀的歐洲籍奴隸主所首創：中世紀人非常在意遺傳和血統；在蓄奴並非以種族主義為基礎的時代（因為奴隸既可能是黑人、也可能是白人），阿拉伯籍奴隸商和伊本·赫勒敦之類知識分子所宣傳的歧視非洲人的種族主義觀，和歐洲籍奴隸主對非洲人的種族主義觀差異不大。而這時，在科學較昌明的時代，有種較系統性的作法漸漸得勢：一七七四年，英格蘭法官暨牙買加種植園主愛德華·隆（Edward Long）在其《牙買加史》（*History of Jamaica*）中，提出一種族主義意識形態，表示非洲人是「和動物難以區分」、自成一系的「人種」，有著「野獸的舉止、愚蠢、罪惡」。這個加了新包裝的舊觀念，旨在將動產奴隸制合理化。「蓄奴並非源於種族主義」，加勒比海歷史學者暨千里達及托巴哥共和國第一任首相艾瑞克·威廉斯（Eric Williams）寫道。「而種族主義源於蓄奴」。

在倫敦和巴黎，蓄奴的糖業大亨都兼具有貴族、商人、印度納博卜（在印度發財歸國的歐洲人）的身分：亨利·拉塞爾斯（Henry Lascelles）出身約克郡鄉紳家庭，二十二歲來到巴貝多，收購加勒比海地區種植園，同時維持英國人生活方式，後來成為英國東印度公司董事和國會議員。一七五三年他自殺時，他是英格蘭首富，留下五十萬英鎊遺產，該遺產為一個英國典型世家的建立——海爾伍德（Harewood）的數塊大面積私有地、數座豪宅、伯爵領地——提供了資金。

與美洲的法律不同的是，英國的普通法不認可奴隸制。一七二九年，奴隸主向支持他們的檢察總長請願，檢察總長主張「從西印度群島來到大不列顛的奴隸，未就此成為自由人」。奴隸被拿去公開廣告求售。《廣告人日報》（*Daily Advertiser*）有則廣告寫道：「待售，一個漂亮的黑人小男孩，年約九歲。」儘管有一七二九年檢察總長的主張，而且在航渡大西洋的船上和殖民地裡，蓄奴完全合法，在宗主國英國，奴隸制的法律地位卻是模稜兩可。在奴隸可以上海事法庭打官司爭取自由之身的法蘭西亦是如此。

在這兩個國家，都有許多獲得自由的奴隸，以及更多的混血兒。巴黎的情況，本書後面會談到，但在英國，及至十八世紀中期，可能已有一萬五千名黑人。但偶有極少見的例外，奴隸未受到慘無人道的對待：一七五二年，奴隸主巴瑟斯特上校（Colonel Bathurst）賣掉他在牙買加的房地產，帶著名叫法蘭西斯·巴柏（Francis Barber）的七歲奴隸返鄉。巴柏很可能是他的私生子，他在遺囑裡表明還巴柏自由之身。在海軍短暫闖蕩後，巴柏成為塞繆爾·詹森非常喜愛的僕人。詹森是地位最近似於伏爾泰的英國人，倫敦啟蒙時代的狂獅、才子、詞典編纂者。他反對蓄奴，教育巴柏，使巴柏在倫敦文學界占有一席之地，並將巴柏指定為他的遺產繼承人之一。[94]

不過，這些都是罕見的境遇：多數奴隸未獲公爵夫人或學者拯救，而是年輕時就死在橫越大西洋的船上或加勒比海地區的種植園裡。

94　反之則是令人髮指的朱利厄斯·蘇比斯（Julius Soubise）。這個得到解放的奴隸原名奧賽羅，後成為昆斯貝里公爵夫人凱瑟琳·海德（Catherine Hyde）這個美麗的上流社會老婦的擊劍教練。海德待他如養子，且根據某法蘭西公爵的名字為他改名為朱利厄斯·蘇比斯。他成了花花公子、勾引女人者、浪蕩子，躋身上流社會紈綺子弟圈子，這些紈綺子弟仿效歐陸的衣著言行舉止，因此被稱作「馬卡羅尼」（Macaronis，「瀟灑男」），而蘇比斯則被小報稱作蒙哥·馬卡羅尼（Mungo Macaroni）。他很可能還是她的情人。而當蘇比斯被控強暴一名女僕時，公爵夫人便把他送去印度，他在印創建加爾各答騎術學校，於某次騎馬事故後去世。

大西洋奴隸貿易是全球奴役活動的一部分，所幸拜此貿易的相關文件檔案有所統整和存檔之賜，史家得以估算出四百年間共有一千兩百六十萬左右的人淪為奴隸。葡萄牙人／巴西人運送了其中將近一半的奴隸；英國人運送了四分之一；法蘭西人運送了一成，尼德蘭人運送了百分之五。在近代這四百年期間，可能有三千多萬人淪為奴隸：去到大西洋彼岸的一千兩百萬人，從東非去到印度洋彼岸的約一千萬人，來自歐亞大陸乾草原的一千萬名土耳其人、俄羅斯人、喬治亞人、切爾克斯人。這不包括巴巴里海盜和摩洛哥人買賣的西歐籍奴隸，也不包括被鄂圖曼人貶為奴隸的數百萬塞爾維亞人、阿爾巴尼亞人：這些淪為奴隸的小孩，有些人後來成為鄂圖曼帝國的維齊爾和母后，但他們的悲慘遭遇未因此而稍減。許多伊斯蘭籍奴隸是從事家務的女性——而家務向來幾乎包含性侵犯。據估計，光是克里米亞可汗就把四百萬人擄為奴隸。這些奴隸貿易都沒有文字紀錄，因此這些數字可能嚴重低估。

自維達及其他奴隸堡，每艘船上載著數百名奴隸，而船艙裡的奴隸「緊挨在一塊，擠得像桶子裡的鯡魚」一般，展開了前往葡屬巴西、法屬聖多明哥或英屬維吉尼亞的可怕旅程。

美國三家族：海明斯、傑佛遜、圖桑

根據某個黑奴後代的描述，她的曾祖母在西非淪為奴隸，一七三五年時，這個剛抵達美洲的「純非洲血統」女人，在威廉斯堡遭英格蘭籍船長海明斯（Hemings）強暴，不然就是遭他誘姦。她可能就是搭他的奴隸船過來。只要能保住自己身為剛果人或阿坎人的非洲出身，奴隸總會盡力而為。而奴隸主擔心這類出身淵源不利於他們管理奴隸，於是熱中於切斷任何危險的連結，替剛來的奴隸取了全新且往往來自古希臘羅馬時代的響亮名字，因而有許多叫漢尼拔、凱撒的人。她的名字可能是帕西妮婭（Parthenia）。

她懷孕了。一六六二年，維吉尼亞人已裁定，女奴生的孩子仍是奴隸（partus sequitur ventrem）。因此，她生下小名貝蒂（Betty）的女兒伊莉莎白時，船長海明斯表示願出「特別高的價錢」買下他的「親生骨肉」，但遭她的奴隸主拒絕。

海明斯企圖擄走這個女嬰，最終死了這條心。後來貝蒂・海明斯為瑪莎・埃佩斯（Martha Eppes）所有，後者是從她父親手中繼承了貝蒂，而她父親則是來美洲取得土地的第一代移民的後代。一七四六年，瑪莎嫁給白手起家的邊境律師暨奴隸掮客約翰・威爾斯（John Wayles）。威爾斯生於英格蘭的蘭開夏郡，先前以某紳士的契約僕役的身分被帶來美洲，如今已取得一大塊土地並致富——日後所謂的「美國夢」的早期例子。英國在北美洲的各殖民地都有民選議會——維吉尼亞的民選議會稱作市民院（House of Burgesses）——在這些民選議會中，勢力最大者是菸草種植園主。這些人創造了一個法律性的基礎結構，用以保護作為他們財產的奴隸和他們自己的身家安全，以防受到任何叛亂傷害：四至五成的維吉尼亞人是奴隸。一七二三年，維吉尼亞規定，「不得以任何藉口釋放黑奴、黑白混血奴或印第安籍奴隸」。威爾斯成為伊莉莎白・海明斯的主人。

結婚兩年後，瑪莎・威爾斯在生下第二個女兒時過世，女兒根據母親的名字取名瑪莎。威爾斯又娶了兩個老婆，兩女都早逝，而後他納貝蒂・海明斯為「妾」。貝蒂被形容為「淡膚色的黑白混血」女人。儘管上流社會不認可此舉，但這種事普遍到幾乎到處可見。美國歷史學者安妮特・戈登—里德（Annette Gordon-Reed）寫道，「大行其道的白人至上主義，照理使白人打從骨子裡反對不同種族通婚」，但「一碰上人的性欲威力，（那就）靠不住了」。威爾斯和海明斯生了六個小孩。性奴役顯然始終是奴役活動的一部分，不管在信仰多神教的古羅馬，還是在信仰伊斯蘭的伊斯坦堡，還是在維吉尼亞這裡皆然：主人和奴隸的性關係，係「由男人主導，外界看不到且無法細究……若非透過公然強迫或暗示強迫而達成的強姦，在某些例子裡，就是男女雙方真得看對眼而上床」。我們無法用今人的角度去評量這類關係：「淪為奴隸的女人在實際上和法律上都沒有拒絕的餘地」，而且法庭證詞「表明蓄奴期間強暴盛行」。

威爾斯去世時，貝蒂、她的小孩、他一百二十四個奴隸裡的其他人會由他女兒小瑪莎——和她未來的丈夫湯瑪斯．傑佛遜（Thomas Jefferson）——繼承。傑佛遜生於一七四三年，比貝蒂年輕些。

傑佛遜是維吉尼亞蓄奴上層人士的後代，在附近長大。他父親彼得是愛冒險的第二代邊境地區居民，克服萬難測量了新土地，把邊境往西推，繪出一條通往阿勒格尼山脈（Allegheny Mountains）的路線。他在市民院服務，擔任保安官，同時積攢了七千英畝地和六十名奴隸，創造出造就了湯瑪斯的那種高尚、求知的生活方式。湯瑪斯深受啟蒙時代思潮影響，閱讀洛克、牛頓及伏爾泰的作品，拉小提琴，他告訴自己的女兒，「任何一根冒出的草，任何會動的東西，我都感興趣」。傑佛遜六呎兩吋高，身形細長，髮色淺紅，眼珠淡褐色，鼻子尖，愛和人交談只是令人難以捉摸，有禮、表面上看來坦率，私下卻很有野心。在他迷人的光采背後，他也易怒，容易激動，患有壓力所導致的偏頭痛。父親死後，他繼承了五千英畝地。受過律師專業訓練後，傑佛遜於二十六歲時選上市民院議員。在這期間，瑪莎．威爾斯結婚、喪夫。在小小的殖民地社會，他前去拜訪瑪莎是遲早的事。

就在伊莉莎白．海明斯的母親來到維吉尼亞時，奴隸希波利特（Hippolyte）被送到法蘭西的聖多明哥殖民地（法屬聖多明哥占去西班牙島一半，另一半是西屬聖多明哥／Santo Domingo）。希波利特是某阿拉達省長的兒子，不幸淪為奴隸，可能是被達荷美國王阿嘎賈抓走後賣掉。蓄奴造就了上千萬樁無日無之的悲劇，希波利特的妻子阿斐巴（Affiba）和他們的小孩也落得此遭遇，他們被抓走，卻是賣到西屬多明哥。希特利特不知道他的妻小就在附近某個莊園上工作，竟娶了阿拉達同鄉女人波莉娜（Pauline）為妻。阿斐巴得知後悲傷而死。希波利特和波莉娜有五個小孩，老大是兒子圖桑（Toussaint）。

圖桑憶道，「我生為奴隸，但天生具有自由人的靈魂。」他在布雷達（Bréda）甘蔗園長大，園主是人不在當地的法蘭西貴族潘塔萊翁·德·布雷達（Pantaléon de Bréda）伯爵，伯爵根據自己的名字替他取名圖桑·布雷達。他從小牧牛，受父親傳授阿拉達醫術，受施洗為天主教徒，同時也尊崇巫毒教；他會講豐語、法語、克里奧爾語*。圖桑深切體會到「把母子、把兄妹拆散」的奴隸制悲劇。

他父母早逝，然後他被人「收養」，收養者是個擺脫奴隸身分的阿拉達同鄉，生於非洲，是他母親的朋友。這個「收養」例子說明了人與人間非正式的密切關係如何使無法忍受的悲痛變得可以忍受。在法屬多明哥，大多數奴隸未滿三十七歲就過勞死，而後由來自非洲的新奴隸替補，這些在非洲出生的奴隸被稱作博薩爾（bossales）。男奴隸平均來講能撐三年，其中六成則是過勞死——共約五十萬人。那是助長海地知識分子德·瓦斯泰男爵（baron de Vastey）後來所謂的「無節制縱情酒色」的環境。於一七二四年制定、用以規範奴隸主的《黑人法令》（Code Noir）普遍遭漠視，法蘭西籍奴隸主對待奴隸的方式極不人道：許多奴隸遭以別出心裁的方式強暴、折磨，包括把爆裂物塞進他們身體再把他們炸碎（法蘭西人稱此為「屁股裡的一些火藥」）、或是活埋、或是丟進爐子裡燒死、割掉生殖器、被迫像動物一樣戴口套。法蘭西籍移民在聖多明哥生活豪奢，[95]但始終很怕遭自家奴隸殺害。他們把自家奴隸稱作懶家畜，或

---

* 編注：一般通稱在殖民地出生的歐洲白人後裔為克里奧爾（creole），而他們所使用的語言多夾雜父母的母親和當地用語，即所謂的克里奧爾語。

95 典型的法蘭西籍種植園主加斯帕爾·塔謝（Gaspard Tascher）在馬提尼克和聖多明哥的拉帕熱里（La Pagerie）買了大片土地，他因此得以擁有貴族姓氏，有錢過起上流生活，從而使他兒子有機會在路易十六的宮廷擔任青年侍從。他的孫女瑪麗·約瑟夫·羅斯·塔謝·德·拉帕熱里（Marie Joséphe Rose Tascher de La Pagerie）由奴隸養大，因吃糖而一口爛齒，因此這個克里奧爾來到巴黎嫁給貴族時，她一嘴黑色的殘牙；她幾乎沒未過教育，卻擁有讓人無法抗拒的魅力。後來，她被稱作皇后約瑟芬（Empress Josephine），將和圖桑相遇。

者具威脅性的外人。社會裡白人、人數愈來愈多的混血和獲解放的黑人、奴隸等，彼此涇渭分明，而且獲解放的黑人往往自己也蓄奴。

存活之道係成為馬車御者或在種植園主的大宅當僕人：[96]圖桑受其莊園經理巴永（Bayon）提拔，而成為馬車御者。他成長期間曾目睹法蘭索瓦・馬坎達爾（François Makandal）造反。馬坎達爾是來自西非的獨臂聖人（oungan），會講些許阿拉伯語，施行與天主教結合而後來成為海地巫毒教的那些儀式。法蘭西籍移民聲稱馬坎達爾對他們下毒，但晚近的研究顯示，那是炭疽爆發的現象。無論如何，馬坎達爾帶頭造反，構成致命威脅，於是他遭逮捕，在太子港（Port-au-Prince）被活活燒死。眾奴隸相信他的靈逃離火舌。

「為人正派的巴永・德・利貝爾塔（Bayon de Libertad）」解除了圖桑的奴隸身分，圖桑為自己的農場租用了奴隸來工作。他娶了他教父的女兒蘇珊娜，並和她生了孩子，只是他是個風流種子，有許多情婦，情婦裡黑白人都有。與此同時，他加入由奴隸兄弟會和巫毒教信徒組成的地下組織，組織成員逐漸有了革命的理想。但圖桑的世界觀從不激進。他既深受馬坎達爾由非洲巫毒教、卡林達（kalinda）戰舞所構成的世界影響，也深受他的天主教信仰和啟蒙運動思想薰陶，深信人性的潛力。

圖桑和傑佛遜這兩個不凡的美洲人，不約而同的在閱讀同樣的書——伏爾泰、狄德羅、雷納爾的著作——對自由卻是懷抱著不同的夢想。

瑪麗亞・泰蕾莎對美洲所知不多，但這時，一個年輕的殖民主義者在偏遠的美洲帶頭屠殺，給了她消滅腓特烈二世的機會。

米米和伊莎貝拉：妳天使長般的小屁股

一七五四年五月二十八日，在遼闊的俄亥俄郡，一個英籍年輕軍官帶領他由三百名美利堅人和明戈族（Mingo）美洲原住民組成的部隊，參與伏擊德．朱蒙維爾先生（Sieur de Jumonville）所率領的法蘭西、易洛魁部族聯軍的行動。法、英兩國軍官正競逐著要把美利堅內陸納入自己的殖民統治。

這個叫喬治．華盛頓的軍官，時年二十二歲，六呎高，身材魁梧，一如傑佛遜，係有錢種植園主之子。他父親是第一批移民的後代，擁有數千英畝地和許多奴隸。喬治的父親早逝，母親的個性專橫，冷若冰霜，他則長成沉默寡言、體面可靠、謹慎之人。但一如克倫威爾，他比他所表現出來的還要精明、有野心得多。

拜與費爾法克斯家族關係友好之賜，華盛頓十六歲就開始測量謝南多厄河谷（Shenandoah Valley）。費爾法克斯家族是英格蘭內戰期間，克倫威爾軍隊總司令的後代，擁有五百萬英畝的美利堅土地。華盛頓二十歲時已擁有兩千英畝地。在這段早年歲月，他愛上他最好的朋友暨贊助者的迷人妻子莎莉．費爾法克斯（Sally Fairfax）。向來沉靜的他，這是唯一一次陷入兒女情長，後來他把這段經歷稱作「一千個深情段落」。走過這次情愛危機後，他娶了有錢、相貌平凡的寡婦瑪莎．卡斯提斯（Martha Custis）。瑪莎帶來土地和三百個奴隸，華盛頓因而成為美利堅諸殖民地裡最有錢的人之一。傑佛遜指出，華威頓的「管理始終很嚴厲」。事實上，他是「先被培養去管理奴隸，然後管理軍隊，再來管理國家」。華盛頓時時留意他的奴隸的惰性，不時抱怨說「如此懶散的一群無賴，別處找不到」。每當奴隸逃跑——他有百分之七的奴隸

96　一如在維吉尼亞，在宅邸工作的女奴是主人的獵物，而且這些女奴往往才十幾歲。法蘭西籍種植園主喬治．德．波洛涅（George de Bologne）在瓜德魯普的聖喬治（Saint-Georges）種植園和十七歲女僕娜儂（Nanon）生了一個兒子。這個名為約瑟夫的兒子無法繼承貴族身分，但他父親順他的意，讓他學音樂、古典文學、哲學，後來送他就讀寄宿學校，他發揮天分，成為音樂神童、小提琴高手、作曲家。

逃跑——他便鍥而不捨將他們抓回來。他把極不守規矩的奴隸送到加勒比海種植園，以致他們年紀輕輕就死在那裡。

華盛頓在俄亥俄郡追蹤敵人時，他的明戈族傭兵替他取了綽號「毀村者」（Conotocaurius）。他的部隊追上法蘭西人和易洛魁人，他們設伏襲擊，將這些人殺掉：其中許多人遭割去頭皮。華盛頓訊問朱蒙維爾時，他的一名明戈族盟友用印第安戰斧劈開朱蒙維爾的頭。[97]

當這個消息一傳到倫敦，慌張不已的首相紐卡索公爵（duke of Newcastle）湯瑪斯・佩勒姆（Thomas Pelham）——延續沃爾浦爾之體制的諸多兄弟之一——便著手研究起地圖，拚命想查看這些沒沒無聞的地方。他禁不住惱火說道，「安納波利斯（Annapolis）必須守住」，「安納波利斯在哪裡？」紐卡索主持英國對外政策已三十年，然而英國政治家得弄清楚美利堅，這可是頭一遭。這時，連他都意識到以法蘭西為對象的殖民地戰爭不可避免：法蘭西人正在美利堅、印度、西非挑戰英國的利益。紐卡索原本一直支持瑪麗亞・泰蕾莎對抗普魯士——他的「老體制」——但經過一番令人眼花撩亂的分分合合後，他最終支持腓特烈二世對抗瑪麗亞・泰蕾莎，後者則找到一些受普魯士威脅、讓人意想不到的盟友。路易十五和情婦龐巴杜極厭惡腓特烈，彼得大帝那堅毅的金髮女兒、俄羅斯女皇埃莉札維塔也是如此：腓特烈罵龐巴杜和埃莉札維塔是「婊子」，無助於他所追求的大業[98]。瑪麗亞・泰蕾莎戲劇性的琵琶別抱，與她的宿敵法蘭西結盟，俄羅斯也加入他們的陣營。

腓特烈得到英國金援，未想眼前反而面臨一個危害甚大的聯盟，於是他索性先發制人攻入波希米亞，圍攻布拉格，從而掀起第一次的世界性戰爭。一七五七年六月十八日，在科林（Kolín），瑪麗亞・泰蕾莎的軍隊擊潰腓特烈的軍隊；他的士兵為此意志動搖之際，他喊道，「混蛋，你們想要永遠不死？」他的士兵四成喪命，他本人驚險逃走，保住性命。他心懷嫉妒的弟弟親王海因利希（Prince Heinrich）不禁嗤笑道，「駕太陽車的法厄同（Phaeton）終於墜地，我們會怎麼樣，我們不知道。」但得益於奧地利的惰性和俄羅斯的不可靠，腓特烈率兵衝向法軍，在羅斯巴赫（Rossbach）打敗他們，然後在洛伊滕（Leuthen）擊潰奧軍，造就他一生最漂亮的兩場大捷。

而哥薩克人正趕過來。擁有五千件連身裙的埃莉札維塔說，「我打算這場仗要繼續打下去，即使為此不得不賣掉我所有鑽石和一半的衣服。」龐巴杜同意此想法：「我痛恨這個普魯士國王……我們來滅掉這個北方的阿提拉。」瑪麗亞·泰蕾莎不叫他名字，只叫他「怪物」。腓特烈嘲笑「歐洲這頭三號婊子這下子聯手了」。一七五八年八月，在佐恩多夫（Zorndorf），他與凶猛的俄羅斯人交手，雙方都把對手往死裡打，打到雙方都已筋疲力盡，仍未分出勝負。一年後，在庫納斯多夫（Kunersdorf），俄羅斯人總算將他擊潰。他寫道，「我的外套上密布滑膛槍彈丸，兩匹馬喪命在我身上。」他考慮自殺：「很不幸我還活著……我帶四萬八千人出來，只剩三千人……什麼都沒了……我不想我的祖國倒了我還活著。永別了。」俄羅斯騎兵襲擊柏林。腓特烈陷入絕境：「此刻我唯一的箴言是要不征服，要不赴死。」賭上剩下的全部身家：「我得來個大冒險，不是加倍損失，就是一筆勾銷。」

瑪麗亞·泰蕾莎焦急的觀看她麾下將領緩步調動部隊和她的俄羅斯盟友偶爾的勇猛殺敵，卻也心滿意足看著腓特烈土崩瓦解。與此同時，她在一七六〇年安排好她氣宇不凡卻剛愎自用的十九歲兒子約瑟夫和

97　一個月後法蘭西人反攻，俘虜華盛頓，所幸他並未遭戰斧劈頭。

98　埃莉札維塔這個身披胸鎧、駕雪橇的瀟灑驃悍金髮女戰士，靠政變奪取大權。她繼承了父親的冷酷無情，讓世人見識到她是個儘管作風前後不一致、行事反覆無常卻又有能力的女獨裁者，並且腳踏多條船，同時與多個年輕情人在一起。其中最主要的情人是英俊的烏克蘭哥薩克籍唱詩班歌手阿列克謝·拉祖莫夫斯基（Alexei Razumovsky），他的兄弟基里爾（Kyril）則被她任命為哥薩克人的大黑特曼：他是一九一八年之前，最後一個保有半獨立地位的哥薩克黑特曼。

帕爾馬的伊莎貝拉（Isabella of Parma）的婚事。伊莎貝拉十八歲，黑眼珠，橄欖色皮膚，淡褐色頭髮，全身散發著肉感，曾一度讓約瑟夫意識到自己頑固的自我中心，令哈布斯堡家族為她著迷。伊莎貝拉是個聰明、狂放、面帶憂思的浪漫主義者，以哲學和經濟學為題寫作，嫁來後立即得到這位皇后暨女王和自己（同樣熱愛音樂、哲學的）丈夫的極度喜愛。然母子倆都未注意到，伊莎貝拉已愛上約瑟夫的最聰明妹妹米米（Mimi）。這些米米還只有十七歲，最得她母親寵愛，也是她母親吐露心事的對象。

伊莎貝拉寫了兩百多封情書給米米，在其中一封信中，她告訴米米，「相信我，我只能說，我平生最快意的事，就是看到妳，和妳在一起。不管是在天上，還是地上，我都不會因為妳不在或因為任何事物或其他任何人，而改變這看法。」她的痴愛如火山爆發：「我很喜歡妳，很想要妳。」有次她寄出某封信後，寫道，「我無比殘酷的妹妹啊，我又焦慮不安了起來，直到知道妳讀了信的反應，我才會心安……我腦子裡容不下別的，只能想著我像個傻子愛得神魂顛倒。妳這麼殘酷，我的確不該愛上妳，但認識妳的人，誰能不愛上妳？」

生下一女兒後，她的愛更是熾烈，她的心情紊亂，滿是「哲學、道德、故事、深刻的反思……以及為妳的痴迷」。她們在約瑟夫身邊密會。伊莎貝拉告訴米米：「如果大公出去，我會去妳的住處。」「我瘋狂愛著妳，很想吻妳，」米米寫道，「吻妳，被妳吻。我要吻妳天使長般的小屁股。」「妳如果想占有我，就祈求好天氣，」伊莎貝拉寫道，「我要吻遍妳讓我吻的每一處。」

伊莎貝拉稱米米是「最令人痴迷的人」，說她「非常想要（把她）吻到透不過氣」。但她是個很詭異的怪人：「死是好事。」伊莎貝拉的宿命心態引發米米強烈反應，米米寫道，「容我告訴妳，妳對死亡的強烈渴望十足的不應該。那若非意味著妳自私，就是意味著妳想要女英雄的形象。」伊莎貝拉渴望一死，係為逃離讓她難以忍受的愛，還是她狂放的愛抒發了她焦慮不安的宿命心態？

在這個熾熱關係走到巔峰時，哈布斯堡家族請來一個音樂家族為她們演奏。這個皇后很喜歡公開演奏、唱歌。約瑟夫則彈鍵盤樂器，萊奧波德和瑪麗・安東尼彈古鍵琴，所有女孩都會唱歌。

一七六二年十月十三日，哈布斯堡家族於申布倫（Schönbrunn）聚會觀賞小鋼琴家沃爾夫岡・莫札特表演。這個六歲男童有他的家人陪著。他父親萊奧波德是個有天分、積極進取但脾氣不好的小提琴手，且是薩爾茨堡公國國君暨主教的唱詩班副團長，出身自一個很有創造力的家族，早早就看出自己的兒子是神童：莫札特五歲時作出自己的第一首曲子。這時，萊奧波德拉小提琴，由沃爾夫岡彈古鍵琴，而在皇帝法蘭茨要他表現更厲害的本事時，沃爾夫岡用布蓋住鍵盤，彈得一音不差。大公夫人伊莎貝拉拿起小提琴獻藝。萊奧波德寫道，「沃爾弗爾（莫札特）跳到皇后大腿上，伸出雙臂抱住她脖子猛親她，光是這點，就說明了一切。」隔天，莫札特一家人收到重賞。瑪麗亞・泰蕾莎看了沃爾夫岡的表現後非常開心，要人送一套特別的淡紫色錦緞服裝給他。日後他喜歡奢華服飾一事，肯定受了此影響。

美國作曲家揚・史瓦弗德（Jan Swafford）寫道，莫札特是個「天生快樂的人」，風趣、活潑、活力十足、始終懷抱著力與美的音樂觀——完全不同於十九世紀浪漫派眼中充滿憂思的天才所貫有的表現。他嚴肅且嚴格的父親寫道，「沃爾夫岡特別開心快活，但也有些調皮。」萊奧波德向來鬱鬱寡歡，對自己的事業成就感到失望——他告訴莫札特，「所有人都是壞蛋。」——反觀他的老婆，則是風趣、對淫穢事物感興趣。少年時期，莫札特找到惡作劇的同好——堂妹瑪麗亞・安娜・泰克拉（Maria Anna Thekla）——「我們兩個很合得來，因為她也有些愛搗蛋。」他們對性的探索引發他寫下露骨的信：「我要吻妳的手、臉、膝、妳的……妳允許我吻的任何地方。」就連為貴族獻藝時，每當「一些高級貴族——踢屁股公爵夫人、愛放屁伯爵夫人、還有帶屎味的王妃和她的兩個女兒——在場時」，他也是私下放聲大笑。而他已開始作曲：「我要在巴黎寫協奏曲給他，沒問題／因為在那裡，我可以在拉屎時迅速寫好。」

受到維也納之行的鼓舞，萊奧波德帶著莫札特遊歷歐洲，他們去巴黎、倫敦，再回維也納（在巴黎時，他的母親死於傷寒，他的傷痛久久難以平復）。在維也納，約瑟夫將成為他的贊助人。

伊莎貝拉和莫札特家族一同獻藝、展現精湛琴藝時，約瑟夫已迷戀上她。伊莎貝拉把他玩弄於骨掌之上，同時也撰文談男人，把男人說成指望得到女人加持的「無用動物」——或許她是為米米而寫。

接著，災難降臨。在生下早產的二女兒後——伊莎貝拉替二女兒取了和米米一樣的名字，瑪麗亞·克莉絲蒂娜——伊莎貝拉染上天花。她生前的最後一封信是寫給米米的：「上帝仁慈，讓我有幸再吻妳……別了，祝妳安好。」伊莎貝拉死於二十一歲，而後女嬰也隨她而去。

米米震驚得說不出話——儘管她後來嫁得如意郎君——約瑟夫則是傷心欲絕：「我失去了一切，我所有深情寄託的對象，我唯一的朋友。」他告訴母親：「我不會再娶……我快撐不下去了。」這個女王暨皇后立即命令他娶維特爾斯巴赫（Wittelsbach）家族的公主巴伐利亞的約瑟法（Josepha）。他反抗到底。米米把王朝利益擺在第一位，索性把伊莎貝拉寫給她的情書拿給約瑟夫，只為打破他的錯覺，儘管他並不知道自己對伊莎貝拉的愛建立在錯覺上。他默然同意此婚事，但很厭惡他的新妻子——「身材矮短，毫無魅力，臉上布滿粉刺，牙齒很糟」——他忍不住向某個友人抱怨說，「我受不了我的妻子，他們要我生小孩。我哪做得到？如果她身上有一丁點地方沒有粉刺，讓我的指尖放得上去，我會試試。」米米把哥哥的卑劣行為一逕的看在眼裡，她不住思忖道，「如果我是他老婆，我會在申布倫找棵樹上吊，」只是就連這對兄妹的母親都坦承約瑟法「不討人喜歡」。不到兩年，約瑟法也死於天花這個無情的殺人凶手。

正當腓特烈在走投無路的情況下談判，試圖力挽狂瀾，新任英國首相威廉·皮特（William Pitt）——祖父和父親分別是外號「鑽石」的約翰·皮特、把那顆鑽石暗中帶出印度的羅伯特·皮特——策畫了一場同時在多個戰場開打的戰爭，從而自美利堅、非洲至印度等地，拿下令人讚賞的幾場勝利。

羅曼諾夫王朝和杜拉尼王朝、皮特家族、科曼切人、卡梅哈梅哈王朝

皮特的戰爭：偉大的平民

皮特是天生的表演者，情緒表現誇張且強烈、酒癮大，經過早年一段從軍生涯，靠著猛烈抨擊沃爾浦爾和佩勒姆家族，並諷刺他們在國內的貪腐和在全球場域的無所作為而闖出名號。皮特痛斥腐敗的派系（又高明的引導他們同心協力），係舊塞勒姆（Old Sarum）這個選區選出的國會議員（舊塞勒姆是鑽石皮特所買下的無人居住的破敗地方）。娶了豪族之女赫絲特・格倫維爾夫人（Lady Hester Grenville）後，他得到自己派系的支持：皮特─格倫威爾家族這個小派系主宰此後政局五十年。

英王喬治二世很不喜歡皮特，但一七五六年十二月，他意識到紐卡索公爵無法勝任首相之職，於是承認這個講究儀容且極自負的演說家有其一套計畫，便默許由皮特組閣，不過名義上受德文郡公爵節制。時任南部國務大臣的皮特誇說「我有把握能拯救國家，而且只有我能辦到。」當他遭算計而下台後，皮特發動一場有計畫的全國性攻勢。此攻勢讓人見識到民意前所未有的重要性，使當權者不得不找他回鍋當首相，這時他在民間被譽為「偉大的平民」（Great Commoner）；而這次上台，他和紐卡索公爵成為一夥。

皮特謀畫了英國的第一場全球性戰爭，即七年戰爭：他的戰略是「在萊茵河畔（贏得）加拿大」，為此，他出錢讓腓特烈攻打法蘭西，同時他那些愛冒險的門生──「皮特的小伙子」（Pitt's boys）──攻打法蘭西的殖民地。他奪下法蘭西人在塞內加爾、甘比亞境內的奴隸堡，攻下瓜德魯普；在亞美利加，拿下路易斯堡和魁北克。但並非事事順利：在俄亥俄河流域的莫農加希拉（Monongahela），傲慢且老是把事

情搞砸的英國將領愛德華．布雷多克（Edward Braddock）完全忽視他的維吉尼亞籍副手——善於打殖民地戰爭的華盛頓上校——的意見，慘遭法蘭西—易洛魁聯軍擊潰。布雷多克丟了性命；華盛頓的兩匹座騎遭槍殺於他身下。此事產生某種決定性的影響，只是這般影響無關乎英法戰局：華盛頓注意到英國人的漫不經心，極反感於他上司不願肯定他或擢升他和他的殖民地士兵。而這樣的挫敗極為罕見。[99]

在印度，一場新博奕正展開：一個貪得無厭且殘暴的外來入侵者就要蹂躪這片大地。

印度軍閥：杜拉尼和克萊夫

他叫艾哈邁德．杜拉尼（Ahmed Durrani），是能力出眾的阿富汗人國王，曾是納迪爾的侍衛。一七五七年一月，就在皮特正謀畫他世界性攻勢時，杜拉尼正進軍德里。這並非他頭一次入侵印度，他總計入侵印度八次，洗劫德里兩次。

阿富汗人劫掠印度始於十年前的一七四七年十二月，當時，杜拉尼攻擊吸鴉片吸到腦袋糊塗的蒙兀兒皇帝蘭吉拉，結果，拜入侵者的彈藥庫爆炸之賜，蘭吉拉僥倖逃過一劫。一年後，杜拉尼奪下信德、旁遮普（巴基斯坦境內），接著攻克克什米爾，而後因為馬拉塔人在馬拉塔帝國佩什瓦巴拉吉．拉奧（Balaji Rao）——在馬拉塔君主夏胡去世後，透過傀儡君主統治帝國——的統領下進攻，杜拉尼被捲入印度的漩渦裡。一七四九年，七十六歲的海德拉巴王國的尼札姆（Nizam of Hyderabad，尼札姆為國君稱號），一生經歷蒙兀兒的八個皇帝、一個國王、八場仗都安然活下的傳奇人物終於去世，他的兩個繼承人隨之展開權力鬥爭，而且把更多玩家拉進這個權力真空裡。這些小國君操縱英國、法國軍人暨商人——並且反過來被他們操縱——而這些英國人和法國人是具侵略性的冒險家，被吸引到這個政治混亂但商業依舊熱絡的地區。兩個尼札姆君主都援引相對立的歐洲人壯聲勢：其中一個君主得到風頭甚健的法蘭西總督暨將領迪普萊克斯侯爵（Marquis Dupleix）約瑟夫支持，迪普萊克斯是法蘭西東印度公司的資深成員，娶了有部分印度人血統的美女喬安娜別姬（Joanna Begum）為妻，以喬安娜為中間人，有助於他和印度本地統治者往來。迪普萊克斯統領由印度兵組成的軍隊，這些印度兵一身印度納瓦卜（nawab）的打扮。與此君主打對台的君主，則雇用了厲害的英國東印度公司少將史君格·勞倫斯（Stringer Lawrence）。然後，巴拉吉·拉奧和他的馬拉塔人加入瓜分行列，杜拉尼必須保衛他的新帝國。在此亂局的諸玩家——印度人、阿富汗人、法蘭西人或英國人，穆斯林、印度教徒或基督教徒、白人或棕人——沒一個行事正派或熱愛和平，全是貪婪、無情。

國王杜拉尼攻入德里，搶走德里的財寶，搜括皇帝的嬪妃，但並未奪取皇位，他告訴無助的蒙兀兒皇帝阿拉姆吉爾二世，「我把印度斯坦的王冠賜你：明天早上一身國王的威儀來見我。」後來他在詩中表達了他的自制能力：

> 我忘了德里的王冠
> 當我想起我美麗的普什屯赫瓦（Pashtunkhwa）的山頭時。

在德里的皇帝住所，杜拉尼與其後宮后妃一同主持御前會議，安排兒子帖木兒娶當朝皇帝的女兒，

99　麻塞諸塞總督威廉·雪利（William Shirley）懸賞美洲原住民頭皮：成年男子頭皮，每張四十英鎊，女人和十二歲以下小孩的頭皮，每張二十英鎊。由此賞金，最能理解亞美利加殖民地戰爭的殘酷。

而他本人則娶蘭吉拉的女兒。經旁遮普返國後，他和兒子帖木兒面對一個新挑戰：錫克教徒受到數代蒙兀兒人壓迫，錫克教古魯遭處決，但他們不願順從的接受這樣的處境，反而讓自己變成一個兼具軍事、宗教性質的教團。這個教團往下分成數個軍、十二師，各軍、師由經推選產生的悉爾達爾（sirdar，指揮官）統領。而其中一師蘇克查克亞（Sukerchakia）的指揮官為查哈特・辛格（Charat Singh）尤為出色：他的孫子將成為帝國建造者，即拉吉特・辛格（Ranjit Singh），人稱旁遮普之獅（Lion of Punjab）。杜拉尼和帖木兒摧毀了錫克教徒兩聖城格爾達布爾（Kartarpur）和阿姆利則（Amritsar），夷平恰克古魯村（Chak Guru）的廟宇，用牛血褻瀆這些廟宇，把聖湖填平。錫克教叛亂分子騷擾阿富汗人，阿富汗人則將錫克教籍平民集體殺害。

當杜拉尼在蒙兀兒帝國都城主持御前會議時，有個年輕的英國軍事領袖正著手消滅法蘭西人的勢力，主宰一個遙遠卻富裕的省：羅伯特・克萊夫（Robert Clive），什羅普郡教區牧師之子，十九歲就加入東印度公司，擔任簿記員。克萊夫天生精力十足，閒下來的空檔則苦於精神疾病，是個很想有實際作為的衝競型會計——用皮特的話說，「不是生來坐辦公桌的人」——加入東印度公司軍隊後，在軍中青雲直上。當時，東印度公司利潤的九成來自中國，而非來自印度。[100]不過，印度境內的混亂是任何權力玩家都抗拒不了的可乘之機。一如在印度西部，杜拉尼和巴拉吉・拉奧會合於德里，在東部，一七四〇年代期間，迪普萊克斯和法國東印度公司進攻被動的英國人。多少受到迪普萊克斯的鼓舞，克萊夫首度拿下兵權。一七五一年，他拿下一座要塞，並且守住，然後打敗由法蘭西人支持的一名印度本土統治者，藉此揚名立萬——並昭告世人英國不再是病貓。皮特也稱讚他。有個女孩遵照她哥哥的建議，抱著要追到克萊夫並嫁給他的念頭，從英格蘭來到馬德拉斯。他娶了這個十八歲女孩，兩人生了九個小孩。克萊夫精神崩潰時，他們帶著龐大財富回倫敦。在倫敦，他選上國會議員，買了準男爵爵位。而他回到印度時，正好趕上皮特動武。

克萊夫說，「無政府、混亂、賄賂、腐敗、勒索的景象，從未在哪個國家看過或聽過，只在孟加拉看過或聽過。」垂涎孟加拉這塊肥肉者，可不只他：巴拉吉・拉奧也是，他共襲擊了孟加拉六次，殺了四萬人。而由於克萊夫的個性，使他成為和當時的法蘭西、印度軍閥交手的最佳人選。他曾寫了一張便條給一個面臨敵人優勢兵力的下屬，之中的內容最能扼要點出他的強勢進取精神：「親愛的佛德，立刻和他們交手；我明天會送去委員會下達的命令。」這時，英國的利益接連受到嚴重打擊。年輕的孟加拉納瓦卜西拉吉・烏道拉（Siraj ud-Daula）強占英國人的金雞母——加爾各答的威廉堡——六十四名英國人淪為階下囚，被他關在悶熱的地牢裡。其中四十三人死亡。而當初，阿利瓦爾迪・汗（Alivardi Khan）從蒙兀兒人手中搶下孟加拉省，西拉吉・烏道拉便是他的孫子。

一七五七年二月五日，克萊夫率領一小股軍隊強行穿過這個納瓦卜的遼闊營地——經歷所謂的「加爾各答夾擊」（Calcutta Gauntlet）——以奪回此堡。六月二十三日，他的決定性「戰役」普拉西之役（battle of Plassey）如啞劇般滑稽。要拿下此役，最保險的辦法是透過談判打贏。他兵力薄弱，只有一千一百名歐洲人、兩千名印度兵；由於克萊夫的談判奏效，這個納瓦卜的大臣和軍隊大多變節；大雨打濕火藥；他只損失二十二個印度兵（歐洲人無一喪命）。削弱了法蘭西人勢力後，他也打敗尼德蘭人，於是向皮特報告，「從我的戰果，你可以很清楚看出，要把這些富裕的王國完全據為己有，幾乎沒什麼困難；而且那

---

100 乾隆帝生於一七一一年，幾乎與腓特烈二世完全同時代，十一歲時，他的身分仍為皇子，便已深受祖父康熙喜愛。父親雍正去世後——可能死於過量服用道士以汞為基本原料所調製、先前已奪走許多中國君主性命的長生丹藥——他往西開疆拓土，把新疆納入版圖，直抵喜馬拉雅山邊緣（準噶爾人幾乎被滅族，在清朝官員輪暴維吾爾族女人引發叛亂後，屠殺維吾爾族穆斯林），靠把瓷器和茶葉賣給英國東印度公司和其他歐洲貿易商而賺進高額收入，並且一生寫了四萬多首詩。只是他風光的背後有著傷感：他始終深愛他的第一任妻子富察氏，她三十六歲死於天花，令他傷心欲絕：他寫道，「春三月昔分偏劇，十七年過恨未平。」

會是在蒙兀兒皇帝的同意下取得的成果。」他為英國東印度公司取得孟加拉。在議會中，皮特稱讚「克萊夫」「那個天生的將領」「以會令普魯士國王著迷的手法」打仗。這個新出爐的普拉西勳爵和克萊夫夫人擁有在印度賺得的三十萬英鎊（合今日十億英鎊）財富，兩人買下紐卡索公爵的地產，以高調炫富震撼倫敦：她的寵物雪貂戴價值兩千五百英鎊的鑽石項鍊，她寵愛的神童莫札特在他們的沙龍獻藝。克萊夫依舊脆弱：吸鴉片成癮，又一次精神崩潰。

然而，孟加拉也只是個省。在坎達哈，杜拉尼靠著洗劫德里財物和旁遮普、呼羅珊兩地的稅收，這時很富有，他樂於讓蒙兀兒王朝自行其是，前提是馬拉塔人也這麼對待蒙兀兒王朝。但有個馬拉塔將領在巴拉吉·拉奧的少年兒子維什瓦斯（Vishwas）陪同下進兵德里，扶立自己所中意的皇帝，從而激怒杜拉尼。一七六一年一月十四日，兩軍在巴尼伯德（Panipat）遭遇，而巴尼伯德正是一五二六年巴布爾靠武力拿下印度之地。杜拉尼殺掉這個將領、維什瓦斯、兩萬八千名馬拉塔人，將兩萬兩千個婦孺貶為奴隸。此役確立了蒙兀兒印度的終結，自此，蒙兀兒印度，一如先前占領印度的波斯人、馬拉塔人、阿富汗人，只是個象徵性的實體。

杜拉尼舉行了勝利儀式進入德里，用以慶祝其獲勝，然後展開五年來對該城的第二次洗劫。但他在外征戰時，錫克教徒叛亂——由於他們的游擊戰術和想動手就動手的侵略性，要打敗他們很難。鑑於逮不住這些戰士，阿富汗人乾脆有計畫的消滅錫克教籍平民。一七六二年二月五日，杜拉尼殺害兩萬左右的錫克教徒，其中以婦孺居多。錫克教徒如今仍把此事稱作大屠殺（Vadda Ghalughara）——印度近代史上最駭人的帝國主義暴行。杜拉尼帶著五十車的錫克教徒人頭四處遊走，再度炸掉阿姆利則的哈爾曼迪爾·薩希卜廟（Harmandir Sahib），用人和牛的屍體褻瀆聖湖。沒想到，這座廟爆炸時，一塊碎片打中他鼻子——他最終會因此傷重不治——但當下情勢看來，印度的新霸主會是杜拉尼或信仰印度教的馬拉塔帝國佩什瓦（宰相）。

在倫敦，在皮特好事連連的一年（annus mirabilis），他已實現英國第一個帝國，但眼看要結束了的腓特烈卻因為走運而免於滅頂。女皇埃莉札維塔把俄羅斯皇位留給不討人喜歡的日耳曼籍紈絝子弟彼得三世，彼得三世崇拜腓特烈，上台後立即召回俄軍。腓特烈很是驚愕：「如果最細瑣的小事能改變帝國的命運，那麼人間事務還有什麼可信賴？命運就是這麼捉弄人。」腓特烈私下嘲笑彼得三世「超凡的愚蠢」，而彼得三世很快就惹火俄羅斯軍隊、貴族，而且他最不智的，是惹火他精明且具群眾魅力的老婆凱撒琳。瑪麗亞·泰蕾莎的君主國精疲力竭；法蘭西人幾乎破產，並自身吃大虧而悲痛不已，同時又讓英國藉此得遂所願。這場戰爭（七年戰爭）於美利堅開打，而英國已清除了大陸上的絆腳石。迪尤肯堡（Fort Duquesne）被華盛頓上校和他的維吉尼亞團拿下，並改名匹茲堡。一七六三年，英國已贏得美利堅帝國[102]——沒想到，幾乎不到十年，就失去它。

帝國建造者：科曼切軍閥和「蛇」皮特

然而，英裔美利堅人、法蘭西人或西班牙人幾乎未深入美利堅的遼闊內陸。歐洲人只占領東部沿海的十三個殖民地。在其他地方，數小股歐洲籍冒險家棲身於木圍柵裡，從事毛皮買賣，與控制內陸的美利堅

101 在把焦點局限在大英帝國上的近代史著作裡，這大多歸咎於英國和東印度公司，並把普拉西之役形容成極重要的轉捩點——然而，英國人要再過五十年才會控制德里或大半印度。杜拉尼這位阿富汗籍征服者，他的角色如今甚受冷落，而且把「帝國墳墓阿富汗」這個傳統說法用在他身上並不適切。此後數十年主宰大半印度者是龐大的馬拉塔帝國。

102 另一個贏家是西班牙。已擁有新墨西哥、加利福尼亞、德克薩斯的西班牙，並得到「新法蘭西」（New France）的大片土地，即面積遼闊、占去美國中南部大部的法屬路易斯安納。

原住民談判。在歐洲諸國首都裡，吸鼻煙、戴假髮的獨裁者就著地圖交易這些土地，但當地實際情況未因此有多大改變。這片遼闊大地由地盤不斷在改變的諸多原住民部落統治，而這些部落不從疆界、王國的角度衡量力量的強弱，而且彼此交相伐；這些部落也是帝國建造者。

其中勢力最大的，是科曼切人（Comanche）。科曼切人是肖肖尼人（Shoshone）的旁支，說類似的語言，亦崇拜太陽，而肖肖尼人則是墨西卡人的遠親。和、戰由大會決定，在大會中，年紀較大者最有影響力，但較年輕者和女人坐在外圍，可以表達自己的看法。他們選出一個帕萊博（paraibo）領導戰隊聯盟，帕萊博即軍閥。

西班牙人的到來，帶來此前從未見於美洲的槍和馬，業已改變科曼切人的世界；經過一六八〇年的普埃布洛人叛亂（Pueblo Revolt），即東南部人民的起事，成千上萬匹馬不再受西班牙人控制。科曼切人使用槍、弓、矛，穿皮盔甲，騎術精湛，養出多達八萬匹耐高溫、沙塵的小阿拉伯馬。科曼切人的崛起，證明原住民碰上志得意滿的歐洲人必然落敗這個傳統說法不符事實。科曼切人適應了新時代，藉此在美利堅南部／西南部過上一百五十多年好日子。馬和槍使他們得以獵殺野牛群，每年殺掉二十多萬頭，也使他們得以擊潰對手阿帕契人，進入西班牙人領土境內襲掠——往往在滿月之夜（「科曼切月」）動手。阿帕契人既襲掠也務農，從而使他們難以抵禦敵人攻擊。

西班牙人控制歐洲人地圖上的這些領土，但他們的總督把這塊領土稱作科曼切里亞（Comanchería），並與科曼切人的帕萊博談定停止襲擊，改做買賣：科曼切人以被貶為奴隸的俘虜、美洲土著、歐洲人做買賣。在陶斯（Taos）定期集市，西班牙籍總督以馬和槍換得野牛皮、河貍皮、奴隸，尤其是年輕女奴。女孩一旦被買下，科曼切人就「當著群集的無數野蠻人和天主教徒的面將（她們）破處、玷污，向她們的買家說，『這下你可以取走她——她現在是好的。』」碰上科曼切人襲擊時，男人通常被殺，眼睛被挖掉，頭皮被割掉，陰莖常被塞進嘴裡；有幸活命的男人則被帶回村子，在那裡受女人折磨。女孩則被強姦，而她們和她們的小孩則被當成奴隸撫養。

科曼切人並非一直如此凶狠：他們和其他美利堅原住民經常收養捱過早期折磨的歐裔囚犯。這些囚犯一旦掌握科曼切人的生存、騎馬之道，他們的主人就不在意他們的膚色，把歐洲人和抓來的黑奴當成自家一員。最偉大的諸多科曼切軍閥中，將有一個具有一半歐洲人血統。

一七六〇年代，科曼切人已有四萬人左右，每戶人家擁有八匹左右的馬，統治新墨西哥、德克薩斯兩地的大半地方，而且這裡的歐裔移民已幾乎全被肅清。歐洲人透過談判結束七年戰爭，科曼切里亞名義上跟著易主，不過對科曼切人來說，生活幾乎沒有改變。

一七六〇年十月二十五日，二十二歲的英王喬治三世——家族裡第一個講英語沒有德國人粗嘎口音的成員——繼承王位。他決意當個「愛國國王」，藉由除掉自一六八八年起一直掌權的貪腐輝格黨寡頭統治集團成員而重振了王權：這個君主仍是行政首長，他任命閣員，而閣員雖由首相領導，卻對國王負責，首相的職責則是管理國王在議會裡的事務。離民主仍是很遠。喬治厚唇，頭小，有著球莖狀的水藍色眼珠，勤奮且真誠，把紐卡索公爵稱作「無賴」，把皮特稱作「蛇」，而且他對奴隸制的看法很激進。他在為恩師比特伯爵（earl of Bute）所寫的一篇文章裡說，奴隸制「牴觸自然法，也牴觸民法」。

在喬治三世的加冕典禮上，蛇般陰險的皮特碰上想要靠近他的成群粉絲，但在為和平止戰而起的爭吵中，他痛哭辭職。喬治轉而任命不善於處世的恩師比特為首相，而比特把議會、外交事務處理得一塌糊塗，促使國王喬治理解到不能一意孤行。他和他的新任首相喬治．格倫維爾（George Grenville）——皮特的大舅子——一致認為，美利堅土地上的兩百五十萬拓殖者（其中四分之一是身為奴隸的非裔美利堅人）必須分攤這場戰爭的開銷。於是，一七六五年，他們對殖民地貨物課徵新稅（印花稅），從而挑起美利堅人抵抗，發出「無代表，不納稅」的口號。喬治和閣員讓步，並在皮特鼓勵下，印花稅法才頒行一年半就撤銷。皮特嚴正表示，「我很高興美利堅抵抗了。」但倫敦也履行對美利堅原住民盟友的承諾，禁止美利堅人往阿勒格尼山脈的另一邊擴張，而華盛頓、傑佛遜這兩位覬覦土地的典型大人物和維吉尼亞市民院的議員，無不把此擴張視為他們應有的權利。

這場危機使現年五十八歲的皮特再度掌權，他晉升為查塔姆伯爵（earl of Chatham），但他苦於苦不堪言的痛風和一次精神崩潰，而令人訝異的是，他的醫生所開的治療處方竟是烈酒。在美利堅危機來到極緊要關頭之際，英國由一個躲在陰暗房間裡、患有躁鬱症、性情極不穩定而擔不起治國之責、但又太有威望而不能予以革職的酒鬼治理。

與英國不同的是，瑪麗亞·泰蕾莎未能從她拿下的勝利中得到好處。腓特烈保住西里西亞，兩年後她因為小老鼠法蘭茨猝死而傷心欲絕。法蘭茨去世，使她不得不讓接任皇帝的約瑟夫參與政務。兩人衝突不斷，約瑟夫極力要求享有權力，提倡激進的、符合啟蒙運動思想的改革和侵略性擴張，他四處走動、巡查，而這個體重過重的女王暨皇后時不時感到沮喪，一直穿著黑色喪服，想要以嚴厲斥責和退位威脅雙管齊下，讓他變得更好並約束他。

約瑟夫心裡也不好受，他極思念亡妻伊莎貝拉，接著又失去他珍愛的女兒：「不管做什麼事，我都思念著她。」他內心憤懣，卻又滿懷改革衝勁，埋怨母親那古板宮廷的冗長乏味，說她的宮廷是「一群約十二個已婚老女人、三或四個老女僕……但毫無社交活動……有識之人被蠢女人厭煩到要死。」約瑟夫本人不好奢華或酒色，先是愛上他女兒的女家庭教師，對方年紀還比他大，繼而愛上一個大公夫人，最後靠旅行途中隨意的獵豔和定期去找他園丁的女兒見面來得到慰藉。他獵豔對象是娼妓，有次他去逛維也納某妓院，下場可謂慘烈，因為他毆打了一個女孩，被丟出妓院。他最愛的消遣是音樂。

未想瑪麗亞・泰蕾莎的勃勃生氣未因此稍減。萊奧波德為她生了一個孫子（日後的皇帝）時，她跑到霍夫堡宮另一頭，登上宮殿劇院的舞台，拍手要大家安靜，演到一半的演員因此停止動作，而她隨之喊道，「我們的萊奧波德有了個兒子！」但更需要盡快解決的事，係她的么女瑪麗・安東尼的麻煩。

陰莖和陰部當道：凱撒琳大帝和波坦金

這個女王暨皇后一如一本正經的中小學女校長，用心操辦她孩子的教育之事，但她始終管不住安東尼。一七七〇年，瑪麗亞・泰蕾莎為這個要遠嫁給法國王儲路易的女兒送行。當時，藍眼、鵝蛋臉、皮膚光潤、赭色頭髮的安東尼十四歲，為了要永遠離開母親身邊而啜泣不已，路易則時年十五歲。路易個性固執，做事慢條斯里又固守陳規，熱中打獵，全副心思都在海軍，最快意的事是在他的作坊裡擺弄鎖和折磨貓。老國王路易十五是個無可救藥的性愛成癮者，而且有戀童癖傾向，他很煩惱路易的笨拙和他對性愛興趣缺缺這個不符波旁家族特色的表現，安東尼則因為拒絕向國王的情婦杜巴利夫人（Madame du Barry）致意，在嫁過來後不久就讓自己出醜。

很快的，安東尼的政治表現和性生活就讓她焦慮的母親煩惱。她向瑪麗亞・泰蕾莎報告她很有規律的月經，她母親不久便知道，這兩人新婚夜未圓房——此後八年也未圓房。瑪麗亞・泰蕾莎埋怨道，「至於這個王太子妃，飯桶一個！」

一七七四年四月，路易十五死於天花。他一死，宮裡即傳來「低沉的砰砰作響聲」——廷臣從國王的臨終寢宮跑向新王的腳步聲。路易十六任命經驗老到的海軍大臣莫赫帕伯爵（comte de Maurepas）為首席國務大臣，對他的意見一般而言均予以採納。在經濟事務上，他常說，「在我覺得那是大家普遍想要的，而且我也想為人所愛戴。」而儘管他予人消極被動的形象，他很清楚自己想要的：建設海軍，直到他找到機會要英國人吐出他們已到手的東西為止。[103]

安東尼很想辦假面舞會，為了賭法羅牌（faro），為了華麗高聳的髮型、珠寶、新宮殿，她揮霍無度。瑪麗亞．泰蕾莎寫道，「我女兒的年輕，她的易受諂媚影響，她的懶散，她不愛正經的活動，著實令我憂心，」於是她安排了人暗中監看她在巴黎的一舉一動。她期許安東尼照顧到奧地利的利益：她的首相——神聖羅馬帝國諸侯考尼茨（Prince Kaunitz）——在安東尼未生出孩子時，直稱安東尼為「賠錢貨」。路易則警告她，「妳的親戚的野心會把一切搞砸」，誇說「我無意讓女人（例如他的哈布斯堡家族出身的妻子）有任何影響力。」他此話是就對外政策而說。在宮廷裡，安東尼先是試圖向她當王太子妃時羞辱她的廷臣報仇。安東尼提拔她最好的朋友尤蘭德．德．波利尼亞克（Yolande de Polignac）和她自己的家人，想把她自己小集團的人拉進來，藉此削弱大貴族的勢力，結果此舉使她和大貴族關係陷入水火不容。

早在她公公在位時，安東尼便誇說她已讓一個大臣被革職。她告訴一個至交，「我請求國王把他打發走，」還以嘲笑口吻將路易形容成那個「可憐蟲」。這無疑惹火她母親。「大公夫人安東尼的善良、寬厚到哪去了？」她問這個女兒。「我只看到詭計、粗魯的惡意、以嘲笑為樂、迫害。」她還說，「整個漫長的冬天，一想到妳人生太早一帆風順，想到妳身邊那些拍馬屁者，想到妳縱情於追逐享樂、愚蠢炫耀的生活，我就禁不住全身發顫。」

這對夫妻時運不濟，面臨了一個瀕臨破產的君主國所遭遇的種種難題。法蘭西始終未如路易十四所聲稱的那麼專制，始終受制於高等法院（parlements）的中世紀權利和運作不順、不向貴族課稅的稅制的掣肘。甚至在政治制度可能毀於危機時，廷臣仍竭盡所能搶奪錢財。貪婪的派系和拘泥形式的僵固作風當道，在此情況下，即使馬薩林再世，都會為了克服這個鎖匠國王所面臨的諸多難題而焦頭爛額。

「妳很有可能無法一直這麼順利，」瑪麗亞．泰蕾莎向安東尼示警道，「總有一天，妳會體認到此話的真諦，而那時為時已晚。我希望自己有生之年不會看到災禍降臨到妳頭上……」

安東尼低頭認錯，「我愛母后，卻又怕她。」瑪麗亞．泰蕾莎為女兒安東尼煩惱的同時，還得應付東邊一位暴得大權、不知天高地厚的人：充滿活力熱情且野心勃勃的凱撒琳大帝。在這個沙文主義當道的時代，掌實權的女人竟比二十一世紀還多，實在令人意想不到。

一七六二年，拯救了腓特烈的沙皇彼得三世反而為這個愚蠢行徑送了命。那年，他生於日耳曼、長年受苦的妻子凱撒琳在情夫和禁衛隊友人協助下發動政變，彼得被她的情夫逮捕、勒死。這樁弒君事件驚動到瑪麗亞．泰蕾莎，凱撒琳完全不壓抑性欲的表現同樣令她驚恐不已：凱撒琳提拔她的情夫出任宮廷的正式職位，作法猶如國王提拔情婦。而更糟的是，凱撒琳其實是政治高手，以巧妙手法擴大了俄羅斯勢力。她對啟蒙運動思想很感興趣，甚至寫了一套改革計畫，召集某委員會討論廢除農奴制之事。

腓特烈告訴他的弟海因利希，「女人始終是女人，在女人當家的體制裡，陰部的影響力勝過健全的理智。」事實上，對凱撒琳來說，為了國家利益，行事不該有任何顧忌。凱撒琳藍眼、赭髮、曲線玲瓏，散發迷人光采，在政治上貪得無厭，精於公關宣傳之道，她與伏爾泰通信，獲伏爾泰譽為「大帝」（一如他譽腓特烈為「大帝」），在聖彼得堡作東款待狄德羅。不過她太精明，並未施行他們的主張，反倒用心於建造帝國，先是將波蘭納入支配，透過她的精心謀畫，讓她的前情夫斯坦尼斯瓦夫．波尼亞托夫斯基（Stanisław Poniatowski）選上波蘭國王，接著在南邊與鄂圖曼帝國、格來王朝（Girays）交手，並在此取

103 路易十六的顧問委員會的祕書是名叫貝爾納—法蘭索瓦．巴爾薩（Bernard-François Balsa）的年輕人。他十四歲就離開務農的家庭，在國王的行政體系裡獲得拔擢，後來改名巴爾札克（Balzac）。著名小說家巴爾札克正是他的兒子。

得新領土。

一七七二年，凱撒琳誘使腓特烈加入瓜分波蘭──立陶宛，兩人一同對瑪麗亞・泰蕾莎表示，願讓她分一杯羹。瑪麗亞・泰蕾莎極不願和凶惡的腓特烈、好色的凱撒琳有任何勾結，卻又抗拒不了這提議。她嘆道，「人得知道何時該委屈自己。」約瑟夫去見了腓特烈（他說，「那個人是個天才」），而後她加入瓜分行列，波蘭王國因此滅亡。「凱撒琳和我本就是土匪，但我很想知道瑪麗亞・泰蕾莎這個女王暨皇后如何向她的告解神父自圓其說，」腓特烈嗤笑道。「她邊拿邊哭；哭得愈厲害，拿得愈多。」

對凱撒琳來說，這只是開始，但鑑於要與鄂圖曼帝國打一場漫長戰爭，要解決一場危險的農民叛亂，她提拔活力充沛且似乎始終昂揚、高調、特別引人注目的人，即她饒富遠見的情夫格里戈里・波坦金（Grigori Potemkin）。波坦金成為她的地下丈夫和政治伙伴──羅曼諾夫王朝的最偉大大臣。腓特烈有感而發道，「當陰莖和陰部當道，情況就是這樣。」104

身體少見安康時刻的喬治三世開心娶進一個日耳曼籍公主後，又想改弦更張。一七七〇年，他任命一個友善親切、能力強、未被派系污染的童年友人統領政務，而此人成了自沃爾浦爾以來管理議會最成功的人，儘管在美利堅事務上，處理得沒那麼出色。三十八歲的諾爾思勳爵（Lord North）非常謙遜，不願以首相自稱。只是他躲不過一件事，即英國的議會制天生極不利於在遙遠異地打仗。善於統一指揮權的腓特烈二世嘲笑道，「英格蘭國王更換大臣，就和更換襯衫一樣頻繁。」

英國人這時統治從加拿大至東印度孟加拉的遼闊帝國。阿富汗人帝國的國王杜拉尼在德里扶立了蒙兀兒傀儡皇帝阿拉姆二世（Alam II），他寫信給英國籍的征服者克萊夫勳爵，要他奉他所立的走狗皇帝為宗主。一七六五年，克萊夫以第一任孟加拉總督的身分再度來到印度。此前，阿拉姆和一個反英聯盟挑戰英國東印度公司在孟加拉的支配地位時，克萊夫留海克特・芒羅（Hector Munro）掌管該地。一七六四年十月，芒羅弭平了一場印度兵叛變。英國人老早就採用蒙兀兒王朝將造反者綁在大炮口炮轟的刑罰。「後背的上部抵著炮口，」有個大為震驚的軍官看了後說道。「炮一點火，頭就直飛上四十呎高空，雙臂往左右兩邊飛去，飛得老高，雙腿落在地上……身軀真的被炸得粉碎。」芒羅以此方式處決了二十個造反者，然後大敗蒙兀兒軍隊，殺死兩千人，他自己的軍隊則損失兩百八十九人。

克萊夫回到印度時，他樂於支持這個毫無實權的皇帝以換取孟加拉。一七六五年八月十二日，他收到來自阿拉姆的詔書，言明將孟加拉賜予英國東印度公司，並授予在卡納蒂克（Carnatic）和德干高原的某些權力。這個交易的達成，代表英國人自此稱霸東印度，而此交易與杜拉尼正在西印度的旁遮普所做的事南轅北轍。[105]

104　波坦金領導俄羅斯帝國在黑海周邊的擴張行動，該地區長久以來由格來家族（成吉思汗後裔）的半游牧可汗和鄂圖曼帝國統治。凱撒琳已於一七六四年廢掉哥薩克酋長國（hetmanate），這時波坦金併吞了札波羅熱的席奇（Zaporozhian Sech）這個古老的哥薩克人共和國，自任大黑特曼，把哥薩克人打造成俄羅斯的國家級軍團。他指導了征服今日南烏克蘭一地的軍事行動，將該地稱作「新俄羅斯」，創建了以赫爾松（Kherson）為起頭的一連串新城市。一七八三年，他併吞克里米亞，建立塞瓦斯托波爾（Sebastopol）這個新海軍基地和俄羅斯的第一支黑海艦隊。赫爾松之後陸續出現馬里烏波爾（Mariupol）、葉卡捷琳諾斯拉夫（Ekaterinoslav，今聶伯羅／Dnipro）、尼古拉耶夫（Nikolaev，烏克蘭語稱米科萊夫／Mykolaiv）三城。然後他攻占鄂圖曼帝國領土，在那裡創建敖德薩。此時，俄羅斯人已攻取人煙稀疏但面積遼闊的一塊領土。先後擔任俄羅斯帝國此行政區之副王的波坦金和法蘭西籍貴族黎希留公爵（duc de Richelieu）吸引了希臘人、義大利人、烏克蘭人、波蘭人、俄羅斯人前來這些新城市定居，許多猶太人無法住在大城裡，反而大量定居於敖德薩。當烏克蘭成為俄羅斯的糧倉，敖德薩也成為烏克蘭的轉口港。但俄羅斯人前來定居和征服有其黑暗的一面：信仰伊斯蘭教的韃靼人、土耳其人和其他民族（例如切爾克斯人、車臣人）若不願順服，即遭種族清洗或屠殺。

105　克萊夫再次因瀕臨精神崩潰而返國。芒羅和克萊夫都有兒子加入東印度公司並在印度服務。芒羅的兒子之所以出名，是因為其中一個兒子死於虎口，另一個則死於鯊魚口。

杜拉尼的蛆：位在印度的帝國

杜拉尼下令道，「消滅這些人，把他們的女人小孩抓來當奴隸！」阿富汗人對錫克教徒和非錫克教徒大開殺戒，而後杜拉尼動身西馳，以取得布哈拉埃米爾的貢品——他的帝國版圖擴及到今日烏茲別克境內。沒想到，五十歲的杜拉尼這時身體不適了起來，在阿姆利則砸中他的碎片導致他的臉受感染。一七七二年夏，他的鼻和鼻咽長出蛆，蛆甚至落入他嘴裡，最後他再也無法說話或進食。他死後葬在坎達哈的八邊形墓裡，墓志銘寫道，「這頭獅子和羔羊躺在一塊」，這就是他的偉大成就所贏得的和平局面。然而，他其實鮮少帶給人和平：他是個凶狠、遊走四方、寫詩的征服者，在旁遮普犯下暴行，但也設計了喀布爾、坎達哈這兩座現代城市的布局，創造了一個新國家。如今，在該國，他仍被稱作阿富汗人之父（Baba-i-Afghan）。而他兒子帖木兒也守住杜拉尼之帝國的完整。只是，他失去了對旁遮普的掌控，兇悍的指揮官查哈特・辛格在此建立了蘇克查克亞王朝，後來，他便因火繩鎗引爆而死。在傑出的家族女性協助下，他有能力的兒子馬哈（Maha）和積極進取的孫子蘭吉特（Ranjit）將把他留下來的遺產打造成一強大的錫克教王朝。七十年後，杜拉尼和蘇克查克亞的這兩個孫子則會是讓英國在阿富汗吃下第一個大敗仗的功臣。

在倫敦，諾爾思勳爵眼下得解決孟加拉境內的一個危機，由於軍事支出暴漲，英國東印度公司面臨破產，同時由於該公司的課稅，孟加拉人便得挨餓。克萊夫等在印度致富返國的英國人，已因為他們的家財萬貫而臭名遠播。先前有風聲說要任命克萊夫統領北美殖民地的英軍，但各派系都對他的作法和富有不放心。一七七二年，他因為貪婪行徑在議會遭政敵攻擊。「有個偉大的國君多虧我的意向而得以存活；有個富裕的城市受我支配……我走過只為我開啟的金庫，那裡堆著……黃金和珠寶！」他反駁道，「主席先生，我震驚於自己的節制。」反觀其他人，則無一震驚於他的節制。不過，當這個在印度發了大財返國的英國人靠議會表決脫身之際，喬治告訴諾爾思，儘管「沒人像我那麼看重他的貢獻」，我還是「驚訝」於議會諸公的評斷，「似乎認可克萊夫勳爵掠奪」一事。[106]

一七七三年，諾爾思將東印度公司納入官方掌控，任命一位總督和顧問委員會成員：這個武裝公司對孟加拉的有效統治，直到此時才維持十年多一點。此外，他也得解決其他殖民地（北美諸殖民地）境內的一個危機，而他解決的辦法，使得這兩個地方產生關聯。為救助東印度公司，他廢除對出口至美利堅的印度茶葉的關稅。美利堅人反對此舉，認為這將使本地的茶葉進口商處於競爭劣勢。同年十一月，美利堅人——化妝成黑人、戴上莫霍克人頭飾——襲擊波士頓港口裡的運茶船。諾爾思反應過度，通過所謂的《強制法》（Coercive Acts）並派去軍隊。

在維吉尼亞鄉村的某個山頂上，傑佛遜要他的妻子瑪莎·傑佛遜搬進蜜月小屋（Honeymoon Cottage），即蒙提切洛（Monticello）宅邸裡不大卻已建成的側屋。三年前，就在選上市民院議員後不久，湯瑪斯·傑佛遜前去拜訪二十三歲的寡婦瑪莎·威爾斯·斯凱爾頓（Martha Wayles Skelton）。一七七二年一月，兩人結婚，她父親次年去世，兩夫妻繼承了有沉重抵押貸款的一萬一千英畝地，以及一百三十五個奴隸，其中包括貝蒂·海明斯和她與威爾斯生的六個孩子。老么是新生兒，而這個名叫莎利（Sally）的女孩，將在傑佛遜的人生裡扮演特殊角色。

106 一七七四年十一月二十二日，克萊夫苦於膽結石帶來的劇痛且對外界的批評感到沮喪，他服用過量鴉片，然後用小折刀割喉自盡，得年四十九。撒繆爾·強森指出，這個征服者「靠著不法行徑攢得他的財富，而他意識到這些行徑的嚴重，致使他割喉自盡」。他兒子愛德華獲賜波韋斯（Powis）的伯爵領地，使他得以把他父親的財寶存放在波韋斯堡（Powis Castle），如今仍有其中許多財寶存放在此。他返回印度後，治理馬德拉斯五年。

激進人士：傑佛遜和海明斯家族；英格蘭籍丹麥王后和情夫醫生的失勢

傑佛遜已為自己立下兩個念茲在茲的艱鉅使命：在山頂上建造他的新宅邸蒙提切洛，以及「一座山上城市」，並透過這座城市在美利堅實現他的啟蒙運動構想。他說，「建築是我的樂趣，建造和拆掉建築是我最愛的娛樂之一。」蒙提切洛會是他終生執著的事業。雇來的奴隸剷平了山丘；宅邸本身由奴隸工（他自己的和雇來的奴隸）、自由工經數年建造完成，而自由工有白人，也有黑人。他親自設計宅邸，把許多新奇、迷人的事物塞進其中，圍著他的臥室建成他的書房。他的自由觀與建立在動產奴隸制上的實際生活方式相抵觸：身為律師，他代表爭取自由的奴隸之子打官司，提議奴隸主解放奴隸，然而，他未解放自家奴隸，不相信黑人和白人能在一起生活。不管這個奴隸主的觀念有多自由主義，奴隸制能運行不輟，完全因為它建立在暴力上。他允許他的監工毆打他的奴隸，但比起其他奴隸主，例如與他同時代且同為美利堅顯要人物的華盛頓，他的管理寬鬆多了。談啟蒙運動是一回事，實踐啟蒙運動又是另一回事。

住在種植園主宅邸近旁的家奴，在某些方面享有在種植園裡工作的奴隸所無緣享有的優遇，只是更可能遭主人強暴。海明斯家族受到不一樣的對待——這一家人具有四分之三的白人血統，而且是傑佛遜太太的同父異母手足。

瑪莎和傑佛遜生了兩個女兒，因此海明斯家族擔起家奴的傳統角色，幫瑪莎養大小孩，她的小孩和他們身為奴隸的表兄弟姊妹一起長大。傑佛遜撰寫他的〈英屬美利堅的權利概觀〉（Summary Views of the Rights of British America）時，海明斯家的老么莎莉正在蒙提切洛健康成長。他寫道，「國王是人民的僕人，不是人民的主子……不要讓喬治三世的名字成為歷史書頁上的污漬。」在這篇短文中，他思考了人權的定義，提議廢奴——日後才會成真的事。

並非所有人在改革時都像啟蒙運動的主要支持者凱撒琳、腓特烈——和傑佛遜——那般審慎。幾乎就在同一時候，在丹麥，有個驚世駭俗的三人家庭啟動了世上最符合啟蒙運動思想的改革。這三個同居者是一個思想激進的醫生、他身為王后的情婦以及她的國王丈夫。

這場實驗始於一七六六年十一月喬治三世把十五歲妹妹卡羅琳．馬蒂爾妲（Caroline Matilda）送去嫁給她的表哥丹麥、挪威、冰島的國王克里斯蒂安七世（Christian VII）時。這個新郎是個笨拙、愚蠢、精神不穩定的十七歲少年，會公開自瀆、自我傷害，哥本哈根妓院的常客，對他的妻子很冷淡。這個孤立無助的少女王后，端莊、熱情、聰明，卻感到絕望。克里斯蒂安在性方面的怪異行徑令她困惑又害怕，但她深受丹麥人喜愛：「她的外表使她得以免於受到針對女人的批評，但依舊攫住男人的目光。」

她生下兒子佛雷德里克（Frederick）時，她丈夫顯得異常冷漠。他有時幹勁十足，卻也經常顯得疲累又虛弱。他的老練大臣求索治療之道，有人建議他們找年輕的日耳曼籍醫生約翰．佛里德里希．斯特魯恩塞（Johann Friedrich Struensee）。斯特魯恩塞三十一歲，作風瀟灑、世故，具有學者氣質，係虔誠派（Pietist）牧師的兒子。此前他在巴黎見過啟蒙思想家，接受並開始支持巴黎最激進啟蒙思想家盧梭的思想。當時，盧梭剛出版《社會契約論》（*The Social Contract*）和《愛彌兒，論教育》（*Émile, or Treatise on Education*），在前書中他主張人本性純潔，後來被社會腐化，在後書中他嚴正表示，「萬物離開造物主之手時都是好的；到了人的手裡就都變壞了。」因此，他提議「改變（孩童的）本性」，以使他們做好成為公民的準備。斯特魯恩塞寫下具盧梭思想風格的專著，猶如一道清新的空氣吹進這個紛擾不安的宮廷，使這個國王的心神平靜下來，使這個王后感到安心。克里斯蒂安開始衷心信賴他，王后亦然，尤以他們的兒子得到接種後為然。斯特魯恩塞促使這對少年夫妻和好，鼓勵國王回王后床上，同時按照盧梭的規則督導王子佛雷德里克的教養事宜。

卡羅琳愛上斯特魯恩塞時還只有十九歲，她當著國王的面毫不避嫌的展開一段婚外情。一七七〇年九月，克里斯蒂安受到這個醫生的見解和權威影響，他開除總理，升斯特魯恩塞為伯爵和樞密內閣祕書長（Privy Cabinet Minister），有權簽署國王的命令：開明獨裁者（Enlightened dictator）。王太后質問卡羅琳時，卡羅琳回道，「求求妳，夫人，請容我照自己意思治理我的王國。」她的婆婆賄賂僕人，並透過僕人詳細掌握卡羅琳和斯特魯恩塞通姦之事，在她的寢室外撒麵粉，以記錄下男人腳印。僕人也在斯特魯恩塞的床上找到她用來繫襪的襪帶。

一七七一年七月，這個王后生下女兒路易絲．奧古斯塔（Louise Augusta），女兒長得像斯特魯恩塞。國王漸漸起疑，且心神不寧。與此同時，這個伯爵暨醫生簽署了一千多道廢除拷打、貴族特權、出版審查、奴隸買賣的法令。[107]他創辦了靠賭博稅籌集到建設經費的育嬰堂，提升農民土地所有權。丹麥此時是歐洲最進步的王國。

一七七二年一月十六日，在哥本哈根克里斯蒂安堡宮（Christiansborg Palace）的宮廷劇院，斯特魯恩塞與他的情婦王后在假面舞會上共舞，她的丈夫在場觀看。舞會後的凌晨時分，他被國王侍衛逮捕。此行動是某個祕密小集團所策畫之政變的一環，集團則有王太后在背後支持。王后在克隆堡（Kronborg Castle）受訊問道，斯特魯恩塞否認與她有性關係，深信國王會力挺他，王后也會捍衛他。只不過，這對情人都中計且供認兩人關係，她希望把罪責攬在自己身上而供認，他則因為相信，只要坦白，他就會保住性命，因而供認不諱。她撤回她的供詞，但已太遲。斯特魯恩塞先是被判處砍掉右手——簽署叛逆罪法令的那隻手——繼而被判處斬首，沒想到，他還是深信自己會得到赦免，幾乎直到見到他最親密的伙伴在他面前被砍頭，才相信自己難逃一死。國王說，「我很想救他們兩人，」但終究未出手相救。挨了三記很不俐落的重擊後，斯特魯恩塞遭斬首——頭顱如今在哥本哈根公開展示——接著又被分屍。斯特魯恩塞所頒行的法令遭廢除，丹麥東印度公司的奴隸買賣亦恢復。

喬治三世對自己妹妹的「犯法行徑」深感難堪，卻又警告丹麥人勿懲罰她，而且派皇家海軍前去威脅哥本哈根。[108]此外，這個國王還得解決美利堅境內革命的麻煩。

喬治和諾爾思本可以擬出許多辦法解決北美危機。喬治本可自封美利堅的國王（他的父親考慮過要其弟以維吉尼亞公爵的身分搬去北美的殖民地），也可以宣布他會保護美利堅的權利——一如他此時對他加拿大子民之所為；他本可以讓美利堅人選出替他們在母國發聲的國會議員，藉此要他們攤牌（一如先前英格蘭與蘇格蘭、愛爾蘭合併時的情形）。結果諾爾思反倒決定鎮壓，[109]從而激起美利堅「愛國者」

107 丹麥西印度公司（Vestindisk Kompagni）每年從克里斯蒂安堡（Fort Christiansborg）——黃金海岸的城堡——販賣三千名奴隸。丹麥是第一個廢除奴隸貿易的歐洲國家。

108 丹麥人透過談判達成協議，將卡羅琳流放。喬治將她安置在漢諾威的策勒城堡（Celle Castle）：她就此未再見到她的小孩，二十三歲時去世。至於這個英格蘭公主和啟蒙思想醫生所生的女兒，那個有文化素養且貌美的路易絲・奧古斯塔，則被當成國王的女兒養大，與自身所屬王族的成員結婚，並看著女兒嫁給日後將成為國王的男人。而她從父母那兒承襲了一項特質：她一生有許多情夫，其中之一是自己上場讓她懷孕，藉此解決她不育問題的國王御醫（不育問題其實出在她丈夫身上）。她活到另一個時代，死於一八四三年。

109 馬里蘭殖民地的第四任領主巴爾的摩勳爵佛雷德里克的表現，體現了英國人的漫不經心。他掠奪成性且精神變態，一七五一年繼承了家產和在美利堅的土地，下令在馬里蘭收稅——在他的私有地則不收稅——從而差點挑起一場早期革命。巴爾的摩把第一任妻子（日後的運河大亨布里吉沃特公爵/duke of Bridgewater的妹妹）推下疾行的馬車，藉此殺了她，而後開始在君士坦丁堡過起猶如土耳其帕夏的生活，妻妾成群，而且因為吸食鴉片和春藥，變得神智恍惚——傳記作家詹姆斯・鮑斯韋爾（James Boswell）曾親眼目睹，說他過著「奇怪、狂放不羈的生活」。他回到倫敦，一七六八年在當地擄走貌美的女帽設計師莎拉・伍德卡克（Sarah Woodcock）並強姦了她，他因此被捕受審，卻無罪獲釋，受害者反而因逃脫不力受到指責。接著，巴爾的摩遊歷歐洲，隨行的有「八個女人、一個醫生、兩個黑人」，他把這兩個黑人稱作他的司法行政長官（corregidor），負責管治他小小的後宮。他的某個情婦後來出版了《馬里蘭帕夏後宮回憶錄——一個被拋棄的蘇丹女眷撰》（*Memoirs of the Seraglio of the Bashaw of Merryland, by a Discarded Sultana*），在其中透露他為了滿足八個女友，過得非常辛苦。」一七七一年，他死在那不勒斯，把馬里蘭留給他的私生子亨利・哈爾福德（Henry Harford）——最後一個馬里蘭殖民地領主。

（Patriots）在費城舉行他們的第一次大陸會議（Continental Congress），出席者包括華盛頓。與會代表創建了大陸協會（Continental Association），藉此將諸殖民地串連在一個組織裡。傑佛遜自蒙提切洛緊盯著事態發展，高傲、話不多的華盛頓則決定「將我的性命和財產獻給此大業」，親自執掌維吉尼亞的一支民兵隊。

喬治和諾爾思認為，殖民者在政治上的各行其是，最終都會打退堂鼓。喬治告訴諾爾思，「事已至此，不能回頭，殖民地不是屈服，就是獲勝……我們絕不能撤退。」

一七七五年四月，在列克星頓（Lexington），英軍遭遇一批殖民者反抗——情勢隨之升級，導致殖民者召開第二次大陸會議，華盛頓在會中被推選為總司令——約翰．亞當斯很不客氣的指出，他膺此重任，既要歸功於「他偉岸的身形」，也要歸功於他「緘默的天賦」。傑佛遜和六十九歲的班傑明．富蘭克林——最著名的美利堅殖民者，博學多識的啟蒙運動泰斗——向華盛頓舉杯祝賀，但至這時為止，這個將軍依舊是大陸軍裡唯一的軍人。傑佛遜被推選為負責起草《獨立宣言》（Declaration of Independence）的五人委員會一員，一七七六年七月《獨立宣言》獲批准：內容以篤定的語氣說，「人人生而平等，具有特定不可剝奪的權利」，包括「生命權、自由權和追求幸福的權利」——但並非人人都享有這些權利。美國建國先賢全是男性，撰文談「男人」（men）平等，他們所追求的，為民主立下崇高的道德標準，但他們的行為達不上這些標準。傑佛遜想要廢掉奴隸貿易，而其他奴隸主不從，於是眾人妥協，同意二十年後再談此事。在倫敦，撒繆爾．強森嘲笑美利堅人的鬼話：「我們聽到那些把黑人當牲畜驅敢的人發出最響亮的呼求自由的聲音，這是怎麼一回事？」

華盛頓趕到新英格蘭，把英國人趕出波士頓，但接著得靠他僅僅八千的兵力守住紐約，而面對英軍進攻，這八千人很快就撐不下去。撤退時華盛頓失去他一貫的鎮靜，不住吼道，「這些人就是我要用來保衛美利堅的人？」不過，他們仍擔起這角色且他也保住美利堅。英軍拿下費城時，華盛頓退到紐澤西。

諾爾思相信勝券在握，並且雇用了一萬八千名黑森雇傭兵——由於英軍兵力不多，這也是傳統作法。剛在伏爾加河畔弭平一場大規模農奴叛亂的凱撒琳大帝和波坦金則向喬治表示，願出兵助他消滅美利堅人——令人心動的提議。喬治和諾爾思若真如「愛國者」所說的是「暴君」，或許會像凱撒琳用大軍對付叛民那樣發動總體戰，或是會像一七四五年這國王的叔叔昆布蘭公爵（duke of Cumberland）對付蘇格蘭叛民那樣殘酷報復，然而，他們希望贏得美利堅民心，從未派去足夠的兵力，且低估了叛亂陣營的決心、本事和人數，誇大了保王派的忠貞程度。諾爾思幾乎放手讓他的殖民地事務大臣喬治·傑曼勳爵（George Germain）自行作主，而傑曼把英軍分為三股，各由誰也不服誰的指揮官統領，從而最終使美利堅人得以將他們一一擊敗。要在離本土有五星期距離遠的地方好好打一仗並不容易。諾爾思心情沮喪，懇請辭職，但已悄悄償還龐大債務的喬治逼他留下。一七七八年五月，枯槁憔悴的皮特（查塔姆伯爵），在兒子攙扶下蹣跚走入上議院，力主和美利堅修好，卻頹然倒下。他死在他十八歲兒子威廉懷裡，而威廉會是十八世紀最偉大的英國首相。

路易十六遠望著英國在美利堅遭遇大敗，心中甚是滿意，儘管他非常煩惱是否該介入。只是他有更大的問題要解決：未能償還他王國的債務、他在床上不能人道。這兩件事都已成歐洲人談論的話題。

安東尼和路易：凡爾賽宮的皇帝性療法

一七七六年十一月，不開心且困惑的安東尼求助於她的哥哥皇帝約瑟夫，而約瑟夫是最不靠譜的性治療師，他最近一次婚姻和兩人的夫妻關係根本一塌糊塗。一七七七年六月，約瑟夫去巴黎見他妹妹，並調查歐洲性愛最隨便的宮廷裡的驚人事實：竟沒人向路易十六和他的王后說明如何行房。而這個皇帝或許成了這個法蘭西國王唯一能吐露心事的對象。約瑟夫帶這個——「相當虛弱但還不到低能的」——國王出去走走。「想像這麼一個景象！在他的新婚床上，他有十足理想的堅挺勃起……把陰莖插進去，待在那兒兩分鐘一動不動，未射精就抽出，但仍勃起，然後道晚安。」約瑟夫寫信告訴弟弟萊奧波德：「哎！我如果在場，應該會把這事搞定。他像驢子一樣需要鞭打才會高潮射精。此外，我妹妹個性很平和，他們是兩個性無能的人湊在一塊。」

不知怎麼的，約瑟夫竟然辦妥了這件事，挽救了這個同盟和這樁婚姻。路易和安東尼做愛時，她想到瑪麗亞·泰蕾莎：「我親愛的母親……自我和丈夫完美圓房後已過了八天多；此事已再度得到驗證，昨天驗證得更徹底。最初我想過派人去告知親愛的媽媽……」

第一次生產——生下一女——情況有如夢魘：一聽到「王后就要生產」，廷臣隨即塞滿這個窒熱的房間；路易想要打開窗戶時，她竟大出血，昏了過去。後來路易不再和她做愛，瑪麗亞·泰蕾莎便推測他有情婦：「我的準則是女人必須耐心忍受丈夫出軌。為此挑起爭端沒有意義。」不過兩人的婚姻關係改善許多：路易告訴她，他愛她，絕不會有情婦。不久接連生了兩個兒子。約瑟夫得意表示，「他們兩人（國王和王后）都寫信謝我。」這個日耳曼人皇帝很喜歡他這個妹妹，說如果可以，他會很樂於娶她為妻，只是她也令他煩惱，因為「淫靡的漩渦包圍她，使她除了追逐一個又一個歡樂，看不見、想不到其他事。」約瑟夫預測道，「革命會很殘酷。」

美利堅革命也已變得殘酷，出現一股帶著種族意識的暗流。英國駐維吉尼亞總督鄧莫爾伯爵（earl of Dunmore）立即呼籲受奴役的非裔美利堅人：「所有僕人、黑人和其他人」，「如果能拿起武器且願意拿起武器」，就加入「國王陛下的部隊」，你將得到自由之身。三百名獲解放的奴隸編入鄧莫爾的皇家衣索比亞團（Royal Ethiopian Regiment），打著「給奴隸自由」的旗號作戰，有個「黑人旅」（Black Brigade），由人稱泰上校（Colonel Tye）的無情游擊隊長提圖斯·科內利烏斯（Titus Cornelius）統領，不斷騷擾美利堅部隊。五萬名奴隸逃到英國人陣地。易洛魁人等美利堅原住民打算支持英國人對付這些殖民者。

華盛頓在福吉谷（Valley Forge）竭力維持大陸軍的完整，同時恐嚇易洛魁人領袖並訓練他那些「太髒、太邋遢」的士兵，把這些士兵的天真歸咎於「這些較下等的人身上某種莫名其妙的愚蠢」。他希望英國人會因為補給線過長且戰爭久久分不出勝負而動搖鬥志。

美利堅革命的理想，標誌著一個新時代的到來——而這個新時代是英格蘭內戰和啟蒙運動的共同產物。

只是，欠缺一個扭轉乾坤的人，美利堅人民似乎不可能贏。

射出你們的箭：卡梅哈梅哈和庫克

在福吉谷，有個年輕的法蘭西籍貴族投入華盛頓陣營。此人是拉法葉侯爵（marquis de Lafayette）吉爾貝爾·迪·莫捷（Gilbert du Motier），他自掏腰包為一艘船裝配了一應設備，一七七七年來到美利堅為自由而戰，當時才十九歲。美利堅人很快就看出拉法葉在巴黎的潛在影響力，將他晉升為少將。華盛頓表示，願當他的「友人暨父親」。他與英國人的小衝突，記載於他溢於言表的家書裡，不久，路易、安東尼也和英國人起了衝突。

許多統治者總夢想著一個最有效的萬能藥方：一場速戰速決的勝利。路易十六也不例外。他知道他的財力打不起戰爭，但他的新任財政大臣、瑞士籍銀行家雅克・涅克爾（Jacques Necker）[110]向他表示，如果他一年就打贏此戰爭，在不漲稅的情況下靠借款就能支應該戰爭所需。拉法葉返國為美利堅發聲，在美利堅人打贏薩拉托加（Saratoga）之役、證明他們足以打敗英國—黑森聯軍後，路易在他西班牙堂兄弟支持下同意介入。只要打贏一場為時不久的戰爭，路易的財力就足以填補。一七七八年二月六日，八十多歲的美利堅特使班傑明・富蘭克林談成與法蘭西結盟。安東尼支持這場戰爭，她的第一個情夫會在美利堅革命中扮演角色。

當初，安東尼來到巴黎後不久，在假面舞會上遇見這個特別的友人。假面舞會是十八世紀的典型活動，隱匿身分的君主因此得以邂逅戴上面具的陌生人——每個人得以邂逅新情人。她遇見有著淡黃色頭髮的瑞士伯爵阿克塞爾・馮・佛森（Axel von Fersen）。兩人同年紀，他與她交談，但不知她是誰。一七七八年，佛森再度來到巴黎。她說，「啊，這不正是舊識」；有個掌馬官注意到「她的手在發抖，情緒波動明顯可見」。

婚姻生活令她失望後，她愛上這個男人。佛森認為這挺著大肚子的懷孕王后是「世上最漂亮、最好相處的貴婦人」。她請他穿上他帥氣的瑞典制服，在她得以擺脫宮廷繁文縟節拘束的別墅「小特里亞尼翁」（Petit Trianon）歡迎他的到來。在這個位於凡爾賽莊園的別墅裡，「這個王后眼睛一直離不了他……眼裡滿是淚水。」一個建立在愛情上且直至她去世方休的婚外情就此開始，但兩人是尚未有肉體關係的情侶。後來他寫道，「我愛妳，會一輩子瘋狂愛妳」，她則稱他是她「最愛的、最深情的男人」，篤定的說「我的心全是你的」。

在美利堅，華盛頓此時停駐在紐澤西的米德布魯克（Middlebrook），度過另一個焦慮的寒冬，沒有任何作為。但就在大西洋世界把注意力都放在這場叛亂時，有個擁有實權的玻里尼西亞人首度遇到歐洲人。

而他的島嶼日後將成為美國的另一部分。

一七七九年一月二十六日，在凱阿拉凱夸灣（Kealakekua Bay），夏威夷島（尚不為歐洲人所知的島嶼之一）的阿利—努伊（alli-nui，即「國王」）卡雷奧普（Kaleiopuu），在兒子基瓦勞（Kiwalao）陪同下，探訪了兩艘英國船的其中一名船長。他的年輕貴族隨從裡，有個人身材比他們父子都高，那就是他的姪子卡梅哈梅哈（Kamehameha），這個王國的第三號人物。卡梅哈梅哈身長七呎，額頭低，雙眼皮很深，眼神銳利似會看透人的心思，散發出令人恐懼的氣勢，不久後將一統夏威夷群島。

這個年老的阿利—努伊，因為嗜食具致幻成分的植物阿瓦（awa）成癮，身子顯得乾癟，卻仍滿心愛著他的諸多年輕男子。他披著華麗的阿胡阿拉（ahuala）斗篷，戴著飾有羽毛的馬希奧萊（mahiole）頭盔到來。這件斗篷用取自八萬隻鳥的四十萬根羽毛製成，呈現鮮紅、黑、黃色。夏威夷國王威儀不凡，但夏威夷諸領袖因為彼此間凶狠的政治鬥爭而實力減弱。

一七三五年左右，這個統治氏族中，一個雄心勃勃的王子——「偉人」阿拉派（Alapai the Great）——打倒各個對手並將他們殺掉，拿他們獻祭，以獲取他們的精神力量莫拉（mola）。阿拉派就此將諸島一統為單一王國，統治王國二十年。

110 涅克爾投機買賣的手法大膽，在巴黎證券交易所和法國東印度公司接連賺進大筆錢。一七六〇年代他大發利市時，向法蘭西籍寡婦韋爾默努夫人（Madame de Vermenou）示愛，那時夫人已雇用了瑞士籍年輕家庭女教師蘇珊娜・居爾紹（Suzanne Curchod）。蘇珊娜是牧師之女，愛上正四處旅行、身受啟蒙運動思想影響的年輕英籍紳士愛德華・吉朋（Edward Gibbon），並與他訂了婚約。雙方家庭都反對這門婚事，吉朋隨之返國。涅克爾則展現他一貫的投機作風，旋即將結交對象從韋爾默努轉為居爾紹，並娶了蘇珊娜：他們的女兒是作家暨密探熱爾曼・德・斯塔埃爾（Germaine de Staël）。此時，就在涅克爾成為路易的財政大臣之際，吉朋出版他文筆優美且引人入勝的《羅馬帝國衰亡史》，以基督教的迷信削弱了羅馬的多神教的實用主義此一啟蒙時代思想改寫歷史，同時暗示現代歐洲是羅馬文明的傳人。

他的姪女、貴族女子凱奎亞波伊瓦（Kekuiapoiwa）懷孕時，她索要鯊魚的眼睛，鯊魚眼一物意味著這個嬰兒日後會弒王，阿拉派隨即下令殺掉這個嬰兒。男嬰的母親不知如何是好，便把他放在「納哈」（Naha）這顆聖石上：他如果哭，就會被殺掉，結果他沒哭。戰士國王阿拉派派出刺客，但凱奎亞波伊瓦將嬰兒藏了起來。最後，阿拉派自信權力穩固，於是取消此死刑，把嬰兒卡梅哈梅哈召回宮廷。一七五四年左右阿拉派去世時，他的親人卡雷奧普奪取大位。

此際，卡梅哈梅哈陪同他的國王登上歐洲人的船，他打量著這兩艘船、船上的大炮，以及歐洲人首領詹姆斯・庫克（James Cook）——既懷有啟蒙時代英格蘭人的科學追求精神，也抱持英國籍征服者的帝國擴張使命。

庫克幼時生活悲慘，在他父親位於約克郡的農場和一間食品雜貨店工作，然後加入皇家海軍，擔任引水人期間可謂生逢其時，引導將軍沃爾夫溯聖羅倫斯河而上攻取魁北克，就此嶄露頭角。一七六八年八月，三十九歲的庫克，個性害羞、急躁、機敏、高大英俊、靠自學成材、又奮發上進，獲皇家學會選中，執掌皇家海軍研究船奮進號（Endeavour），在大溪地觀察了金星凌日，載著一名天文學家和富有的年輕植物學家約瑟夫・班克斯（Joseph Banks）繞過火地島，來到太平洋。在大溪地，他遇見玻里尼西亞籍導航員暨祭司圖派亞（Tupaia），圖派亞是從萊亞泰阿（Raiatea）逃過來的難民，自視甚高，卻把玻里尼西亞人的太平洋航行術傳授給庫克，助庫克繪製諸島地圖，一七七〇年陪他橫渡太平洋，登陸奧泰阿羅阿（Aotearoa）——即尼德蘭人口中的紐西蘭——在此遇見毛利人。

庫克航抵澳洲，在澳洲東海岸他稱之為史丁格雷灣（Stingray Bay）的地方上岸，把海灣改名為博塔尼灣（Botany Bay，「植物學灣」）以向班克斯致敬。班克斯此行採集了三萬個樣本，注意到一種很特別的動物——袋鼠——表明這塊大陸已和其他陸塊數萬年沒有往來的第一個跡象。庫克聲稱東澳洲——今新南威爾斯——為英國所有，他遇見博塔尼灣區域的圭亞嘎爾族（Gweagal）原住民，航行時「離海岸甚近，近到能看出海灘上數人；他們似乎膚色非常深又或者是黑色」。令人遺憾的是，圭亞嘎爾人不讓庫克上岸，往船上人擲矛，直到船上人開槍，傷了其中一人，圭亞嘎爾人這才罷手。他們不想溝通。圖派亞於庫克返航英國期間死於巴達維亞。

庫克和班克斯返回倫敦後聲名大噪，得意展示他們的成果，即他們的一千四百株新植物和大溪地籍乘客歐邁（Omai）。這些新植物包括尤加利和刺槐，歐邁則被介紹給喬治三世認識，並由約書亞・雷諾茲（Joshua Reynolds）為他作畫。但庫克在國內待得無聊，思緒漫無邊際馳騁，說他已去了「比我之前任何人所去過還要遠的地方，而且在我看來，那是人所能去的最遠地方」——就當時來說，他說得沒錯。

一七七六年七月，庫克的贊助人——海軍大臣桑維奇伯爵（earl of Sandwich）——要庫克和另一位船長分別駕駛皇家海軍艦艇決心號（Resolution）和發現號（Discovery）遠航，表面上說是為了帶歐邁返鄉，實際上是為了找到一條通往太平洋的西北航道——和為了打敗法國。

庫克把歐邁帶回大溪地，而後繼續航行，並「發現」了毛伊島和夏威夷島，並命名為桑維奇群島。時值夏威夷原住民的馬卡希基節（Makahiki），這是慶祝豐收和頌揚洛諾神（Lono）——當地四大神之一——的節慶，而這些英國人並不知情。夏威夷人分乘幾條獨木舟出海去探視這些歐洲人。他們想要做買賣，於是拿出豬和水果要交易；女孩在甲板上邊跳舞邊唱胡拉（hula）：

哪裡，噢，在哪裡
那根用來製造射鷹的箭的
中空的棒子，在哪裡？

來，射出來吧……
一根陰莖，一根供人享用的陰莖：
別站著不動，輕輕過來……
射出你的箭。

這些信仰基督新教的英國人對於她們主動獻上肉體來招待遠方來客，不禁惶恐了起來。庫克始終未享用這些夏威夷女孩（他忠於在家帶六個孩子的妻子），但他寫道，他允許手下和她們上床，「因為他阻止不了」。而他也盡力防止他的手下把性病傳給玻里尼西亞人，檢查過他們身體後，只允許健康的手下上島狂歡作樂。當時人並不知道身有性病的男人可能無症狀，仍有可能傳染給他人，當看到夏威夷女人出現梅毒潰瘍，他心裡很痛苦。

在發現號上，夏威夷國王卡雷奧普脫下斗篷、頭盔，送給了這個英格蘭人，而他不可能知道這些有多貴重。而雙方很快就都對彼此感到失望，發覺對方並不如自己原以為的那麼好：英國人基於夏威夷人眼中聖潔的理由和夏威夷女人上床，但對性事抱持保守觀念的水手得知卡雷奧普陸續養了一些少年當他的艾卡內（aikane，同性情人），而且喜歡射精在艾卡內身上，無不大為震驚。庫克麾下軍官威廉·布萊（William Bligh）[111]命令夏威夷人執行某些任務，且在他們拒絕時試圖毆打他們，庫克則在此時明智的駕船離開——前去探索加利福尼亞的海岸。

庫克一回來，他的手下就因為誤偷神像當柴燒，惹火了夏威夷人。他察覺處境危險，決定仿效柯爾特斯，持槍擄走國王卡雷奧普，沒想到，國王的妻子卡涅卡波蕾（Kanekapolei）發出警報，以致他未能得逞。在混戰中庫克開槍打中一名夏威夷人，他的海軍陸戰隊員殺了另外數人，隨後有個貴族用帶有鯊魚牙的大棒擊中庫克的頭。接著夏威夷人用刀刺殺庫克和四名海軍陸戰隊隊員。

國王躲起來時，他的姪子王子卡梅哈梅哈送來一頭豬，以表達和發現號修好之意。英國人炮擊某村莊後，卡雷奧普送去庫克的頭顱、頭皮、雙腳、雙手。[112]英國人於是將這些殘餘的肢體海葬。

一七八二年，卡雷奧普去世，由兒子基瓦勞繼位，卡梅哈梅哈出任戰神的守護者：以人獻祭戰神是國王的特權，但哈梅哈梅哈以一個難以控制的貴族獻祭戰神。基瓦勞想阻止此事，卡梅哈梅哈反而將他抓去獻祭，而後自立為這個主島的阿利—努伊。為征服其他島，他需要大炮——不久，就有兩個美利堅人不經意間犯下致命的大錯，把大炮送上門。同樣的，如果愛國者想要打贏獨立戰爭，華盛頓需要法國的艦隊，只是路易慢條斯理，顯得完全不急。

111　布萊的職業生涯是海軍愚蠢行徑的寫照。十年後的一七八九年，身為皇家海軍艦艇邦蒂號（Bounty）船長的布萊，奉命前去大溪地採集麵包果樣本——約瑟夫·班克斯爵士認為，麵包果可充當加勒比海地區奴隸的食物。在大溪地，他遭叛變船員制伏，丟到附屬的工作艇上任其自生自滅漂流，結果漂流了四千一百六十哩，奇蹟似保住性命。恬靜自得的大溪地生活令這些叛變船員甚為陶醉。在大溪地，他們助名叫波馬雷（Pomare）的酋長將諸島一統為一個王國，再由他們統治，直到法國將大溪地強行納為保護地為止。他們乘船出海，轉移陣地，定居在無人居住的皮特凱恩島（Pitcairn Island）。此島名係根據某英國海軍軍官的姓氏而取，這名軍官後來死於和美利堅人交手的邦克丘（Bunker Hill）之役。至於船長布萊，他被晉升為海軍中將，獲任命為新南威爾斯的總督。不過，他的總督生涯也不順利。

112　庫克死後，夏威夷人將他視同酋長處理。他被剝了頭皮，割去心臟，除去內臟，保留某些肌肉，剩餘的部位則放進傳統的地下烤爐裡，遺骨收集起來，以保存他的瑪納，神聖的群眾魅力。

干預：安東尼和佛森

一七八〇年，路易派一支特遣隊前去美利堅，帶隊者是羅尚博伯爵（comte de Rochambeau）；而佛森為阻止流言蜚語並尋找冒險刺激，便跟隨他一同前往。只是這個插手美利堅之舉出力太少，且出手太慢。路易同時派了法蘭—西班牙聯合艦隊前去入侵英國，這支艦隊共有六十五艘第一線作戰軍艦，載有三萬士兵。且這次的軍事行動差點得手，可惜出於天候這主要因素，最終功敗垂成。此前，為了籌錢打造艦隊，涅克爾大舉借款。法蘭西借錢成本如此高昂，肇因於王國政府財政不透明：英國財政透明得多，促使英國政府得以用比法蘭西還低整整百分之二的利息借到錢。涅克爾提出一份隱藏了財政危急狀況的不實預算——而且戰爭加劇了此財政危機——接著，他便一肚子慍火辭職。

這場戰爭打了兩年，路易才命令艦隊司令格拉斯（Admiral de Grasse）率領路易的整支艦隊支援美利堅人。一七八〇年九月，華盛頓和拉法葉會晤羅尚博和佛森，以協調雙方行動。最驃悍的英國將領查爾斯．康華里（Charles Cornwallis）率領九千士兵進入維吉尼亞時，華盛頓和法蘭西人正在格拉斯的強大艦隊支援下在後緊追。

一七八一年初期，康華里派數支部隊追捕維吉尼亞總督傑佛遜。傑佛遜棄首府里奇蒙（Richmond）而去，任由英國人劫掠城裡，然後逃至他在西部的種植園。他的奴隸裡有二十三人逃走——如傑佛遜所說的，「加入敵營」——華盛頓的奴隸也有十四人逃走。

傑佛遜並非軍事領袖。他嬌弱的老婆瑪莎生了六個孩子，可惜只有兩個女兒捱過童年；每次生產後，她的身體都變得更差。[113]這時他全心全意照顧她。

突然之間，戰爭情勢變化愈來愈快。華盛頓、羅尚博、格拉斯會合於維吉尼亞，康華里則自信滿滿的在維吉尼亞的約克敦（Yorktown）加固其營地的防禦。

一七八〇年十一月，安東尼等著來自美利堅的消息，她六十三歲母親瑪麗亞・泰蕾莎躺在霍夫堡宮約瑟夫的懷裡，已時日無多。

「陛下不舒服？」約瑟夫問。

「對，」這個女王暨皇后回道，「但還有死的能力。」自此，約瑟夫得以贊助他深為欣賞的音樂家薩列里（Salieri）和莫札特，能以連傑佛遜都會贊同的理念改革這個君主國。約瑟夫宣布，「人人生而平等。」

莫札特、約瑟夫和其頻頻的勃起

這時四十歲的約瑟夫已不是那個長下巴、揮霍無度的約瑟夫・哈布斯堡，而是身材細長、英俊、不拘小節、說話風趣、謙虛之人，最不符他家族一貫作風的異數——觀念激進且眼光放遠之人：「我們從父母手中只承繼了動物的生活習性，因此，國王、伯爵、資產階級、農民之間毫無不同。」他不斷巡遊視察，帶著寥寥可數的隨從避開繁瑣的儀式，化名馮・法爾肯斯泰因伯爵（Count von Falkenstein），享受微服出巡、無人認得他的樂趣，穿著軍大衣和軍靴，衣著樸素，縱情於冒險刺激的獵豔做愛，抱怨獵豔時得「在長得醜的農民妻子和放鷹狩獵人的妻子之間擇一」。走訪巴黎時，他被隨機找去洗禮命名儀式上擔任教父，在那過程中神父問他叫什麼名字：

113 當其他人還在交戰時，傑佛遜一卸下總督之職，便埋頭撰寫他談種族和蓄奴的《維吉尼亞隨筆》（*Notes on Virginia*），在其中思索黑人較低劣的理解能力，並認為與白人通婚可改善他們的理解能力。他主張，倉促解放奴隸會引發以白人為對象的種族戰爭。

「約瑟夫。」

「姓呢？」

「Second。」（二世）

「職業？」

「皇帝？」[114]

傑佛遜說，約瑟夫在談及美利堅革命時曾開玩笑說，「從我的職業角度來說，我是保王派。」但他也是個過度執迷、不夠圓融、急躁之人。他的至交利涅公（prince de Ligne）預言，「他當皇子時，頻頻的勃起，始終不滿足。而他在位時，陰莖則是不間斷的異常勃起。」約瑟夫深信改革唯有由上而下進行才能成功，因此他在位時立法不懈，共頒行六千兩百零六道法律，其中大多是令人讚賞的法律：他的宗教寬容特許令（Toleranzpatent）給予新教徒和猶太人信仰自由——同時強推某些措施，使他眼中的猶太教迷信合乎理性。這個皇帝是偉大的改革者，但也是抱有軍國主義思想且奉行嚴格紀律之人，他深信「所有一切都是為了國家而存在」。他廢除農奴制，放寬出版審查，縮減貴族人數。可惜的是，身為皇帝，他既少了協調性，也缺乏同理心。

一七八四年，他禁止奢侈葬禮，為了節省空間並加快遺體腐爛，下令人死後裝袋埋進公共墓穴裡，並設計了可重複使用的棺木——下葬時開棺，將遺體丟入墓穴裡。約瑟夫此舉令維也納人不住的怨聲載道，甚至激起葬禮暴亂。曾見過約瑟夫的威尼斯冒險家卡薩諾瓦（Casanova）寫道，「他完全不懂治國之道，因為他完全不懂人心。」但對音樂家來說，約瑟夫是一大福音：他為音樂而活，本身彈鍵盤樂器和大提琴，很喜歡義大利喜歌劇。

一七八一年，二十五歲的莫札特在薩爾茨堡擔任宮廷風琴手，奉其主子——薩爾茨堡公國國君暨大主教——之命，趁他參加約瑟夫登基慶典之際，前往維也納會見他。這個公國國君暨大主教眼紅於他的寵臣莫札特，總是對莫札特厲聲吼叫，莫札特等不及要擺脫他。莫札特身材瘦小，一雙大眼，金色頭髮遠看像是罩在他頭上的光環，對這個公國國君暨大主教的傲慢非常憤慨：「我渾身顫抖，像個醉鬼在街上蹣跚著走來走去。」他很慶幸自己終於被解僱，「眼前我的主要想望是會見皇上……我決意讓他認識我。如果能為他迅速寫出歌劇，然後演奏一兩首賦格曲，我會很高興，因為那正投他所好。」到了十二月，約瑟夫邀請莫札特前來參加鋼琴演奏比賽，並支持著他從事鋼琴演奏和創作協奏曲、歌劇，由此誕生的第一部作品是《後宮誘逃》（*The Abduction from the Seraglio*）。

維也納是座音樂城，得到熱中於音樂的皇帝大力支持。莫札特在這座城市裡樂思泉湧，他寫道，「音樂至上。」一如他先前曾在筆下談性和拉屎，如今他筆下所談全是音樂，並以如下話語描述了他如何創作他的歌劇：「這會兒，來談貝爾蒙特（Belmonte）的A大調詠嘆調。噢，何等焦慮，噢，何等熱情？你知道我如何表現它？——甚至表現那顆充滿愛意、規律顫動的心？——用兩把以八度音彈奏的小提琴。」自從見過一個染上梅毒的童年友人，莫札特的情欲本能一直因為對性病的恐懼而被束縛住，但這時，他在韋伯氏（Webers）這個音樂家庭搭伙並寄宿，漸漸愛上韋伯家十九歲的女兒康絲坦策（Constanze）。兩人結婚後，婚姻美滿，生了六個孩子，其中只有三個存活。第一個兒子死時，莫札特傷心欲絕：「我們兩人都

114 約瑟夫也很享受被人誤認為當朝皇帝（即他本人）的僕人。每當被問到他為皇帝提供什麼服務時，他總一本正經的回說，「我有時替他刮鬍子。」他的弟弟托斯卡尼大公萊奧波德是他的皇位繼承人，但約瑟夫刻意培養他兢兢業業卻又笨拙的姪子法蘭茨，有意日後讓他接位。約瑟夫抱怨道，這個「發育不良」的男孩，「肢體不夠敏捷」，是「個被寵壞了的母親的孩子」。

為我們那個可憐、漂亮、肥嘟嘟的小兒子很是傷心。」他愛和女人調情的作風始終未消，但誠如他在寫給某個花花公子友人的信裡所說的，「你不覺得不穩定、出於一時衝動的情愛所帶來的歡樂，根本及不上真愛的賜福？」約瑟夫走在奧迦滕花園（Augarten）時，注意到正在相互捉弄的莫札特和康絲坦策，於是走上前去，揶揄他們：「哎呀呀，結婚才三個星期，就已經開始出拳互毆了啊。」

據說就是在這個歌劇的首次公演場合，約瑟夫說了「我親愛的莫札特，精采到我們（維也納人）聽不懂，樂音多到嚇人」，不過，這個皇帝欣賞並支持莫札特。一如他常表現出的，他是在拿土里土氣的維也納聽眾開玩笑，儘管更早時他說莫札特「的舞台作品只有一個缺點，而且他的歌手常抱怨這點，那就是他用他的全場伴奏壓過他們的歌聲。」

他的D小調鋼琴協奏曲首次公演時，約瑟夫揮舞著他的帽子，大喊「好啊，莫札特！」這種激賞之情是雙向的。莫札特說，「世上諸多君主裡，我最樂於為這位皇帝效力，但我不會乞求一官一職。」令他真的感到挫折的，係約瑟夫已任命比他大六歲的義大利籍作曲家安東尼奧·薩列里（Antinio Salieri）為御用室內樂作曲家，這無疑是擋了他的路。薩列里的歌劇比莫札特的歌劇更叫好叫座。約瑟夫支持這兩個作曲家：格魯克（Gluck）去世時，約瑟夫晉升薩列里為宮廷樂長（Kapellmeister），並將莫札特提拔為御用室內樂作曲家。

而這個哈布斯堡皇帝正懷著征服的夢想。約瑟夫比起年老的腓特烈，更是技高一籌，他和凱撒琳大帝談成新結盟關係，打算進攻、瓜分鄂圖曼帝國。羅曼諾夫家族始終都想攻取君士坦丁堡，把該城稱作沙格勒（Tsargrad），即沙皇城。[115]他們的計畫要能如願，有賴於英法兩國分心於美利堅，無暇東顧。

康華里未在約克敦頂住叛軍，反而被困在那裡。當英國皇家海軍想要救他時，法軍在切薩皮克灣（Chesapeake Bay）擊敗皇家海軍。一七八一年十月十九日，康華里向華盛頓投降。[116]佛森助美利堅人談判，同時享用美利堅女人。「這些女人漂亮、好相處、好上手，」他寫道。「那正是我所需要的。」路易和安東尼有了許多值得慶祝的事。三天後，在凡爾賽，她生下一個兒子，王位後繼有人。這一次，只有十人獲准侍候分娩之事——安東尼擔心這一胎又是女兒，直到路易說，「王儲先生請求准許進入」，她才放下心中大石。

富蘭克林未告知美利堅的法籍盟友，便著手談判美利堅獨立之事。[117] 保王派逃到加拿大或逃回英國：為英國人打仗的脫逃奴隸，這時處境危險。正進軍紐約的華盛頓下令將他脫逃的奴隸抓回：「我的一部分奴隸……很可能在紐約……你們若能逮到他們，讓我得以再度據有他們，我會很感激。」十七個奴隸被抓回。而傑佛遜的脫逃奴隸有多少人抓回不得而知。在最後一刻，保王派擠上英船逃離，那情景就和一九七五年西貢、二〇二一年喀布爾美軍逃離的情景沒兩樣。但與二〇二一年背棄喀布爾不同的是，儘管華盛頓要求歸還奴隸，英國人不願違背先前曾許下要拯救他們所有人的承諾：七萬五千名保王派分子被撤離紐約、薩瓦納、查爾斯頓，其中包括眾多前奴隸。

115　約瑟夫的宏圖大計，不只瓜分鄂圖曼帝國。他的主要圖謀係拿奧屬尼德蘭（比利時）和巴伐利亞交換，以打造一個更大的德意志君主國。只是這個計畫兩度受挫，一是因為腓特烈動員其軍隊，另一則是約瑟夫的妹婿路易十六不願支援，即便安東尼出面遊說。路易反倒付了數百萬元給約瑟夫，藉此解決此爭端。而這些付款將導致安東尼付出慘痛代價。

116　約克敦也以其他方式成為現代性的先驅：與拉法葉並肩作戰的法蘭西年輕貴族裡，有聖西蒙伯爵（comte de Saint-Simon）亨利（Henri）。此人二十歲當上美利堅將領，四十年後發展出社會主義思想。

117　為了在談判中占上風，華盛頓下令擄走英王喬治三世的兒子威廉王子（日後的威廉四世）——當時，威廉仍跟著皇家海軍待在紐約——可惜他的指揮官搞砸這個計畫。

諾爾思勳爵倒抽一口氣，說「天啊，結束了！」喬治三世想繼續打，但諾爾思已失去鬥志。

華盛頓鄙視那些請他掌權或請他當美利堅國王的人，他辭掉總司令一職，回到佛農山（Mount Vernon）。整個在位期間一直在尋找正派政治人物的喬治說，「他真如此的話，那麼，他會是世上最偉大的人。」

喬治震驚於此重大挫敗，於是物色起未被失去美利堅一事損及名聲的人出來擔任新領導人，從而找上能力不凡的年輕人威廉·皮特，即領導英國打贏七年戰爭的老威廉·皮特的次子。劍橋大學畢業後，小皮特輕鬆當上國會議員。他的友人威廉·威爾伯福斯（William Wilberforce）憶道，在劍橋時，「沒有人能比他更肆忌憚或更盡興地不顧場合的大開玩笑。」小皮特力主給美利堅自由，一七八二年，他在談成美國獨立的短命政府裡擔任財政大臣，當時才二十三歲。失去美利堅一事使王權自此大不如前，迫使喬治同意由諾爾思勳爵和奢靡淫逸且觀念激進的查爾斯·詹姆斯·福克斯（Charles James Fox）這兩個向來不對盤的人組成跌破眾人眼鏡的聯合政府——英國國王受制於議會表決結果和民意而接受一個和他十足唱反調的人當閣員，這是最早的事例之一。只不過，喬治不久就把他們兩人撤職。

喬治急欲打破官場的腐敗風氣，三次邀小皮特出任首相都未成，一七八三年聖誕節那天，他終於同意接任：許多人堅信小皮特和其「肉餡餅內閣」（mince-pie ministry）撐不過聖誕假期*。但外號「老實比利」（Honest Billy）或「偉人威廉」（William the Great）的小皮特——小心謹慎、口才流利、剛正不阿、但也總是很緊繃、常喝大量的酒（他的蠢醫生為治療他神經緊張開的藥方，他父親也被開了同樣的藥方）、不沾女色（他大概至死都是處子之身）——是個高超的演說家和高明的經理人，要求國王讓他管理他的閣員。喬治同意，由實權首相掌理內閣的內閣制便濫觴於此。

英國丟了美利堅，然大英帝國已死之說可謂誇大不實。分處大西洋兩岸的這兩個盎格魯撒克遜族國家，政治立場分歧，但由於文化、語言、商貿、移民等，兩國依舊關係密切。[118]小皮特不久後會任命一個新軍事領袖主掌印度，這個人會開啟英國統治印度次大陸的時代（British raj）。就在此時，在母土大不列顛島上，三個不凡的創業家正在推動某些改變，而這些改變將有助於歐洲稱霸全球，並使這個家族改頭換面。

＊　譯注：肉餡餅是聖誕假期的傳統點心。

118　一七八三年，美國獨立時，北美洲有三百萬左右的人；西屬美洲有一千五百萬人。英國人口是九百萬；西班牙一千萬。西語世界的人口比英語世界的人口多了一倍。但英國人不會久居西班牙人之後：一六四〇至一八二〇年，一百三十萬人——英國人、法蘭西人、日耳曼人——外移定居，其中七成左右是英國人。接下來那個漫長世紀期間，大批人口遷徙至美國，以及澳洲、南非，因而徹底扭轉此趨勢：一九三〇年時，英語世界的人口已比西語世界多了一倍。

第十三幕

世界人口

九億九千萬人

阿克賴特家族和克虜伯家族、哈布斯堡家族、波旁家族、桑松家族

「鐵痴鉅子」、運河公爵、紈絝美男子、「老木腿」、莫爾・哈克包特

一七八六年，喬治三世封一名性情暴躁、脾氣壞的蘭開夏郡創家業為爵士，此人最初以理髮為業，發明了防水的男子假髮：時年五十四歲的理查・阿克賴特（Richard Arkwright）爵士。十五年前，身為身材結實之裁縫師的兒子，阿克賴特創辦了一家小工廠，使用新問世的精紡機技術紡製棉紗，接著在克羅姆福德（Cromford）創辦一家水力驅動的紡織廠，紡織廠生意興隆，他隨之創建了一種新式的工作場所——工廠——並招來更多工人，其中包括僅七歲年紀的孩童。他把這些工人組成輪班工作組，每班工作十三時，靠響鈴維持工作秩序，工人被迫完全守時：遲到者領不到工資。

「臉頰鬆垂鼓出、肚子肥大」的阿克賴特積攢了多達五十萬英鎊的錢，使他得以買下一座鄉間城堡。他強勢開設更多工廠，促使英國紡織業徹底改頭換面。有很長一段時間，這些工廠屬小型家庭手工業，女人在其中可一邊工作，一邊照顧也在工廠工作的愈來愈多的孩子。在英格蘭、法蘭德斯、佛羅倫斯，羊毛製造業協助打造了歐洲的商人階級，但印度紡織品仍然稱雄市場。幾千年來，生活基本必需品改變不大；數百年來，工作基本上沒有變化。而超級轉變需要數股力量合力推進才會發生：革命、戰爭，加上新科技和新意識形態。阿克賴特對科技的運用，就和他創立改變人們工作方式的工廠制一樣影響巨大。自此一切改觀——而且改變飛快。

蒸汽驅動的發動機最初用於抽乾煤礦坑裡的水；這時用於棉紡廠，生產力增加兩百倍。一如一九九〇

年代的電腦，蒸汽機使一代人的心態改變。蒸汽動力，一如其所製造出的紡織品，成為非常普及的核心科技，普及到讓人不覺其無所不在。美國電腦科學家馬克・韋瑟（Mark Weiser）寫道，這類科技「把自己織入日常生活結構裡，最終和日常生活結構泯而為一。」但若非化石燃料就近可得，這些發明無用武之地——英國豐富的煤不可或缺。這時，必須想辦法把煤運到工廠。

開創出煤炭運送工具的創業家，其身分和前述那個嚴厲的前假髮製造商南轅北轍：布里吉沃特公爵法蘭西斯・埃格頓（Francis Egerton）。當時有數個走運的地主在自家土地上發現煤礦，埃格頓便是其中一人。不過，他得想辦法把煤運到工廠。一七七六年，四十歲的他開鑿了他的第一條運河。該運河始建於一七七一年，連接沃斯利（Worsley）和曼徹斯特。而他也開鑿了另一條運河連接利物浦、曼徹斯特。他十二歲時承繼了他父親的頭銜，是個嚴肅、不開心且頗胖的男孩。後來他和上流社會名女人漢彌爾頓公爵夫人伊莉莎白訂了婚約，為愛爾蘭甘寧家（Gunning）姊妹花之一。[1]這對姊妹花是當時著名的時髦迷人年輕女子，以其業餘表演而聞名。只是婚約遭取消，她嫁給另一個大亨，於是布里吉沃特收掉他在倫敦的大宅，終身未娶，隱退後蒐集起藝術品並設計運河。憑藉運河，他賺進兩百萬英鎊，成為最有錢的英國貴族。

一七八一年，作風狂暴的鐵器製造商約翰・威爾金森（John Wilkinson），運用煤的動力壯大事業。他是鐵罐鑄造工之子，外號「鐵痴鉅子」（Iron-Mad Titan），利用蒸汽機啟動鑄鐵用的高爐來製造大炮，並贊助建造科爾布魯克戴爾（Coalbrookdale）鐵橋——世上第一座鐵橋。這座鐵橋由亞伯拉罕・達爾比三世

1 姊妹花的另一人為科芬特里伯爵夫人（countess of Coventry）瑪麗亞，二十七歲那年死於化妝品中毒。她使用含白鉛的威尼斯化妝品過量，這款化妝品使女孩擁有光潔雪白的肌膚，但含有鉛和汞。瑪麗亞的皮膚冒出疹子時，她反而抹上更多含白鉛的化妝品以蓋住疹子，不久這就要了她的命：死於化妝品。

（Abraham Darby III）鑄造，他是另一個鐵器製造家族的後代。這時，威爾金森所生產的鐵已占全英國產量的八分之一，他「對鐵的痴狂」於他鑄造出他的鐵棺和他墓上的鐵方尖碑時來到極點。

這些新科技的原理為人所知已有千百年。蒸汽科技本身並非這時才有；阿克賴特的紡紗機只是對一連串發明家的成果加以改進而成。而這些發明家，近自詹姆斯・瓦特（James Watt）、馬休・布爾頓（Matthew Boulton），遠自一七一二年的湯瑪斯・紐科門（Thomas Newcomen），而紐科門又從一六八七年發表了個人想法的法蘭西人德尼・帕潘（Denis Papin）那兒得到啟發。希臘人於西元一世紀就有蒸汽泵；漢朝中國人就有以攪煉法生產的熟鐵。發展出這些科技的大功臣，並非哪個「天才」發明家，而是千百年來積累的知識、小幅修改、無意的新發現、如今則逐漸加快的知識交流。這些交流促使受過教育者和互通聲息的網絡得以試驗、革新、應用這些科技——然後相互競爭。這些英國發明家中，有許多是月光社（Lunar Society）的成員。該社成員在伯明罕聚會辯論「新事物被發現前的早期跡象、當今的觀察結果、想法的互撞」。就是這個「想法的互撞」——他們與美利堅的班傑明・富蘭克林、巴黎的啟蒙思想家通信——此時成為創新的動力，以及自此之後為何發明常常在不同地方同時出現的原因。

但若沒有市場需求來提供購買知識所需的資金，沒有運作平順到足以助長知識的政治體制，沒有願意適應新事物的社會來獎賞知識，知識是發展不出來的：這三者畢具於一人身上——喬治三世的兒子，威爾斯親王喬治。喬治三世生下一批墮落、不在乎道德是非、簡直無賴的孩子，喬治則是其中最大的。

一七八三年，這個二十一歲的王子獲賜卡爾頓宅（Carlton House）作為其宅第。他貪婪、花天酒地、認不清現實、不知羞恥、而且愈來愈胖，但有教養，有藝術天分，而已成為漢諾威家族本色的那種對家族中後一輩的強烈反感和冷落，對他留下永遠的心理創傷。他說，國王「很不喜歡我；從我七歲起，他就一直如此。」他支持那些反對國王、皮特的人士，陸續愛上幾個漂亮情婦。當他被逼著放棄其中一個情婦時，他厲聲喊著「我那麼愛她！我會發狂！我的腦子會裂開！」激動到昏倒於地毯上。最後他娶了粗俗的不倫瑞克（Brunswick）公主卡羅琳（Caroline），而為了得到議會資金以償還他六十三萬英鎊的天價債務，係他同意此婚事的動機之一。初次見到她時，他咕噥道，「我不舒服，請給我一杯白蘭地」，但或許在新婚夜過了一星期後，他乘著醉意終於和她圓房——這一次敦倫，就夠生下一個女繼承人，即夏洛特公主（Princess Charlotte）。

但最鼓吹且最能體現當時新消費型社會之風氣者，係這個綽號「普林尼」（Prinny）的喬治和年紀小他很多的友人「美男子」喬治·布魯梅爾（George ‘Beau’ Brummell）。布魯梅爾長得帥，喜歡出風頭，為僕人的孫子、諾爾思勳爵之祕書的兒子。布魯梅爾讀過伊頓公學，然後當上近衛團少年軍官，以其對時尚的敏銳吸引了普林尼。他揚棄華麗的外套、齊膝短褲、棉質長襪，代之以白色領結、貼身襯衫、訂做的深色外套和長褲，同時他細心梳洗裝扮，用香皂洗澡，刷牙——這些全都所費不貲。在有身分地位者靠每年兩百英鎊的收入——工人靠每年十二英鎊的收入——就能過得愜意時，「美男子」說，「嗯，在經濟尚過得去的情況下，我認為花上八百英鎊或許就能搞定」治裝。

普林尼和布魯梅爾為趕時髦的上層人士開創了新潮流。這些上層人士被稱作le ton（時髦之人），把時間花在互相登門拜訪、長期爭鬥、互相和對方妻子打情罵俏、和交際花上床、用法羅牌戲賭博、請人創作藝術品、設計房子和庭園、去義大利「壯遊」（以時髦「馬卡羅尼」之姿返國）、在倫敦四處蹓躂。拜新製造業之賜，倫敦將從此開始成為世界首府。

上層人士俱樂部，不管是只限男性可以入會者，還是只限女性可以入會者，都是為了不讓特定人士加入而存在，卻令一心想要更上層樓的中產階級心嚮往之。開創潮流的女性以公爵夫人和伯爵夫人為首，炫耀她們的時新式樣和風流韻事，透過她們的沙龍影響政治：女性俱樂部阿爾馬克（Almack’s）的五位具貴婦身分的女贊助人，從她們突發其想的念頭和情夫身上得到快活。他們的時新樣式被報導於快報和漫畫裡，然後被在新店鋪選購帷簾、帽子、手套、連身裙的中產階級女人所仿效。這些新店鋪販售曼徹斯特工廠所製造的女用飾品，而這些工廠的工人往往是工資只有男工一半的女工和童工。中產階級已雇得起僕人，僕人則通常是來自鄉村的窮女人。這一懸殊差別助長對中產階級女人的崇拜，中產階級女人不只不工作——有她們勤奮工作的丈夫可倚賴——而且體現了柔弱、理想化的美德。

在倫敦，這類人的經濟能力足以上館子外食；上館子不只是為了滋補養分，還為了娛樂、擺闊、心裡滿足。公共娛樂和私人娛樂一樣讓人快活。在泰晤士河南岸的沃克索爾樂園（Vauxhall Gardens），有個創業家打造了一個有樹木遮陽的遊樂場所，每到夜晚，兩千名顧客，有時一萬兩千名顧客，包括三教九流，一起吃東西、散步、調情、獵豔。城市有其黑暗面。貧民窟——被稱作rookery——污穢、狂飲琴酒、悶熱擁擠。賣淫業蓬勃——據說在倫敦有八萬個兼差妓女，更別提還有著名交際花。藝術家威廉·霍加斯（William Hogarth）筆下的鄉下女孩莫爾·哈克包特（Moll Hackabout），就是這些兼差妓女的典型人物。

獨腳的斯塔福德郡陶器製造商喬賽亞·韋緻伍德（Josiah Wedgwood），最懂這個新市場。他生於不信奉英國國教的製陶新教徒家庭，鼓勵這些最早的引領潮流者——他口中「品味的立法者」——買他的陶器。

他年輕時，天花上身給了他發展出新製陶術的機會，卻傷了他一隻腳，使他無法把陶土拉成坯（那之後他一直拄著T字形拐杖走路），他因此轉換跑道投入設計領域。二十五年後，他截掉右腿，一勞永逸解決天花的遺害，手術時未打麻醉。他的工人喜歡叫他「老木腿」（Owd Wooden Leg）。

韋緻伍德深知女人才買奢侈品：「時尚一直高於價值，」他思忖道。「你只需要挑出對的顧客。」一七六五年，喬治三世的妻子夏洛特王后訂購了一套瓷器時，他自稱「王后陛下的製陶大師」，把它說成「王后的器皿」來宣傳，為中產階級製造較便宜的整套瓷器，開風氣之先推出訂購目錄、收到貨不滿意保證可退款、特價品這些新手法——換句話說他是行銷始祖。一七六七年，他在斯托克（Stoke）建造了稱之為伊特魯里亞（Etruria）的現代新陶瓷廠，旁邊就是計畫開鑿的特倫特、默西運河所要行經的路線。他投資了這條運河，運河建成後成為輸送他瓷器產品的通道。[2]他的陶瓷器風行世界時——連凱撒琳大帝都訂了數套——韋緻伍德在倫敦的梅費爾區（Mayfair）開了一個展示間，陳列「多種餐具和吃甜點的器具……在兩排桌子上……以便以最簡潔、最高貴、最好的方式完成與女士所必須做的事」。日後會發展成大百貨公司和兩百年後會發展成今日線上購物和網紅行銷的新商業行為便濫觴於此。

具有布里吉沃特這種創業精神的貴族不多。擁有爵位的權貴，本可利用其優勢支配這個剛出現的新世界，但他們並未這麼做。他們收入甚豐，卻把錢財浪擲在鄉間宅第、戒不掉的賭博、昂貴的交際花上，中產階級實業家則投資於新科技。許多以中產階級為銷售對象的紡織品，係羅伯特·皮爾（Robert Peel）所製造，他勤奮、嚴厲，傳承了蘭開夏郡自耕農的精神。這些自耕農數代以來原一直委由在自家承攬活計、使用自備工具從事家庭小工業的織工織造他們所需的布。這時，二十五歲左右的他，使用阿克賴特泵，設立了一座棉紡廠，三十歲時在拉德克利夫（Radcliffe）創辦了史上第一個工業園區，讓其工人住在營房裡，雇用童工，要童工一天工作十小時。

這個集約式商業體制為家庭提供了夢想不到的機會和苦難。有錢人開始更加受制於資產階級行為準則

2　與韋緻伍德往來最密切的友人是桀傲不馴的醫生伊拉茲馬斯·達爾文（Erasmus Darwin）——兩人都是月光社的傑出人士——達爾文也投資特倫特、默西運河，並力勸他用蒸汽機驅動伊特魯里亞廠。達爾文是個聰穎、肥胖、和許多女人上床的醫生、投資人、科學家，月光社的創辦人之一，因為生了許多私生子而臭名遠播，其中有些是和他的某些女僕所生。他的兒子羅伯特身高六呎二吋，體重約一百五十公斤，身形壯碩，娶了喬賽亞的女兒蘇珊娜·韋緻伍德。他們的兒子查爾斯·達爾文生於一八〇九年，先是攻讀醫學，後來，靠韋緻活公司資助，改而學習動物標本剝製術和自然科學。

和賺薪水的需要：男人得在辦公室工作好幾小時，服從新一類主子——此時稱「上司或領班」（boss），來自荷語baas；中產階級良家婦女只能在家從事無薪活；受到兵營式嚴格管理的窮人，包括女人和小孩，在無情的工廠裡幹苦活，往往被凶狠的領班管制。

皮爾，身為英國第七富有的人，不久就當上準男爵和國會議員，算是仁慈的人，因而能意識到他的工廠不人道，協助擬出第一個旨在改善工作環境的法令。他決意把長子羅伯特打造成紳士，於是培育他不是為了讓他經商，而是為了讓他成為英國的統治集團一員，要他複誦在教堂裡聽過的布道詞，送他去讀哈羅公學。而這個男孩將會是第一個新中產階級出身的英國統治者。

德國西北部落後英國不多。就在這時，有個女人開創了會成為德國工業崛起之大功臣的家族。一七八二年，五十二歲、已守寡三十年的海倫娜．阿瑪利．克虜伯（Helene Amalie Krupp）收購魯爾區埃森（Essen）以北一家破產的鍛造車間，買下煤礦以為鼓風爐提供燃料，雇用兒子為會計。克虜伯家族是魯爾的古老商人世家，有時擔任埃森的市長——其中一個家族成員安東（Anton）於三十年戰爭期間便製造大炮。但一如英國的默西賽德郡（Merseyside），魯爾擁有科學、創新、商業的發展所需要的基本環境，還有煤、水、交通工具。寡婦克虜伯的鼓風爐不久就開始製造廚房用具和炮彈，再賣給普魯士等日耳曼公國。她兒子早逝，之後，她一心一意培訓孫子佛里德里希．克虜伯（Friedrich Krupp）。寡婦克虜伯九十七歲去世後，留下一筆財產，卻被她孫子敗光。克虜伯家族看來就此家道中落，但他們會東山再起。

這個工業「革命」花了百年時間，以今日我們所認得出的方式，將人類的生活現代化。美國經濟學家大衛．蘭德斯（David Landes）寫道，「一七五〇年時的英格蘭人，在物質上較近似於凱撒的羅馬軍團士兵，反而比較不像自己的曾孫。」這個百年對人類生活的改變之大，超越那之前的所有歲月，而且這個百年使長久以來一直是地球上最強勢動物的人類稱霸地球，以致人類開始改變地球本身，甚至改變地球氣候

——人類世（anthropocene age）由此展開。

一七〇〇年，外人可能會篤定認為中國、印度將繼續稱雄世界。然而這個外人會看錯。歐洲光靠自己無法稱雄世界；東方兩大國垮掉，歐洲才會有機會。蒙兀兒王朝已傾頹，中國也會落得同樣命運，只是那時還無人知道。

歐洲本身的與眾不同之處，使歐洲有資格接下來稱雄世界。歐洲未被哪個霸主支配，境內林立五百個王國、城邦、共和國，而且它們競爭激烈，從而激發獨立自主心態和別出心裁的創造力，而相抗衡的城市中心和經濟重鎮、想要更上層樓的心理、啟蒙運動文化——以及相互通婚且擁有共同價值觀、轉移財富的小家庭（例如韋緻伍德家、克虜伯家）——又對此產生推波助瀾的影響。新教工作倫理說被誇大——天主教法國的發展程度不遑多讓——但這些北歐國家已發展出自動自發的精神，創造出有利於個人主義、自我改善、誠信社會（society of trust）之發展的獨特歐洲心理。啟蒙思想家孟德斯鳩於一七四九年說道，「凡是舉止溫文的地方，都有商業，凡是有商業的地方，舉止都溫文。」不只舉止，還有規範。蘇格蘭啟蒙思想家亞當·斯密於一七六六年寫道，「每當商業被引進來，德行和準時總是跟著進來——商業國家的基本德性。」

為此革命提供資金者，係最廣義下的金融資本主義。英國、荷蘭、法蘭西、新誕生國家美利堅共和國的國際精神刺激製造業和貿易。拜蔗糖、菸草、棉花之賜，世界的經濟活動離不開奴隸制。奴隸制的獲利是那些願意投資新事業的強權之財富裡不可或缺的一部分；奴隸制觸及一切事物。只是，仍有許多財富和奴隸制沒有關聯，從布里吉沃特的煤和運河，至威爾金森的鐵和韋緻伍德的瓷器皆然——而且日耳曼的克虜伯家族和日耳曼諸王國的其他創業家，只擁有微不足道的奴隸和帝國。奴隸制是重要的資本來源，但絕非唯一來源。

拜糧食產量增加之賜（一六〇〇至一八〇〇年增加了一倍），英國人口遽增，從而提供了由工人和消費者構成的市場。人們湧進城市：一七九〇至一八五〇年，城市居民增加一倍多，占人口比例從百分之九．七漲為百分之二十二．六。及至一八〇〇年，倫敦人口已達百萬。三十年後，增加一倍；一八七〇年代時再增加一倍。人口暴增得力於較好的食物供給和環境，但肯定非得力於醫學進步。這時有個顯著的例子，足以說明醫生如何依舊成事不足，敗事有餘——連最有錢有勢之人仍依舊受害於此。

一七八八年十月十六日，五十歲的喬治三世精神失常，而他的御醫所開的藥方，係使他中毒的根源，至少是根源之一。

莎莉．海明斯和瑪麗．安東尼：鑽石項鍊和「心愛的甘藍」

喬治哭著說，「我祈求上帝讓我死，因為我要瘋了。」他苦於胃痛和發燒，開始不斷急促且含糊不清的說話，病情日益惡化，最後精神失常，成為不折不扣的精神病患。有時他會動粗耍狠，常常跑離他的廷臣，以致廷臣得把他追回來。他那些駭人的醫生用多種要命藥物和損傷身體的療法醫治他，包括割開皮膚、讓皮膚起水疱、拔罐、放血、放上水蛭、飲鴉片酒、吃瀉劑、服用含有砷的催吐劑。

這個國王的精神失常後來被診斷為遺傳性紫質症，不過現代科學家相信他患有雙極性情感疾患（bipolar disorder），而且可能因化學中毒而起或因化學中毒而加劇。[3] 一七八八年，醫生完全不懂精神病或他們所下藥物的藥性。最後，「瘋醫生」（mad-doctor）法蘭西斯．威利斯（Francis Wiliis）來到溫莎（Windsor）。這個六十歲的教區牧師暨醫生治療「頭腦有毛病者」（wrongheads）時，不只使用傳統的強制手段，還倚賴平和的農活所帶來的「健康和愉悅」。而他雖然少用帶毒性的補藥，卻靠張口器、約束衣來展現其招牌的仁慈，從而加劇這個病人所受到的壓力。

皮特不得不讓國會通過《攝政法案》（Regency Act），以使威爾斯親王得以出任攝政王。普林尼一想到大權在握——總算可以將皮特革職，提拔他的輝格黨籍盟友——且有更多錢花用，他就高興不已。沒想到喬治康復，皮特因此得以免遭革職。眼下，皮特暫時擴大了首相的權威，而這既要歸因於國王精神失常，也要歸因於美國——這個新共和國局勢混亂且負債，由亂成一團的諸多委員會、諸州治理。當華盛頓想要恢復他漸漸荒廢的莊園並抓回逃跑的奴隸時，羅尚博和佛森已凱旋巴黎。而在巴黎，瑪麗・安東尼相當歡迎這個瑞典人，兩人關係來到最熱火的時期。不久，一個新任的美國公使也來到巴黎：傑佛遜。

這是經歷心痛變故後的散心之行。美利堅得到自由後人人歡欣鼓舞，傑佛遜卻是有苦有樂。就在約克敦之役後不久的一七八二年五月，他的妻子瑪莎生下一女（這個女兒後來早夭於百日咳），但經過六次懷孕，她身體變差，由貝蒂・海明斯照料。海明斯家的小孩（即瑪莎身為奴隸的同父異母手足）、瑪莎和丈夫生的兩個女兒、愁苦的傑佛遜，紛紛圍繞在瑪莎身邊。傑佛遜握住瑪莎的手，「向她嚴正保證絕不再婚」。九月六日她去世時，傑佛遜把瑪莎的手搖鈴送給她十一歲大的同父異母妹莎莉・海明斯當作紀念品。這個含意模稜兩可的紀念品，既表彰與莎莉的關係匪淺，也是服務主子的工具。而經過十年「波折不斷的幸福日子」，這時他垮了。

美國與其最大盟邦法國的關係為重中之重：大陸會議請傑佛遜出任駐法國公使。他帶著女兒佩齊（Patsy）和詹姆斯・海明斯啟程，詹姆斯將在巴黎接受法國廚藝培訓。

傑佛遜很喜歡在思想開明的巴黎生活，他租下朗雅克宅（Hôtel de Langeac）當作住所，在家中和自由

3　醫生為小皮特和其父親的病都開了波爾圖葡萄酒當藥方，以致他們兩人反而有了酒癮，喬治則在此時大量服用含有多達百分之五砷的催吐劑：晚近有人檢測他的頭髮，發現砷濃度達到砷中毒水平的十七倍，足以加劇其胃痛、譫妄、精神病。

主義人士往來。在巴黎，他和年輕人妻瑪麗亞・科茲韋（Maria Cosway）發展出濃烈的不倫戀，並和安傑莉卡・邱爾奇（Angelica Church）調情——安傑莉卡後來成為另一位美國傑出人士亞歷山大・漢彌爾頓的大姨子和摯友——過上每個開明的美國人都只能憧憬而無緣實際體驗的生活。

安東尼於英軍在約克敦投降三天後生下王儲路易—法蘭索瓦，接著很快又生下另一個兒子。美滿的家庭生活使這對國王夫婦關係更親密，安東尼也因此有了更大的影響力。這個王儲體弱多病，但生下兒子已令她權力更增；美國的勝利也讓路易信心大增。很有可能就在這時，在生下一子後，安東尼把佛森納為情夫，而且很可能得到路易的默許。

這個瑞典人有多個情婦，卻愛著安東尼。「我不想受婚姻束縛，婚姻違反人性，」佛森寫信告訴自己的妹妹。「我不能娶我唯一會想娶的人，唯一真的愛我的人，所以，我也就當不了別人的男人。」有份收據顯示安東尼這時花錢請一個鎖匠打造一個滑輪組，以便她打開、鎖住通往她凡爾賽祕密住所裡的臥床房門。佛森的旅行日誌記載他們「打算住在樓上」。路易如果見到佛森，會「極識相的」退出，「使她不必擔心會嚇一跳」。在寫給她的信中，佛森叫她「約瑟芬」（Josephine）——她的全名是瑪麗・安東尼・約瑟夫。佛森一直和她在一起。他寫信告訴妹妹，「再見，我得去王后那兒。」她的第二個兒子可能是佛森的私生子。這個兒子最得她寵愛，被她取了綽號「心愛的甘藍」（chou d'Amour）。具貴族身分的主教塔利蘭（Talleyrand）——日後會當上首相的塔利蘭，小時候就不良於行，他遭父母擯棄，未被納入繼承之列——寫道，「照顧自己孩子的風氣此際還未出現，與此相左的，才是真實的情況。」然而，或許受到盧梭的《愛彌兒》影響，安東尼花了許多時間和自己的孩子相處，而孩子的表現總令她很焦慮不安。長女表現出哈布斯堡—波旁家族慣有的傲慢；可愛、體弱的長子王儲患有脊椎結核；但「心愛的甘藍討人喜歡，我愛他愛得發狂……」

但打贏英國比預期晚了三年，耗掉十五億法郎，法蘭西王國破產，法國因此債務纏身，苦於糧食不足——進而導致饑荒——人民對不關心民瘼的宮廷怨恨值急劇升高。冷漠的路易十六被認為任由其奢華無度的奧地利籍王后擺布——此際，安東尼逼她丈夫讓她在聖克盧（Saint-Cloud）買下另一座宅第。

體質強健的國家不會被瑣碎小事削弱國力，醜聞卻會以火藥般的速度摧毀虛弱的政權。醜聞肇始於巴黎珠寶商創作了一條大型鑽石項鍊，原是路易十五要買來送給他的情婦杜巴利夫人。路易十五死後，這些珠寶商便急著脫手。一七七五年，安東尼已花了五十萬里弗赫購買鑽石，不過這時，這個王后已成熟懂事，她丈夫表示要買下此項鍊送給她時，她完全不感興趣，說這些錢花在戰艦上會比較好。

結果，珠寶商反受到一個叫珍娜·德·拉·莫特（Jeanne de la Motte）的騙子操弄。莫特是人妻，但和多個權貴、以不實手法推銷無用商品的人都有婚外情，其中包括樞機主教德·羅昂（Cardinal de Rohan）。羅昂是法國宮廷的施濟長（Grand aumônier），因為他總把安東尼的蠢事暗中通報她母親，以致不為安東尼喜歡。莫特問羅昂想不想要這條項鍊。羅昂希望藉由送上此項鍊贏得安東尼的寵愛。莫特利用偽造信，騙他相信安東尼很感興趣，並找來一個妓女裝成王后說服他。珠寶商把項鍊給了羅昂，羅昂則轉交給莫特，要她代送給安東尼。結果，莫特立刻在倫敦將項鍊上的鑽石賣掉，樞機主教因此陷入險境。

一七八六年五月，路易獲告知此拐騙之事，於是下令逮捕羅昂、莫特和騙子卡利奧斯特羅（Cagliostro）。[4]羅昂告訴路易，「陛下，我被耍了。」照理應由一個官方委員會祕密調查這一團糟的事

4 這幫壞蛋若沒有「卡利奧斯特羅伯爵」入夥絕對成不了事。卡利奧斯特羅是個江湖騙子，自稱已活了數千年（生於古埃及），見過耶穌，在創造自我身分（self-invention）、社會流動、易相信玄祕事物的時代過得如魚得水。這個江湖騙子生於巴勒摩，本名約瑟夫·巴爾薩莫（Joseph Balsamo），騙了一個有錢的黃金販子，然後把他充滿異國風味的頭銜據為己有，帶著身子柔軟輕盈的少女老婆塞拉斐娜（Serafina）遊歷歐洲，把她借給他的贊助人用，羅昂正是其中之一。但騙人把戲碰上騙子就穿幫：羅昂把

件，沒想到安東尼竟說，「所有人都認為我拿了項鍊沒付錢」，便力促將這起事件交給巴黎高等法院審理，公開還她清白。莫特遭脫光衣服鞭笞、烙印——儘管她咬了行刑者。但高等法院裡有許多人和安東尼為敵，一七八六年五月三十一日，這些法官宣布羅昂對國王、王后不敬的罪名不成立。對這兩位君主來說，先是遭惡言中傷，接著受羞辱，等於是接連吃了兩個大虧。

有個年輕的炮兵中尉密切注意這場醜聞，而他後來認為，那是往災難邁出的重大一步。這個中尉在家中排行老三（家裡有八個孩子），父親是科西嘉島上的名律師，父母都是窮困的沒落貴族，兩人對他付出充滿尊重的愛，使他懷抱堅不可摧的自信。拿破崙．波拿巴（Napoleon Bonaparte）推斷，「這場鑽石項鍊案開始審判時，想必就定下這個王后的死期。」他深信「有些小事總是決定大事。」

傑佛遜在巴黎待了一年後，要他九歲的小女兒寶莉（Polly）也過來，她身為奴隸的十四歲阿姨莎莉．海明斯陪她一起渡過大西洋來到巴黎。兩個女孩途經倫敦，在那裡，觀念古板的美國公使約翰．亞當斯和其妻子艾比蓋爾（Abigail）震驚於漂亮的莎莉要前去和傑佛遜會合。艾比蓋爾寫信告訴傑佛遜，「你以為會陪她過來的那個老保母生病了，無法過來；有個十五或十六歲的女孩陪著她。」他們勸他把莎莉送回維吉尼亞，傑佛遜不同意。

在巴黎，莎莉成為傑佛遜家的一員。同是奴隸的艾薩克．傑佛遜（Isaac Jefferson）憶道，她「很漂亮，皮膚幾乎是白的，直髮垂在她背部。」傑佛遜付工資給詹姆斯．海明斯、莎莉．海明斯，此舉很不尋常，既透露了巴黎不同於他地的生活情況，也透露了海明斯家族成員——她愛妻的同父異母手足——的特殊地位。與瑪麗亞的不倫戀結束後，傑佛遜花大筆錢請一位曾為多個國王服務過的名醫丹尼爾．薩頓

莫特所偽造的合約拿給卡利奧斯特羅看：卡利奧斯特羅看了後說「假的！」

（Daniel Sutton）前來，為他的孩子以及海明斯家的人接種。傑佛遜也為莎莉安排了法語課，而且買衣服給她。

四十二歲的傑佛遜先前曾在筆下談過跨種族通婚能如何「改良身心」，如今和仍只有十五歲的莎莉上床。誠如他們的兒子麥迪遜所說的，「那期間，我母親成了傑佛遜先生的妾。」

聖喬治、危險的私通、廢奴主義者

一七八九年春，傑佛遜、他的幾個女兒，肯定還有海明斯家的人，出席了一場音樂會，演奏者是傑出的黑白混血小提琴家，被打上「非洲王子」之名宣傳的十一歲喬治·布里吉沃特（George Bridgetower）。許多非洲人和混血兒住在巴黎，在倫敦亦然。一如英國法律對蓄奴的立場模稜兩可，法國的法律對於法國境內是否可存在奴隸一事，立場也不明確。奴隸可以到海事法庭打官司，也可以爭取自由。

喬治·布里吉沃特生於波蘭，父親是埃斯特哈齊（Esterházy）家族侯爵（海頓的贊助人）的巴貝多籍僕人。傑佛遜和其家中成員或許也密切關注巴黎最著名混血兒的輝煌人生，此人叫約瑟夫·波洛涅（Joseph Bologne），人稱聖喬治騎士（chevalier de Saint-Georges），精於擊劍、拉小提琴、作曲，與政治陰謀和法國新廢奴隸運動關係都很密切。聖喬治受甚有權勢的奧爾良（Orléans）家族（路易十六的堂兄弟）之雇，執掌該家族的共濟會「奧林匹克管弦樂隊」（Concert Olympique），該樂隊則在家族位於巴黎的「王宮」（Palais Royal）演出。聖喬治的歌劇《匿名情人》（*L'Amant anonyme*）大獲好評，莎莉來到巴黎後不久，他將一齣新歌劇首度搬上舞台。這時聖喬治和年輕、開明、有錢的奧爾良公爵腓力（Philippe）為友，而腓力是王族旁系裡年紀最長的宗室男，不只正陰謀對付國王路易，還支持一激進運動：廢奴。

奧爾良、其幕僚長拉克洛（Laclos）、其身為啟蒙思想家的顧問雅克—皮耶・布里索（Jacques-Pierre Brissot）、其音樂家友人暨有色人種聖喬治等人，常為了政治和享樂而前往倫敦。[5]奧爾良不間斷的劈腿多個情婦，與威爾斯親王普林尼為友，和他共享蘇格蘭籍交際花葛蕾絲・埃利奧特（Grace Elliott）。與威爾斯親王生下一個王族私生子後，葛蕾絲隨奧爾良公爵回巴黎。拉克洛長篇小說《危險的私通》（*Les Liaisons dangereuses*）裡的放蕩情節，便是以奧爾良錯綜複雜的風流韻事為本。奧爾良很欣賞英國的議會君主政體，希望取代堂兄弟路易自任攝政，甚至當國王，藉此在法國建立此體制。不過他們也都高聲反對奴隸制，而不管就英國，還是就法國來說，奴隸制此時正走到最令人無法接受的頂點。

一七七八年，法國每年把一萬三千名非洲人賣到加勒比海地區；英國所賣掉的奴隸則遠超過法國，每年達八萬人。在這兩個國家裡，都有愈來愈多上層人士震驚於奴隸制的令人髮指，儘管被稱作「西印度群島利益團體」（Interest）的擁奴遊說團體勢力依舊甚大。在法國，此運動會得到這個奧爾良公爵支持，在倫敦則會得到首相皮特本人支持。

一七八七年五月十二日，在皮特位於布羅姆利（Bromley）的郊區住所霍爾伍德宅（Holwood House），這個二十七歲的首相坐在樹下和威廉・格倫維爾、威廉・威爾伯福斯這兩位國會議員聊天。格倫維爾是皮特的表弟，威爾伯福斯則是頭髮凌亂的約克夏郡商人之子，就讀劍橋大學時就和皮特為友，兩人曾一起去歐洲壯遊。皮特和格倫維爾都是首相之子且兩人都將出任首相，由此可看出統治這個正在工業化之國家的商人、地主寡頭統治集團是個多麼小的圈子。威爾伯福斯憶道，「我記得與皮特先生在一棵老樹樹根下的談話。」

皮特說，「威爾伯福斯，你怎麼事前沒先說，要以奴隸貿易為題提個動議？」

與威爾伯福斯同輩的劍橋校友湯瑪斯・克拉克森牧師大人（Reverend Thomas Clarkson），每週都會去拜訪他。此前，他已被克拉克森找去支持廢奴運動。

一七六五年，被人從巴貝多帶到倫敦的奴隸喬納森・史壯（Jonathan Strong）遭他身為律師的主人大衛・萊爾（David Lisle）毆打，萊爾心知若不予以救治，史壯會死，卻仍棄而不顧，所幸被了不起的醫生格蘭維爾・夏普（Granville Sharp）發現而獲救。發生此事後，廢奴運動即日益壯大。夏普是公務員，出身自人才輩出的一個家族，家族中曾出過數位卓有成就的專業人士和業餘音樂家。夏普揚言，萊爾若想要將史壯重新據為己有，他會以侵犯人身罪把這個奴隸主告上法庭。夏普為史壯贏得自由，但這個巴貝多人二十五歲便去世，大概因傷重不治。夏普自此開始有計畫的反制「容忍奴隸制存在的不義之舉和危險趨勢」。但高等法院王座庭庭長曼斯費爾德伯爵（earl of Mansfield）威廉・默里（William Murray）試圖規避任何會挑戰財產所有制的改變，直到一七七二年，他才終於裁定西印度群島利益團體不能再於英國境內蓄奴。[6]

---

5 二十年前，聖喬治就因為和一個有種族歧視觀念的同學決鬥並打贏而轟動一時。他因此被任命為國王儀仗隊一員，卻是靠音樂才華揚名立萬，指揮巴黎的管弦樂隊「業餘音樂會」（Concert des Amateurs）。他原有希望當上巴黎歌劇團（Opera）的指揮，但劇團的女高音歌手向王后安東尼抱怨此事，「她向王后陛下信誓旦旦說，她們的榮譽和嬌弱的良心絕不可能容許她們接受一個黑白混血兒的指揮。」沒想到，安東尼對聖喬治青睞有加，把他請到凡爾賽，他「受邀（去那裡）和王后合奏」——她喜歡彈鋼琴，他則是拉小提琴。聖喬治開始和從事寫作的炮兵軍官皮耶・修德洛・德・拉克洛（Pierre Choderlos de Laclos）一起創作歌劇，但兩人合寫的《歐內斯廷》（*Ernestine*）首次公演時，雖有安東尼出席觀賞，欲不叫座。美國人約翰・亞當斯一七七九年走訪巴黎時寫道，這個「黑白混血男是歐洲境內最精於騎、射、擊劍、舞蹈、音樂的人」。

6 曼斯費爾德與奴隸接觸的經驗，比他向外界所透露的還要多，因為此前他已收養其擔任水手之外甥的女兒——身為奴隸的狄多・貝勒（Dido Belle）——把她和自家孩子一起養大（大衛・馬丁畫了她和伊莎莉白・默里夫人兩人站在一起的肖像畫），在遺囑裡留了年金給她。後來她給法蘭西人，生了兩個兒子，死於一八〇五年。兩個兒子都服務於英國東印度公司。

而後在一七八一年，一樁慘無人道的事件加劇反蓄奴心態。利物浦市長暨奴隸貿易巨頭威廉・格雷格森（William Gregson）擁有利物浦籍奴隸船「宗號」（Zong）。宗號從英國皇家非洲公司總部開普海岸堡（Cape Coast Castle，今迦納境內）出航，船艙裡擠滿四百四十二名奴隸，比船艙的承載人數多了一倍。六十二個非洲人死於海上。隨著疾病猖獗，船上水和食物用盡，船長心知死在陸地上的奴隸無法拿來申請保險理賠，於是把一百四十二個男女丟入海，藉此殺掉他們。另有十個非洲人自殺。這些謀殺舉動促使格雷格森得以宣布，這些奴隸「毀掉，就和船貨毀掉一樣」，接著以每個溺死的奴隸三十英鎊的價格申請理賠。這類謀殺和保險理賠在當時可能司空見慣，未想這一次，這件事被曾是奴隸的廢奴運動家歐勞達・埃奎亞諾（Olaudah Equiano）盯上。他的自傳《有趣的故事》（*Interesting Narrative*）描述了他一生的遭遇：被人從貝南王國擄走，在美利堅、加勒比海地區、歐洲、亞洲當過奴隸，被三個主人賣過，直到一七八〇年代在倫敦擺脫奴隸身分。

一七八三年起，埃奎亞諾和夏普廣為宣傳這件令人憤慨的事。第一次審判判奴隸主勝訴，但保險業者不服此判決時，曼斯費爾德作出一個模稜兩可的判決，亦即既承認財產權，同時根據保險業者擺脫不掉責任的一個技術性細節作出裁決。

一七八七年五月二十二日，即皮特和威爾伯福斯交談十天後，皮特和夏普、埃奎亞諾一同出席促成廢除奴隸貿易協會（Society for Effecting the Abolition of the Slave Trade）的第一次會議。該協會是設計師喬賽亞・韋緻伍德出資成立，另有其他激進創業家亦出席此會議。這些創業家往往是不順從國教的新教徒。[7]威爾伯福斯將在英國議會領導此運動，並於一七九一年提出第一個法案。他的策略是先廢掉奴隸貿易，避談如何沒收被當成財產之奴隸這個問題。[8]廢奴主義者遭到以國會議員喬治・希伯特（George Hibbert）為首的西印度群島利益集團激烈反對，希伯特既是奴隸商人和倫敦西印度碼頭（West

India Docks）的建造者，也是植物學家、古文物收藏家、皇家全國救生艇協會（Royal National Lifeboat Institute）的創辦人，他說奴隸貿易「不可或缺」，且進一步解釋說，「沒有這個非洲人買賣，這些殖民地將不再。曼徹斯特和設菲爾德工廠會立刻垮掉，它們的人會挨餓。」

一七八七年十一月，啟蒙思想家布里索受邀來到倫敦出席夏普的廢奴協會（Abolition Society）。希里索得到思想、行為不為流俗所拘的年輕劇作家奧蘭普．德．古熱（Olympe de Gouges）支持。德．古熱也是奧爾良公爵圈子的一員，已開始藉由她的劇作《黑奴》（*L'Esclavage des noirs*）反對奴隸制，不過，這時她出版了《對黑人的反思》（*Réflexions sur les hommes nègres*）。布里索經人鼓吹創辦了法國的「黑人之友會」（Société des Amis de Noirs），不久德．古熱和拉法葉侯爵都加入該會。[9]布里索敬佩傑佛遜，也很

---

7 韋緻伍德設計了一個反奴大獎章，在其上呈現一個跪著的黑人雙手高舉向天，上有文字「我不是人，不是兄弟？」

8 但就連威爾伯福斯都不相信奴隸已作好恢復自由之身的準備，一八〇五年他告訴議會，在他們「適合得到自由之前，就試圖把自由給他們，簡直愚蠢之至」。在他為「非洲、亞洲協會」（African and Asiatic Society）舉辦的宴會上，身為黑人的維權人士於簾後用餐。美國和英國境內的反對蓄奴者都在西非創建了新的返鄉黑奴聚居地。一七八七年，參與「貧窮黑人救濟委員會」（Committee for the Relief of the Black Poor）的夏普等人，支持一計畫，意卻把數百個黑種倫敦人安置在獅子山境內離沿海奴隸貿易堡不遠的自由省（Province of Freedom）。儘管得到時為財政大臣的皮特支持，這些移民大多沒能活下來。一七九二年，一批在美國獨立戰爭中支持英國的黑人，包括美國總統華盛頓的逃跑奴隸哈里．華盛頓（Harry Washington），從新斯科細亞（Nova Scotia）搭船來到西非，創建了自由城（Freetown，今獅子山共和國首都）。

9 法國，一如英國，游移於理想和現實之間，理想是在以法律為基礎的母土不容奴隸制存在，現實是得顧及奴隸主的獲利。一六九一年，路易十四解放了兩個逃跑的奴隸後，奴隸主歷經努力於一七一六年讓國王發布了一道允許奴隸主把奴隸帶到法國的敕令；一七三八年，該敕令遭廢除，此後，還奴隸自由之身變成常有的事，直到一七七七至七八年才又改觀。那兩年間，海事法庭的代訴人紀堯姆．龐塞．德．拉格拉夫（Guillaume Poncet de La Grave）呼籲提防愈來愈多的自由有色人種帶來種族污染，說服路易十六頒布《黑人治安》（*Police des Noirs*）敕令，以防止黑人進入法國、和白人通婚。即便如此，奴隸依舊得以向海事法庭上訴

了解傑佛遜，於是邀他加入黑人之友會。「我很明白這是莫大的殊榮，」身段始終很柔軟的傑佛遜一七八八年二月十一日回道。「你也知道沒人比我更熱切希望看到不只廢除這項貿易，而且廢除奴隸制的存在條件：肯定沒人比我更願意為那個目標承受任何犧牲。」不過，他拒絕加入，因為「那可能會使我較無法在大洋彼岸（為此目標）效力」。奧爾良派聖喬治前去倫敦找普林尼、廢奴主義者談，[10]但不久，他就專注於利用路易和安東尼所面臨的日益深重的危機為自己謀求好處。在光鮮亮麗的宮廷後面，路易已破產——而且他做了他一生最大的豪賭。

安魂曲：約瑟夫和莫札特

財政危機臨頭時，路易擁抱改革，他召集顯貴（Notables）開會，要求對貴族真正課稅，要求賦予權力給高等法院。這個國王說，「農民什麼稅都繳，貴族什麼都沒繳。」他的計畫並非不可行，但有賴於以高明手腕打造出一個聯盟。結果，曾率兵助美利堅人民抗擊英軍的「顯貴」之一拉法葉抨擊起朝廷；顯貴不接受路易的改革，從而加劇信用危機。路易整個人垮掉，而被王后哺乳了數星期的小女兒蘇菲去世，更惡化了他精神崩潰的程度。兩夫婦都處於極大壓力下。路易流著淚出現在安東尼的住所。她則依靠佛森，用檸檬汁或隱形墨水寫信，與他書信往來。

路易讓她過問國家大政。安東尼削減宮廷支出，坐鎮她位於小特里亞尼翁的私人宅邸，幾乎完全掌理政務，並向她最要好的朋友波利尼亞克（Polignac）私下透露，「在我之上的那個人（路易）狀況很差」，而就在這期間，動亂蔓延開來。叛國行徑始於這個家族裡，擴及到貴族階層：奧爾良帶領貴族造反，從而自內部削弱這個政權。在急速滋生的種種陰謀論中，安東尼被視為一切弊病的元凶，她因生活豪奢被斥為

「赤字夫人」（Madame Déficit），因把數百萬元給奧地利人而被斥為「奧地利婊子」（La Austrochienne）。《國王的假陽具》（*La Godmiché Royal*）等色情小冊子，把她描繪成和尤蘭德・德・波利尼亞克（Yolande de Polignac）有染。[11]她則反問，「你有認識比我更值得憐憫的女人嗎？」

人民要涅克爾回來，涅克爾正是先前主管財政時，以其精明卻不正派作風許下不切實際的承諾並惡化此危機的那個投機者。路易不情不願的重新任命涅克爾主管財政。安東尼坦承，「我焦慮擔憂，」萬一涅克爾失敗，「人民會更加痛恨我。」涅克爾靠借更多錢維持住政權，但就連路易都理解到，此刻除了召開三級會議，別無他路可走。這個會議由貴族、教士、平民三級所推選出的代表與會，中世紀期間，每每碰上危機，三級會議便足以發揮很大作用，但自一六一四年後一直未再召開，而這次的召開則將預示著黎希留、馬薩林、路易十四所打造的專制君主政體將就此劃下句點。「人人內心激蕩，」佛森指出。「大家除了談憲法，不談別的。女人更是加入此騷動中……」

一七八九年五月五日，三級會議在凡爾賽召開。隨著第三級代表——其中有許多憤慨於波旁王室墮落的各省律師——抓住主動權，誓言創立憲法，路易和安東尼迅即控制不住局面。路易想要解散會議，但第

爭取自由。

10 在倫敦，聖喬治忍受威爾斯親王突發其想的要求，普林尼堅持要這個混血作曲家和癖好裝扮成女性的法國人埃翁騎士（chevalier d'Éon）來場擊劍較量。

11 安東尼已成過街老鼠。十年前，在巴黎歌劇院，她得到疏疏落落的掌聲。她禁不住問道，「為何幾乎沒人為我鼓掌？」她突然落淚，然後又說，「我對他們做了什麼？」她壓抑不了她的哈布斯堡家族人的本色，但一七八四年，她支持用錢打消她哥哥約瑟夫對荷蘭的威脅。她生活豪奢，但豪奢程度比不上凱撒琳大帝，而且她從未說過「讓他們吃蛋糕」。英國歷史學家約翰・哈德曼（John Hardman）寫道，她是「苦於精神崩潰的不理性時代的代罪羔羊，啟蒙時代所謂的理性，充斥著卡利奧斯特羅、（著名催眠家）梅斯梅爾（Mesmer）、涅克爾的招搖撞騙」。

三級代表在網球場聚集，並召開國民會議（National Assembly），叛離國王陣營的奧爾良公爵和貴族拉法葉出席國民會議，成為安東尼最痛恨的叛徒。就在如此焦頭爛額之際，路易和安東尼遇上為人父母者最害怕的事：儲君痛苦的死於脊椎結核，「心愛的甘藍」接任王儲。

在巴黎，作物歉收儼然要引發饑荒。群眾喊著「麵包！麵包！」攻破巴士底監獄——國王不公不義的象徵和這時無能的象徵——搶走武器，將國王的官員砍頭，把農村人民嚇壞。路易唯一希望的事，係親自領導一場自由主義革命。當部隊守衛凡爾賽時，國王的兄弟和許多貴族逃亡，只是路易猶豫不決：「我要留還是走？兩者我都不想。」

安東尼的哥哥、皇帝約瑟夫驚恐的看著法國局勢的發展。一七八七年，約瑟夫和凱撒琳大帝、波坦金一同走了一趟搶眼、歡樂的「新俄羅斯」、克里米亞之旅，即走訪了剛被羅曼諾夫王朝併吞的韃靼人汗國，未想此行的招搖激起鄂圖曼帝國反攻：由此爆發的戰爭，對隨之取得烏克蘭南部和黑海沿岸地區的羅曼諾夫王朝來說無疑是天大的好事，對哈布斯堡家族則不然。約瑟夫來到瓦拉幾亞（羅馬尼亞境內）和摩達維亞，與鄂圖曼帝國軍隊對峙，他吃了敗仗，遭遇大流行病，靠著唱莫札特新歌劇中的歌曲聊以自慰。

莫札特在氣氛輕鬆歡樂的維也納如魚得水，但在衣著和奢侈品上花費過度，他穿戴深紅色斗篷和帽沿向上捲起的金邊三角帽主持預演。一七八五年，仍只有二十九歲的他，帶著博馬歇（Beaumarchais）的劇作《費加洛的婚禮》去見約瑟夫最愛的歌劇作詞家羅倫佐．達．彭特（Lorenzo da Ponte）。達．彭特是猶太人，生於威尼斯的猶太人聚居區，後來成為生活放蕩的神職人員和妓院老闆。約瑟夫觀賞過歌劇《費加洛的婚禮》後甚為高興。接著，莫札特和達．彭特開始合作創作歌劇《唐．喬凡尼》（Don Giovanni），達．彭特的友人卡薩諾瓦加入其中，協助該劇歌詞的撰寫。這齣歌劇在布拉格首度公演，莫札特從城裡寫信說，「我的歌劇《唐．喬凡尼》演出，得到最熱烈的掌聲。」

莫札特創造力正勃發——一七八八年，他以六星期時間寫下三首交響樂。戰爭令約瑟夫心力交疲，但他很喜歡《唐．喬凡尼》：「這齣歌劇很棒，可能，只是可能，甚至比《費加洛》更出色。」莫札特借太多錢，四處找人籌錢還債，他寫信告訴康絲坦策，「我最親愛的小巧可愛的老婆，妳常想著我，一如我常想著妳？我每隔幾分鐘就看著妳的畫像，半因為欣喜、半因為悲傷而哭了起來……寫這封信時，我眼裡含著淚。」但他控制不住債務的增加；而且康絲坦策與別的男人調情和她的病都讓他心裡痛苦。他的贊助人約瑟夫則正苦於結核病、瘧疾和法蘭德斯境內的叛亂——就在他妹妹安東尼於巴黎有滅頂之虞時。

拉法葉就法語版的《人權宣言》請教他的友人傑佛遜。一如所有革命人士，他們兩人都受盧梭影響。盧梭的《社會契約論》主張，人民透過全意志（la volonté générale）表達自己的看法。拉法葉寫道，「法律是全意志的表達。」國民會議通過《人權宣言》和憲法草案。在巴黎，王權已幾乎蕩然無存。

「那是叛亂嗎？」路易問。

「不，陛下，」有個廷臣回道。「那是革命。」拉法葉被推選為民兵司令——民兵部隊改名國民衛隊（Garde National）——路易聽了大為驚駭，但這時他已顯得不知所措，因而未能在溫和派和強硬派兩方僵持不下之際力挽狂瀾。強硬派派一批巴黎暴民至凡爾賽，藉此打破僵局。這些暴民刺死兩名侍衛，衝入王宮，喊道「砍下她的頭，煎了她的心和肝！」安東尼藏在密道裡：那天她的頭髮轉為灰白。她和她丈夫最終還是和拉法葉一同出現在陽台上面對人民，然後路易和安東尼被暴民押到巴黎杜樂麗宮（Tuileries Palace），暴民手持長矛，矛上插著王宮侍衛的頭。「我親眼目睹這一切，我搭著國王隨從的馬車回到巴黎，」佛森寫道。「請上帝不要再讓我看到令人如此痛苦的景象。」嚇壞的國王流著淚批准廢除封建時代的舊稅和舊規，批准傑佛遜所草擬的《人權宣言》。

當傑佛遜興致昂揚看著這場革命，她得知莎莉懷孕。她對傑佛遜的看法令人費解。美國歷史學家安妮特・戈登—里德（Annette Gordon-Reed）寫道，「受壓迫者……常發展出他們自己內部的……對其主子心懷鄙視的說法，」但「傑佛遜對待海明斯和其家人的方式，或許導致她對他的好感，多於敵視」。[12]莎莉對法國的奴隸法頗為了解，因而知道自己有機會恢復自由之身：她可以留下來，透過法國海事法庭爭取自由，或者和傑佛遜回去蒙提切洛繼續當奴隸。她兒子麥迪遜憶道，於是她做出一個大膽的舉動：「她拒絕和他回去」，除非他保證他們兩人的孩子成年後可以得到自由之身。傑佛遜「答應給她超乎尋常的特權……一個嚴正的保證」。

接著，他們啟程前往美國，一七八九年十二月抵達之際，赫然收到美國新總統的一個職務提議。四月三十日，華盛頓已在紐約就任總統，在那之前美國根據費城制憲會議創立的新憲法舉行了第一次總統大選，由華盛頓贏得選舉。他的前祕書漢彌爾頓上校力促採行英國式的混合制，由一人擔任終身職統治者，並把該統治者稱作governor，但其他人抗拒此議，認為君主制成分太濃：折衷方案是選出一位強勢總統，並以兩院制議會和獨立司法體系制衡總統權力。這是個以自由原則為基礎建立的國家，其民主政體為世人立下榜樣——富蘭克林說，「發覺這個體制近乎完美，我著實吃驚。」[13]

華盛頓不接受「大人」（His Highness）這個稱號，偏愛別人稱他「總統先生」，上任後，他請傑佛遜出任國務卿，請漢彌爾頓出任財政部長。就任後的首要之務是選定新首都和創設一個國營銀行。一七九〇年六月，在紐約，維吉尼亞貴族暨種植園主傑佛遜邀漢彌爾頓上校——一貧如洗、靠自己本事出人頭地的西印度群島私生子和戰爭英雄——共進晚餐，由他受過法國人訓練的廚師暨奴隸詹姆斯・海明斯掌廚。在「用餐的房間」裡，兩人同意，在費城短暫停留後，他們要在波多馬克河畔建新首都。那年十二月，漢彌爾頓創設了一所國營銀行。

在蒙提切洛，莎莉・海明斯生下他與傑佛遜的第一個孩子，她母親貝蒂幫忙接生，可惜這個孩子不久夭折（但後來的五個孩子會長大成人）。在費城，互看不順眼的傑佛遜和漢彌爾頓為了此共和國的未來起了衝突。華盛頓[14]對於法國境內的暴力很是擔憂。漢彌爾頓親英；傑佛遜親法，斷言人不可能「在優渥安逸的處境下捨棄專制轉向自由」。

在巴黎，境外列強正著手準備對付這場革命，而法國國王及王后透過佛森牽線的慫恿，係促成列強此舉的推手之一。安東尼原不敢和其兄長皇帝約瑟夫通信，這會兒仍求助於他。約瑟夫打算拯救波旁王朝，只是他的俄羅斯友人正在奪取鄂圖曼帝國在黑海周邊的土地，他根本不想淌這渾水，他隨之回到維也納，渾身令他痛苦的瘡。他寫下自己的墓志銘，「我什麼事都不順」：「此處躺著一個起心動念純粹卻傷感於親眼看著自己的所有計畫盡皆失敗的國君。」太多政事的遂行有賴於耐心等待和靜默。利涅寫道，「他小

---

12 戈登—里德於《蒙提切洛的海明斯家族》（*The Hemingses of Monticello: An American Family*）中寫道，「美國境內存在奴隸制期間，每個和白人男子發生性關係的女奴，都是遭強姦者。」但「不管傑佛遜是強暴海明斯，還是使出其令女人傾倒的著名魅力贏得她的芳心，他的權力太大，因而他始終無法確知她真正的想望……她並未同意和他發生性關係——因為她無法同意。」但「奴隸制雖然違背宗教信仰，奴隸的生活並非全然那麼不堪……有足夠的跡象顯示，這兩人相互愛慕……這麼說並未使美國奴隸制的本質有絲毫根本的改變」，因為「兩人相愛」一說無法改變奴隸制本質上不人道的這個基本事實」。

13 這任總統和副總統由一個選舉人團在不同時間間接選出；聯邦參議員由各州立法機關間接選出；聯邦眾議員則由人民直接選舉。這套體制的崇高目標和男人普選權制度有個很大的缺陷：奴隸沒有投票權。美國南部的奴隸主透過談判得到雙重勝利，亦即既保護了奴隸制，而且，基於各州的聯邦眾議員席次以各州人口為決定基準，把奴隸主的每個奴隸都算成五分之三個人，從而有利於南方各州。拉法葉說，「如果我預想到我為美利堅大業奮戰的結果是創建一個奴隸制國度，我絕不會為這項大業奮戰。」

14 賓州法律規定，任何奴隸在州內居住六個月以上，即自動解除奴隸身分。在賓州費城，華盛頓始終有男僕比利・李和克里斯多福・席爾斯、他的廚子海克力士、另外五名奴隸陪伴。而他每隔一段時間就讓這些奴隸在佛農山、賓州之間往返，卻未曾透露這麼做的真正理由。他說，「我希望在他們（奴隸）和公眾都看不透的藉口下完成這件事。」值得注意的是，華盛頓只在一件事情上有損他的正直名聲，那就是蓄奴一事。

事管太多，大政著力太少。」

一七九〇年二月二十日，莫札特首度公演《女人皆如此》（Cosi fan tutte）後不久，約瑟夫在絕望中離世，莫札特頓失他的贊助者。約瑟夫的弟弟利奧波德（Leopold）接掌皇位，此時正致力於拯救這個君主國。莫札特創作其共濟會歌劇《魔笛》（Die Zauberflöte）時，不禁思念起康絲坦策：「有種空虛不知為何令人難受。」那年他以三週時間寫出兩齣歌劇，而當有人委託他創作一首安魂曲時，他告訴康絲坦策，「我知道我必會死」；這首安魂曲「是為我自己而寫」。但他這時獲委以維也納樂團總監這個肥缺。連薩列里都稱讚他，而他又有兒子卡爾陪伴：「我很高興帶他去聽歌劇。他看起來很好」。他打算將莎士比亞的《暴風雨》寫成歌劇。事事都愈來愈好，未料就在這時莫札特生病了。他身體腫得很嚴重，卻仍迅速的寫出多首曲子。一七九一年十二月五日，他去世。康絲坦策認為他把自己操勞至死，打心底認定他唯一的缺點是「心腸太軟」，不知道「如何理財」。他按照約瑟夫的敕令，埋葬在公墓裡。

隨著約瑟夫去世，安東尼失去她最摯愛的盟友，但她仍持續和她的情夫佛森見面。「我比較開心一些，」他寫道。「有時我可以頗自由的見她，儘管她得忍受種種不快，但至少我們都因此而感到安慰」。

安東尼、劊子手和斷頭台

一七九〇年七月，在她的城堡聖克盧，安東尼暗中和立場溫和的革命分子米拉博伯爵（comte de Mirabeau）奧諾雷（Honoré）談判。奧諾雷奢靡逸樂，身材特別高大，係國民會議的主席，他欣賞英國立憲君主制，想要當上這種政體下的首相。安東尼對這個身材巨大、邋遢的伯爵很是反感，卻仍表示，只要他支持國王路易，就支付他薪水。他以低沉洪亮的嗓音說，「夫人，這個君主國有救了」；她是「國王身邊唯一的人」。沒料到，米拉博竟突然去世，他欲使立憲君主政體順利運行的未竟使命，便由他英俊、瘦長的年輕副手安托萬・巴納夫（Antoine Barnave）接續。路易和安托萬向自負、野心勃勃的拉法葉表示，願授予一古老職銜——王室統帥（constable）——卻遭這個四處漂泊的武將、一心嚮往成為克倫威爾—華盛頓這般人物的人拒絕，從而錯過奪取領導權的機會。在無明確領導人的情況下，國民會議為現代社會打下基礎：給予猶太人權利和公平地位，導致全歐各地紛紛取消對人民自由的壓迫。無奈女人依舊遭忽視，奴隸制也受到許多革命分子積極支持。國民會議廢除貴族身分之舉，使其失去二十五萬貴族的支持；國民會議迫害教士，則在法國西部引發一場天主教徒的反革命；國民會議令國王飽受折磨，則使得歐洲諸國君主起身站到其對立面。

非常時期為具有非常解決辦法者提供了非常機會。國民會議的代表討論刑法典，採納醫生吉約坦（Guillotin）的提議，開發出一種人道的處決工具。吉約坦吹噓道，「用了我的機器後，一眨眼的工夫我就能砍下你的頭，你會完全沒感覺。」他其實不是斷頭台（guillotine）的發明者，只是提倡者，然而，許多因此大笑的人，會「在一眨眼」的時間裡體驗他的「機器」。出身劊子手世家的夏爾—亨利・桑松騎士（Chevalier Charles-Henri Sanson），人稱「巴黎先生」（Monsieur de Paris），他以綿羊和罪犯屍體測試斷頭台。他原本學醫，少年時繼承父親的劊子手職位，因此捨棄學業，本身是這個劊子手世家的第四代。如今，他操刀已有三十年，執行過舊制度下令人髮指的刑罰——用刀、斧、箭處決人。一七五七年他十八歲時，就處決過欲刺殺國王未遂的達米安（Damiens），他拷打達米安，將他閹割，並把他的手腳分別拴在四匹馬上，藉此卸下他的四肢，並事先劃開他的腱以利這項作業，然後活活將他燒死。桑松建議國民會議使用斷頭台處決。日後他將大展所長。

佛森告訴他的妹妹，一七九〇年十二月「二十四日，我終於和『她』共度一整天。這是第一次。想想我有多高興。」安東尼與「這個討人愛的人」度過美好的一天，令她激動不已。「這個人和我終於安然相見了一次，」她告訴尤蘭德．德．波利尼亞克。「我們的快樂妳可想而知。」

路易和安東尼此際正為國民會議希望他們批准的憲法而苦惱，並要求允許他們從巴黎搬到聖克盧。要求遭拒後，安東尼要佛森籌畫他們逃到蒙梅迪（Montmedy）要塞之事。只要逃到那裡，路易便能同時控制革命分子和他逃亡在外、正促請奧地利攻打國民會議的弟弟。

一七九一年六月二十日的炎熱夜裡，兩個孩子和國王、王后迅速坐上佛森所買的一輛馬車，國王喬裝成俄羅斯男爵夫人（安東尼）的僕人。王儲以為要去看戲，「因為我們全都穿上這些古怪的衣服」。有人察覺他們不見了，便派人通報此事；他們未如計畫和忠貞的輕騎兵會合，安東尼的理髮師未現身，一如既往這絕非好兆頭。當馬車疾駛進入瓦雷訥（Varennes），他們被認出，並遭逮捕。一支代表團得意洋洋的將這些波旁王族人護送回巴黎，其中包括三十歲、心懷同情的巴納夫。他和安東尼之間爆出愛慕的火花，兩人開始就成立溫和君主政體一事暗中通信。有個神職人員在街上表現出支持之意，群眾索性將他肢解，再把他的雙手和頭送給安東尼。

逃亡未成，由此暴露了國王的口是心非。有個廷臣注意到，「在那一晚，」安東尼本已灰白的頭髮「變成全白，就像七十歲老婦人的白髮」。路易被關在杜樂麗宮，忍不住痛斥起伏爾泰和盧梭——「這兩個人毀了法蘭西」。安東尼和在國民會議裡甚有影響力的巴納夫通信，透過佛森和她哥哥利奧波德通信。「別擔心我們。我們還活著，」她用暗語告訴佛森。「國民會議領導人似乎希望善待我們。」接著卻又說：「把外來援助的事告訴我的親人。」兩天後她告訴他，「為我照顧好自己。以後我不再能寫信。但我對你的愛慕至死不渝，沒有任何事阻止得了。」佛森嫉妒巴納夫，並指出「據說王后和巴納夫上床」。路易和安東尼面對不同但都鋌而走險的計畫猶豫不決。她要佛森阻止奧地利、普魯士插手：「武力只會害事。」九月，安東尼和巴納夫希望走溫和路線時，痛苦萬分的路易發誓遵守憲法——該憲法仍賦予他任命大臣和否決法令的權力。她要佛森放心，並說，「如果我和他們之中某些人締約，那只是為了利用他們。」然而，哈布斯堡家族、霍亨佐倫家族的備戰破壞了巴納夫的計畫——並給波旁王族判了死刑。[15]

一七九二年一月，失勢的巴納夫離開巴黎，不問政治，他的立憲君主政體構想遭唾棄，在國民會議裡遭較激進的吉倫特派（Girondin faction）——由布里索領導——所組成的主戰政府推翻。一個月後，打算再次拯救波旁王族的佛森喬裝改扮潛入巴黎（與他另外的諸多情婦之一同住），他避開衛兵，潛入安東尼的住所。他們共度一夜，是為他們最後一次相會。事後她寫信道，「我要擱筆了，但還是要告訴你，我親愛且深情的友人，我愛你愛得發狂……」

二月，日耳曼諸國君主的進攻，使巴黎陷入危機，從而使吉倫特派失勢下台。隨之出來填補權力真空者，係一個來自阿拉斯（Arras）、聲音尖細的律師：三十三歲的馬克西米連·羅伯斯庇爾（Maximilien Robespierre）。此人臉色蒼白、舉止笨拙、近視、律己甚嚴，被選為雅各賓派（Jacobins）這個更為激進的派系領袖，他已漸漸被公認為剛正不阿的美德代言人和總體意志的詮釋者：「照理，主權始終屬於人民，」

15 羅曼諾夫家族也準備好要摧毀這場革命——這場革命促使希望創立強大君主國並擺脫俄羅斯宰制的波蘭人大為振奮。波蘭老國王斯坦尼斯瓦夫·奧古斯特自栩為自家革命的領導者。凱撒琳大帝驚恐於巴黎、華沙的變化——「一人的暴虐好過群眾的瘋狂。」波坦金打算當波蘭國王，沒想到，竟突然死在摩達維亞的乾草原上，留下傷心欲絕，同時也冷酷無情的凱撒琳。首先，她在俄羅斯境內整肅異己，接著殘忍弭平波蘭人革命圈：俄軍強攻華沙的郊區市鎮普拉伽（Praga），兩萬波蘭人遇害。她去世前不久，哈布斯堡家族和霍亨佐倫家族和她一同對波蘭做最後一次瓜分。利沃夫（Lvov）和加利西亞（Galicia）——波蘭南部，今烏克蘭西部——接下來兩百年由奧地利統治。三百萬猶太人自此突然由帶敵意的俄羅斯人統治；波坦金喜愛猶太文化，但老邁、高壓的凱撒琳大帝規定猶太人只能住在「猶太人聚居區」（pale of settlement），禁止他們離開城市，以免他們和她的東正教籍子民起衝突。她之後的幾任沙皇愈來愈壓迫猶太人的自由。波蘭則要到一九一八年才復國。

但必須有一批精挑細選出來的菁英決定人民的總體意志，人民「想要好的東西，並非總是能看出什麼是好。」就是這個觀念會在日後將諸多殺戮行徑合理化。這個清教徒式的衛道之士——或許是趾高氣昂、愛玩女人的男人堆裡唯一保持童子之身者——愈來愈常指導人民。這些人民，或更具體的說，為激進的工匠，即所謂的巴黎無套褲漢（sans-culottes，這些人穿長褲，不穿馬褲）。米拉博開玩笑道，「那個人會走向極端；他對自己所說的都信之不疑。」羅伯斯庇爾原本反對戰爭，宣稱那會強化國王的力量。而如今，這場危機把羅伯斯庇爾送上掌權之位，摧毀了波旁王族。這個將會持續二十三年——中間有數個短暫停火時期——的戰爭，戰火將席捲全歐，波及世界許多地方，加劇了這場革命的狂熱、偏狹心態，安東尼寫信告訴佛森，「你的朋友處於最危險的境地。他的病惡化得很嚴重……把他的悲慘情況告訴他的親人吧。」信中幾未使用暗語表達其意思。

波旁王族身陷此危機之際，有個遠在加勒比海法屬聖多明哥的法國子民，出於大不相同的理由對法國大革命失望。曾是奴隸的圖桑正發動自斯巴達庫斯（Spartacus）奴隸叛亂和贊吉人（zanj）奴隸叛亂以來最大規模的奴隸叛亂。

兩場革命——海地和巴黎：塞西爾和圖桑、羅伯斯庇爾和丹東

一七九一年八月，為了發動叛亂，替五十萬奴隸爭自由，一個陰謀集團的三個奴隸領袖——綽號「贊巴」的杜提．布克曼（Dutty 'Zamba' Boukman）、喬治．畢亞蘇（Georges Biassou）、塞西勒．法蒂曼（Cécile Fatiman）——經圖桑居間協調，夜裡密會於布瓦卡伊曼（Bois Caïman），為了五十萬奴隸，計畫發動一場暴動。他們藉由巫毒教儀式誓言報仇，儀式由充當曼波（mambo，女祭司）、時年二十歲的塞西

勒・法蒂曼（Cécile Fatiman）主持。[16]他們殺了一頭豬，喝了豬血。

圖桑認為法國大革命成就平平：國民會議雖推出種種開明措施，卻由不願廢奴的奴隸主支配會議。此際，在法屬聖多明哥，一萬名奴隸加入叛軍，不久叛軍就來到八萬之眾，打敗四萬白人和兩萬八千名自由黑人，攻取了此殖民地的大半地方，在這期間，奴隸主遭殺害，莊園被焚。畢亞蘇自封總督，但圖桑「主導此祕密計畫的方方面面，組織了這場叛亂，做好爆炸行動準備」。叛亂方大多數人想要廢除奴隸制；激進派想要「殺掉白人」；但圖桑想要建立一個境內甘蔗產業不受外界影響的多種族共同體。這些革命分子以保王派自居，支持路易對抗國民會議裡贊成蓄奴的遊說團體：這在某種程度上是反法國大革命的革命。

一七九二年七月，圖桑協助草擬了〈黑人叛亂領袖的初衷〉（Lettre originale des chefs des Nègres révoltés），文中根據「普世天賦權利」主張廢奴，主張在多種族的聖多明哥創立一個人人平等、不因種族差異而有差別對待的共同體。

一七九二年八月，圖桑公開表態反對擁奴的國民會議，同時慶祝路易十六生日，就在巴黎因唯恐外人入侵和內部自己人背叛而人心惶惶、戾氣橫生之時。八月九日，巴黎的城市好戰分子經由選舉成立一個造反「公社」（Commune），公社和羅伯斯庇爾合作，組織一批造反的暴民，次日這些暴民攻擊杜樂麗宮，殺死九百名瑞士衛隊成員，推翻了立憲君主政體。「他們能對我怎麼樣？」安東尼喊道。「殺了我，今天

16　法蒂曼是海地史上極重要的人物：非洲籍奴隸和法蘭西裔科西嘉人所生的綠眼女兒，而這個科西嘉人則曾是冒險家特奧多爾・馮・諾伊霍夫（Theodore von Neuhoff）的廷臣，一七三〇年代，諾伊霍夫曾短暫當過科西嘉國王。海地革命期間，她嫁給將軍尚—路易・皮耶羅（Jean-Louis Pierrot），並於海地國王亨利・克里斯多福（Henry Christophe）在位時獲晉升為男爵和王公，而後於一八四五年被選為海地總統，接著，海地皇帝佛斯坦（Faustin）在位時被任命為大元帥。一八八三年塞西勒以一百一十二歲高齡去世，她女兒嫁給海地的戰爭部部長皮耶・阿列克西（Pierre Alexis），後來阿列克西成為海地總統。

殺和明天殺沒什麼差別。」路易和安東尼逃至國民會議，在那裡，隔著格柵，他們親眼目睹君主政體遭中止，然後他們被捕，關入令人生畏的「神殿」（Temple）要塞。路易自此每天早上降低身段教導兒子拉丁文和地理學。為成立新的代表大會「國民公會」（Convention）而舉行全民普選時，人民情緒的爆發——口號「祖國危險了」（La Patrie en danger）正體現此心態——如今已帶有殺戾之氣。

暴民攻擊杜樂麗宮十天後，普魯士人入侵法國。普軍一攻到凡爾登（Verdun），巴黎的氣氛轉為肅殺。九月，新國民公會開議時，羅伯斯庇爾的那個具有群眾魅力的盟友喬治·丹東（Georges Danton）——來自香檳區，父親是頭髮蓬亂的律師——集合眾與會代表，他喊道，「凡是拒絕服役者都必須處以死刑！」為打敗敵人，要「勇敢，再勇敢，始終勇敢，法蘭西就得救了！」然後傳來令人驚喜的消息：九月二十日，在瓦爾米（Valmy），法國革命軍打敗普軍。二十二日，國民公會廢除君主政體。儘管在國民公會內部，以布里索等人為首的吉倫特派和此時由羅伯斯庇爾領導的山嶽派（Montagnards）——因他們坐在國民公會議場最高的席位上而得名——彼此僵持不下，害怕和恐慌驅使數支殺人小隊襲擊監獄，殺掉一千三百名廷臣和神職人員，妓女則遭輪姦。這些殺人小隊有些係自發組成，有些則是受到丹東驅使，還有些或許是雅各賓派所組織。安東尼的友人朗巴勒公夫人（princesse de Lamballe）遭肢解，她的頭被送去給這個王后，王后當場暈了過去。

然而，受國民公會監督的政府一團亂，因為它不只奮力抵抗外敵，還要拚命對付旺代（Vendée）境內信仰天主教的保王派反革命和里昂境內的溫和共和派叛亂。羅伯斯庇爾成為國民公會裡公認的高尚共和情操的化身之際，這個新國家塗抹了被拿去獻祭的國王的血——把王族和民間家族一一改造重整的群眾性全國政治時代就此開始。一七九三年一月二十一日早上五點，路易被鼓聲吵醒。

第十四幕

世界人口

七億九千萬人

波拿巴家族和阿爾巴尼亞人、韋爾茲利家族和羅斯柴爾德家族

安東尼、約瑟芬、斷頭台

事先得到示警的路易十六前一晚告訴家人，隔天早上他會去向他們告別，只是到了早上，他不忍去見他們。他的七歲兒子、小儲君啜泣喊著「讓我出去！」看守人問他想去哪裡，他說「去和人民講話，好讓他們不殺我爸。」

羅伯斯庇爾已揭露波旁王族與入侵者通信的叛國行徑，要求將他們處死。在國民公會面前受審時，路易逐一回應了加諸於他的三十項罪狀，宣稱那些罪狀「離譜」，最後嚴正表示：「我始終在為人民做事。」諷刺的是，他被控支持聖多明哥革命。

羅伯斯庇爾要求將他處死，並吹噓說：「我對壓迫者沒有通融餘地，因為我同情被壓迫者。」國民公會，包括離譜的已把名字改為菲利浦・埃伽利帖（Philippe Égalité）的路易堂哥奧爾良，盡皆投票贊成處死。路易陷入他風光尊榮時幾乎體會不到的悲慘處境，而且從容以對。他的律師哭著將表決結果通知他，提議發動反革命，未想路易回道，「這麼做會引發內戰。我寧可死。命令他們絕不要救我——法蘭西國王將會不朽。」

街頭人潮擁擠，因而花了兩個小時才到行刑處。行刑處位在擠得水洩不通的革命廣場，劊子手桑松已和兒子加布里埃爾、亨利等在那裡。路易開始講話——「我死得很無辜……我祈求上帝絕不要讓你們的殺戮行徑降臨在法蘭西身上」——而咚咚的鼓聲蓋過他的聲音。桑松割下他的頭髮，把他綁在新發明的斷

頭台上。刀片落下砍掉他的頭，桑松舉起頭顱示眾。「國家萬歲！」群眾歡呼了起來。安東尼和孩子聽到高昂叫嚷聲。大聲叫嚷的市民拿他的血互潑。

有人將路易的結婚戒指拿去給安東尼，戒指上刻了「一七七〇年四月十九日M.A.A.A.」（Marie Antoinette, Archduchess of Austria／奧地利女大公瑪麗・安東尼）。令人揪心的一幕在他們污穢的囚室裡上演，安東尼和女兒瑪麗・泰蕾茲（Marie Thérèse）向她繼任國王的兒子路易十七行屈膝禮。但這個男孩消瘦，有病在身。不久，這對姊弟和母親就被拆散。安東尼緊握著路易十七，說「我的孩子，我們就要分開。絕不要忘記如此考驗你的上帝，也不要忘了愛你的母親。要乖、有耐心、和善，你父親會從天上看著你、祝福你。」

英國首相皮特說，處死路易是「世界史尚未有機會去證實的最卑劣、最殘暴的行徑」，他決意運用英國的財力——「皮特的黃金」——資助一連串出兵討伐法國的歐洲列強同盟。[1]在國內，他害怕發生革命，立法禁止工會運行。法國革命軍席捲比利時、接著入侵荷蘭之際，國民公會對英宣戰。

一七九三年四月六日，旺代叛亂威脅到巴黎時，國民公會設立因應緊急情況的「公共安全委員會」（Comité de Salut Public），「好把革命法庭的武器牢牢抓在手裡」，而委員會的領導者正是丹東。六月通過民主憲法，但由於戰爭，這項憲法從未施行。同月，國民公會宣布成立「革命政府直至和平為止」時，丹東退隱鄉間，革命政府給予委員會完全的權力。委員會由十二名革命分子組成，每兩個月由國民公會改選

1　英格蘭裔愛爾蘭籍國會議員愛德蒙・伯克（Edmund Burke）目睹這一切，在他《反思法國大革命》（*Reflections on the Revolution in France*）中預言，法國大革命的結果將大不同於其本意，由此立下一個屢試不爽的歷史通則。他寫道，「最初有害之舉，較長遠來看或許是極好之事，而其極好或許要歸因於它一開始所產生的壞處。與此相左的情況也會發生；看來非常可行且一開始非常順利的計畫，往往以可恥、令人哀嘆的結局告終。」

一次，成員大多是巴黎境外的諸省律師。六月二日，羅伯斯庇爾主導逮捕布里索和吉倫特派成員，次月，他被選入公共安全委員會，並以國王在杜樂麗宮的綠色書房為總部。十二名委員主導戰爭，施行後來被稱作「恐怖統治」（La Terreur）的統治，以彰顯「嚴格、不可動搖的……正義……發揮高尚道德」。一七九三年八月二十三日，大規模徵兵計畫——全民皆兵制（levée en masse）——創建了第一支真正的國軍，並由委員會最有能力的成員、外號「勝利的運籌者」（organizer of victory）拉札爾．卡爾諾（Lazar Carnot）掌管。詩人歌德說，那是「世界史上的一個新時代」——在大眾政治中體現民族和意識形態的時期。隨著神聖君主政體結終，對民族的崇拜同時展開，而民族的體制化幽靈（doppelganger），即民族國家，如今仍是組成政府的基本單位。權力是意識形態之母。民族主義，亦即對一個有共同語言並被我族意識和歷史強化的更大共同體的認同——往往既是虛構又配有一套喊得震天嘎響的迷思——問世，以將民族國家合理化。如果說情況看來理性和德性會把家族拉下權力寶座，那麼，這並未發生：統治家族，不管是新還是舊，一律輕鬆變身，適應了新形勢。

九月十七日，《嫌犯法》（Law of Suspects）授予公共安全委員會立即處決的權力，同時委員會完全掌控經濟，然後宣布施行新的革命曆。公眾歇斯底里、軍隊亂成一團、派系傾軋、肆無忌憚的貪腐等，再再加劇恐怖統治。十月三十一日，布里索和二十八名吉倫特派成員唱著共和歌被押上斷頭台。前後共會有一萬六千名受害者上斷頭台，其中許多人係在極度恐懼、懦弱的氣氛中被人告發，大多數人只是因為「貴族」身分而被判有罪。恐怖統治未像過去數百年在歐洲所常見的那種因宗教理由而殺人，卻是為了貫徹忠誠而殺人。羅伯斯庇爾調查了一件反革命的「外人密謀」（Foreign Plot）案，結果那其實是與公共安全委員會十二委員關係甚好的上層革命分子侵占法國東印度公司金錢的案子。霜月（十二月）《十四日法》（law of 14 Frimaire）授予委員會消滅反對勢力的權力，可說是界定一國之主權為何的權力。法國大革命的此一作為對近代政治的打造影響甚大，而且和《人權宣言》的影響一樣大：前者認可了一個無所不能的政府；後者則預示了個人主義當道時代的到來。

公共安全委員會的特使巡行法國全境處決叛徒。「必須揭開這些窮凶惡極之徒的真面目，將他們撲殺，」羅伯斯庇爾談到里昂叛亂分子時說。羅伯斯庇爾下令「摧毀里昂市」。該地兩千人被殺，被綁在一塊，用大炮轟成碎片。在南特，兩千人被鎖在平底船裡，然後船被弄沉。

在巴黎，桑松——這時受到愛戴，被稱作「小夏爾」（Charlot），亦即「替國家報仇者」——和他兒子為羅伯斯庇爾砍了兩千九百顆人頭。桑松累到不得不把此差事轉交給他兒子加布里埃爾。加布里埃爾砍了太多人頭，以致有次高舉一頭顱示眾時，在濕滑的血泊中滑倒，跌落斷頭台，弄斷脖子，由此意外可看出恐怖統治的血腥程度。有個目睹此事者寫道，「一如（羅馬神話中的）薩杜恩，這場革命吞噬了它自己的孩子」——而大啖親生孩子之舉已然開始。菲利浦・埃伽利帖投票支持恐怖統治，但他兒子路易・菲利浦反感於弒君之舉，變節投奔反法同盟，而後這個公爵魂斷斷頭台。[2]巴納夫亦然。被捕者中有一人是年

2　此事敗壞了他的擊劍手暨作曲家聖喬治的名聲。聖喬治與這個公爵為伍，兩人都支持革命，加入由朱利安・雷蒙（Julien Raimond）出資成立的黑人部隊「美國人與南法人軍團」（La Legion Nationale des Americains eu du Midi）。雷蒙是法屬聖多明哥最有錢的自由黑人身分的種植園主，擁有數百個奴隸，但已主張廢奴。在這支部隊裡，聖喬治遇見另一個後來大為出名的黑白混血軍官。托馬—亞歷山大・仲馬（Thomas-Alexandre Dumas）生於法屬聖多明哥；他父親是法蘭西裔種植園主和奴隸主安托萬・達維・德・拉・帕耶特里（Antoine Davy de la Pailleterie）侯爵，他母親則是奴隸瑪麗・塞瑟特・仲馬（Marie Cessette Dumas），因此他生下來就是奴隸。他的叔叔夏爾經營種植園甚為成功，他不成材的父親安托萬為夏爾工作，後來兩人為了安托萬買下瑪麗・塞瑟特一事起爭執，兄弟倆自此拆夥。安托萬離開白人種植園，消失了三十年，經營一小塊可可樹園。一七六二年，瑪麗・塞瑟特在那裡生下亞歷山大。安托萬回法國索取他的頭銜和土地時，把瑪麗・塞瑟特和孩子賣給一男，然後買回亞歷山大，安排他從軍，出錢讓他過豪奢生活。仲馬身形高大，愛刺激冒險，在革命軍中平步青雲。聖喬治在他自己的聖喬治軍團裡當上校，受仲馬指揮。

輕奴隸主的女兒，她名叫瑪麗・約瑟夫・羅茲・塔歇爾・德・拉帕傑里（Marie Josèphe Rose Tascher de La Pagerie），即日後的皇后約瑟芬（Empress Josephine）。她十五歲時從馬提尼克來到法國，嫁給亞歷山大・德・博阿爾內（Alexander de Beauharnais）子爵。這時，兩人都在擁擠的牢房裡等著處決。

年幼的路易十七被帶離母親身邊，他半挨餓著，被不斷供以烈酒，而且思想受到洗腦，被迫告發他母親性侵犯。聽到上方牢房傳來她們的腳步聲時，這個男孩不屑的說，「那些他媽的婊子還沒被送上斷頭台？」安東尼的最年長孩子瑪麗・泰蕾茲和小姑伊莉莎白夫人（Madame Élisabeth）依舊和這個王后在一起。後來她們也被拆散。

一七九三年十月十四日，安東尼穿著黑喪服，腳上卻是來自另一時代的紅色高跟鞋，她接受審訊，被判定犯了為約瑟夫二世蒐集情報、付錢給他以及性侵自己的兒子等三罪。當她被告知她兒子指控她是「新阿格里皮娜」，教他拚命自瀆，致使他一顆睪丸腫起，然後和他亂倫時，她回道，「要身為母親者回應這樣的指控太離譜，但我請在場的所有母親說句公道話。」羅伯斯庇爾擔心她不失尊嚴的風範會「使她成為同情的對象」。瑪麗亞・泰蕾莎的這個女兒鄙視對她用刑逼供者：「我是王后，而你廢黜了我。我是人妻，而你殺了我的夫丈。我是人母，而你把我的孩子和我拆散。我除了我的血，已一無所有——快動手吧！」她寫給小姑和女兒的最後一封信，表明她遺憾於她和她孩子分開，懇求伊莉莎白原諒她兒子的指控——「想想在那樣的年代要小孩說出什麼話都很容易」——請她親吻她「可憐又摯愛的孩子」。她的信未送出，反而送到羅伯斯庇爾手中。

操刀處決安東尼者是已從哥哥手上接下劊子手之職的亨利・桑松。他來到孔謝爾傑里（Conciergerie）監獄，準備捆住她雙手時，她想方便一下，問他是否能避開，他不肯，於是她走到角落，在諸個獄卒面前蹲下方便。安東尼一身白，三十七歲看上去卻像個老婦人，被用無遮蓋的糞肥運送車送去刑場，沿途受到民眾嘲笑。她在某個時刻草草寫了一張給佛森的紙條，後來有人將它偷偷送去給他：「別了，我的心是你的。」她勇敢赴死。

「我整個人心力交瘁，」佛森寫道。「我不斷的想她，她種種可怕的受苦情況，她可能對我的懷疑，我的愛戀……折磨著我。」

路易十七置身滿是糞便的牢房，身體愈來愈差。「我弟弟病了，」他姊姊瑪麗．泰蕾茲寫道。「我已寫信給國民公會，請求允許我去照料他。」只是羅伯斯庇爾無情如故，這個男孩死後，他的醫生把他的心臟用手帕包住，偷偷帶出去，予以厚葬。

一七九四年二月五日，羅伯斯庇爾宣布，「如果說人民政府在平時的基礎是德性，革命時，其基礎就是德性和恐怖兩者：沒有德性，恐怖會釀成大禍；沒有恐怖，德性只是空談。」他高舉德性的恐怖作風會成為所有類似的自以為是、與宗教無關之獵巫行徑的樣板；公共安全委員會是近代第一個戰爭內閣，第一個追求淨化、改造社會的政府。

三月，丹東復出——要求結束恐怖統治，要人提防獨裁統治、提議和談——就此威脅到羅伯斯庇爾的老大地位和治國願景。這位「堅定不移獻身大業者」（Sea-Green Incorruptible）——史學家湯瑪斯．卡萊爾（Thomas Carlyle）替羅伯斯庇爾取的別號——指責丹東和他的支持者為失敗主義、盜取東印度公司資

恐怖統治最烈時，聖喬治被控侵吞公款後，接著告發仲馬。這個作曲家入獄，就在仲馬快要被捕時，羅伯斯庇爾垮台。兩人都很走運，免於命喪斷頭台。此後，仲馬晉升為陸軍中將——自彼得一世所提攜的俄羅斯將領亞伯蘭．甘尼拔（Abram Gannibal）以來，第一個有色人種將軍。聖喬治去到法屬聖多明哥，希望找到一個不流血的有色人種革命，卻發現當地正面臨凶險的內戰，於是逃回巴黎，並從音樂中尋得慰藉。「我特別鍾情於我的小提琴，」這個劍客、小提琴手、軍人暨王公的友人寫道。「我演奏小提琴從未像此刻，表現得這麼好」。他死於癌症，享年五十一。

金、為瑪麗．安東尼說情。四月五日，丹東等人上了斷頭台。據說丹東置身桑松的死囚運送車上時有感而發道，「最讓我苦惱的，是我會比羅伯斯庇爾早六個星期死去。」

羅伯斯庇爾贏了，但這時人人自危。他和公共安全委員會加快「國家剃刀」（National Razor）的處決行動。戰爭使一代年輕軍官更快出人頭地。在南部，英軍和保王派軍隊已拿下土倫（Toulon），羅伯斯庇爾派他弟弟奧古斯坦（Augustin）和曾是子爵的保羅．巴拉斯（Paul Barras）前去收復。巴拉斯很欣賞來自科西嘉島的年輕上尉拿破崙．波拿巴。拿破崙幹勁十足、身瘦、膚呈灰黃色，一七九三年十二月成功收復土倫之役期間統領炮兵部隊，二十四歲就晉升為將軍。在法屬聖多明哥，另一位傑出的年輕將領正統領一支革命軍。

革命爆發三年後，國民公會宣布種族歧視違法，卻不願廢奴，並派出六千名法軍前去奪回「加勒比海的明珠」。

黑色斯巴達庫斯和高舉德性的暴君

正當法國人想要鎮壓這些前奴隸時，圖桑前往西班牙島另一半的西屬聖多明哥，商談和西班牙人結盟之事，且如他所願獲西班牙人授予將軍之銜。在這期間，畢亞蘇和幾個領導人正在從事奴隸買賣，把奴隸賣給西班牙人。畢亞蘇叫人謀殺圖桑；圖桑就在西班牙人那兒待了下來，成為最高領導人。

有個敵人憶道，圖桑精瘦結實、高䠷、始終精力充沛，一身「藍夾克、大紅斗篷、紅袖口、兩手臂上八排飾帶、雙肩上金質大肩章、深紅背心、馬褲、半高統靴、插著一根紅羽毛的圓帽，他總有辦法讓自己在現身處不被人察覺，在未現身處察覺他的存在。他從老虎那兒學到他行動的自主性。」圖桑將他的非洲文化、巫毒教奴隸傳統和天主教、法語、巴黎啟蒙思想雜糅於一身，言語風趣、個性幽默、始終出人意表，統兵作戰本事高超，周旋於法國、西班牙、英國之間。他說，「少說，但盡可能多做。」他以戰神奧袞費爾（Ogoun Fer）和巫毒教的靈界路口變形靈列格巴老爸（Papa Legba）的混合體的形象示人，取了新名字魯韋爾居爾（Louverture）——「開口」。

隱身「幕後」兩年後，圖桑宣告，「我是圖桑·魯韋爾居爾：你們或許聽過我的名字。兄弟們，你們知道我已報了仇，我想要讓自由、平等大行於聖多明哥……好讓我們所有人得享幸福。」

身為指揮官，他把一批日後將主宰海地的得力助手聚攏在他身邊。日後的海地皇帝尚—雅克·德薩利內（Jean-Jacques Dessalines），係魯韋爾居爾自行擺脫奴隸身分後掌管的奴隸之一，日後的海地國王亨利·克里斯多福曾是勞動奴隸、小馬官、侍者，曾以鼓童身分隨法蘭西黑人步兵團（Chasseurs-Volontaires de Saint-Domingue）參與薩瓦納之役，曾和美利堅人並肩攻打英國人。圖桑的手下大多是生於非洲的奴隸，尤其是來自安哥拉的剛果人，但他的參謀長阿傑（Agé）將軍是白人。魯韋爾居爾於某一仗後誇說他「讓九十個西班牙人死於劍下」，把首級送去給法國人，不過他不喜歡「嗜殺的戰士」，常保護白人殖民者。

一七九四年二月四日，在巴黎，羅伯斯庇爾支持國民公會的廢奴令：「國民公會宣布，所有殖民地的奴隸制，一律廢除」，而他也坦承，奴隸叛亂無法挽回。圖桑盛讚這個「令所有與人類為友者大為欣慰之舉」。他結束他和販奴之西班牙的戰術性同盟關係，轉而與法國派駐的總督艾蒂安·德·拉沃（Etienne de Laveaux）談判，並承諾「全心致力於消滅法蘭西共和國的敵人」。圖桑稱許拉沃「對黑人的格外熱愛」；拉沃向巴黎極力讚揚圖桑，說「我無比欽佩」圖桑的「德性、才幹、作戰本事；他十分仁慈，作戰時不知疲累為何物」。

羅伯斯庇爾這時懷抱著建立德性國家的願景。[3]他引用伏爾泰的話說，「如果上帝不存在，就必須發明上帝。」六月八日，在戰神原野公園（Champ de Mars）的一座人造山山頂，羅伯斯庇爾主持了肅穆到令人乏味的「最高主宰教」（le Culte de l'Être suprême）成立儀式。身為道德高尚的統治者和「最高主宰」的祭司，他的凶殘來到了極點——不過，他高估了自己的能耐，他的威名顯赫令同僚極反感。兩天後，一道法律授予羅伯斯庇爾和公共安全委員會殺掉所有公敵的權力。六月，每天有六十個受害者人頭落地；其中一人是約瑟芬・德・博阿爾內的丈夫，她認為自己死期也不遠。如今，就連桑松一家人都心懷疑慮：老父親苦於「視力很差……或許我懦弱的順從假正義，因而受到上帝懲罰。」亨利・桑松被捕。而公共安全委員會漸漸淪為夜間厲聲爭吵的場所。羅伯斯庇爾退居其住所養病，打算逮捕所有敵人。七月二十六日，他發表了一篇遭錯誤解讀並為他自己招來殺身之禍的演說。他在演說中捍衛他的革命，說那是「第一場以人權理論和正義原則為基礎的革命」，他還威脅他的敵人——「窮凶極惡之徒」——然後說，「死不是永遠沉睡……死是永生的開始。」但他揚言要「消滅所有派系」，促使溫和派和激進派在那天晚上同仇敵愾，聯手陰謀不利於他。隔天，法蘭西革命曆的熱月九日，正當他們想要發動清洗之際，他和他的追隨者被控計畫「謀殺國民公會」。

「暴君下台！」羅伯斯庇爾的批評者怒喊。

他想說話，但嚇到不敢開口。

「丹東的血噎死你！」人群吼道。

「你們為丹東感到遺憾？」羅伯斯庇爾回。「一群孬種！當時為何不為他辯護？」

羅伯斯庇爾和他的心腹被捕，又在混亂中獲釋，逃到市政府大樓後，羅伯斯庇爾在此被民兵圍攻，開槍自戕，沒想到，只打碎自己下巴。在大聲叫嚷的群眾圍觀下，他臉部纏著繃帶，被送上國家剃刀。在那裡，已復職的亨利・桑松扯掉他的繃帶。羅伯斯庇爾尖叫一聲昏了過去，下一步，桑松便斷了他的頭。這不是革命，而是公共安全委員會內部的自相殘殺，雅各賓派和這時得到權力的溫和派結為同夥，繼續主掌委員會。囚犯獲釋，包括約瑟芬。[4]在尼斯被捕的羅伯斯庇爾派包括將軍波拿巴，所幸他後來獲釋。與此同時，他的恩公、雙性戀者、來自普羅旺斯、生活豪奢且好美食美酒的巴拉斯協助拆除恐怖統治機器。

一七九五年十月五日，面對巴黎境內一場叛亂，巴拉斯叫來拿破崙。拿破崙派加斯科涅（Gascony）某客棧老闆的兒子約阿希姆・米拉（Joachim Murat）去弄來四十門大炮。米拉十八歲，一頭烏黑頭髮，六呎高，藍眼。拿破崙說，「這群烏合之眾必須用恐怖手段趕走。」於是命令米拉朝人群發射「一小波葡萄彈」。炮火打死三百人，為拿破崙贏得巴拉斯的感激。這時巴拉斯被選為由五名督政官組成的督政府（Directoire）主席。正和哈布斯堡家族、霍亨佐倫家族、英國人在義大利、日耳曼、尼德蘭交戰的法國堅守住陣地，而督政官卡爾諾（Carnot）的統籌功不可沒。憑自己本事出頭的革命分子和返國的貴族，在擺脫恐怖統治後，權力在手，以放縱淫欲和唯利是圖的交易慶祝自身保住性命：而其中最過火者，可說是夏爾・莫里斯・德・塔利蘭（Charles Maurice de Talleyrand）。他是個無精打采、不良於行的浪蕩子，在英國、美國流亡期間遇見皮特、漢彌爾頓，後來搖身一變成為精明、風趣的外長。

卡爾諾曾形容巴拉斯擁有「奢華王子的品味、大方、迷人又浪蕩」，而巴拉斯也漸漸和約瑟芬・德・博阿爾內發展出婚外情。當她愈來愈苛求，而且和她交往也太花錢時，他說他「厭煩」於那個「哄騙人的

3　在羅伯斯庇爾的願景中，女性完全受到漠視：雅各賓派將女人與陰謀算計、宮廷的惡行、奢華等聯想在一起。法國第一批廢奴主義者之一、少數支持海地革命的革命者之一、也是最早期的女性主義者之一的奧蘭普・德・古熱並未活著親眼見證廢奴。她的《女性與公民權宣言》（*Déclaration des droits de la femme et de la citoyenne*）挑戰法國大革命中的父權：「女人有權站上斷頭台。她也必須擁有站上演講台的平等權利。」羅伯斯庇爾最後把她送上斷頭台，而在上面的她「無比的勇敢且美麗」。

4　還包括名叫尚—巴蒂斯特・戴高樂（Jean-Baptiste de Gaulle）的小貴族，二十世紀的法國總統戴高樂就是他的曾孫。

交際花」。他提拔膚白、長髮的拿破崙，拿破崙先前的「消瘦轉變為一臉飽滿」，而且「笑容始終討人喜歡」，巴拉斯此時鼓勵約瑟芬把重心放在他一路提攜的拿破崙身上。她派她幼小的兒子歐仁（Eugène）替她傳口信後，終於和拿破崙見到面，而他愛她愛得神魂顛倒。她比他年長六歲，又比他世故得多——她的魅力、紅棕色頭髮、淡褐色眼睛，加上老練的床上功夫——拿破崙所謂的「之字形移動」（le zigzag）——相較之下，使得她無牙的嘴（她因此不敢笑）、她無節制的豪奢、她據說的笨腦筋等，都變得不要緊：塔利蘭禁不住笑道，「腦瓜子笨還能這麼厲害，這點沒人比得上。」

「我醒著，滿腦子都是妳，」那年十二月拿破崙寫道。「妳的倩影和昨晚銷魂的記憶使我睡不著。」一七九六年三月，巴拉斯主持他們的結婚典禮，且相信拿破崙忠心不貳，遴選他掌管義大利的軍隊。約瑟芬留在巴黎，開始和一名年輕的輕騎兵有染，也試著拿回她在法屬聖多明哥的地產。

四月，圖桑慶祝他與拉沃結盟，拉沃稱他「黑色斯巴達庫斯，啟蒙思想家雷納爾口中要為他的種族所受的罪行報仇的領導人」，並任命他為副總督。圖桑大受幾個法蘭西裔殖民者的老婆喜愛。圖桑娶了蘇珊娜，生了幾個寶貝兒子，卻也是費松夫人（Madame Fisson）、瑪格麗特·德卡沃（Marguerite Descahaux）的情夫。費松是個「美麗絕倫的白人姑娘」，她的丈夫、一個法蘭西裔殖民者成為他的代理人之一，而瑪格麗特的丈夫也是法蘭西裔殖民者。他收到許多種植園主之妻送來的頭髮，以及把他稱作「我的王子」的紙條，而且他鼓勵他的白人官員娶黑人女子，包括他自己的情婦。

不過，他真正的難題是團結他的人民，這些人大半是來自非洲且仍自認是剛果人或伊博人（Ibos）的博薩爾人（bossales），即在非洲出生的奴隸。他說，「我是黑人照鏡子時看到的那種人，而他們若想享有自由的果實，就必須靠我。」但這個督政官不信任圖桑，圖桑反駁說非洲人「用他們的武器和赤手空拳使這個殖民地仍屬法蘭西人所有」。巴拉斯不相信他的說法，派了名叫埃杜維爾（Hédouville）的將軍前去解除這些黑人民兵的武裝。圖桑問他的部眾，「在捍衛你們的自由上，誰出力較多？前侯爵埃杜維爾將軍，還是來自布雷達（Bréda）的奴隸圖桑．魯韋爾居爾？」

圖桑叛亂嚇壞附近一票奴隸主。美國總統華盛頓寫道，「那些受苦兄弟（奴隸主）的痛苦，我感同身受。」一七九三年二月，他簽署《逃亡奴隸法》（Fugitive Slave Act），允許追捕脫逃的奴隸。傑佛遜相信「所有西印度島嶼會繼續掌握在有色人種手裡」，他同時宣布「我們應該預見到，我們的小孩肯定將奮力走過、我們自己（在波多馬克河以南）可能也會奮力走過的殺戮場景。」

英國的奴隸主同樣誠惶誠恐，但皮特已推遲威爾伯福斯一七九二年《奴隸貿易法案》的施行，反而把重點放在打擊法國和尋求帝國利益上。一七九三年九月，他派一支大軍前去奪取法國的大肥肉聖多明哥，重新確立奴隸制以保衛英國人在巴貝多、牙買加的甘蔗園。圖桑帶人拚命抵抗，靠黃熱病發威之助打敗英國兩支遠征軍。

一七九六年五月，皮特把注意力轉向境內正有法蘭西人陰謀對付英國的印度，他指派伊頓公學、劍橋大學畢業的至交，時年三十七歲的莫寧頓伯爵（earl of Mornington）理查．韋爾茲利（Richard Wellesley）為威廉堡（Fort William，今加爾各答）轄區的總督。一七八四年，皮特上任之初便已致力於掌控英國東印度公司：此後這位首相將成立印度控制委員會（India Board of Control）並任命管轄英國在印度三個轄區的總督。[5] 雖然克萊夫已取得孟加拉，但英國在印度的領土不大，且印度大半地方歸馬拉塔人統治，馬拉塔

5　韋爾茲利當政期間加入英國東印度公司部隊的眾人中，有拜登家（Biden）的一對兄弟克里斯多福、威廉。兩人都成為東印度公司武裝商船的船長，其中的威廉在一八四三年死於仰光，得年五十一，克里斯多福退休後住在馬德拉斯（今清奈），與妻子安頓了下來，開店販賣海上用的物品。有個叫霍雷肖（Horatio）的兒子當上馬德拉斯炮兵隊的上校，另有幾個拜登家族住在那裡。其中一人名叫喬治．拜登，係英國東印度公司的船長，娶了印度女子，很可能是印度拜登家族的創建者。他們可能和美國總統喬．拜登有親緣關係，喬．拜登曾說，喬治是他的「高高高高曾祖父」。

人享有龐大稅收。這時，幹勁十足又獨裁、縱情性愛且揮霍無度的韋爾茲利，才在兩個弟弟輔助下研究如何為「我們在亞洲的帝國（打下）基礎」。其中一個弟弟擔任他的副官，另一個是受信賴的指揮官。日後的威靈頓公爵亞瑟．韋爾茲利長相英俊、冷若冰霜、言語精簡到讓人覺得不友善，卻是相當有才華，補強了理查流於浮誇的計畫，和有著衝動性格的哥哥搭配正好是相輔相成。這對兄弟為一平凡的英格蘭裔愛爾蘭籍地主所生，他們將確立英國在印度和歐洲的霸主地位。

一堆眼球：「老虎」提普和旁遮普的獅子、韋爾茲利氏兄弟、報仇雪恨的太監

一到加爾各答，韋爾茲利即裝出古羅馬代理執政官（proconsul）的派頭，坐在花俏的馬車裡，在一隊武裝人員伴隨下遊行，新建氣派的總督府（Government House），獵豔尋歡。此時，有兩個南亞王國於西方崛起：一七九〇年，知名的錫克教悉爾達爾查哈特的孫子、十歲大的蘭吉特．辛格（Ranjit Singh）繼承家族的蘇克查克亞師，然而，在他的母親以及兇悍的岳母薩達．考爾的協助下，透過戰爭及通婚（他有四十三個妻子），他驅逐杜拉尼王朝的人、橫掃拉哈爾（Lahore）、統一錫克教聚落，並於一八〇一年，獲加冕為旁遮普的大君（Maharajah of Punjab）。幼時因天花而失去一隻眼、富文化教養、性格凶殘卻又迷人，這位旁遮普的獅子（Sher-e-Punjab）贊助繪畫及手工藝一如蒙兀兒人，他也僱用歐洲軍官，並且和英國結盟，展開自己的帝國計畫，開疆闢土直入喀什米爾、西藏——以及阿富汗。正是在阿富汗，由於有個一心要為國家所受恥辱和自己失去睪丸之辱報仇的凶狠閹人攻城掠地，拉尼王朝自此失去中亞和波斯各省。

阿迦．穆罕默德．汗（Agha Muhammad Khan）身形乾癟、矮小、滿是皺紋，說起話尖聲尖氣，五歲

時被納迪爾．沙的姪子割去睾丸，以防他的卡札爾部落構成威脅，然後以人質身分在宮廷當差數十年，直到一七七九年為止。那年，政權易主使這個太監得以逃走，招募其部落人民成軍，攻下設拉子、伊斯法罕、大不里士。當他轉向攻入呼羅珊時，他擒住納迪爾的盲眼孫子沙羅赫，把熱熔的鉛填進他的王冠裡，藉此親手折磨他。他命人將他的遺體埋在其位在新都城德黑蘭之宮殿門口底下。一七九一年，他入侵高加索地區，趕走俄羅斯軍隊，奪回埃里溫（Yerevan）。拿下庫馬尼（Kumani）時，他命人將城裡兩萬人的眼珠挖出，成堆擺放。

一七九五年八月，他進攻喬治亞，曾在納迪爾麾下賣命的喬治亞國王海克力士二世請求凱撒琳大帝保護。就在凱撒琳去世前不久，她棄喬治亞於不顧。九月，這個閹人大敗海克力士，夷平第比利斯（Tibilisi），堆出數座屍塔，然後將一萬五千名奴隸帶回德黑蘭。他在德黑蘭登基為王。

他在位時期短暫。一七九七年六月，他聽到貼身男僕在爭吵，索性把其中兩人賜死，但處決推遲到隔天早上。當天夜裡，他們潛入王帳，當下刺死他。然這個凶殘之人已一統伊朗：繼承者為他王位的姪子法特—阿里．沙（Fath-Ali Shah）維持住一統，且家族統治伊朗至一九二五年。

正當波斯人、阿富汗人、錫克教徒忙碌於東方時，韋爾茲利決意成為英國在印度的帝國締造者。在當時的印度，多個族群的歐洲人、印度人各霸一方，彼此以平等地位交往，而英國人只是其中的一股勢力：在這個次大陸上，三分之一的英國人娶印度本地女人。在海德拉巴，英國人出手以確保當地的尼札姆不與法國人結盟，英國東印度公司駐海德拉巴的特派代表詹姆斯．克爾克派翠克（James Kirkpatrick）娶了當地美麗公主海爾恩尼莎（Khair-un-Nissa）。韋爾茲利據說不贊同此婚事，但他把注意力擺在英國的最大敵人邁索爾王國（Mysore）上。這是軍閥海達爾．阿里．汗（Haidar Ali Khan）最近在毗闍耶那伽羅帝國南部打下的江山，他受過法國人訓練的兒子蘇丹提普（Tipu）是個虎般凶猛且善於作秀的人，他的蘇丹國以社會穩定、經濟繁榮、境內印度教徒和穆斯林相處和睦著稱。提普雇用法蘭西籍軍官攻取卡納蒂克（Carnatic）和馬拉巴爾，打敗英軍——相信法國人會支持他。只是法國人令他失望。韋爾茲利如願「將這頭叢林『野獸』引入陷阱」後，派出他的弟弟亞瑟。亞瑟攻破塞林伽巴丹（Seringapatam），殺了提普。韋爾茲利利用邁索爾對付馬拉塔人。一八〇三年九月，在阿瑟耶（Assaye），亞瑟·韋爾茲利將軍打敗瓜廖爾（Gwalior）的大君，後來他把此役視為比滑鐵盧之役更偉大的勝利——「就我所見過的死傷人數來說最慘烈的一役」——而在此次大陸北部，另一支英軍於德里城外打敗由法蘭西籍軍官指揮的馬拉塔人，然後德里被納入英國的勢力範圍。英國人讓許多印度本地統治者，包括蒙兀兒皇帝，統治所在地區，英國人則控制對外政策。印度常被來自東方的戰隊征服，而被海上強權征服，這是頭一遭——而且此舉使英國的體量和領土大增。韋爾茲利以侯爵身分帶著十萬英鎊返國時，這個英國在印統治（British Raj）的真正締造者已把英國的領土擴大了一倍多，並且打算擔任首相。亞瑟也開始從政。

在更東邊，英國東印度公司再度試圖打入中國。中國是當時亞洲最強大的國家，由八十多歲的乾隆皇統治，下轄三億人民，而中國勢力已擴及中亞境內：史上最大的中華帝國。但他太長壽，反而受害於成功的弊病：過往的成功使眼前的改革無緣實現。[6]在對外貿易上中國享有巨額順差，只能在廣州活動的英國人用白銀買中國貨，而英國東印度公司希望用印度的新作物鴉片買中國茶葉。一七九二年九月，他們派馬戛爾尼伯爵使華，要求清廷給予「一個不設防的小島供英國商人居住」。

朝隆皇身材瘦長，臉似鷹，安詳而威嚴，穿戴「寬鬆的絲質黃袍、頂端有顆紅珠且飾有一根孔雀羽的黑絲絨帽」，他接見了馬戛爾尼。馬戛爾尼獻上禮物，以炫耀英國的先進科技：單筒望遠鏡、氣壓計、空氣泵、天象儀、六件瑋緻伍德瓷瓶。乾隆皇嘲笑空氣泵，說那足以逗樂小孩，但照理應會讓他驚訝連連的禮物是瑋緻伍德瓷器。隨著英國人把瓷器送到中國，世界已不同於以往，只是乾隆不接受英國的要求，其心態反映了他最風光時期的世界觀：「天朝……種種貴重之物，梯雲畢集，無所不有，」英國的不合理請求「與天朝體制不合，斷不可行」。眼下，在中國，英國人看來無足輕重。

英國不再能把罪犯流放到美國，但庫克船長的自然學家班克斯建議，新南威爾斯是理想的罪犯流放地。皮特和內政大臣悉尼子爵（Viscount Sydney）派亞瑟・菲利浦率領十一艘船前去廣闊的澳洲大陸上取得此殖民地。澳洲大陸上住了數十萬原住民，其中大多數人，過去百年除了和一些尼德蘭、英國水手接觸過，未接觸過其他歐洲人。

一七八八年一月，總督菲利浦在沿海地區升起國旗，把這個新拓居地稱作雪梨灣（Sydney Cove），送去第一批七百三十二名罪犯，都是來自倫敦的小偷。一七九二年菲利浦回到倫敦時，已有四千兩百二十一名英國人（其中三千零九十九人是罪犯）定居於新南威爾斯。該地的罪犯工作時被鐵鍊拴在一塊，原住民則成群病死，且因移民強奪土地而四散。[7]

在太平洋地區劃設地盤的征服者不只英國人。一七九〇年，一個美國毛皮商家族的攻擊，無意間助卡梅哈梅哈創建了夏威夷王朝。賽門・梅凱夫（Simon Metcalfe）這個美國商人駛著他的埃萊奧諾拉號（Eleonora）來到夏威夷群島，有次爭吵後，他鞭打了一個夏威夷酋長，用大炮殺了一百名夏威夷人，然

---

6 明朝版圖一百二十萬平方哩；到了一七九〇年，清朝版圖已達五百七十萬平方哩，增加了將近四倍。清朝是個帝國，以漢人為最大族群，另有一些非漢人住在漢地外圍。自商朝以來，漢人王國一直面臨來自北方的游牧戰隊威脅。這時，此威脅已消失，中華帝國的輝煌盛世助長了自得自滿之心。

7 菲利浦在形式上掌管奧泰阿羅阿（今紐西蘭），只是此地尚不歸英國控制。有些罪犯逃到奧泰阿羅阿，且不時有捕鯨船在此停靠，但奧泰阿羅阿住著毛利人。毛利人是晚至一三〇〇年時便已定居於此的一波波玻里尼西亞人的後代，由他們的酋長（rangatira）統治，不同部落間常兵戎相向。

後繼續上路航向中國。一段時日後，他的十九歲兒子湯瑪斯乘著名字取得不好的「美麗美利堅號」（Fair American）來到夏威夷時，夏威夷人展開報仇，攻入船隻，殺死他和他的船員——只有一個炮手逃過一劫。

他的父親賽門在附近某座島上等候，然後派一名水手長上岸確認湯瑪斯的情況。這個水手被擒時，賽門揚帆離去，前往中國。

卡梅哈梅哈請這兩個英國水手前去操作他剛得手的大炮：他們很識時務，不只同意此事，還成為他的親信廷臣。艾薩克·戴維斯（Isaac Davis）來自威爾斯，約翰·楊（John Young）則來自蘭開夏郡，兩人最初當他的炮手，後來幫忙指揮他的軍隊，最終透過聯姻成為此統治家族一員。卡梅哈梅哈向英美商人買來槍枝，學會如何用硝石製造火藥——在夏威夷硝石很容易覓得——而後在戴維斯、楊協助下攻入毛伊島。五年後的一七九五年五月，他帶領一千艘作戰獨木舟和一萬士兵，加上他的蘭開夏郡、威爾斯籍炮兵所操作的大炮，他攻擊歐胡島，打贏努瓦努（Nu'uanu）之役，而後將該地的統治者拿去獻祭。接著，這個卓越的征服者將以美國、歐洲商人的其人之道還治其人之身。

一七九三年十二月，傑佛遜退出華盛頓的內閣，讓來自保守聯邦黨（Federalist Party）的他的兩個對手漢彌爾頓和副總統亞當得以放手施為。傑佛遜有點口是心非的說，「一點點雄心……老早就消失無蹤，」同時卻心狠手辣的密謀打擊對手。亞當斯指出，「他和奧利佛·克倫威爾一樣雄心勃勃。」傑佛遜討厭直接衝突，裝出令人欽敬的彬彬有禮風度，同時操縱報紙以摧毀漢彌爾頓——並拒絕譴責羅伯斯庇爾的恐怖統治。在蒙提切洛，他拆掉舊宅，重新起建有圓頂的大宅，並再續他和莎莉的關係。一七九五年，仍只有二十歲的莎莉生下另一個女兒，但也早夭。

華盛頓當了兩任總統後回去佛農山，好搶救他的財產。[8]傑佛遜的「退隱」短暫且虛假：他用心將自己從巴黎——維吉尼亞貴族轉型為具有常民美德的樸素之人，與亞當斯爭逐總統大位，亞當斯當選，傑佛遜得票居次，獲賞以副總統之位。擔任副總統時，傑佛遜盡可能少待在首都費城，多待在老家。一七九七年，在蒙提切洛，莎莉產下一子比佛利。亞當斯把總統職位做得愈來愈不得人心，而專橫、聰穎但會做出可能反令自己受害之事的漢彌爾頓，由於坦承和人妻瑪麗亞．雷諾茲有婚外情而毀了自己。傑佛遜想必樂見這些聯邦黨籍對手自我毀滅，但就在他離總統大位更近時，他自己的祕密成為政治炸藥。

一八〇〇年，傑佛遜與道德敗壞的紐約律師阿隆．伯爾（Aaron Burr）搭檔競選，（驚險）選上總統，搬進位於新首都華府的總統官邸——就在莎莉生下一女哈麗特（Harriet）之前不久。一八〇一年九月，《維吉尼亞聯邦黨人報》（*Virginian Federalist*）披露「傑先生」（Mr J）的祕辛，聲稱此人「有數個黃皮膚小孩，癖好金髮之人」。然後，一年後，詹姆斯．卡連德（James Callender），亦即在傑佛遜和亞當斯交鋒時為傑佛遜賣命的那個具種族歧視心態的蹩腳文人，在《里奇蒙紀錄者報》（*Richmond Recorder*）上披露，「大家都知道，該報過去樂於讓人們心生尊崇的那個男人，把……他的一個奴隸當妾養。她名叫莎莉。」傑佛遜不理會此報導。

傑佛遜最初樂見法屬聖多明哥成為這個革命時代的一員，後來收到白人遭殺害的消息時便改變立場，

8　華盛頓結束其第二個總統任期時，考慮過將奴隸全部解放——但始終未這麼做，同時又對逃亡奴隸緊追不捨：歐娜．賈吉（Oona Judge）是個年輕的黑白混血女僕，甚得喬治和瑪莎寵愛，但一七九六年五月，心知華盛頓一家人就要回來，深恐自己會永遠得不到自由之身，於是逃跑。瑪莎很惱火——「黑人本性太差，對受到的善待完全不知感激」——兩夫婦深信她被「一個法蘭西男人引誘」。華盛頓命令他的財政部長動用海關官員在新罕布夏州樸次茅斯將她逮捕。沒想到，歐娜反而讓海關官員相信她未被引誘，而且如果華盛頓答應廢除她的奴隸身分，她願意回去。華盛頓說，任何這類交易都「不能容許」，又一次想要抓她回來。最後他住手，擔心破壞自己形象，勇敢的歐娜隨之堅稱，「我現在自由了，而且選擇繼續當個自由人。」一七九九年十二月十四日，華盛頓去世，享年六十七，留下三百一十七個奴隸給瑪莎。按照瑪莎的遺囑，他們終於得到解放。

並示警道「這個可怕共和國的食人族」可能引「爆」美國種族戰爭。但他盡量避談蓄奴一事，把心力擺在他一生的志業上——打造新的美利堅國。諷刺的是，他最佳的良機因圖桑的成功而加快到來。

圖桑這時打好和美國、英國的關係，為此不鼓勵奴隸造反。他深信通往自由的最佳路徑係透過巴黎，於是把他的兒子送去法國受教育，剛揮兵入侵西屬聖多明哥，解放該地奴隸，一統西班牙島，就在這時，有個法國將軍已在巴黎奪權的消息傳來。

就在一七九六年三月與約瑟芬結婚後不久，二十六歲的拿破崙來到義大利，與正捍衛自己轄下之北義大利省分的哈布斯堡家族交戰。拿破崙在戰場和宣傳領域都從容應對，瀟灑自如。誠如哈布斯堡王朝大臣會說的，義大一如日耳曼，「只是地理名詞」。義大利北部由哈布斯堡家族皇帝和薩伏依王室的皮埃蒙特—薩丁尼亞國王統治，中部由教宗統治，那不勒斯—西西里則由波旁王族的國王統治。那年五月，拿破崙攻下米蘭，隨後南進時，以法國本身為範本成立了新共和國，強制施行啟蒙運動的原則，廢除宗教裁判所和貴族大會，取消千百年來加諸猶太人的反猶限制措施。

拿破崙陶醉於掌權的興奮和法國的大展其優越性，他後來坦承，「我不再自視為只是個單純的將軍，而是自視為決定眾人命運的人。」沒有他在戰場上的諸多勝利，他的那些雄心壯志將只是空談，而沒有法蘭西這個偉大國家（la Grande Nation）不受約束的力量、法蘭西的龐大人口、不凡的軍事組織、客棧老闆家庭、桶匠家庭出身而憑藉自身才幹得到提拔的那些將軍，以及法蘭西對共和制的狂熱和法蘭西的優越感，他不可能拿下這些勝利。反法同盟——亦即這時有羅曼諾夫王朝助陣且得到皮特資助的哈布斯堡王朝——高估自身能耐而且內部協調不佳。[9]

拿破崙懷著掌握大權和擁有約瑟芬的夢想，懇請她過來和他團聚，每天寫信給她，信的基調從原本的閒話家常——「我有點累，每天騎馬」——轉為情欲蕩漾——「吻妳的胸，然後往下一點吻，再往下許多吻」。當他發現她正和一個「非常帥」的輕騎兵上床時，他愛到無法自拔：「妳不再愛我，我只有一死。」在米蘭召集手下議事時——他母親也出席——拿破崙擺出國王臨朝聽政的作風，晉升自家兄弟，將妹妹許配給法國將軍和義大利貴族，同時以令人卸下戒心的口吻對督政府開玩笑道：「若是幾個月前，我會想當米蘭公爵，而今天，我想當義大利的國王」。[10]

在簽署了一道和約，從而為法國贏得北義大利和比利時之後，拿破崙建議督政府籌畫攻打英國，「不然就等著被這些攻於心計、積極進取的島民的腐敗作風摧毀」。他還說，「應把我們的心力全放在海軍上，把英格蘭摧毀。做到這點，歐洲就臣服於我們腳下。」在巴黎的某場凱旋式上，巴拉斯和督政府成員全都離譜的穿上古羅馬的托加袍，把拿破崙比喻為新凱撒。這時，拿破崙打算大膽遠征東方，以使英國無力在這場戰爭上攪和，建立亞歷山大式的帝國，鼓吹法蘭西啟蒙運動思想，並讓自己所向無敵：遠征埃及。

照塔利蘭所建議的，拿破崙承諾「他一拿下埃及，就會和印度的諸土邦主建立關係，與他們一同攻擊他們領土上的英國人」。一七九八年五月十九日，拿破崙和他的兩百八十艘船，載著三萬八千大軍，加上

---

9 皮特指控一名國會議員阻撓保衛國土時，對方向他發出決鬥的挑戰。一八九八年五月二十七日，兩人在帕特尼希思（Putney Heath）交手，無人受傷，但他不是最後一個和人決鬥的英國首相。

10 拿破崙竭力打造他神一般睿智、不睡覺卻還是精力充沛的傳奇形象——「不同的主題和不同的事物分類擺在我的腦子裡，猶如東西擺在碗櫥裡；我想打斷某道思緒時，便關上那個抽屜，打開另一個抽屜。我如果想睡，就關上所有抽屜，然後睡覺。」從擅於處理後勤、戰術作為精湛，到讓每個老兵（grognard）感到自己與眾不同、從而為他死心塌地效力的本事，他才華多樣。他樂於享受他的新權力：瑞典國王派佛森（即法國王后安東尼的情夫）以特使身分前來會見他時，他告訴這個瑞典人，他（佛森）正在「嘲笑世上第一個國家」。後來佛森被晉升為瑞典宮廷的陸軍元帥，捲入瓦薩王朝（Vasa）下台之事，一八一〇年被暴民活活踩死。

一百六十七名學者專家（歷史學家、建築師、數學家、植物學家）、他弟弟路易、他的繼子歐仁、他的黑白混血騎兵司令仲馬將軍，以及八十萬品脫的葡萄酒，從土倫軍港浩浩蕩蕩出海。

埃及統治者：拿破崙和穆罕默德·阿里

拿破崙著迷於埃及法老、亞歷山大、凱撒登場的上古歷史，他終於來到鄂圖曼帝國的半自治省埃及。一如鄂圖曼帝國的大部分領土，這時的埃及是半獨立王國，由貪婪的馬穆魯克—突厥裔帕夏統治。拿破崙說，「這批被人在高加索和喬治亞買下的奴隸，以專制手段統治世上最美麗的地方，」他命令士兵包容埃及文化：「你們如何對待猶太人和義大利人，就那樣對待他們。尊重他們的穆夫提和伊瑪目。」

在亞歷山卓登陸後，由仲馬將軍率領的前鋒部隊往南進軍——奧地利人替這個將軍取了綽號「黑魔鬼」。沒想到，這個看起來總是精神抖擻的大塊頭，「你所見過最英俊的男人」，對於拿破崙的野心卻很反感，且開始密謀不利於他。

一七九八年七月二十日，就在開羅城外，拿破崙打敗馬穆魯克人。這位宣傳高手把此役命名為「金字塔之役」，慷慨陳詞道，「弟兄們，切記，四千年歷史正從這些金字塔凝視你們」——儘管根本看不到金字塔。仲馬的騎兵追逐馬穆魯克人。法國人占據非洲最大城開羅，但十天後，停泊在阿布吉爾灣（Aboukir Bay）的拿破崙艦隊，遭個性衝動的獨眼獨臂英國艦隊司令霍雷肖·納爾遜（Horatio Nelson）消滅。拿破崙當下不知所措，自此他能選擇的路不多。十月，開羅人造反；拿破崙和仲馬平定亂事，並且殺掉五千名造反者，把殘餘的造反者困在艾資哈爾清真寺。法軍炮轟這座清真寺，隨後強攻，仲馬騎馬衝進寺裡。就在這時，拿破崙得悉仲馬的陰謀：他揚言要槍斃他，不過還是讓他回法國。[11]仲馬遭米拉——來自加斯科涅的那隻愛打架的鳳頭鸚鵡——取代他的職位。米拉的劍上刻有「榮耀和女士」，多次從馬穆魯克騎兵手中救下法軍。

但有支鄂圖曼軍隊正取道敘利亞逼近埃及，且得到阿卡（Acre）的帕夏支援。拿破崙北征，圍攻阿卡城。這次遠征以大敗收場；他屠殺俘虜，殺掉己方的傷兵，仍未能拿下阿卡。正當拿破崙連發多則不實公告吹噓自身戰果之際，他同時得到一首振奮士氣的歌曲〈向敘利亞進發〉（Partant pour la Syrie），而且，也終於被告知約瑟芬一直對他不忠。他禁不住啜泣道，「我已不相信人性。」

一七九九年十月，拿破崙棄其整支軍隊於不顧（這不是最後一次），悄悄從英國船艦旁滑過。「哼！我們會到那裡，」他說。「幸運之神從未拋棄我們！」在他喬治亞籍奴隸侍衛魯斯塔姆（Roustam）的伴隨下，他抵達巴黎，要利用現在的政治威望壯大自身勢力。回到埃及，英國、鄂圖曼部隊聯手攻擊法軍，法軍最終撤出埃及。[12]先前，蘇丹塞利姆三世下令收復埃及，集結了一支軍隊，軍中有個兼有土耳其、阿爾巴尼亞血統的人，名叫穆罕默德·阿里（Mehmed Ali），他與拿破崙同年生，且將成為伊斯蘭世界的拿破崙。

穆罕默德·阿里生於今希臘境內的卡瓦拉（Kavala），係阿爾巴尼亞裔鄂圖曼帝國官員的兒子和當地行政長官的外甥，「被養育成紳士」。但拿破崙入侵埃及時，他舅舅要他從軍，他於是成為表兄弟所統領

11 返國途中，仲馬遭教宗的部隊逮捕，淪為階下囚；健康惡化後，他也就退休。他的兒子是著有《三劍客》、《基度山恩仇記》的大仲馬；他的孫子小仲馬則寫出《茶花女》。

12 這場遠征最深遠的影響在考古方面。一七九八年七月，就在他們來到埃及後不久，拿破崙帶來的科學家便在羅塞塔（Rosetta）發現一塊托勒密五世的石碑，上有以三種語言——希臘語、古埃及象形文、古埃及通俗文——呈現的銘文。這塊後來落入英國人之手的石碑，促使學者得以譯出古埃及象形文，開啟了古埃及文字的研究。

之部隊的一員。他於一八〇一年法軍撤走時來到埃及，當時開羅正天下大亂。鄂圖曼人未能控制住馬穆魯克人。反觀穆罕默德・阿里，他掌有四千名鬥志昂揚的阿爾巴尼亞人，並以高明手腕鬥贏這兩股勢力。一八〇五年五月，開羅城權貴派代表團前去會見他。

他問，「你們選擇了誰擔任行政長官？」

他們回道，「我們只接受你，其他人都不要。」這時他才派人前去希臘接來他的兒子等家眷。在埃及不過四年，幾乎不會說阿拉伯語且四十歲之前一直不識字的穆罕默德・阿里就成為埃及的統治者。一如拿破崙，他擦亮自己的傳奇光環，經常以凱撒式第三人稱講話；但與這個科西嘉人不同的是，他打造出一個存世甚久的國家和王朝。穆罕默德・阿里是近代最成功的伊斯蘭教籍統治者，主宰埃及四十三年，（如拿破崙）靠武力打下一個廣闊卻短命的帝國，幾乎引發一場歐洲戰爭，但接著又創造出歐洲以外第一個工業經濟體和統治埃及直至一九五二年的王朝。

一七九九年十月，拿破崙回到巴黎後，這才發現督政府分崩離析，在他兩個盟友——一是塔利蘭，另一個是他身材瘦長的弟弟呂西安（Lucien），後者二十三歲就當上五百人院（Council of Five Hundred，即法國下議院）院長——協助下，他同意扮演政變的「劍」。霧月十八日（十一月九日）的政變一開始便出了差錯。拿破崙大步走進上議院「元老院」（Council of Ancients），卻搞砸他的演說。五百人院拒絕解散。就在拿破崙猶豫不決之際，米拉和其精銳部隊士兵開始驅逐下議院議員、威嚇元老院。拿破崙在公民投票中得到百分之九十九・九五選民認可，成為公認的第一執政、法蘭西的統治者。再度出任外長的塔利蘭說，「只要撐過一年，他就會成就斐然。」

在禁不住約瑟芬歇斯底里的叫喊和啜泣後，第一執政原諒了她的不忠（與上同時，他自己亦興沖沖的展開婚外情，只是床上功夫始終不佳：他告訴幕僚：「三分鐘就結束」）。他們搬進杜樂麗宮的國王住所。

國王住所變成他們的家，拿破崙很高興。他開玩笑道，「來，嬌小的克里奧爾人，」把他的妻子抱進瑪麗・安東尼的閨房，說：「上你的主子們的床。」約瑟芬至少還覺得於心不安，她坦承道：「我能察覺到王后的鬼魂，問我在她床上幹什麼。」

這個執政這時轉而對付反法同盟，因為奧地利人在義大利採取攻勢。拿破崙率領軍隊越過阿爾卑斯山，完成一次漢尼拔式的壯舉，只是他翻山越嶺帶去的不是大象，而是大炮，接著，他憑藉高明的機動和純粹的走運，在馬倫戈（Marengo）打敗奧軍，與奧地利、西班牙締結和約，從而為法國贏得更多領土——包括北美洲內陸的路易斯安納。他打算把路易斯安納打造成一個新帝國的中心。而擁有路易斯安納一事使拿破崙有機會思考該如何處置法國的造反奴隸。

兩位將軍：圖桑和拿破崙

除了身為自己國家的領導人，圖桑也有了一個漂亮的新頭銜。他打贏慘烈的「小刀戰爭」（War of Knives），在此戰役中打敗黑白混血的對手軍閥安德烈・里戈（André Rigaud），而後，一八〇一年七月，他的議會通過名為「關於黑人、有色人種、白種人的自由」（concernant la libertéú des Nègres, des gens de couleurs et des Blanc）的憲法，憲法中指定他為「解放者、保護者、終身總督」，有權利自挑接班人。不過，他同時仔細檢視了拿破崙的新法蘭西憲法：第九十一條，允許某種程度的奴隸制在加勒比海地區重新施行。

保護者圖桑很想保住種植園的財富，而由於沒有奴隸勞動力，這些種植園正漸漸土崩瓦解：他和他的兩個將軍德薩利內、克里斯多福這時都經營著自己的種植園（德薩利內有三十座種植園），同時實施戒嚴令以貫徹契約勞動。圖桑甚至討論了從非洲輸入契約工之事。只是他國王般的權力激起反對，反對勢力的領袖正是他唯利是圖的自家姪子穆瓦茲將軍（Moyse）。當穆瓦茲企圖奪權時，圖桑命人將他槍殺，把四十名造反者綁在炮口轟碎。

圖桑向執政拿破崙保證，法屬聖多明哥忠心不貳，但要「由一個黑人治理」。拿破崙同意（不久後又食言）。拿破崙在埃及時，約瑟芬要求歸還她的種植園。圖桑將它們歸還，並將收入寄給她；約瑟芬招待圖桑的兒子們用晚餐，漸漸喜歡其中的普拉西德（Placide）。拿破崙告訴這些小伙子，他們的父親是個「對法國卓有貢獻的偉大之人」，決定認可他出任殖民地民兵司令，希望他率領一支法軍攻打英屬牙買加，可能的話也攻打美國。結果，這個「保護者」反而滿足英美的要求以平息他們的怒氣；與此同時，由於西班牙這時是法國的盟邦，圖桑占領西屬聖多明哥一事妨礙了拿破崙與西班牙打好關係。

拿破崙被奴隸主的遊說團體說動，決定恢復奴隸制並消滅圖桑，放話說他的統治未承認「法蘭西人民的主權」。拿破崙不願「容忍這些黑人佩戴軍職肩章」，他告訴國務院（Council of State），「我站在白人那一邊，因為我是白人，不為其他理由……我們怎能讓非洲這些沒有文明的人自由？」他還說，「如果……國民公會知道自己在做什麼，了解殖民地，他們還會廢奴嗎？我很懷疑。」他組成一支兩萬人的軍隊，後來又找到兩萬三千人的增援兵力，展開他最大規模的海外遠征。這支軍隊由維克圖瓦—埃馬紐埃爾．勒克萊爾（Victoire-Emmanuel Leclerc）統領，拿破崙已把他最漂亮的妹妹波莉娜（Pauline）嫁給他。拿破崙向勒克萊爾下達了詳細的密令，要他先讓圖桑卸下心防，之後，萬一他不從，索性滅了他，同時公開揚言，不從的有色人種會「像脫水的甘蔗般被火吞噬」。但有兩個法屬聖多明哥的將領和這個法國人同行，他們都在日後成為海地的領導人，即亞歷山大．佩蒂翁（Alexandre Pétion）和尚—皮耶．布瓦耶（Jean-Pierre Boyer）。兩人都是法蘭西籍殖民者和女奴所生，先前敗於圖桑之手，眼下支持法國人。圖桑看出法國人打算恢復白人的最高地位和動產奴隸制，一如他們不久後將在馬提尼克等殖民地所做的，於是他訓練他的兩萬士兵，卻也宣布，「如果我必會死在這些情況下，我會像個軍人光榮赴死。」

實際情況比他所說的糟糕。一八〇二年一月，圖桑望著勒克萊爾的部隊登陸。他推斷，「我們逃不過一死，法國所有兵力都來到聖多明哥。」勒克萊爾卻搞砸了登陸行動，而圖桑命令德薩利內和克里斯多福摧毀卡普城（Cap，曾是「加勒比海的巴黎」），「放火，破壞……摧毀、燒掉一切，好使要來重新奴役我們的那些人，眼前所見始終就只有他們所應得的地獄景象。」這場戰爭很殘酷：勒克萊爾下令將黑人囚犯集體溺死，在一艘船上建了毒氣室，用火山硫磺讓四百名海地人窒息而死；圖桑用拔軟木塞用的螺絲起子挖出法籍俘虜的眼睛。

勒克萊爾的心情從存心要種族滅絕的憤怒轉為萎靡不振的絕望，同時又幾乎無法處理令他頭痛的波莉娜，儘管她待在他的旗艦上很安全；他告訴拿破崙，周遭的混亂「導致她身體虛弱到生病」。圖桑的兵力少到只剩一個旅四千人，其中包括忠貞不貳的白人軍官和在非洲出生的女戰士，於是他打起游擊戰，喬裝改扮四處走動，睡在木板上；白人遭屠殺。「殺無赦，」他下令道。「不是攻下，就是死！」法國人蒙受慘重傷亡。截至一八〇二年三月，已有一半的法國人死亡或染上黃熱病。勒克萊爾提議執行集體殺戮方針；波莉娜懇求拿破崙將他召回。波莉娜從那些未死於大流行病的少許法籍軍人之中，一連找了數人發展婚外情，勒克萊爾為此痛徹心扉，請求她回家，但她安慰自己道，「我在這裡像約瑟芬那樣支配一切；我最風光。」只是她宰制的地方一片荒涼。

不過，法國人仍取得進展。圖桑的手下大量流失，他的兩個將領克里斯多福和德薩利內經過談判得到法國人赦罪，隨後變節。圖桑被迫談判，與勒克萊爾見面，然後盛宴慶祝停火，這位指揮官和四名未來的海地統治者盡皆出席。圖桑退居至他某個種植園，只是拿破崙要求抓住他。勒克萊爾在他的死對頭德薩利內協助下，教唆一名可靠的盟友將圖桑誘至其種植園，圖桑在此被捕，連同他的妻子、兒子（包括先前參與抗法戰爭的普拉西德）和忠心耿耿的黑白混血僕人馬爾斯．普萊西爾（Mars Plaisir），並轉交給勒克萊爾發落。這個「解放者」上了腳鐐手銬被送至法國。[13]一八〇二年五月至七月間，拿破崙恢復加勒比海地區某些領土的奴隸制，從而在法屬聖多明哥引發新的解放戰爭。這場戰爭的領導者是德薩利內，他被推選為總司令，並得到克里斯多福、布瓦耶、佩蒂翁助陣。德薩利內殺了支持圖桑的白人和黑人。勒克萊爾向拿破崙提議，「消滅山區所有黑人，男女都殺掉，只留十二歲以下的孩子，並消滅平原上半數黑人，已佩戴軍隊肩章的有色人種男子一個不留。」沒想到，他本人接著死於熱病。

十一月，波莉娜帶著他的遺體坐船回到巴黎；[14]接掌其職的羅尚博子爵多納西安（Donatien）是華盛盛的盟友之子，以恐怖手段治理——把人集體溺斃和公開燒死、釘上十字架、活活餵狗吃。他在太子港為身居社會上層的黑白混血婦女辦了一場舞會，在四壁掛了黑布的大廳裡盛宴款待她們，然後打開通往一房間的門，房裡展示著剛被處決的她們的丈夫。羅尚博下令採取種族滅絕手段，殺光十二歲以上的黑人，輸入新的非洲奴隸。未想在一八〇三年十一月十八日於韋蒂耶爾（Vertières），德薩利內擊敗法國人。隔天，羅尚博展開談判。德薩利內給他十天時間撤走八千士兵。法國失去最富裕的殖民地：拿破崙很是震驚——「我所犯過最大的錯」——他後來有感而發道，他本該任命圖桑為總督。在這三大革命的第三個革命裡，圖桑和德薩利內改變了世界：死了三萬法國人和三十五萬海地人後，德薩利內打敗歐洲一大國。但此事在另一個方面也有決定性的影響：拿破崙因此相信，必須把北美的內陸地區賣掉。

傑佛遜最初支持拿破崙弭平圖桑的叛亂，只是當他發現這個執政收回路易斯安納這個北美洲的核心地區時，這個喜愛法國文化者密謀趕走法國人，且深信美國會需要紐奧良港。傑佛遜向拿破崙威脅道，如果不讓他得到紐奧良港，他會和英國結盟。他派詹姆斯．門羅（James Monroe）前去巴黎，就在拿破崙意識到他將失去海地之時。

一八〇三年四月，儘管對總統權力和帝國外交心存懷疑，傑佛遜還是以一千五百萬美元的價格買下路易斯安納：「這可以說是監護人的作為，監護人拿其監護對象的錢買下旁邊一塊重要領土；並在他成年時告訴他，我這麼做是為了你好。」傑佛遜一舉把美國的疆域擴大了一倍，吃下後來會分成十五個州的大片土地，使這個國家得以擴張為大陸性強權。[15]他著迷於庫克船長的故事，組成一支「發現隊」（Corps of Discovery），派出由梅里韋澤・劉易斯（Meriwether Lewis）和威廉・克拉克（William Clark）領導的考察隊，前往西部探索直抵太平洋岸。不久，傑佛遜遇見一個言行粗魯的德裔移民，此人所從事的毛皮、中國製奢侈品、曼哈頓房地產買賣會跟著美國本身的繁榮一起水漲船高。這個總統認為，這個四十歲、性情抑鬱的商人約翰・雅各・阿斯托爾（John Jacob Astor）是個「極優秀的人」。

---

13 圖桑向拿破崙示警道，「推翻了我，你只不過是砍掉聖多明哥的黑人自由之樹的樹幹。它會從樹根再長出來，因為樹根繁茂且紮得深。」他懇求拿破崙釋放他的妻子蘇珊娜，但他未再見到他的妻子一面。圖桑和馬爾斯被囚時關在侏羅山區的中世紀要塞茹堡（Fort de Joux），拿破崙在茹堡有計畫的摧毀他的意志：不准他和家人接觸，不准探視，不准閱讀，得不到醫療。勒克萊爾唯恐他逃走「點燃該殖民地戰火」。拿破崙派助手去看他的情況，助手回報道，這個囚犯「鎮靜自若、狡猾、相當有歷練」。當健康整個垮掉時，圖桑覺得自己如同被「活埋」，卻還是以口述方式由人代他寫下證詞，並在其中為自己的政策辯解，指出不會有哪個「白人將軍」受到這樣的對待：「我的膚色妨礙我得到榮耀、展現勇敢？」而這年冬天嚴寒：一八〇三年四月他被人發現死在囚牢裡。

14 拿破崙要波莉娜回來，以「在妳家人的親情中得到安慰」，但她「不是個孤獨淒涼的寡婦」。她自豪於她的王朝和美貌（卡諾瓦製作了她的乳房石膏模型，如今展示於羅馬的拿破崙博物館），並決意盡情享受情愛。拿破崙安排她嫁給不成材的羅馬貴族卡美洛・博蓋塞（Camillo Borghese）。她覺得他是個「蠢蛋」，猛給她戴綠帽。她哥哥拿破崙試圖約束她，勸她「不要恣意做出這些不得體的行為」。

15 後來傑佛遜看上古巴，他寫道，「我要真心坦承，我曾把古巴視為可加入我們的聯邦體制上的最有意思的土地。」

阿斯托爾是德國海德堡附近瓦爾多夫（Walldorf）的一個肉販的兒子，最初搬到倫敦從事樂器買賣，後來，在他一個兄弟加入英國黑森傭兵隊去到美國後，他也跟著過去，並在紐約開了樂器店，然後轉行投入大有賺頭的河狸毛皮、白鼬毛皮、水貂毛皮、水獺毛皮買賣。

阿斯托爾以獨木舟和獸拉車為交通工具，從加拿大邊界附近的美洲原住民手中買回毛皮，有時藉由吹笛，有時靠賣蘭姆酒和武器，贏得他們的支持。毛皮拿到倫敦販賣時，獲利達到十倍。他娶了有錢的紐約人莎拉・塔德（Sarah Todd），不久就有了一個成員眾多的家庭，隨後他開始派一批追蹤獵物者進入傑佛遜所新開闢的土地，這批人進而去到太平洋岸。而在太平洋岸，加利福尼亞仍屬西班牙所有，俄羅斯剛把阿拉斯加據為己有。

阿斯托爾是個粗俗、紅臉、貪婪但不知疲累為何物的統籌者，他向政治人物遊說，借錢給副總統伯爾，竭力結交總統傑佛遜，後者批准了他的計畫。他的追蹤獵物者常遭美洲原住民殺害，而他的美利堅毛皮公司則是生意興隆。

一八〇四年四月，這個總統趕回蒙提切洛，他住在那裡的女兒瑪麗亞當時已生病，而後死在他懷裡；而在蒙提切洛期間，他讓莎莉・海明斯又懷了一個孩子。當她產下一子，傑佛遜按照他替莎莉孩子命名的一貫作法——每個孩子都照他朋友的名字取名——取名為詹姆斯・麥迪遜・海明斯；而國務卿麥迪遜的妻子道莉・麥迪遜向莎莉保證，如果這個兒子以她丈夫的姓氏命名，她會送莎莉一份禮物。結果禮物從未送來。[16]

說來諷刺，傑佛遜對人類的最大貢獻，與其對奴隸制的曖昧態度有關。他知道最厲害的殺人凶手是天花。在巴黎，他讓莎莉・海明斯和她的兄弟都接種。一七九六年五月，英格蘭鄉村醫生愛德華・金納（Edward Jenner）注意到擠奶女工對天花有免疫力，於是從擠奶女工的牛痘水疱刮取膿，並注入一男孩體內，這個男孩就此免疫：他根據vacca（牛）一詞把這作法稱作vaccination（種痘）。一如許多新的進展，這項發現未得到多數醫生認可。業餘人士和領導者先後讓公眾享受到這些好處後，新發現才會得到肯定，而那往往得花上數十年。一八〇一年，傑佛遜從一位哈佛教授口中得悉種痘之事，這位教授——令人吃驚的——透過跨大西洋的郵寄收到疫苗，將它放進小瓶，塞上軟木塞，寄去給這個總統。傑佛遜就此理解到，「沒有哪個醫學上的發現與此同樣重大，讓自己家中約七十或八十人接種……我們的整個實驗擴及約兩百人，」包括他的一些小孩和三個奴隸，其中兩個奴隸是他的司膳總管伯威爾·科爾伯特（Burwell Colbert）和鐵匠約瑟夫·佛塞特（Joseph Fossett），兩人都成功免疫。接種的令人震驚之處，在於此舉係針對尚未得病者施打疫苗，從而引發反接種運動。史蒂芬·強森（Steven Johnson）寫道，「一個在位總統於工作之餘測試實驗性藥物，著實不可思議」，但由一個不具醫生身分者打敗反接種人士並提倡近代最重要的治療方法，那其實很適切。傑佛遜宣揚其測試結果，促使國會於一八一三年通過《疫苗法》（Vaccine Act）。英國四十年後才趕上。

在巴黎，才三十三歲的拿破崙正在泡澡時，他的哥哥約瑟夫和弟弟呂西安抨擊他賣掉路易斯安納的決定。他吼道，「我知道我所拋棄之物值多少錢，」他一絲不掛起身。「我放棄它，心裡無比遺憾。」這時，

---

16 總統傑佛遜立即面臨來自的黎波里、阿爾及爾、突尼斯三地的蓄奴王朝的挑戰。這三地即所謂的「巴巴里沿海地區國」（Barbary States），得利於橫越撒哈拉沙漠的奴隸買賣和扣押西方船貨、「白人奴隸」等。英國和西班牙，甚至瑞典和丹麥，長年和這些掠奪者交戰或向他們上貢。的黎波里自一七一一年起由鄂圖曼帝國軍官艾哈邁德·卡拉曼利（Ahmed Karamanli）所創建的王朝統治。一八〇一年五月，他的後裔優素福帕夏（Yusuf Pasha）要美國上貢，並同時宣戰。傑佛遜派一支海軍中隊駛入的黎波里港灣，一八〇五年四月，歐洲分心於拿破崙的戰役之際，前美國領事威廉·伊頓（William Eaton）自亞歷山大率領八名美國人和五百名柏柏裔、阿拉伯裔、希臘裔傭兵前來奪取優素福的城鎮德爾納（Derna）。優素福撤回其要求，並釋放白人奴隸。這是美國的第一場伊斯蘭戰爭。

美國境內他最操心的事，係他的么弟傑羅姆（Jérôme）這個不成材的海軍軍官和巴爾的摩的女繼承人貝琪・佩特森（Betsy Patterson）的婚事。拿破崙抱怨自己貪婪的家人，氣沖沖命令傑羅姆回來。他的手足嫉妒約瑟芬和她與前夫博阿爾內所生的小孩——討人喜歡、擔任拿破崙幕僚的她兒子歐仁和聰穎、漂亮的她女兒奧爾唐茲（Hortense）——只是拿破崙喜歡他們，更甚於他那些想自立門戶的自家兄弟。但他讓弟弟路易娶奧爾唐茲，欲藉此修復家人間的關係。不管他的手足有何缺點——而且他的手足不少——他打算創建自查理曼以來最偉大的王朝。

皇帝和五王國

一八〇四年十二月二日，在巴黎聖母院，教宗庇護七世親自主持的儀式中，拿破崙稱帝，他穿著鑲了黃金的緞質長袍、深紅色白鼬毛皮披風，戴著金色桂冠。他用義大利語向哥哥約瑟夫悄聲說，「此刻要是老爸能見到我們，那該有多好。」而他們的母親萊蒂齊婭（Letizia）歷經十三次懷孕如今仍在世，眼下卻震驚於拿破崙和其他兄弟間的不愉快，因而拒絕參加這場盛會。約瑟夫曾想阻止約瑟芬被立為皇后，因為路易和奧爾唐茲的後代將因此成為皇帝的孫子女，他自己的小孩則會是資產階級的孫子女。拿破崙的幾個妹妹不願在約瑟芬進聖母院時幫她捧裙裾，但拿破崙堅持要她們做：「我妻子是個好女人。她靠鑽石、華服和她年華老去的不幸得到滿足……如果我立她為皇后，那很正當。我最重要的特質是為人公正。」接著，他立跪著哭泣的約瑟芬為皇后，她身著白袍和鍍金緞質披風，她的小冠冕、腰帶、項鍊、耳環上綴著許多閃閃發亮的鑽石，「她妝化得很濃，看來像是二十五歲」。

這個正和英、俄、奧三國交戰的皇帝認為，這個頭銜使他得以和羅曼諾夫王朝、哈布斯堡王朝談判。

一八〇二年八月，他已贏得終身第一執政之位，法國業已用武力打下一個從比利時至義大利的歐洲帝國。一八〇四年一月，一樁波旁王室企圖暗殺拿破崙的陰謀，使得他把注意力集中在君主制上。他宣告，「他們想要藉由攻擊我的人身來摧毀革命，我會捍衛革命，因為我就是革命本身，」還說，「光是世襲原則就能防止反革命。」[17] 五月，法國人認可他為法蘭西人的皇帝，新君主國得到公民投票同意，而該君主國的穩定靠王朝確保——他很快的構思出他的王朝樣貌，借用墨洛溫王朝的蜜蜂作為他的象徵，打造出任人唯才的貴族階層和元帥軍銜。約瑟夫被晉升為大選舉侯（grand elector），路易被晉升為法蘭西的大元帥（grand constable），而拿破崙仍忿忿的抱怨他們沒有責任感的爭吵：「我一手打造自己的命運，對於我的兄弟，我毫無虧欠。」米拉獲賞得以和他妹妹卡蘿利娜（Caroline）成親、大公爵領地、元帥節杖以及「歐洲首席騎士」的頭銜。拿破崙撤銷傑羅姆的美國婚姻，並且原諒了他，而他那些妹妹的要求則讓他大笑。他開玩笑道，「照我那些妹妹的話做，你會以為我沒把我們先王父親的遺產管理好。」不久，已是義大利共和國總統的拿破崙獲加冕為義大利國王。他們的母親咕噥道，「願長長久久」（Pourvu que ça dure）。

多數政治人物竭力將自身利益和國家利益分別看待，獨裁者則認定兩者同一。就拿破崙來說，這個虛妄的認知致使他認為，在這動蕩十年間，數十萬人為了讓他的個人統治穩如泰山而戰死一事再合理不過。然而，他的稱帝卻也激怒許多人，其中之一是來自南美洲的年輕仰慕者西蒙·玻利瓦爾（Simón

17 拿破崙說，「該讓波旁王室死了心，」於是下令將波旁宗室昂吉安公爵（duc d'Enghien）擄來並處死，可是，此人和這些陰謀毫無瓜葛。後來他宣稱，這是塔利蘭的主意，未想這個外長很不客氣的將此舉斥為「比犯罪還惡劣，那是個失誤」。歐洲許多人對這樁謀殺和這場加冕典禮非常反感，歐洲諸王朝對法國的敵意因他的稱帝而加深：俄國皇帝亞歷山大稱他是「科西嘉吃人妖魔」。

Bolívar）。那天，人在巴黎的他忿忿說道，「從今起，我把他視為虛偽的暴君。」在維也納，作曲家貝多芬把他的《第三號交響曲》的標題頁撕成兩半。「那麼，他也和普通人無異？」他問。「他會把自己抬升到其他所有人之上，成為暴君。」貝多芬更改了交響曲「取自波拿巴」的獻辭，把曲名改為《英雄》（Heroic），「用以緬懷一位偉人」。[18]

拿破崙這時想和英國化干戈為玉帛，希望在他主宰歐洲時，倫敦會滿足於擁有自己的世界帝國，只是始於威廉三世且持續至二十一世紀的英國政策，不願讓任何強權主宰歐洲。一八〇四年五月，四十五歲的皮特經過短暫的失勢後重新掌權。權力已使他老了許多：而他業已取得輝煌成就，包括一八〇一年促使已有英格蘭、蘇格蘭的聯合王國又多了愛爾蘭這塊領土。這時的他是個酒鬼，因為止不住對波爾圖葡萄酒的嗜愛而有「三瓶男」（Three-Bottle Man）的綽號，染上酒癮則緣於他的醫生以這款葡萄酒作為治病處方。他決意止住拿破崙的擴張，於是資助奧地利、普魯士、俄羅斯的陸軍，把皇家海軍部署在海上。拿破崙決定入侵英國——「只需六個小時，我們必會掌控大海，英格蘭將滅亡」——下令他的法—西艦隊擊潰皇家海軍。

當奧地利加入第三次反法同盟時，拿破崙執行了他所謂的「單腳著地旋轉」（pirouette），派他的「大軍」（Grande Armée）進入日耳曼。一八〇五年九月，他打了一場極漂亮的戰役，鬥贏他的諸多敵人（他告訴約瑟芬，「我只靠行軍就滅了奧軍」），然後，在十二月，在拿下維也納並在申布倫宮（Schönbrunn）過了一夜後，他於十二月在奧斯特利茨（Austerlitz）和軍隊會合，利用奧軍指揮官的行動拖沓、過度自信的俄羅斯皇帝亞歷山大的稚嫩失誤、這兩者間的協調不力，從而擴大自己的優勢，同時展現他在正確時機對正確地點施加最大力量以摧毀奧、俄軍隊的高明本事：「讓我們以迅雷般的攻勢結束這場戰爭。」他在戰場上寫信給約瑟芬：「我已打敗由這兩個皇帝統領的俄羅斯、奧地利軍隊。我有點累。」

而就在他於陸上贏得歐洲霸權時，他的艦隊在特拉法爾加（Trafalgar）反遭納爾遜擊潰，納爾遜則於此役中戰死。英國打贏此役，限制了拿破崙帝國的存續能力，並確立了英國長達百年的海上霸主地位。在倫敦的某場晚宴上，有人將皮特譽為「歐洲的救星」，疲累且有病在身的皮特回道：「歐洲不是哪個人能拯救的。英格蘭靠自己的努力救了自己，而誠如我所相信的，會以她所立下的榜樣拯救歐洲。」不過一得知奧斯特利茨之役的結果時，他理解到勢頭仍在拿破崙那邊：「收起那張地圖：接下來十年用不上。」

奧斯特利茨之役的隔天，拿破崙會晤了哈布斯堡王朝皇帝法蘭茨，即瑪麗亞·泰蕾莎的孫子。法蘭茨盡得哈布斯堡家族的真傳，逗笑了這個四處遊走的科西嘉人。拿破崙忍不住笑道，他「太正經，以至於這輩子除了對這個老婆之外，沒對哪個人示愛過」。法蘭茨受他「第二個父親」皇帝約瑟夫培養，約瑟夫認為他盡本分卻呆板。法蘭茨會講維也納德語，還會講捷克語、義大利語，培養出不拘禮節的平易近人作風，每週兩次穿著樸素的軍裝——約瑟夫風格——接見一般大眾（對民眾大開晉見之門）。但他也對他的弟弟，尤其對統兵作戰一流的卡爾，心存懷疑和嫉妒，派人監視卡爾的一舉一動。他勉強算得上言語風趣：當有人告訴他有個蒂羅爾的愛國人士抗擊法國人時，他回道，「我知道他愛國，但他愛我的國嗎？」比起細瑣的政治，他更愛寵妻的生活（他一生結了四次婚）和製作太妃糖。法蘭茨反感於這個趾高氣昂的

18 貝多芬的祖父是葡萄酒商暨音樂家，父親是為科隆的選帝侯服務的酗酒宮廷歌手，貝多芬本人於一七九四年定居維也納，為貴族身分的贊助人作曲，但他鎖定更宏大的聽眾創作：人民、當世之人、後代之人。他秀異不凡，喜歡和朋友交談，不過他始終單身，而且據歌德說，「十足倔強」。當時，他因另一件事而顯得孤獨：他漸漸失去聽力：「我竟在照理應比他人還敏銳的感官上有缺陷，這教我怎麼接受，」他在信中告訴弟弟。「我想必會孤家寡人的過日子，像個流亡者。」他想過尋死：「因為我的藝術創作，我才未那麼做。當我尚未創作出我自認能創作的所有作品就離開世間，這對我來說似乎是不可能的，於是我把這悲慘的人生拖得更長。」他寫信給一個身分不詳的女人，以抒發內心的痛苦：「永遠心愛的人，除了妳，永遠沒人能占有我的心……在維也納的生活如今是如此悲慘。」他靠逛「窯子」得到慰藉。貝多芬體現了受苦的天才，浪漫主義運動的英雄。

征服者，但還是忍痛表現出應有的禮貌，憤懣的默許拿破崙重整歐洲之舉：這個羅馬帝國被拿破崙所領導的萊茵邦聯（Rhine Confederation）取代。法蘭茨已把自己的頭銜改為奧地利皇帝。

一八〇六年一月二十三日，皮特死於消化性潰瘍，享年四十六（臨終時若非說了「噢，我的國」，就是說了「我想我吃得下一塊貝拉米的豬肉派」），由其表弟格倫維爾接任。一連「數個皮特先生的友人」都決意消滅拿破崙，格倫維爾則是其中第一人。[19]這個皇帝設計了封鎖政策，以切斷「這個由店老闆組成的國家」的收入，同時繼續和俄國沙皇交戰。普魯士為沙皇助陣，拿破崙則警告普魯士國王，「陛下會落敗。」一八〇六年十月，拿破崙在耶拿（Jena）大敗普軍（黑格爾在耶拿看到拿破崙騎馬經過，驚訝於親眼目睹「這個體現『世界精神』（World-Spirit）之人騎馬出城……一個舉起手臂俯臨世界並統治世界的人」），然後在艾勞（Eylau）和弗里蘭德（Friedland）大敗俄軍。拿破崙不禁思忖道，「兩千人死於一場大仗算什麼？」

這些勝利迫使俄羅斯坐上談判桌。在蒂爾西特（Tilsit）的木筏上，這個皇帝對魁梧、藍眼、金髮的沙皇亞歷山大心生好感。亞歷山大是個讓人摸不清心思的兩面派高手，先後待過他祖母凱撒琳大帝和他暴虐父親瘋子保羅（Paul the Mad）的宮廷而保住性命，謀殺瘋子保羅一事，他是共謀之一。這時，這個受到教訓的沙皇和「科西嘉吃人妖魔」聯手瓜分歐洲，得到芬蘭等領土。

拿破崙分封他的家人，藉此保住他的勝利果實：他的兄弟成為國王——那不勒斯國王約瑟夫、荷蘭國王路易、西發里亞國王傑羅姆；他的繼子歐仁成為義大利總督。[20]拿破崙威嚇、告誡他身為國王的諸兄弟，並告訴最得他喜愛的約瑟夫，「你要當國王，說話就要像國王」，可惜這是約瑟夫始終做不到的事。傑羅姆則因為風趣遭他訓斥：「你的信太詼諧，而戰爭不需要詼諧。」

國王路易娶約瑟芬的女兒奧爾唐茲，走本土化路線，宣布「自我踏上尼德蘭的土地那一刻起，我就成了尼德蘭人。」由此激怒了皇帝拿破崙，拿破崙說，「如果你繼續靠惱人的抱怨來治理，如果你任由自己受欺負，」路易就會成為廢物。拿破崙接著說：「你讓我感到厭煩，沒必要的厭煩……女人才會哭、會抱怨；是男人就去做；你的軟弱會讓我後悔。加把勁，再加把勁！」他的諸位兄弟則心生嫉妒、怨恨；沒人有拿破崙那種精力，路易肯定沒有，不久這個皇帝就廢掉他荷蘭國王的位子——然從王朝存續的角度說，他反而比較有用。奧爾唐茲生下兒子路易—拿破崙，但後來她高調展示她與塔利蘭的私生子的不倫戀，和他生了私生子夏爾・德・莫爾尼（Charles de Morny）。許久以後，路易—拿破崙將坐上法蘭西王位——並由莫爾尼將他扶立。

拿破崙重整日耳曼的諸多較小邦國時，無意間開啟了一個猶太教籍銀行家的輝煌生涯，此人後來被稱作金融界的拿破崙。

19 格倫維爾也被迫主持針對威爾斯親王妻子卡羅琳王妃（Princess Caroline）之醜事的調查委員會。經過調查，委員會裁定，儘管有個男僕證稱「王妃很愛做愛」，這個說法仍完全無法證實，而她所收養的一個男孩是她的私生子一說亦然。喬治有多受痛恨，卡羅琳就多受愛戴，直到一八二四年去世為止，她一直罩著激進反對派。

20 唯一長存至今的波拿巴系王位，而且此王位並非拿破崙所創立：他的陸軍元帥貝爾納多特（Bernadotte），原是狂熱的共和主義者，胸膛上刺有「國王去死」諸字，能力強，卻高傲，打心底不覺得拿破崙有什麼了不起，拿破崙也不覺得他有什麼了不起：「非常平庸；我不相信他。」但對拿破崙來說，他是半個家人，因為他的妻子是拿破崙的第一個情人暨約瑟夫之妻茱莉（Julie）的妹妹黛西蕾・克拉里（Désirée Clary）。一八一〇年五月，瑞典瓦薩王朝末代國王的王儲去世，瑞典人便問貝爾納多特是否願意當他們的國王。他精於審時度勢，挑了一八一二年一個合適時刻背叛拿破崙，以國王卡爾・約翰（Carl Johan）之名統治瑞典至一八四四年。貝爾納多特王族今仍在位。

資本大王：羅斯柴爾德家族

納唐．邁爾．羅特希爾德（Nathan Mayer Rothschild，英語讀作內森．梅爾．羅斯柴爾德）的父親邁爾．安舍爾．羅特希爾德（Mayer Amschel Rothschild），係黑森—卡塞爾（Hesse-Kassel）選侯國的選帝侯威廉九世（Wilhelm IX）的御用商人，靠出借黑森傭兵了財（通常出借給英國，為英國在北美殖民地打仗），這會兒，竟失策支持普魯士。拿破崙懲罰威廉，把黑森賜給弟弟國王傑羅姆。威廉委託羅特希爾德將他的錢藏起來，以免被這個法蘭西皇帝搶走。羅特希爾德派納唐至英國，在那裡，納唐用黑森的資金創立家族，而該家族將成為新的國際資本主義時代的化身，晉升為世界首富。

邁爾．羅特希爾德生於法蘭克福猶太隔都的猶太人巷（Juddengasse），是個「相當高大的人，戴著未撒了粉的圓假髮，留著小小的山羊鬍」，隔都則是一四五八年「胖子」腓特烈（Frederick the Fat）為保護、壓榨猶太人而建立。猶太人不准擁有土地，不准進入公園、酒館、休閒步道，得戴黃戒指，如有非猶太人對他們說「猶太人，盡你的本分」，猶太人就得走離人行道，脫帽致敬，因此，除了把全副心思放在自己的信仰上並從商，幾無別的路可走。羅特希爾德原從事錢幣、紡織品買賣，後來陸續成為替威廉九世、皇帝法蘭茨掌理財務的宮廷代理商（Hoffaktor），亦即宮廷猶太人（court Jew）。雖然約瑟夫二世和法國大革命已開啟猶太人解除禁制的過程，但羅特希爾德致力於為「我們民族」贏得公民應有的平等地位，猶太人渴望得到自由，但不願放棄他們的猶太教。這會是羅特希爾德長久投入的使命。

拿破崙已撤銷黑森—卡塞爾選侯國，於是羅特希爾德把四箱錢幣偷偷運到英國，至於邁爾的第三個兒子內森，則先是在曼徹斯特，接著在倫敦，投資威廉的錢，在羅特希爾德家族從宮廷猶太人、紡織品商人轉型為銀行家時，為此家族打下強大的基礎。邁爾的妻子古特勒（Gutle）懷胎十次依然健在，身子骨硬實，頂得住法國人追查黑森財物期間一次法國人的襲擊和訊問。但女人不得參與家族事業：邁爾六十八歲去世時，留下不多也不少的財產以及規定家產必須由男性子孫繼承的遺囑。因此遺囑之故，家族的成員偏好族內通婚。內森積極進取且腦子靈活，成為五兄弟的領袖，遵守他們父親對家族「不會破碎之一體」的堅持，把他的兄弟分別安置在歐洲不同首都。在維也納負責哈布斯堡王朝業務的薩洛蒙・羅斯柴爾德（Salomon Rothschild）說，「我在倫敦的那個弟弟是司令官，我是他的陸軍元帥，」還說，「我們兩個人誰都不會對另一人的作為表達反對，因為我們始終為了共同利益而行事。」

搬到倫敦令他們如魚得水：羅斯柴爾德家族會受益於三個改變世界的運動。首先，是以英國紡織品和鋼鐵為基礎、靠煤和蒸汽驅動、不久就擴及到日耳曼、法蘭西的工業擴張。接著是社會向有才之人廣開大門和拿破崙所催生的群眾政治的濫殤一事。拿破崙廢除加諸猶太人的禁制，促使猶太人有機會首度參與西方社會。最後，拿破崙的戰爭使諸國必須動用龐大的軍隊因應，從而必須靠日益壯大的資本市場來籌措軍費，而羅斯柴爾德家族將會形塑——並且主宰——資本市場長達一個世紀。

隨著已底定東歐的拿破崙轉向西邊，決意逼西班牙、葡萄牙加入他的對英戰爭，這個家族的機會迅即到來。這個皇帝猶如必須不斷進食才能存活的鯊魚。每攻下一個新地方，都開啟了攻下另一個地方的可能性。而這個可能性是他所抗拒不了，卻也使他的人力、物力、財力更加左支右絀。西班牙的統治者是個無能的同居三人組，即愛虛張聲勢且常被戴綠帽的波旁王族國王卡洛斯四世、他個性衝動的王后瑪麗亞・路易莎（Maria Luisa）、她荒謬愚蠢的情夫馬努埃爾・戈多伊（Manuel Godoy）。戈多伊綽號「香腸」（El Chorizo），此綽號既因他的家鄉埃斯特雷馬杜拉省（Extremadura）以肉產而著稱，也因為他的性器巨大異於常人而得名。有天，這個王后看到香腸在撥弄吉他，就此愛上他。一七九二年，國王卡洛斯欣然任命這個二十八歲的花花公子為首相，後來又賜予兩個公爵領地，再授以荒謬的頭銜「和平公」（príncipe de la paz）。不久，戈多伊就成為西班牙境內最被痛恨的香腸。[21]

拿破崙察覺到可以好好利用的對手弱點。他寫信提醒卡洛斯，留意戈多伊給他戴綠帽，竟遭香腸截走信件，不過，他還是把信直接交給卡洛斯——卡洛斯看了完全不予理會。拿破崙不費吹灰之力就讓這三人以及滿腹怨恨的王儲費南多（Fernando）受他擺布，跟著他一起入侵葡萄牙，並把法國士兵安插進入侵的西班牙軍隊裡；接著，他說服這對國王王后一起遜位，然後他指派約瑟夫為西班牙王，派妹婿米拉接掌空下的那不勒斯國王之位。這個首席騎士——拿破崙口中「世上最勇敢的人……以黃金和羽毛裝飾自身，羽毛聳立於頭頂上像教堂的尖塔」——當時正在西班牙指揮法軍。他占領馬德里，沒想到，一八〇八年五月二至三日馬德里人造反。「法國人死傷，」米拉說。「必須報仇。逮到一律槍殺。」鎮壓製造出一股凶殘的叛亂勢力，哥雅的〈戰禍〉（Disasters of War）版畫描繪出其暴行，逼真得令人毛骨聳然。拿破崙把這稱作「我的西班牙潰瘍」，承認「這個不義的行徑太狠毒……如今依舊醜陋至極。」

在葡萄牙，他的進攻已激起一件同樣令人意外的事。一八〇七年十一月二十九日，法軍進向里斯本時，攝政王若昂六世前往巴西。長臉、厚唇、視力模糊、大肚子、優柔寡斷的若昂住在馬夫拉（Mafra）的宮殿暨修道院裡，出逃前只有神職人員和一群用來殺害猖獗昆蟲的蝙蝠陪在身邊。

21　戈多伊竭力把妻子、一大票女友、王后都伺候得服服貼貼，委託宮廷畫家法蘭西斯科・哥雅（Francisco Goya）將他的情婦卡斯蒂略・費埃爾（Castillo Fiel）伯爵夫人佩皮塔（Pepita），不只畫進〈著衣瑪哈〉（La maja vestida）中，還畫進〈裸身瑪哈〉（La maja desnuda）中，再將〈裸身瑪哈〉和維拉斯奎茲的〈維納斯〉一起存放在簾幕後的一個凹室裡。

祖魯人和紹德家族、克里斯多福家族、卡梅哈梅哈王朝、阿斯托爾家族

熱帶君主國：海地國王、巴西國王

若昂代他精神失常的母親女王瑪麗亞掌理朝政已久，瑪麗亞是信仰虔誠的歇斯底里症患者，苦於魔鬼纏身，經喬治三世的「瘋醫生」威利斯治療無效。若昂的真正敵人是他的西班牙籍妻子卡洛塔·霍阿姬娜（Carlota Joaquina），她瘦骨嶙峋、五官輪廓分明、身上有疣、唇上有髭、腳跛，騎馬騎得很猛，學會發炮，縱情於婚外情，想要推翻她丈夫，使葡萄牙在她統治下為西班牙的利益服務。這當然無助於兩人的婚姻和諧。

這時，若昂痛苦了數個月，最後毅然決定抗拒拿破崙，把宮廷搬到巴西。當慌亂的廷臣在貝倫（Belém）的碼頭亂哄哄的將自身的行李搬上船時，貴婦拋下她們的馬車，全身穿得整整齊齊的涉過海水上船，其中有些人溺死。若昂喬裝為女人抵達，在他謀反的妻子、七個孩子、精神失常的女王陪伴下登上王太子號（Príncipe Real）。女王嘴裡直說著「慢點！他們會以為我們在逃跑。」一萬兩千多名葡萄牙人登上由十五艘軍艦和四十艘較小船隻組成的英國艦隊，隨之啟航，此後直至里約一路上，他們不斷玩牌消磨時間。

抵達巴西時，巴西人覺得這個王族很平凡：在里約，克里奧爾人很看重沐浴，然而這個攝政王從未好好洗澡。但里約的人——卡里奧卡人（Cariocas，此詞來自圖皮語Kara-i-oka）——則興奮的共享一歐洲王朝在美洲的第一個首都。

這是個靠奴隸制運作的城市。奴隸當臨時工、食物販子、主人的轎夫，同時有新奴隸從非洲來到碼頭。這個攝政王擁有三萬八千個奴隸。布拉干薩王族擁抱兼容並蓄的巴西文化，成立由非洲奴隸樂師組成的劇團，但這個王族震驚於「這個臭名遠播的巴比倫城」的混亂隨便。這個城市處處顯現非洲色彩，節慶結合了葡萄牙天主教和非洲儀式。瘋子瑪麗亞去世後，若昂登基，他樂於留在巴西——就在威靈頓所統領的英軍在葡萄牙和法軍交戰時——此一決定將促成一個獨立的君主國在南美洲誕生。

那不會是唯一的君主國。一八〇四年一月一日，終身總督德薩利內宣布一新共和國獨立，根據泰諾語（Taíno）將該國稱作海地——這是由得到解放的奴隸組成的國家，美洲第二個自由共和國，第一個廢奴的國家。「光是把使它浸在血泊裡的野蠻人趕走還不夠，」他激動說道。「士兵們！為所有國家樹立一個可怕卻公道的報仇榜樣。」他承諾，「殺掉每個玷污這個自由國度的法蘭西人。」於是，一連吊死五百人，數百個男女小孩[22]被押著遊行到港口，女人遭強暴，然後所有人被溺死在外商面前。孕婦遭殺害，以防生出更多法蘭西人。這些殺戮——六百至四千人遇害，大多遭小刀殺害——旨在使法蘭西人永遠不會再來。這場屠殺很殘酷，但相較於法國人殺害三十五萬人，這只是小小的暴行。

德薩利內說，「我已替亞美利加報了仇」，但殺掉所有白人成為摧毀海地經濟的幫凶。十月六日，他稱帝，是為海地的雅克一世。他的皇后瑪麗—克萊爾．厄勒茲．費利西帖（Marie-Clair Heureuse Félicité）照料受傷的法蘭西人，懇求她的丈夫饒了這些白人，把其中某些人藏在他們的房子裡（同時撫養他們自己的七個小孩和他諸多情婦的小孩）。這個皇帝保護他年老的法裔奴隸主，給了他一份工作，不過他支持占人口九成的海地黑人對付黑白混血的海地上層人士，直到二十一世紀，海地仍受害於此一對立。

這個皇帝擔心法國會企圖奪回這處殖民地，而這非杞人憂天：他於是命令將領亨利．克里斯多福著手建造「護城城堡」（La Citadelle）這座大要塞和其他防禦設施。雅克本人是擁有多座種植園的貪婪統治者，他利用軍隊和「海地鞭」（coco-macac）逼迫農民在田裡做苦工。他的將軍陰謀推翻他；一八〇六年十月，這個皇帝征討叛亂分子，卻被誘至亞歷山大·佩蒂翁在太子港的房舍，他遭開槍、刀捅，頭顱被劃開。接著群眾拿著他殘缺的屍體遊行示眾，不住喊著「暴君死了！」

雅克死後，亨利·克里斯多福成為總統，黑白混血的佩蒂翁為參議院議長，只是兩人很快就失和。克里斯多福說英語，參與過美國獨立戰爭，當過侍者、鼓童、武將，佩蒂翁則一度是法國的盟友、魯韋爾居爾的敵人。佩蒂翁統治南部作風寬厚，終結種植園，同時對他自己的黑白混血上層人士特別照顧。他綽號「好心腸老爸」（Papa Bon Coeur），有他的情婦瑪麗—瑪德萊娜·拉舍內（Marie-Madeleine Lachenais）當他的顧問。她是美洲史上最傑出的女人之一，法裔上校和非裔女人所生。佩蒂翁統治後期，她成為他的祕書暨接班人布瓦耶將軍的情婦，因此又被稱作「兩總統的總統」。但海地人遠未擺脫君主制。

在北部，總統亨利·克里斯多福上台時，威爾伯福斯和推動廢奴終於有所進展的英國廢奴派正好也得勢。

先前在皮特的庭園裡和威爾伯福斯一樣支持廢奴的首相格倫維爾，於一八〇七年二月二十三日令下議院以二八三票對十六票的表決結果，通過《廢除奴隸貿易法案》。英國並非第一個這麼做的國家：丹麥已

22 海地《獨立宣言》的起草者是第一個海地知識分子路易·布瓦隆—托內爾（Louis Boisrond-Tonnerre），他是木匠之子，在法國受過教育，因其搖籃被閃電擊中而稱作托內爾（「雷」）。他鼓動這場屠殺：「為了我們的獨立宣言，我們應以白人的皮當皮紙，以白人的頭顱為墨池，以白人的血為墨水，以刺刀當筆！」其中一個行凶者是尚·容比（Jean Zombi），而他名字不禁讓「zombies」（喪屍）的恐懼在西方人心裡傳開。喪屍之說源自西非，尤其達荷美。在達荷美，最嚇人的莫過於奴隸的活死人狀態：當地人相信奴隸變成半死，但仍活著。容比的殺戮把作法者和被作法者的身分對調。法軍裡的波蘭人是唯一獲饒命的白人，德薩利內知道俄羅斯人在華沙屠殺波蘭人之事，稱這些波蘭人為「歐洲的白種黑人」（境遇如同黑人的歐洲白人）。

在四年前第二次嘗試廢除奴隸貿易時完成目標。但英國有實力貫徹奴隸貿易的廢除，當即派出軍艦攔查，扣押一千六百艘奴隸船，解放了十五萬個奴隸。不久，執行此任務的軍艦就升級為以自由城為基地的西非海軍中隊。海地是至此時為止，唯一廢除自身奴隸制的國家。威爾伯福斯和克拉克森不久便和克里斯多福取得聯繫。[23]

一八一一年三月二十六日，克里斯多福由一位白人神職人員加冕為王，是為亨利一世（其頭銜為「信仰的捍衛者」和「新世界的第一個得到加冕的君主」），他的妻子瑪麗・路易莎（Marie Louise）則被立為王后。[24]路易絲的父親為自由人，擁有王冠酒館（Crown），他們兩人便是在酒館裡相識。兩夫婦在七十呎高的高台上登基，高台設於教堂裡，高台上方有鮮紅色華蓋，教堂披覆著天藍色絲綢。在登基後的慶祝活動上，國王亨利舉杯祝「我親愛的兄弟（英王）喬治三世——使拿破崙的不羈野心無法如願的堅不可破的障礙」，但一如這個法蘭西皇帝，他打造出以四個公、八個公爵為首的克里斯多福式貴族集團：他的總司令成為馬梅拉德公爵（duc de Marmelade），他把皇帝雅克的諸多姪子拉攏過來，封他們為男爵、掌馬官。不過，他也提拔海地啟蒙運動知識分子。作家朱利安・普雷沃斯特（Julien Prévost）出任外長，獲封為利莫納德伯爵（comte de Limonade），他的思想理論家是已被封為男爵的史學家瓦朗坦・德・瓦斯泰（Valentin de Vastey）。

這對國王、王后向倫敦訂購御用馬車和象徵王權的器物——他們的盾形紋章上方的飾章刻有「自由、平等、亨利」，宣告「從灰燼中重生」，他們的朝臣很喜歡自己身上的氣派官服和官服上鑲綴的金邊。王后統領自己的皇家女戰士部隊，這些女戰士每逢一年一度的節日時遊行，用燈光秀和疊羅漢、克里奧爾語歌曲、卡林達舞（kalinda）、森巴舞慶祝。

這個國王獨裁且脾氣壞，卻又精力充沛，係近代第一個了不起的黑人政治家，希望打造出富裕、有教養且井然有序的海地，讓白人知道黑人王國足以比得上或勝過他們。他始終面臨內部對手挑戰、法國人入侵的威脅，靠皇家達荷美部隊（Royal Corps of Dahomey）——從西非輸入的四千士兵——貫徹其權力，同時完成皇帝雅克的要塞「拉費里耶護城城堡」（Citadelle La Ferrière）。據說有數千名工人死於工程期間。他位於米洛（Milot）的無憂宮（Sans-Souci Palace），以靠山泉水降溫的大理石地板為特點，而這不過是他的十五座城堡之一。瓦斯泰男爵寫道，無憂宮「由非洲人的後代建成，以表明我們未失去曾在衣索比亞、埃及、迦太基、舊西班牙廣建精湛紀念性建築的我們祖先的建築風格和天分」。

瓦斯泰是法裔奴隸主和自由之身的女黑人所生，拿破崙麾下將軍仲馬的表弟，他反對啟蒙思想家為奴隸制和種族歧視辯護的說詞，在讀者遍布歐洲、美國各地的著作裡，揭露「使天地為之震顫的聞所未聞的（法國人）罪行」，藉此從全面的關照角度思考海地人受殘酷對待的事蹟——他是第一個擁有遍及世界之讀者的有色人種知識分子，書寫黑人歷史的第一人。國王亨利防備法國人再度入侵且有志於一統海地，於是派兵襲擊佩蒂翁所統治、與他相抗衡的國家，打造出自己的海軍，交給英籍的海軍上將統領。他熱愛英國文化，希望教導海地人認識英語文學和英語，並就此事向克拉克森徵詢意見。克拉克森為這個國王送來英語教師，這個國王則支持克拉克森的全面廢奴運動。

23 在地球另一頭，英國在澳洲新南威爾斯的罪犯流放地，才剛爆發一場軍事政變。自該流放地創立起，一直負責駐守任務的新南威爾斯部隊（New South Wales Corps）愈來愈投入「蘭姆酒」買賣——蘭姆酒是以小麥為基底、來自孟加拉的烈酒。由於錢幣不足，這種非法釀製的酒被當成貨幣使用。海軍上將布萊（Bligh）接任新南威爾斯的新總督後，試圖終結這個所謂的「蘭姆部隊」的營利性交易。此前，布萊曾隨庫克船長出航，然後在自己的船隻邦蒂號（Bounty）碰上船員叛變，保住性命。一八〇八年，惱火的士兵向總督府進發，逮捕布萊，奪取大權，自此掌理該殖民地兩年——自克倫威爾以來大英帝國境內第一場軍事政變。新總督到任後，權力復歸文官，該部隊遭解散。

24 王后瑪麗·路易絲是塞西勒·法蒂曼（Cécile Fatiman）的同母異父妹，後者為一七九〇年掀起叛亂的巫毒教女祭司（mambo）。

奴隸貿易未隨著格倫維爾的《廢除奴隸貿易法案》得到通過而終止。在英國人的種植園上，依舊有約七十萬奴隸，在牙買加有三十萬奴隸。法國的諸殖民地和巴西、古巴仍需要更多奴隸，而技術方面的新發展則使奴隸在美國更加重要。

傑佛遜與莎莉．海明斯生下子女之事遭揭露，卻未斷送他的政治生涯，一八〇四年他再度選上總統。[25]一八〇七年，即格倫維爾的法案通過一個月後，他簽署《禁止輸入奴隸法案》，但對於該如何廢奴，他依舊拿不定主意，對於真正解放奴隸，他仍存有疑慮，不願承認海地這個國家，允許奴隸制擴大適用於從法國買來的路易斯安納境內。

就在蓄奴的獲利程度看來漸減之際，一項發明突然促使奴隸制成為美國繁榮的最重要憑藉。一七九三年，薩瓦納的學校老師伊萊．惠特尼（Eli Whitney）協助製造出一台軋棉花機，這台機器的軋棍能更有效的除去棉籽。這個軋棉機器（gin）有助於棉花種植業更有賺頭。美國南部的種植園主改種棉花，產出的棉花再送去新英格蘭，或經由紐約送去英國的曼徹斯特。一七九三年共出口五十萬磅的棉花。至一八一〇年，共出口八千五百萬磅，占美國出口額兩成。十年後翻倍。蓄奴已成為美國南部經濟所不可或缺。

在更西邊，阿斯托爾的獵物追蹤者正在河流和沿海地區尋找獵物以取得毛皮。阿斯托爾在太平洋濱建造自己的城鎮阿斯托里亞（Astoria），派船去阿拉斯加，接著派船去夏威夷、中國，以賣掉毛皮，買回檀香木、茶葉、鴉片、香料。他用美國毛皮公司的獲利購買紐約的房地產，買下伯爾的地和其他許多地。到了一八二〇年代，阿斯托爾已是美國首位百萬富翁。令人驚訝的是，他在太平洋貿易領域的對手既不是美國人，也不是歐洲人，而是一名夏威夷籍的征服者。

征服者之妻：卡梅哈梅哈和拿破崙

在遙遠的西邊，夏威夷國王卡梅哈梅哈與他的三十個妻子、二十五個孩子住在位於凱魯阿科納（Kailua-Kona）的別墅，[26]即將在他英籍炮手約翰・楊的協助下完成對夏威夷的征服。他晉升楊為貴族，把姪女嫁給他。卡梅哈梅哈仍以帶兵打天下者的姿態當一國之君，披著用二十五萬根（現已絕種的）馬莫鳥（mamo）的羽毛製成的黃色阿胡阿拉（ahuala）披肩，統領其軍隊作戰，而且親自拿人獻祭，但也始終欣賞歐洲的科技。以檀香木和歐洲人、美國人交易後，他打造出共計二十艘船的船隊，用以和中國、美國、俄屬阿拉斯加進行貿易——此一非凡成就和歷來的歐洲帝國主義說法相牴觸。卡梅哈梅哈來到他的生涯巔峰時，拿破崙亦走到人生巔峰。

一八〇八年九月，在今德國的艾福特（Erfurt），沙皇亞歷山大、四位國王、一票熠熠耀眼的隨行貴族，向這位歐洲霸主大獻殷勤。

25　傑佛遜決定不再找他的副總統阿隆・伯爾搭檔競選連任。伯爾角逐紐約州長之位時，他的老盟友漢彌爾頓稱他是「沒有原則的酒色之徒」，反而支持他的對手。伯爾輸掉這場選舉。一八〇四年七月十一日，兩人為了各自的榮譽而決鬥。漢彌爾頓開槍未打中對方，但伯爾一槍打中他肚子，打碎他的肝，要了他的命。伯爾逃走，始終未受審。他協助創造了這個共和國，卻不為此共和國所接受，於是打算在美國西南部創建帝國，為此要在美國買來的路易斯安納和西屬墨西哥開疆拓土。詳情不清楚，但他有可能以皇帝自居。若說這野心如今看來太荒謬，別忘了那時是一個籍籍無名的科西嘉人已靠武力當上歐洲皇帝的時代。沒想到，當他找美國司令官討論此事後，那個司令官通報傑佛遜，傑佛遜支持將他起訴。伯爾被宣告無罪後離開美國，遊歷歐洲，老年才回美國。

26　卡梅哈梅哈娶老婆，既出於愛情，也為了提升個人威望：他把國王基瓦勞（Kiwalao）獻祭，娶了他的女兒，不過兩人婚後各住各的。她有十四個孩子，四個是她和這個國王所生，十個是她和她的諸多情夫所生。但他的首席顧問是最得他寵愛的女人——王后卡阿胡馬努（Ka'ahumanu），獲任命為攝政。卡阿胡馬努風趣、精明，體重達三百磅。

拿破崙認為，「必須有個支配其他所有國家且權威足以逼迫那些國家和諧相處的超級強權」，而那個超級強權正是法國。英國和歐陸其他國家不贊同。拿破崙高估了自己的能耐——他的兄弟根本鎮不住局面，哈布斯堡王朝和羅曼諾夫王朝正在陰謀不利於他，而他打從心底厭惡的「絲質襪裡的屎」塔利蘭正準備背叛他。塔利蘭告訴亞歷山大，「你該出來拯救歐洲，抵抗拿破崙。法蘭西人文明有禮——而他們的君主不然。」亞歷山大鄙視這個食人妖魔，但很善於迎合他的虛榮心。「和亞歷山大相處很愉快，」拿破崙這麼告訴約瑟芬。「他要是女人，我會把他納為情婦。」

一八〇九年三月，皇帝法蘭茨派兵進入日耳曼、波蘭、義大利，以恢復奧地利的榮光和歐洲的權力格局，而就在維也納的多瑙河對岸，經過一連數場仗——瓦格拉姆（Wagram）之役為最後一場——拿破崙打敗法蘭茨的弟弟卡爾大公。他告訴約瑟芬，「我的敵人落敗、遭痛擊、敗得一塌塗地。」在維也納，貝多芬在他兄弟的地下室裡躲拿破崙的炮擊，用護墊蓋住耳朵。拿破崙占領這座都城，迫使哈布斯堡王族接受嚴厲的條款。他也碰上一次未遂的暗殺。此事件，加上戰場上幾次差點中彈、他的繼承人暨姪子（路易的長子）去世、他自己和兩個情婦生下兩個私生子，這一連串事情使他相信自己非得和現年四十六歲的約瑟芬離婚不可。當她哭了起來、昏了過去，他告訴她，「妳有孩子，我沒有。妳必然感受得到我必須鞏固我的王朝。」

拿破崙向羅曼諾夫王朝提親，想要娶亞歷山大心愛的妹妹凱撒琳。亞歷山大對這個食人妖魔的妄自尊大實在太過反感，於是趕緊把凱撒琳嫁給別人，只留下更年輕的妹妹安娜。未想拿破崙把聯姻對象從羅曼諾夫王朝轉向歐洲最尊貴的王朝哈布斯堡王朝。

十八歲的瑪麗亞．魯多維卡（Maria Ludovica）在尚不知拿破崙選中的人是她時，忍不住笑道，「我同情他所挑選的那個可憐公主。」她以瑪麗．路易莎（Marie Louise）之名更為人所知，漂亮、開朗、金髮，係皇帝法蘭茨的女兒。一得知被拿破崙看中後，她感嘆道，「我聽天由命。」最新的王朝要和最古老的王朝聯姻。婚禮由代理人代為完成，然後這個女大公便啟程前往法國。來到貢比涅宮（Compiègne Palace）後，這對新婚夫妻不約而同驚豔於對方，她激動說道，「你長得比肖像畫裡的你好看許多，」他也非常開心，於是先圓房，再正式慶祝。拿破崙吹噓道，「她很喜歡那檔事，要我再來一次。」

韋爾茲利家族、羅斯柴爾德家族、騎獸的女人

拿破崙著迷於這個皇后，於是把他最愛的情婦打發走，每天和瑪麗．路易莎共度春宵，但他有感而發道：「我愛瑪麗．路易莎……更愛約瑟芬；那是很自然的事；我們一起出人頭地；而她十足優雅。」瑪麗愛上他，她告訴父親：「親愛的爸爸，我告訴你……愈是了解他，愈欣賞他、愛他。」「身為公主之人該愛上人嗎？」拿破崙後來不解道，「她們是政治動產。」

一八一一年三月，拿破崙通知他的產科醫師，「假裝不是替皇后，而是替來自聖德尼路的中產階級女人接生」，瑪麗經過極難捱的陣痛生下羅馬國王拿破崙．法蘭索瓦（Napoleon François）。他很不識相的向約瑟芬吹噓道，「我不是心腸軟的人，但她所受的苦令我很感動。我兒子又壯又健康。」他欣喜若狂：「我的家族和歐洲的所有君主結盟。」事實也的確如此，只是他的那些新親戚全都正在陰謀將他拉下台。他對英國的封鎖，稱之為「大陸封鎖」（Continental System），但此行動既非大陸性（continental），也非系統性（systematic）。在「皮特先生的友人」史賓塞．珀西瓦爾（Spencer Percival）領導下，英國不屈服。身為福音會教徒的珀西瓦爾認為拿破崙是〈啟示錄〉裡那個「騎獸的女人」。韋爾茲利侯爵原指望有機會當上首相，可惜他和演員出身的妻子長期嚴重不和，加上性愛成癮（連他的弟弟亞瑟都為他的這個行

徑感到難堪），他不得不甘於當個外長。珀西瓦爾和韋爾茲利想找到方法攻擊法蘭西—西班牙同盟，於是聽進一南美洲冒險家的建言，派軍隊前去委內瑞拉。[27]亞瑟・韋爾茲利經過戰場上數場勝利的淬煉，被指派為該軍隊的指揮官，只是軍隊又被轉調去支援西班牙的叛亂勢力。在塔拉韋拉（Talavera）迅速擊敗法軍後，這名將軍獲升為威靈頓子爵，漸漸受到士兵們的愛戴。他的士兵叫他「Beau」（十分注重服飾外表的潮男），他則叫他們「好兄弟」和「世間人渣」：「我不知道這些士兵會令敵人感受到什麼，但說真的他們讓我害怕。」他鄙視自負，卻說「只有一件事比打勝仗還糟，那就是打敗仗」——而他從不知道打敗仗的滋味。

威靈頓一再的缺資金。用金塊和歐陸貿易並借金塊給英國政府的內森・梅爾・羅斯柴爾德，此時表示，願暗中將金塊運去給威靈頓，供他發放軍餉。「政府不知道如何將金塊弄到葡萄牙，」他解釋道。「我來搞定這一切，把金塊送到法國。」這項浩大且祕密的工作為這個家族的財富打下基礎——「我所做過最好的生意。」羅斯柴爾德家的么弟詹姆斯，處理各項事宜，將金塊運到英吉利海峽對岸、再運到威靈頓手上。指定他為威靈頓供應商的陸軍大臣利物浦勳爵說，「羅斯柴爾德先生」是個「特別的友人……若沒有他，我不知道我們該怎麼辦」。內森・梅爾運用他自己的祕密接頭人和線人，以「胖子」、「魚」、「啤酒」、「小孩」之類暗語代稱「黃金」，藉此和他的諸位兄弟聯絡，不久便不只將英國黃金送去給威靈頓，還把補助款送去給俄羅斯、普魯士、奧地利——一八一〇至一八一五年送去四千兩百萬英鎊。他不斷進出唐寧街首相官邸見利物浦，在市場上募款，從而把英國打造成世界強權。[28]

威靈頓在西班牙殺害法國人，拿破崙和亞歷山大的關係緊繃到幾近破裂，致使兩人都開始集結新的軍隊。決定入侵俄國的拿破崙說，「要不是我和瑪麗結婚，我絕不會對俄開戰，但我篤定奧地利會支持我……」

阿拉伯人征服功績：穆罕默德．阿里、紹德家族

一八一一年在開羅，拿破崙在歐洲權勢正盛時，埃及帕夏穆罕默德．阿里邀四百五十名馬穆魯克埃米爾至他位於薩拉丁護城城堡（Saladin's Citadel）裡的會議廳參加典禮。這些埃米爾穿戴黃頭巾、黃袍、黃鎖子甲、紅燈籠褲、紅尖頭拖鞋，得到他體面的接待，未料，他們經由一條門道正要離開之際，大門猛然關上，穆罕默德．阿里的士兵將他們全數殺掉。他們的首級被集中在一塊，他們的家遭襲擊，他們的女人遭強暴，另有一千人遭追捕殺害。他是埃及之主。

鄂圖曼帝國蘇丹馬赫穆德二世（Mahmud II）承認穆罕默德為埃及總督，但要他受一考驗，從而收到一箭雙雕之效。打自一五一七年起，鄂圖曼蘇丹一直以麥加、麥地那兩聖地保護者的身分，驕傲的守護穆斯林的朝覲活動，但這時，有個籍籍無名的家族已攻打過這兩座城市。這個紹德家族（Saudis）由清

27　這個冒險家叫法蘭西斯科．德．米蘭達（Francisco de Miranda），係當時最傑出的人物之一。他生於富貴人家——他父親身為西班牙貴族，移民到委內瑞拉卡拉卡斯後，竟遭告發血統不純（有猶太人血統），家道隨之中落——他父親所提出的「血統純正證明」最終得到官方確認屬實，反而是深感失望的年輕人米蘭達離開卡拉卡斯，為西班牙打仗，去到美國和俄羅斯，在美國結交了華盛頓和傑佛遜，在俄國他令凱撒琳、波坦金激賞，而後為法國革命勢力打仗，接著羅伯斯庇爾把他關進監獄。他捱過羅伯斯庇爾的恐怖統治，為提倡其反抗西班牙以打造一個一統之南美的理想四處奔走了十年，而此一統的南美，將由一個世襲的印加統治，他則擔任印加的顧問。

28　一八一一年二月，英王喬治三世在女兒阿梅莉亞（Amelia）死於結核後愈來愈茫然、傷心且視力愈來愈差，變成精神永遠失常。珀西瓦爾啟動《攝政法》；威爾斯親王喬治成為攝政王。一如許多年輕的激進派，這個親王的心態已隨著年紀漸長而變得較保守。珀西瓦爾遭一個瘋子暗殺後，他任命利物浦伯爵為首相，出賣了他那些滿肚子火的輝格黨朋友。當這個攝政在舞會上裝出不認識先前好友「潮男」布蘭梅爾（Beau Brummell）和阿爾凡利勳爵（Lord Alvanley）時，潮男說出王室史上最有力的奚落：「阿爾凡利，你的那個胖朋友是誰？」布蘭梅爾流亡法國，在那兒度過又二十年，死時精神半失常且身無分文。

教徒似的狂熱分子組成，來自阿拉伯半島最內陸的內志（Najd），一七四四年以迪里耶（Diriyah）之埃米爾的身分發跡，已和刻苦簡樸的遜尼派傳道士瓦哈卜（Wahhab）結盟，促使伊斯蘭教擺脫多神教、巫術、貪腐、什葉派異端思想的束縛，藉此重新申明伊斯蘭教的本色。紹德家族出身的埃米爾阿布杜阿濟茲（Abdulaziz）拿下利雅德，接受卡達、巴林的輸誠，然後試圖推翻阿曼的賽義德王朝（al-Saids），於是派努比亞籍的黑人埃米爾領軍前去，可惜未能推倒該王朝。一八〇二年，他派兒子「屠夫」紹德（Saud the Butcher）進入鄂圖曼轄下的伊拉克，攻打什葉派聖城卡巴拉（Karbala），在城內屠殺了成千上萬的什葉派信徒。有個什葉派信徒刺殺了阿布杜阿濟茲，卡巴拉城隨之遭報復。屠夫攻入漢志，在那裡遭遇麥加的埃米爾伽赫利卜（Gahlib）抵抗，伽赫利卜是源自先知穆罕默德的哈希姆家族的成員：這兩個伊斯蘭首席家族就此結下世仇，直至二十世紀。鄂圖曼蘇丹命令穆罕默德・阿里消滅紹德家族。

穆罕默德・阿里的兒子圖松（Tousson）奪回兩聖城，但為了打敗紹德家族而傷透腦筋，以致心灰意冷。父親勸他，「別放棄，別絕望，因為絕望不是你該承受的恥辱。」松死於瘟疫後，穆罕默德親自帶兵攻入阿拉伯半島，在他紅髮長子易卜拉欣的協助下反攻。易卜拉欣可能是養子，先前曾屠殺馬穆魯克人，這會兒，反而讓世人見識到他高超的帶兵作戰本事，把紹德家族追到迪里耶，在那裡擒住年輕的埃米爾阿卜杜拉，再送到君士坦丁堡。阿卜杜拉被逼著聽魯特琴演奏——對瓦哈比派教徒來說是痛苦的懲罰——然後遭公開斬首。人人都以為紹德家族將從此銷聲匿跡。

將阿拉伯半島納入自己地盤後，穆罕默德眼下打算攻取蘇丹。在國內，他展開富有遠見的改革，將埃及土地納為個人所有，改革法律，為女人開辦學校，從事糖、棉花的貿易——他事無大小什麼都管，具有拿破崙般的雄心。「我很清楚（鄂圖曼）帝國正逐日敗壞，」他說。「我要在它的廢墟上蓋一個巨大的王國……北抵幼發拉底河、底格里斯河。」在巴黎，歐洲的穆罕默德・阿里正在集結歐洲史上最大的軍隊，以征服歐洲最大的國家。

拿破崙、瑪麗、莫斯科：法國人像女人——絕不能離開他們太久

一八一二年五月，拿破崙留下瑪麗・路易莎在巴黎當攝政，照料羅馬國王，他自己帶著由多國人組成的六十萬大軍入侵俄國。他說，「比賽始終是由犯最少錯的人贏。」拿破崙全然不顧較有見識者的勸阻，低估了俄羅斯國土的廣闊、俄羅斯人愛國精神的昂揚、俄軍士兵的凶猛、亞歷山大的強悍。他預期亞歷山大會展開談判，於是更深入俄國內陸，俄羅斯人直接撤退，處境艱困的亞歷山大最終不得不任命甚受敬重的元帥米哈伊爾・庫圖佐夫（Mikhail Kutuzov）為總司令以抗擊法軍。庫圖佐夫獨眼，冷靜沉著，作戰經驗豐富。在博羅季諾（Borodino），戰況慘烈，短短幾小時裡戰死的人數，超乎一九一六年索姆河之役頭一日之前的任何一次交手。戰局僵持，沒想到庫圖佐夫撤退，放棄莫斯科。

拿破崙置身於一個人去樓空、處處著火燃燒的城市，等著從未到來的投降。[29]那年十月嚴酷的寒冬降臨，他離開莫斯科，邊打邊退出俄羅斯，最後拋棄士兵以保住皇位。「法國人像女人，」他開玩笑道。「絕不能離開太久。」他飛快穿過歐洲，十二月抵達巴黎，損失了五十二萬四千士兵，其中死於斑疹傷寒者比死於俄國人之手者還多。

「他毀了多漂亮的人生成就，」亞歷山大激動說道。「魔咒已破。」這下子，換亞歷山大上場報仇。俄

29　在此淒涼的處境中，只有那不勒斯國王米拉元帥大出風頭的勇敢提振了法軍士氣——有個親眼見證者寫道，「穿著打扮顯得做作的高雅，猶如戲台上的國王，他的勇敢和用之不盡的活力，則是當之無愧的國王」。拿破崙憶道，「從他的穿著就可（輕易）認出，他是敵人必不放過的目標，由於他驚人的勇敢，哥薩克人過去很欽佩他。」

羅斯和普魯士組成聯盟，由英國資助經費，未想拿破崙組建新軍隊，以高超的調兵遣將把他聲勢日壯的敵人打得目瞪口呆。他告訴瑪麗，「每個星期寫封信給爸爸法蘭索瓦（即法蘭茨），把具體的軍事情況和我的敬愛告訴他。」打敗俄軍和普軍後，一八一三年五月，在呂岑（Lützen），他告訴她，「我很累。我已完全戰勝……皇帝亞歷山大和普魯士國王。」他在寫給岳父法蘭茨的信中補充道，她「依舊讓我非常開心。她如今是我的首相……」

但在天生有才卻自負、神經質、喜歡享樂的外長克勒門斯・馮・梅特涅（Klemens von Metternich）建議下，法蘭茨正堅定不移的著手對付他的女婿。梅特涅金髮藍眼，見多識廣，與拿破崙交好，和拿破崙的妹妹卡蘿利娜・米拉上過床，曾為拿破崙談成了和瑪麗・路易莎的婚事，但他堅信應走戰略平衡之路，清楚拿破崙絕不會接受妥協。

拿破崙告訴瑪麗，「我覺得梅特涅在搞陰謀，把爸爸法蘭索瓦嚴重帶壞，」而他面臨靠己力出頭之軍事領袖會面臨的難題：「我所擁有的一切都要歸功於我所取得的榮耀。放棄那榮耀，我也就結束了。」一八一三年八月，哈布斯堡王朝變節。他告訴他忠心耿耿的妻子，「妳父親被梅特涅騙了，已投入與我為敵的陣營。」在德勒斯登，他打敗奧、普、俄聯軍，他告訴瑪麗，「爸爸法蘭索瓦很明智，他沒有來；爸爸法蘭索瓦的部隊從未這麼不經打。」但十月，在萊比錫，拿破崙的二十萬部隊遭總數達三十萬人的俄、奧、瑞典聯軍打敗——一次大戰前歐洲最大規模的一仗。由來自東邊的亞歷山大和來自西南邊的威靈頓領導的聯軍入侵法國。就連那不勒斯的國王、王后——米拉和拿破崙的妹妹卡蘿利娜——都背叛拿破崙，塔利蘭則和列強談成讓波旁王室復辟，由被斷頭的那個國王的弟弟——身材肥胖的路易十八——擔任國王。塔利蘭說，「叛國與否因時而異。」拿破崙的紙牌屋倒下時，拿破崙（一如路易十四）承認，「我太好戰。」他要他焦慮不安的瑪麗放心，「聽到妳擔心，我很難過。振作起來，要開心。我的身體十分健康，我的事雖然不容易處理，卻也不糟……」然瑪麗關注的重點或許是她自己，而非拿破崙的危機，在日記裡寫道，「完全沒有來自皇帝的消息。他作風很隨興。看得出他會忘了我，」口吻就像她不解什麼事讓她的丈夫這麼忙碌。

一八一三年三月，拿破崙的哥哥企圖勾引皇后瑪麗，帝國解體由此可見一斑。她向拿破崙抱怨，「國王約瑟夫對我說了讓人很討厭的話。」

「別和這個國王太親暱，」拿破崙提醒她。「對他要冷淡……不能親近……公爵夫人在場時再和他講話，而且必須在窗邊。」後來他私下透露，「這一切令我很沮喪；我需要得到家人安慰。」他不耐煩的警告約瑟夫，「你如果想要這大位，拿去……但把皇后的心和愛留給我，」然後指示他，「別讓皇后和羅馬國王落入敵人之手。」一提起這個小兒子，他正色的補充道，「我寧可見到他溺死在塞納河。」

盟軍包圍巴黎期間，皇后瑪麗逃走，葬送了她的年幼國王接掌皇位的機會。塔利蘭接著掌權。十八個月前，巴黎人占領莫斯科，這時俄羅斯人占領巴黎；亞歷山大從莫斯科一路打到巴黎，從而在其領導下，俄羅斯成為公認的大國。[30]這位沙皇下榻於塔利蘭的大宅，剛獲封為公爵的威靈頓也住在那裡。亞歷山大著迷於皇后約瑟芬；威靈頓則享受著曾對拿破崙青睞有加的這位女演員的青睞。

30　拿破崙想要打造一個歐洲帝國；俄羅斯和英國也在打造帝國，然而，他們要對付的是歐洲核心地區之外實力弱上許多的對手。英國在特拉法爾加之役的非凡成就，係把拿破崙關在歐洲境內，而在歐洲，他得和世上數一數二最強大的軍隊交手。如今，徹底打敗拿破崙的事實，促使英國成為世界首強；英國無意稱霸歐洲，只貫徹權力平衡，因而得以以相對較少的人口和難對付的海軍軍力和工業資源積極建造世界帝國。這場勝利也給了俄羅斯沙皇國莫大的信心，以致他看不見自身的原始弱點。無論如何，一八一四年和一九四五年都是俄羅斯帝國輝煌勝利的時刻。一九四五年四月，蘇軍從納粹手中解放柏林時，美國大使埃弗瑞爾·哈里曼（Averell Harriman）恭賀史達林。這位獨裁者回道，「是可喜可賀，但亞歷山大曾拿下巴黎。」

拉法葉安排好拿破崙流亡美國之事。未想在楓丹白露宮，拿破崙選擇退位，由他的兒子繼位，嚴格來講，成為了拿破崙二世，他也接受小島厄爾巴皇帝的頭銜，皇后瑪麗則獲賜義大利的帕爾馬公爵領地。「妳將擁有……一個美麗國家，」他寫道。他希望，「當妳厭煩於厄爾巴而我也漸漸令妳覺得乏味時——當我年紀更大，我免不了讓妳覺得乏味——妳會願意接受我的不幸，如果……如果妳仍樂於和我共同承擔那不幸的話。」那天夜裡，他企圖服毒自盡——那自莫斯科起便一直帶在身上的毒藥。

滑鐵盧：英國人世紀；拿破崙二世和羅斯柴爾德家族的崛起

經過一夜的嘔吐，拿破崙活了下來。英國皇家海軍把他送到厄爾巴這座小島，不久，他的母親和妹妹波莉娜也來到島上和他團聚。打牌令他厭煩。

「你作弊，兒子。」母后說。

「妳很有錢（輸得起），母親。」他回道。在巴黎，約瑟芬死於肺炎，得年五十，他的第二個皇后瑪麗則被奧地利騎兵接走，和她父親團聚。她仍希望隨拿破崙至厄爾巴島。「我很不開心，處境危急；我得非常謹慎，」她寫道。「有時候我覺得我能做的最好的事就是去死。」法蘭茨把她和嬰兒前拿破崙二世送去維也納，獨眼殺手亞當・馮・奈佩格（Adam von Neipperg）伯爵一同被派去當她的管家，以防她去和拿破崙會合。奈佩格吹噓道，「不出六個月，我就會是她的情人，不久就會成為她的丈夫。」瑪麗愛上他——而後懷孕。

不久，由於父皇法蘭茨和首相梅特涅主持一場旨在重整歐陸秩序的會議，歐洲諸多大權在握者和騙子也和瑪麗一樣來到維也納。梅特涅寫道，「昨天抵達時，我發現整個歐洲都在我的前廳裡。」這個會議是世上最大規模的大型宴會、外交高峰會、沒完沒了的舞會、社交本事的競技大賽、大啖美食的盛宴、性病猖獗的超級妓院，出席者有亞歷山大、威靈頓、塔利蘭、數百名外交官、間諜、銀行家、騙子、皮條客，以及數千個妓女、一萬八千個平民，還有貝多芬創作的配樂：他的〈威靈頓的勝利〉是此次會議的會歌。而在霍夫堡為一萬賓客舉行的舞會，則為此會議揭開序幕。[31]

不過，跡象亦顯示新時代降臨。有個老練銀行家的妻子開辦了最受青睞的沙龍之一，梅特涅、威靈頓、塔利蘭都是座上客。此女是猶太人，名叫芳尼・馮・阿恩斯泰因（Fanny von Arnstein），係最早的猶太籍沙龍女主人之一。梅特涅創立了最早的祕密警察機關之一，用以監視這些賓客，而不久後，這類機關便成為國家所不可或缺的工具。法蘭茨・馮・哈格爾（Franz von Hager）男爵的最高警察與審查機關（Oberste Polizei und Zensur Hofstelle）雇用了一批特務，特務成員從公主至街頭妓女，非常多樣：每日的報告呈交奧地利皇帝和首相。梅特涅另一個不可或缺的助手是他的宣傳員佛里德里希・馮・根茨（Friedrich von Gentz）。「最邪惡的莫過於報刊」，梅特涅這麼告訴根茨。然大眾政治已來到宮門口。

這些精疲力竭的大人物恢復了他們眼中應有的國際權力格局：哈布斯堡王朝成為德意志邦聯（German Confederation）的領袖，取得北義大利；羅曼諾夫王朝恢復其在波蘭的統治地位，波旁王朝在法

31　外交折衝在舞廳和臥室裡進行，尤其是棕櫚宮（Palm Palace）。在棕櫚宮，有兩個引人注目的女權貴被一群愛慕者圍著。梅特涅愛上聰穎、放蕩、掌有實權的薩甘（Sagan）公爵夫人威廉明妮（Wilhelmine），她的領地位在俄羅斯的地盤裡；亞歷山大和她上了床，令這個奧地利首相很痛苦。梅特涅本人與「白貓咪」（White Pussycat）的婚外情，在她轉而靠向亞歷山大，並向他提供情報後自此煙消雲散。而白貓咪正是俄羅斯王妃凱撒琳・巴格拉季昂（Catherine Bagration），她因穿著可透視的連身裙和高超的床上功夫，又名「裸天使」。梅特涅為此沮喪得哭了出來。塔利蘭的姪媳婦暨情婦多羅泰婭（Dorothea），日後的迪諾（Dino）公爵夫人，陪著塔利蘭來到維也納。她比塔利蘭年輕三十九歲，支持他實現法國的王政復辟，同時劈腿數個年輕情夫。

國復辟；在歐洲境外，英國保有開普殖民地，北半球境內廢除奴隸買賣。[32]就在此條約終於簽訂後不久，這些大人物收到驚人消息。

一八一五年二月，拿破崙對於未能領到他該有的退休金和瑪麗離開他身邊等事很是憤怒，於是逃出厄爾巴島，將他的老部下找了回來，奪回巴黎。這些老部下一得知他復出，旋即聚攏於他旗下，對肥胖、傲慢的路易十八毫無感情。拿破崙立即被斥為「攪亂世界安寧者」。他揮兵進入比利時，打敗英—普聯軍，隨後奧—俄聯軍抵達。一開始他順風順水。離開維也納前去執掌帥印的威靈頓說，「說真的，拿破崙騙了我。」六月十八日，在滑鐵盧，四十五歲、挺著大肚腩、極度疲累、痔瘡惡化的拿破崙，[33]未能主宰此役，損失了兩萬五千人——損失人數之多僅次於博羅季諾之役。[34]「真是贏得驚險，」威靈頓說道。

內森．羅斯柴爾德得益於自己的情報網，比利物浦勳爵更早得知滑鐵盧之役的結果，但與羅斯柴爾德家族靠此情報發財的盛傳說法相反的是，這個迅速拿下的勝利令他措手不及，暴露了他所擁有的財產，同時這場偉大的法蘭西戰爭的告終結束了他的補助—運送業務。兩星期後內森告訴其弟卡爾，「我心情很低落。」他們的哥哥薩洛蒙（Salomon）為奧地利皇帝法蘭茨籌錢，借錢給梅特涅（代號「叔叔」）。梅特涅是第一個定期在羅斯柴爾德家和猶太人一同用餐的政治家。一八一六年，皇帝法蘭茨把羅斯柴爾德家五兄弟晉升為貴族，授予男爵銜，但他以玩笑口吻直截了當的說，他們「比我有錢」。人在那不勒斯的卡爾正為前皇后瑪麗．路易茲提供意見；在法蘭克福的安舍爾（Amschel）負責整個普魯士的業務；刻苦自持且做事專注的內森，則從倫敦主導家族的事業。

家人共同奮鬥之樂是他們真正的珍寶。「用過晚餐，我通常無事可做，」內森寫信告訴人在維也納的薩洛蒙。「我不讀書，不玩牌……唯一帶給我快樂的，是我的事業，於是我讀了安舍爾、薩洛蒙、詹姆斯、卡爾的來信。」一八〇六年，內森娶了尼德蘭商人之女漢娜．巴倫特．柯恩（Hannah Barent

Cohen），[35]與她生了七個小孩，漢娜說他是她「最好的朋友」。她的妹妹茱迪絲（Judith）嫁給義大利裔移民摩西·蒙帖菲奧雷（Moses Montefiore），摩西是西班牙系猶太裔出身的銀行家，住在倫敦城（City of London）的聖史韋津巷（St Swithin's Lane），內森家隔壁。兩人既是親戚，又共同經營事業，在為猶太人爭取權利和鼓吹自由主義改革方面日益合作。

內森精於對未來下賭注。能力甚強而得以擔任英國首相超過十四年的利物浦說，「羅斯柴爾德先生是非常有用的朋友。」[36]拿破崙戰爭使英國在人命、財力上付出很大代價，而這些戰爭最終拖慢了歐陸經濟發展——奪去三百多萬條性命——且加快英國的經濟發展。拿破崙戰爭是英國壯大的引擎，而羅斯柴爾德家族提供了燃料：資本。

在歐洲，他們的眼光同樣精準。他們借錢給路易十八和塔利蘭。乘車慢慢回到巴黎的幾個月後，路易

32 在東方，英國東印度公司的年輕征服者史丹福·萊佛士（Stamford Raffles）剛打敗法國、尼德蘭聯軍，拿下爪哇。萊佛士生於海上，他的父親是英國東印度公司的船長。一八一五年，尼德蘭失去開普但保住東印度群島時，說得一口流利馬來語的萊佛士說服軟弱的柔佛蘇丹，將一座戰略位置重要的島嶼割讓給英國。萊佛士讓這座島發展成繁榮的殖民地：新加坡。

33 一八〇七，他寫信告訴國王傑羅姆，「弟弟，聽說你苦於痔瘡。擺脫痔瘡的最簡單辦法，就是放上三或四條水蛭。自十年前用此法治療後，我未再受痔瘡之苦。」

34 這些戰死者，一如拿破崙諸多戰役裡戰死的共約五十萬士兵，被剝得精光，而且往往是在垂死之際被自己的同袍剝得精光。然後，拾荒者用鉗子拔掉他們的牙齒，賣給製假牙者——「滑鐵盧牙」尤其受歡迎——並且採集骨骸賣給磨製骨粉者，再製成肥料。

35 對這個資本世家來說，最諷刺的莫過於巴倫特·柯恩的第一個表姊妹是卡爾·馬克思的外祖母。

36 利物浦個性沉悶乏味，具有經理人性格，也兼有印度人血統，是英國唯一的混血首相。他的祖母、綽號「別姬」的法蘭西絲·強森（Frances 'Begum' Johnson），具有部分印度人血統，結過四次婚，法蘭西絲的母親是葡裔印度人伊莎貝拉·貝佐爾（Isabella Beizor），父親是英國駐印度聖大衛堡（今清奈）的總督——而那時有許多在印度的英國人娶印度本地女人。法蘭西絲的女兒阿梅莉亞嫁給第一個利物浦伯爵查爾斯·詹金森（Charles Jenkinson），沒想到在十九歲那一年，生下這個未來首相後便離開人世。

將塔利蘭革職，而且未能約束對波拿巴家族之支持者的清洗。在馬賽，拿破崙的馬穆魯克籍士兵三百人於兵營裡遭屠殺。路易的姪子被暗殺後，數千人遭以支持拿破崙的罪名起訴——從而給了大仲馬創作長篇小說《基度山恩仇記》的靈感。塔利蘭警告道，「他們什麼都沒學到，什麼都沒忘記。」羅斯柴爾德家族也支持國王的開明堂弟奧爾良公爵路易·菲利浦（Louis Philippe）。詹姆斯·德·羅斯柴爾德說，「宮廷始終是宮廷，總會引發什麼事。」

在倫敦，內森支持溫文有禮的日耳曼籍親王薩克森—科堡的利奧波德（Leopold of Saxe-Coburg）。利奧波德在拿破崙、亞歷山大的宮廷度過一段歲月後，娶了英國女王儲夏洛特公主（Princess Charlotte）。但一八一七年，她生下一死胎後亦離世。利奧波德前途黯淡，而薩洛蒙勸內森，「我們應該更友好對待時運不濟之人。」夏洛特的死意味著英國王位的繼承，自此將落在攝政王的諸位可鄙的兄弟之一——肯特公爵。肯特晚婚，好不容易生下一女維多利亞。所幸下在路易·菲利浦、利奧波德身上的賭注都會得到回報。

在倫敦，內森得到從喬治四世（當了數年攝政王的他，總算在一八二〇年登基）[37]到利物浦勳爵和威靈頓等所有重要人物信賴，且在協助拯救英格蘭銀行後地位更高。而羅斯柴爾德家族的成功並未使他們討人喜歡。他們是剛得到解放之猶太人的先驅，這些猶太人原藏身於猶太人巷（Judengasse）的會計室裡，如今在由股市、工廠、報紙、中產階級價值觀構成的離奇又咄咄逼人的世界裡如魚得水、發達成功，社會地位上升，現身於貴族客廳，成為基督徒家庭的成員。此傲人成就導致中世紀反猶種族主義以全新面貌重現，而這心態有一部分源於對暴發戶的眼紅，一部分源於對權力的懷疑，其中既有民族主義狂熱，也有保守主義恐懼。

在歐洲各地，猶太人仍受到歧視性法律的約束：在俄羅斯，他們受到愈來愈嚴重的迫害，即使在英國，他們都沒資格參選國會議員，不得上大學，不得擔任公職。內森和其連襟蒙帖菲奧雷（Montefiore，英語：蒙蒂菲奧里）為猶太人爭取權利。他們的社交生活再怎麼高不可攀，他們的大宅再怎麼氣派堂皇，他們仍是以家族為念、恪守猶太教律法的猶太人：內森的七個孩子裡，四個與羅斯柴爾德家族人結婚，一個和蒙帖菲奧雷家人結婚，另一個和表親結婚，只有一人和非猶太人結婚。一八二七年，蒙帖菲奧雷踏上危險的耶路撒冷之行，在耶路撒冷開始由衷信仰返回錫安這個傳統的猶太人夢想。這時，耶路撒冷可謂半荒廢的古村，遭貪婪的鄂圖曼帝國帕夏冷落，而重返錫安的夢想正好和基督教世界對這個聖城重新燃起的興趣相合。

一八二一年五月五日，梅特涅主導歐洲的權力格局時，有個生病的退休軍人死在大西洋聖赫勒拿這個無人聞問的島上一間潮濕的房子裡，且無人聞問。「不是什麼大事，」塔利蘭挖苦道。「只是一則消息。」五十一歲的拿破崙死於胃癌之際，正有三個征服者——分別在非洲南部、東部、北部——創建新的非洲帝國。

夏卡．祖魯、莫舒舒、法蘭西絲卡夫人：「姆菲卡尼」

一八一六年，夏卡（Shaka）對自己的父王施法，而父王一死，他立即殺害當然繼承人，即他的同父異母弟，把王位據為己有。他的父王是白姆佛洛齊河（White Mfolozi River）的祖魯族小酋長國的恩克西（nkosi，即國王），祖魯族則是非洲南部說恩古尼語（Nguni）的民族。[38]夏卡性情多變、具有創造力和群

37　想法背離現實的喬治四世吹噓說，他在滑鐵盧帶隊衝向敵人，威靈頓聽了，不失圓融的回道，「我常聽陛下這麼說。」

38　祖魯一名源於祖魯．卡馬蘭德拉（Zulu kaMalandela）這個一百年前創建此部族的軍事領袖。祖魯一詞意為天或天空，祖魯人自稱阿班圖．貝祖魯（Abantu Bezulu），即「天上之人」。

眾魅力，但最終就連他自己的家人都非常怕他，認為他行事不可預料。

他是國王森贊嘎科納（Senzangakona）和某酋長的女兒南迪（Nandi，「甜」）意外生下的長子，說不定也是他不想要的兒子。森贊嘎科納接掌王位後多次娶老婆，生下十八個兒子，對長子甚為反感。南迪和夏卡逃走，得到國王的姊妹姆恩卡巴衣（Mnkabayi）保護。姆恩卡巴衣是個精明的權力掮客，在女權受尊重的文化裡成為此王國的仲裁者。南迪再嫁，而憤懣且無依無靠的夏卡回到他父親家。當他父親看出他是個麻煩人物時，便決定殺了他。

於是夏卡逃到更廣闊的世界裡，在這個世界，並立著兩個恩古尼人王國，即國王丁吉斯瓦尤（Dingiswayo）領導的姆泰特瓦王國（Mthethwa）、國王茲韋德（Zwide）領導的恩段堆王國（Ndwandwe）。這兩個王國已陷入你死我活的對抗，日後此對抗將爆發為更大範圍的衝突，即所謂的姆菲卡尼（Mfecane，「壓碎」）。二十二歲的夏卡投靠姆泰特瓦國王丁吉斯瓦尤，丁吉斯瓦尤宣布，「應有一個大王控制諸多小王」，並看出這個私生子王子所具有的潛力，於是提拔他為司令；不久，夏卡就有了「丁吉斯瓦尤之英雄」的名號。他們一起謀畫讓夏卡奪取祖魯酋長國。一八一六年，他父親到來時，夏卡安排了奪走森贊嘎科納性命的施法——恩古尼人社會裡的有力工具。此國王的王位由較年輕的兒子西古賈納（Sigujana）繼承。丁吉斯瓦尤借給夏卡一支部隊，好讓他得以殺死西古賈納。他的姑姑姆恩卡巴衣擔任他的攝政，搞定邀他回來擔任這個祖魯人小王國之國王的事。夏卡跳了烏庫吉亞舞（ukugiya），在國王大院裡淨身，而後現身，受擁護為恩克西。沒想到在一八一八年，茲韋德來犯，而且殺了丁吉斯瓦尤，他告訴夏卡，「如今我已拿掉你的頭，你何不乾脆把整個身軀帶到我跟前，否則我會把這身軀拋入圖克拉河裡。」

「這副身軀猶如大河蛇恩卡尼揚巴（Nkanyamba），擁有兩顆頭，」夏卡回道。「你太蠢，因此看不到另一顆頭。」

夏卡擴大其王國的版圖，訓練出新軍，新軍使用他和他的贊助者發展出來的戰法：經過密集操練的部隊，在他親自指揮下，在盾牆後面迅速機動，在打包圍戰時如同一根根牛角攻擊敵人。他們既使用傳統的長矛和狼牙棒，也使用刺擊用的新式短矛。他們沒有馬（馬遭采采蠅叮咬後即喪命），沒有步槍（他們不屑用步槍）。夏卡要求現役士兵禁絕女色，他們被訓練成赤腳打仗，並在名為魔鬼刺（devil-thorn）的植物上跳舞以強化耐痛能力。凡是抗命者皆處死。他打造出等級制國家，以他的家族為最高等級，征服了較南方的國家，在祖魯人身上培養出集體精神，要其團級部隊（amabutho）穿著獸皮邊唱「你是頭野獸！是頭花豹！是頭獅子！」邊跳舞遊街，深信他們是得到諸神和祖靈賦予力量的「天上之人」。女巫能藉由取得人身上的一小部分——指甲或頭髮或尿——控制該人，因此必須小心應對。打完仗後，戰士可能遭敵人污染，因此要挖出敵人的內臟以淨化殺死他們的人。不留活口。夏卡說，「不留活口，連狗或母親揹著的小孩亦然。」

一八一九年，夏卡打敗國王茲韋德，茲韋德逃到莫三比克。[39]這個祖魯人將茲韋德的母親關在一間有著數隻飢餓鬣狗的小屋裡，由此將她殺掉。

夏卡繼續用武力開疆拓土。這個國王不是公認的好看——頭長得「古怪」，眼睛是紅的，有兩顆大暴牙，大笑時「嘴不笑」，體毛多得出奇——而且他自己也很清楚。「有人說我喜歡殺人，但我絕不會殺你，」他以威嚇口吻告訴一個英俊的戰士。「我如果那麼做，祖魯人會笑我，說我因為你長得帥、我長得

39　北恩古尼人包括祖魯人、史瓦濟人（Swazis）；南恩古尼人則成了科薩人（Xhosa）。姆菲卡尼爆發期間，科薩人的領袖——與茲韋德有親緣關係的恩古奔庫卡（Ngubengcuka）——帶領族人往南進入開普東部，在那裡創立騰布王國（abeThembu），而後死於一八三二年。他的二老婆所生的孩子擴展成曼德拉家族。納爾遜．曼德拉便是他的曾孫。

醜而殺了你。」後來他要歐洲人為他帶來馬卡薩髮油（Macassar），好把他的鬍子、頭髮染成黑的。

他在他幾個首都裡和數百個女人同住——數個大老婆和住在他後宮的妃子——她們頭上結著頂髻，身穿皮革百褶短裙，戴象牙雕耳塞。夏卡「是個性情中人，常會禁不住悲傷或喜不自勝，卻又突然哭了起來」。他沒人知道他是否有孩子，但那可能是刻意如此：凡是懷孕者都被他下令墮胎或殺掉。多數早上，一刮完鬍子，他便出來召見諸多統兵官，對人民講話。他的廷臣會喊道，「你們聽到國王說的嗎？」「聽到了，父親！」他向信仰療法術士（sangoma）和占卜者（izangoma）請教，以「嗅出」邪惡男巫；他們如果夠聰明，會猜出夏卡所想望的事；但萬一他們點出他最愛的人事物，他即命人將占卜者殺了。他用他的權杖指著說「殺掉這些男巫」時，這些受害者當下被拖了出去，用尖物刺穿他們肚子，然後用粗短棍棒將他們打爛或折斷他們的脖子，女人則被勒死。「看兀鷲在天上飛，」夏卡喊道。「唔！國王的鳥正餓著。」據說他曾把一個孕婦剖腹，只為「弄清楚她的孩子躺著的模樣」——這類情事，不只一人訴說，可能真有其事。他的殘酷變得更難捉摸。他的同父異母兄弟丁嘎內（Dingane）和姆蘭嘎納（Mhlangana）和他權勢甚大的姑姑緊盯著他。就連他母親南迪——「大母象」（女君主）——也禁不住質問他為何殘忍無度。

夏卡的開疆拓土加劇姆菲卡尼時，他其實不過是一場多族群的權力、資源爭奪賽裡的玩家之一。在東北邊，葡萄牙人打造出一個獨一無二的歐洲人帝國模式。葡萄牙國王授予和非洲本土權貴一同統治的葡非混血軍閥（prazo senhor）頭銜和土地。[40]這些葡非混血領主（prazeiros），統領由非洲籍殖民者和奴隸兵（chicundas）組成的私人軍隊，往非洲更內陸獵取牛、奴隸、象牙，以在洛倫索—馬貴斯（Lourenço Marques，今莫三比克境內）賣掉；在更北邊，阿曼籍或斯瓦希利籍奴隸販子一路披荊斬棘進入中非洲，在穆罕默德·阿里發兵襲擊蘇丹境內時，將他們抓來的奴隸賣到印度洋周邊地區。在南邊，黑白混血的格里夸人（Griqua）襲擊開普北部；科薩人國王征服了東開普；在他們之後，來了尼德蘭人和英國人。

尼德蘭東印度公司的尼德蘭商人已創立開普敦，找來數千名貧窮的布耳人（Boers）——意為「農民」，屬虔誠的喀爾文宗信徒——定居該地，不久，這些移民就遇到以狩獵、採集為生的科伊科伊人（Khoikhoi，歐洲人稱之為布希曼人或霍屯督人）。科伊科伊人是非洲大陸最早住民的後代，迫於從西非洲遷移過來的班圖人進逼而往南遷。尼德蘭人從達荷美、安哥拉、莫三比克輸入奴隸，好讓這些奴隸在他們的種植園工作，同時打擊科伊科伊人。科伊科伊人遭班圖人、尼德蘭人夾殺，大量死於天花，淪為處境幾近於奴隸的契約工，幾乎要滅族。這些自稱阿非利卡人（Afrikaners）的白人移民往北、往東擴張，從而遇到恩古尼人——以放牧長角牛為生，正往南遷，並以武力建立自己的王國。

阿非利卡人發展成技術熟練的邊民，襲掠牛群，獵殺大象以取得象牙，不過也和非洲本土女人成家落戶，與她們生下小孩，他們的生活有時比較像恩古尼人王族，而非歐洲人。他們成為布耳人騎馬民兵隊（commandos）裡的頂尖戰士，栽培自家的黑白混血兒子當傭兵。英國人拿下開普時，開普是個有七萬五千人的殖民地——一萬五千名對英國人帶著些許敵意的阿非利卡人、一萬三千名黑奴、一千兩百名獲解放的奴隸，其餘則是科伊科伊人和尼德蘭人混血、被稱作「雜種」的格里夸人（Griqua）。當新的英國移民來到開普，並往北、往東移動，即遭遇由恩吉卡（Ngqika）、辛察（Hintsa）、姆戈隆巴內·桑迪列

40　這些人死後，其土地由掌有實權的黑白混血女人繼承：在尚比西亞（Zambezia，今尚比亞、辛巴威、莫三比克三國的部分地區），這些葡非混血人被稱作尚比西夫人（Zambezi donas）。法蘭西絲卡·德·穆拉·梅內塞斯夫人（Dona Francisca de Moura Meneses）是黑白混血女繼承人，生於一七三八年，掌管尚比西亞的一座大莊園，擁有數千奴隸，領導數千名自由的非洲人，統領一支有時威脅到葡萄牙所派總督的私人軍隊。非洲人稱她奇蓬妲（Chiponda），亦即「把一切踩在腳下的女人」。在歐洲，並沒有和尚比西夫人同樣的人物，更別提在其他帝國內。

（Mgolombane Sandile）這三位恰沃族（Tshawe）戰士國王所領導的科薩人王國抵抗。科薩人是很難對付的戰士，但他們的果決明斷常為史學家所忽視：他們止住大英帝國擴張達七十年。

此時的一八一八年，英國正和辛察所領導的科薩人交戰之際，一群邊民在東海岸建立納塔爾港（Port Natal），同時來到夏卡的都城布拉瓦尤（kwaBulawayo）。這個國王嘲笑他們奇怪的金髮——把金髮比喻為牛尾巴——不過卻授予他們使用口岸的權利，找他們擔任軍事顧問。而夏卡的開疆拓土就要來到極限。

一八二四年，英國籍獵人仍在夏卡的村子裡時，一名刺客用矛刺進正在跳舞的夏卡的脅部。夏卡將殺手緝捕到手，任人民把他們打成爛泥，然後屠殺他所認定主謀行刺的夸貝部族（Qwabe）——但他也不信任自己家人，的確非多疑。一八二七年，他母親南迪離奇死亡。她生前不贊同他清洗異己，可能保護了他妃子所生的一個男嬰：他若非盛怒之下殺了她，就是如尼祿那般叫人殺了她。她以祖魯王族成員的身分下葬，直挺挺坐在墓穴裡，由殉葬的心腹、僕人、妃子的遺體撐著，而這些殉葬者或被勒死，或活活埋葬。夏卡殺掉每個被他懷疑有貳心者，據說殺了七千人。南迪死後，他任命姑姑姆恩卡巴衣為大母象。

英國人和阿非利卡人探查祖魯人地盤、夏卡發動恐怖統治時，非洲南部動蕩不安。一八二八年，需要再拿下一場勝利的夏卡，下令征討索襄嘎內（Soshangane）。索襄嘎內原是茲韋德麾下將領，後來領導其祖父嘎札（Gaza）所創建的部族東移，以覓得土地創建自己的國度。索襄嘎內效法夏卡的許多戰術，大敗祖魯人，削弱夏卡。夏卡說，「我就像平原上的一匹狼，找不到地方藏住頭。」他鼓勵占卜者在他的諸多同父異母兄弟中嗅出巫師，結果嗅出丁嘎內、姆蘭嘎納。大母象姆恩卡巴衣開始暗示他瘋了，還殺了自己母親。但只要他受到他的忠誠尹切庫（inceku，「戰士／侍衛」）姆博帕（Mbopha）保護，就沒人能動他。

索托人（Sotho）領袖穆綏綏（Moshoeshoe），不像夏卡那麼快建功立業，成就卻更是不凡。他和這個祖魯人同年生，其族人以放牧為生，深深受苦於恩古尼人、格里夸人的掠奪。穆綏綏帶領索托人踏上危險重重的遷徙，來到今賴索托境內的吉洛阿內高原（Qiloane），並就此打造了據說會日脹夜縮的據點「夜山」（Night Mountain）。在夜山，他頂住與其相抗衡的所有領導人進犯，打造出擁有牛隻的富裕王國。他巧妙利用英國人來壯大自身勢力，主動向英國人表示願充當制衡阿非利卡人、祖魯人的力量，他購買步槍，雇用法籍傳教士歐仁・卡薩利（Eugène Casalis）為軍師。

穆綏綏在位五十年期間（止於一八七〇年），打敗了英國人、阿非利卡人、祖魯人、恩德貝萊人（Ndebele）。比起夏卡，他相對人性且較有建設性，「威嚴且仁慈。他似鷹的臉形、五官的飽滿又端正、有點消沉的眼神，令我印象深刻，」卡薩利寫道。「我當下便覺得，自己正和一個更高一等的人打交道，此人受過訓練而懂得思考，懂得掌控他人以及最重要的，掌控自己。」經過這些戰爭，今日的南非洲格局漸漸形成。[41]

在更北邊，國王茲韋德的前將領暨夏卡的堂表兄弟茲萬根達巴（Zwangendaba），帶領他的恩段堆人踏上一千哩的遷徙，途中穿過莫三比克和辛巴威，前後達十五年。某次日蝕期間，尚比西河河水分開，闢出一條路供他們過河，而後，他們便定居於今日的坦尚尼亞境內，結束遷徙。當時，在坦尚尼亞，阿曼籍蘇丹「偉人」賽義德（Said the Great）正四處征戰，最終會締造出一個從索馬利亞至莫三比克、從肯亞至巴基斯坦的帝國。

41 穆綏綏的家族如今仍統治賴索托。夏卡指控茲韋德的孫子姆齊利卡齊（Mzilikazi）把作為獎賞的牛據為己有。對此的刑罰是處死。姆齊利卡齊帶著恩德貝萊族人逃進川斯瓦爾（Transvaal），再逃進辛巴威，在那裡，他的馬塔貝萊王國（Matabele）王國與紹那人（Shona）相抗衡：這兩個部族如今主宰辛巴威。索襄嘎內憑藉其勝利在莫三比克南部建立了嘎札王國，逼葡非混血的領主納貢。德拉米尼人（Dlamini）的統治者索布札（Sobhuza）也遷徙他地以避夏卡的侵逼，從而創建了史瓦濟蘭（今史瓦帝尼／Eswatini），此國名則根據他兒子暨繼承人姆史瓦蒂（Mswati）而取。如今史瓦帝尼仍由他的家族統治。

而此帝國偉業，全肇始於在阿拉伯沙漠裡用匕首決鬥的兩個阿拉伯籍謝赫。

東非的帝國建造者：穆罕默德．阿里和賽義德

一八三二年，阿曼的蘇丹賽義德．賓．蘇丹（Said bin Sultan）遷都非洲，在尚吉巴建立王廷，建造了姆托尼宮（Bait al-Mtoni）。他的崛起始於二十年前他父親遭暗殺身亡時；他的堂兄弟巴德爾（Badr）被任命為攝政，得到紹德家族支持。一八〇六年，賽義德將巴德爾誘至他的沙漠要塞，隨後伏擊。賽義德王朝的兩個王子當場拚死決鬥，少年賽義德勝出。巴德爾流著血踉蹌走入沙漠之際，賽義德的駱駝騎兵將他斬首。

除掉堂兄弟後，賽義德拿下馬斯喀特港——他父親在世時，已協助將馬斯喀特港打造為印度洋的轉口貿易中心之一——接著手征服非洲的斯瓦希利沿海地區。賽義德家族已擁有尚吉巴，且賽義德幼時曾去過。他建造了掌握制海權的帝國，一八二三年拿下彭巴島（Pemba）。在波斯灣，他拿下巴林和卡達，可惜未能保住。而後他奪取了今巴基斯坦境內的瓜達爾（Gwadar）、伊朗境內的阿巴斯港（Bandar Abbas）、荷姆茲這三個口岸。一八三七年，他奪下蒙巴薩。

但有個麻煩：即奴隸制。賽義德把奴隸賣給印度諸土邦主和留尼旺、模里西斯兩島上的法籍種植園主，保留部分奴隸供他自己的丁香園使用。非洲裔阿曼人一路披荊斬棘進入非洲內陸，在坦干伊喀湖、維多利亞湖周邊從事凶殘的獵象、獵奴活動，而且進入烏干達和剛果。在今坦尚尼亞境內的卡傑赫（Kazeh），尚吉巴籍奴隸主過著帝王般的生活，有奴隸和妾服侍，統治他們在剛果的地盤。賽義德統治後期，二十歲的提樸．提普（Tippu Tip）——母親是阿曼籍貴族，父親則是斯瓦希利人——帶領百名槍手進入非洲，以開展他作為販奴軍閥、丁香商人和許久以後作為歐洲瓜分非洲行動之一員的生涯。

一八二〇年，蘇丹賽義德看出英國人很希望印度安定，於是和英國談成結盟，以換取他個人不受奴隸貿易禁令約束的優遇。

這個阿曼人也把奴隸賣給其北鄰國君穆罕默德·阿里。這時，穆罕默德已拯救阿曼，使其不再受紹德家族掠奪，並決意用武力打造自己的非洲帝國。一八二〇年，穆罕默德派兒子伊斯瑪儀率軍遠征，以消滅森納爾王國（Sennar）、征服蘇丹。「你很清楚你的任務只有一個目標，就是收集黑人，」穆罕默德告訴伊斯瑪儀。「對我們來說，奴隸比珠寶值錢。」

穆罕默德·阿里帕夏「猶如網上的蜘蛛」，在他燈光昏暗的開羅議事廳裡被人簇擁著，培養出一種神祕的氛圍，瞪視著他的訪客，刻意一本正經的說話。他說，「我唯一讀的書是人臉。」他設立自己的印刷廠，不願印製馬基維利的著作，開玩笑說這個義大利人「沒東西可教他」。他掌管一切大小事務，提拔自己的兒子，但把所有唱反調者砍頭。[42]

穆罕默德·阿里在蘇丹創建喀土木作為他的南方基地，他的手下自喀土木擄走三萬名奴隸，其中三分之二死於被押到北方期間——在那期間，他們「像得了肝蛭蟲病的綿羊」。他魯莽的兒子伊斯瑪儀遇害，但這時每年有一萬蘇丹人遭入境襲掠的埃及人帶走。而統有阿拉伯半島、埃及、蘇丹的穆罕默德·阿里種植棉花和建造棉花加工廠——第一個加入工業革命的非歐洲國家——急欲得到歐洲的新科技。他延攬法國軍官訓練其現代軍隊，以拿破崙為師，同時和波旁巴黎打好特殊關係——而在巴黎，疲累、臃腫的路易十八正竭力不讓拿破崙專美於前。這個皇帝的傳奇色彩更深了。滑鐵盧之役後，拿破崙的瑪麗·路易莎與奈佩格

42　他的許多家人也有此作風。當穆罕默德·阿里的女兒娜茲莉（Nazli）注意到丈夫和女奴調情後，便將該女奴的頭放在盤子上，再拿去丈夫。她丈夫當場拂袖而去，而穆罕默德·阿里則要他的孫子阿巴斯將娜茲莉處死，所幸阿巴斯說服他收回成命。

一同前去統治帕爾馬，並在帕爾馬偷偷為奈佩格生了孩子，但她奉命將她年幼的兒子拿破崙留在維也納。

這個男孩有了新的名字：他既是羅馬國王，又是拿破崙二世，於是他的祖父法蘭茨將他改名為拿破崙—法蘭茨，封為賴希施泰特（Reichstadt）的公爵。[43]他崇拜父親，發現母親和奈佩格相愛時，大為震驚。他告訴某友人，「如果約瑟芬是我母親，我父親不會埋葬於聖赫勒拿島，我不會在維也納。我母親人很好，只是軟弱……不配當我父親的妻子。」

拿破崙—法蘭茨學習軍事技能，而他對法國境內的波拿巴家族支持者和其他地方的革命人士所具有的號召力，則是令他的祖父和首相梅特涅深感震驚。一八一四年，沙皇亞歷山大曾想過和梅特涅、利物浦勳爵主政的英國共組一個保守同盟，以引導一以規則為基礎的歐洲——獨裁版的聯合國安理會——藉此斬斷革命精神的傳播。或至少，如梅特涅所說的，「必須掌控那些阻止不了之事的發展。」

只是梅特涅和其盟友明知在伊比利半島難以守住保守陣營防線，仍竭盡心力於此：半島上的國王之一——若昂——人在里約，另一個國王，則是能力低劣的西班牙國王費南多，他正竭力恢復專制統治。十五年前，十六歲的費南多和一個來自卡拉卡斯、骨瘦如柴的殖民地男孩打網球。這個男孩十七歲，名叫西蒙·玻利瓦爾，當時，他輸了一分後，用球拍打了這個王儲的頭。後來玻利瓦爾得意說道，「誰會料到這件事是個兆頭？我竟扯下他王冠上最珍貴的珠寶。」而這「珠寶」就是美洲，而玻利瓦爾將和兩個海地君主、一個葡萄牙王子一同解放一個大陸，開啟新時代。

---

43 他過從最密的友人是蘇菲（Sophie），兩人可能是不倫戀關係。蘇菲是活潑、志向遠大的巴伐利亞王國公主，嫁給皇帝法蘭茨的愚鈍兒子法蘭茨·卡爾。她的長子法蘭茨·約瑟夫（Franz Josef）日後將成為皇帝，而他在位時期則持續至一次大戰期間。

第十五幕

世界人口
十億人

布拉干薩家族和祖魯人、阿爾巴尼亞人、達荷美人和范德比爾特家族

解放者：玻利瓦爾和佩德羅

一八二二年十月十三日左右，安地斯山脈高處的洛哈（Loja，今厄瓜多境內），有個枯槁、極疲憊、發燒的軍人正視察部隊。沒多久，他便陷入譫妄狀態，夢到攀爬「地球的巨人」欽博拉索火山（Chimborazo）：爬到山頂後，「我昏倒……覺得好似奇怪、無法解釋的火上身。哥倫比亞的神已附身在我體內。突然『時間之神』站在我面前……」

「我是歲月之父！」神說。

「的確，『時間之神』，」他回道，「可憐的凡人爬到這麼高必會喪命！」

「勿隱瞞『天』所已揭示給你的奧祕！向人類說出真相！」

這個譫妄的做夢者不是哪個吸食毒品而出現幻覺的翻版嬉皮，而是外號「解放者」的西蒙・玻利瓦爾，國土遼闊的大哥倫比亞共和國（Republic of Gran Colombia）的三十九歲總統。他度過當時最不凡的人生，已在那期間解放了南美洲許多地方，如今把心力焦點放在祕魯、厄瓜多、玻利維亞上。他已攻下一百萬平方哩的土地，面積比歐洲還大，境內有叢林、沙漠、高山。他還解放了數百萬奴隸。除了亞歷山大大帝、成吉思汗、拿破崙之類的人物，少有人有如此輝煌的成就，但比起其他建立如此功業者，玻利瓦爾更是能體察他人的需要或問題，也更有文化、有審美意識。

玻利瓦爾生於富貴人家，五呎六吋高，頭髮鬈曲，眼神充滿熱情，腿瘦如柴，精力充沛，熱情洋溢，

無比自信：他曾鍛練自身薄弱的身子，只為了和久經鍛練的牛仔一較高下，他曾雙手綁在腰後再騎上馬，還有一次雙手綁著，騎馬下河，只為表現他的精湛騎術：「不要以為這些訓練對領導人沒用。」他已拋棄錢財；和最粗野的加烏喬牧人（gauchos）一起過著馬背上的生活。「什麼？」有個想見見這個解放者的西班牙人驚呼道。「那個騎騾的……小個子男人？」

每次勝利後，西蒙都被女性仰慕者成群圍住。他每拿下一處城鎮，便舉辦舞會慶祝勝利，而這些女人總是一身白，上前向這位解放者致意。他說「有些男人需要孤家寡人、遠離喧囂，才能思考，」但「當我自己成為狂歡聚會的最重要人物，置身歡樂的舞會時，思考效果最好。」他從未懷疑自身的使命。他豪氣干雲的寫道，「強人出手一擊，一個帝國即消失無蹤。」

玻利瓦爾的父親胡安．維森特（Juan Vicente），憤慨於他們的西班牙主子的腐敗作風。這些殖民地居民悄聲道，「不義意味著革命。」[1]胡安懇請其友人——激進的法蘭西斯科．德．米蘭達（Francisco de Miranda）——出來領導反西班牙的革命事業、一項危險的事業。[2]

西蒙．玻利瓦爾年幼時失去雙親，他頓時成為家財萬貫的孤兒，由黑奴希波麗塔（Hippolyta）撫養，

1　這個父親是個超級有錢的代訴員，本身便體現了白種上層人士（mantuanos）如何倚仗權勢來滿足性欲的特點。即使以犯下強暴惡行的奴隸主的標準來衡量，他仍是個恃強凌弱之人：有對身為奴隸的姊妹向卡拉卡斯的主教通報他常強暴她們——「這頭萬惡的狼想要強行占有我，把我交給魔鬼」。主教調查後，安排五十歲的胡安．維森特娶白種上層人家出身的十四歲女孩瑪麗亞。瑪麗亞不久懷孕，生下西蒙。

2　所有人都記得一七八一年圖帕克．阿馬魯二世（Tupac Amaru II）在祕魯發起的反西班牙壓迫的叛亂。他是受過教育的印第安人、印加人後裔，率七萬大軍攻打庫斯科，屠殺了西班牙人，大軍成員包括他妻子所領導的女戰士。叛亂遭鎮壓，十萬印第安人遇害，這個印加人被割掉舌頭，然後遭四馬分屍，在庫斯科的廣場上示眾。當年，他的曾曾祖父印加皇帝圖帕克．阿馬魯一世就在同一廣場遭處死。

受啟蒙運動學者教育，與街頭孩子在外頭野大。玻利瓦爾「心心念念的幾乎」就只有解放拉丁美洲：「我著迷於希臘、羅馬英雄的故事，華盛頓喚起我想要和他一樣的念頭。」許多克里奧爾人（creole）因害怕發生種族戰爭而裹足不前：十分之一的委內瑞拉人是奴隸。但玻利瓦爾自豪於祖上有個女奴。他思忖道，「我們和歐洲人或北美人完全不一樣，我們是非洲和美洲的混合體。」

十五歲時玻利瓦爾坐船去到馬德里，在那裡遇到王后路易莎（Luisa），因為她最新的情夫是委內瑞拉人——正是在這時，他用球拍打了王儲的頭。大談了數場戀愛後，玻利瓦爾娶了卡拉卡斯白種上層人家的年輕女孩，但他妻子不久便死於黃熱病。她是他一生的摯愛，但他寫道，「若非喪妻，我絕不會成為『解放者』玻利瓦爾將軍。她的死，讓我早早踏上追隨戰神戰車的政治之路。」

一八〇七年，拿破崙大敗這個可笑的西班牙國王，打破了帝國的存續所不可或缺的東西，即對帝國的懼怕：卡拉卡斯的諸多顯貴成立了忠於西班牙國王的軍事執政團，並派玻利瓦爾去倫敦。他懇求韋爾茲利侯爵支持未果，見到他年老的英雄米蘭達。兩人聯手，乘船返國發起革命，沒想到六十歲的大元帥米蘭達惹得每個人不快，鬥輸西班牙人。玻利瓦爾大概背叛了這個已被他搶去風頭的獨裁者，將他逮捕，不久後西班牙人突然來襲。米蘭達死於西班牙人的監獄，玻利瓦爾則統領一支叛軍。

一如海地境內的法蘭西人，西班牙人在殖民地採不同戰略：他們屠殺了一萬兩千人，將叛亂分子剝皮，把他們的耳朵戴在帽子上。玻利瓦爾聲稱，「西班牙人，大概死劫難逃，即使你是中立的；美洲人，可望活命，即使你犯了罪！」一八一三年八月，他拿下卡拉卡斯，但南美大草原的混種牛仔雅內羅人（llaneros）支持西班牙人。他們的「地獄軍」（Army of Hell）擊潰叛軍。玻利瓦爾帶著家人、情婦、他所摯愛的已得到自由之身的保母希波麗塔逃出卡拉卡斯。他在途中處決了一千名西班牙人，然後逃到海地，而在海地，總統佩蒂翁——海地革命的好心腸老爸——與他結為朋友。佩蒂翁說，「我能感受到他的偉大」，對他只有一個要求，即解放所有奴隸。

已主張廢奴的玻利瓦爾同意道，「歐洲人的野心逼世界其他人戴上奴隸的枷鎖，世界其他人不得不有所有回應。」他從未忘記「佩蒂翁是真正的解放者」。

一八一六年十二月，玻利瓦爾帶著海地槍枝回到委內瑞拉。他宣布，「我下令讓所有奴隸得到完整的自由」，發動一場消滅自己人的戰爭，統合克里奧爾人、前奴隸、雅內羅人、英籍傭兵的諸多軍隊等，向西班牙打一場不達目的不罷休的戰役。這個解放者把戰爭帶進新格拉納達（New Granada，今哥倫比亞），並拿下波哥大。

一八二一年六月，玻利瓦爾在卡拉沃沃（Carabobo）拿下決定性一役，把西班牙人趕出卡拉卡斯，然後被選為大哥倫比亞這個新共和國的總統。他極為疲憊、憔悴、頭髮漸漸灰白，他承認，「我被戰爭魔鬼吞噬了，決意結束此爭鬥。」誠如他所解釋的，「我的醫生常告訴我，我的心靈需要從危險中得到養分。的確如此。上帝把我帶到世上時，帶來一場革命風暴供我利用以茁壯自身。我是該風暴的化身。」

在西班牙，一場革命已削弱國王費南多的統治地位。眼下，這個在風暴中誕生的解放者翻過白雪皚皚的安地斯山頭和熱帶叢林，藉此攻打祕魯境內的西班牙人。他和他的士兵同甘共苦，在邦博納（Bombona）打敗西班牙人，凝望欽博拉索山，就在此時，一個與他大不相同的解放者在腹瀉正厲害時宣布巴西獨立。

這位另一個解放者不會靠武力征服半個大陸，也不會在火山上對著神講話——而且他既非革命人士，也非廢奴主義者。其實他是布拉干薩王朝的王子，擁有數千個奴隸，而巴西的解放是世上最特出的解放。

王子佩德羅幽默、不拘小節，熱中唱歌和彈吉他，通常一身平頂硬草帽、白色棉長褲、條紋夾克的打扮。九歲那年他來到里約，喜歡城裡享樂率性的氣氛，與街上行路人聊天，稍稍喬裝改扮混入里約的酒吧、妓院；他也把一個法國女演員納為情婦。與他父王若昂不同的是，佩德羅已跟著巴西人愛上洗澡。雖然他自認是某種自由主義者，卻毆打奴隸，拿他的女奴洩欲取樂。他常在街上發現女奴，立刻花錢買回。

若昂留在巴西，替他兒子談成和奧地利哈布斯堡王族聯姻。奧地利皇帝法蘭茨已把一個女兒嫁給拿破崙；這時他同意將瑪麗·路易莎那美麗、纖細、乖順又樂觀的二十歲妹妹萊奧波迪娜（Leopoldina）嫁給放蕩不羈的十九歲佩德羅。梅特涅惱火於這些談判──「葡萄牙人是世上最遲純的民族！」──然後惱火於這個女大公本人：「我從未見比她更被寵壞、更愚蠢的小孩……我如果是他父親，會打她一頓。」

萊奧波迪娜與她姊姊瑪麗·路易莎很親近，對於即將前去冒險刺激的巴西很是興奮，於是學起葡語，研讀植物學和足跡甚廣的自然學家亞歷山大·馮·洪堡（Alexander von Humboldt）的著作，儘管她的想法浪漫到不切實際。她寫道，「歐洲已讓人無法忍受」，反觀巴西的「野蠻人」，則是「尚未被奢靡腐化的自然之子」。她察覺到「巴西的腐敗」，嚴正表示「我會盡可能端莊得體，」避免閱讀「任何挑起肉欲的文學作品」。

一八一七年十一月，她在人民雀躍的情緒中抵達巴西，國王若昂剛平定伯南布科境內的叛亂，打發走佩德羅的法國女演員。新婚之夜，她的婆婆和大姑小姑替她寬衣，沒想到新婚夜過後，宮殿的窄小、她不愛洗澡的公公的體臭、她丈夫的粗俗，再再令她震驚不悅。

佩德羅胡亂發誓，畫春宮畫，極厭惡他同一個母親所生的「婊子」，往陽台外撒尿，當著他士兵的面大便。「我著迷於這個國家，」萊奧波迪娜寫道。「白天時和我丈夫玩音樂度過。」但她對姊姊瑪麗·路易莎坦承，「老實說，他訴說他的想法時，讓人覺得他有點殘忍；他習慣於我行我素，」但「他深情愛我。」她還對這個比拿破崙活得久的女人說，「你說得沒錯，不存在真正的幸福。」夫妻兩人對自家奴隸的態度不一樣：「她經過我們奴隸身邊時始終很和善，」有個在他們的鄉間別墅工作的奴隸憶道。「他則是傲慢，拿著頂端包銀的籐杖四處走動，打我們。」她不斷懷孕，心情抑鬱。

然後，一八二〇年，葡萄牙境內不期然爆發革命，隨著布拉干薩王族成員間的世仇而加劇的立憲自由主義和君主專制主義間的漫長鬥爭就此展開。這個國王甚為痛苦，最後終於同意返國，留下二十二歲的佩德羅當巴西攝政。在里約，群眾喊道，「讓人民統治巴西！」要求若昂趁還待在美洲時採用自由主義憲法。佩德羅命令士兵朝群眾開槍。一八二一年四月，若昂啟程前往闊別十三年的里斯本時，難為情的告訴他，「佩德羅，萬一巴西突然脫離，最好是在你懷著對我的敬意下由你動手脫離，而不要由這些冒險家的其中一人動手。」怪的是，巴西革命這時由佩德羅領導。當里約群眾要求他留下時，他宣布，「告訴各位，我不走。」

一八二二年八月，攝政佩德羅走訪聖保羅。佩德羅原本拿捏不定該獨立，還是該忠於他父親，寫了充滿感情的信給他，向他訴說他孫子的情況，吹噓自己和里約女孩上床的戰果。萊奧波迪娜忍受他殘忍的行徑，也力促他獨立。佩德羅對獨立懷著不是很認真的想法，他巡遊諸省，為自己和國家爭取支持，同時享用替他拉皮條的祕書「脂粉男」戈梅斯（'Fruity' Gomes）所找來的女孩。

在聖保羅附近，他「碰巧」遇見由兩個奴隸扛著的一頂轎子，轎裡坐著多米提拉．德．卡斯特羅（Domitila de Castro）這個美女。她是地方惡霸的妻子，他的某個廷臣的姊妹。他當下迷上她，趕緊下馬讚美她，然後堅持要親自替她扛轎。

「你好壯，陛下。」多米提拉說。

「絕不會再讓妳給這樣的矮小黑人服侍妳。」他說。

他返回里約時，多米提拉和他一起完成了一件巴西史上的大事——自私、激情且破壞性的大事。政治壓力日益升高。他騎馬在外，而當有個人遞上一封來自里約的信，他頓時感覺要拉肚子了：葡萄牙正準備收復巴西，就在巴西貴族要求完全獨立之際。可選的路不多，因為他如果不從，就會被捕。在伊皮蘭加河（Ipiranga）河邊，前後拉肚子的空檔，他扯掉葡萄牙國旗，把他的帽子丟到地上，抽出劍喊道，「時機已到。不獨立，毋寧死。我們已和葡萄牙分家。」

一八二二年十月，宣布佩德羅為巴西皇帝。「對葡萄牙，我們無所求，毫無所求，」佩德羅寫信告訴他父親。「讓巴西如願獨立，不然我們就為捍衛它而死。」在十二月一日的加冕典禮上，皇帝佩德羅把哈布斯堡王朝、布拉干薩王朝、印第安人三者的主題融而為一，身穿綠色絲質短上衣，腳穿裝著踢馬刺的靴子，身披用巨嘴鳥羽毛製成的綠、黃色斗篷。但他不是美洲第一個君主。

海地王后瑪麗·路易莎和巴拉圭的大王：法蘭西亞博士的種族實驗

在海地，富有遠見的國王亨利依舊統治他位於島嶼北部的王國；在南部，玻利瓦爾的盟友好心腸老爸佩蒂翁去世，把權力留給他的盟友布瓦耶——法蘭西籍裁縫師和剛果籍女奴所生。

一八二〇年十月，布瓦耶策畫了推翻亨利的政變。這個獨裁且不得人心的國王在無憂宮中風，十月八日，用一顆金色子彈自殺。他迅即被埋在他的護城城堡。他的繼承人、十六歲王子維克托·亨利（Victor Henry）遭人用刺刀殺死；瓦斯泰男爵遭人刺死，再丟進井裡。布瓦耶以外號「兩總統的總統」的情婦瑪麗—瑪德萊娜·拉舍內為顧問，隨之一統南北，接著併吞西屬聖多明哥，歡迎六千名自由之身的非裔美國人前來拓殖，可惜此試驗失敗，其中兩千人不久就返鄉。[3]不過，法國仍聲稱海地為其所有。

海地並非開創後奴隸制社會的唯一新國家。

巴拉圭正在試行南美洲獨有的種族主義實驗，儘管最終招來毀滅性後果。

一八二〇年十月，玻利瓦爾正在征服此大陸且海地國王亨利得解決叛變時，勤奮且儉省、先是老師、後來是律師的神學博士何塞・伽斯帕爾・法蘭西亞（José Gaspar de Francia），意外發現一樁要暗殺他的陰謀。五十四歲的法蘭西亞不久前已自封為巴拉圭這個新國家的最高獨裁者。這會兒，他命令稱之為「毛腳」（Pyraguës）的祕密警察機關逮捕所有參與此陰謀者和幾乎每個受過教育者或原從政者。他們會在「真相室」（Chamber of Truth）裡接受拷問，然後被殺。他自豪於自己的節儉，因此規定每個行刑者殺一人只准用一顆子彈。法蘭西亞坐在宮外橘樹下的凳子上觀看處決，在處決名單下面寫下「法蘭西亞治下的和平」（Pax Francia），真心認為他達成此偉業。

這個博士嚴厲、兢兢業業、嚴肅，藍眼，舉止透著看透人心、懷疑的心態，經常一身官服打扮——鑲藍邊外套、背心、馬褲、白襪——住在他的孟加拉式小平房官邸，只有他那個喪夫的姊妹、兩個黑白混血的女僕（偶爾當他的情婦）、一個年輕的黑人理髮師暨貼身男僕、一名克里奧爾裔醫生、三名瓜拉尼人（Guaraní）警衛同住。這些警衛是他信得過的人，只是偶爾被控叛國而遭處死。

法蘭西亞幾乎獨自一人掌管巴拉圭。巴拉圭之名則是根據抵抗早期西班牙籍征服者的印第安人部族巴亞瓜（Payaguá）而來。這個名為印第安人大省（Provincia Gigante de Indias）的西班牙偏遠領土非常落後，境內有為數甚少的上層人士統治仰賴非洲籍、瓜拉尼籍奴隸工作的種植園。這些上層人士是受過部分教育的克里奧爾人（整個國內只有兩個受過大學教育的醫生，法蘭西亞是其中之一）。這個省由位在里奧德拉普拉塔（Rio de la Plata，今阿根廷境內）的西班牙籍副王遙遙統治時，首府亞松森（Asunción）只有

3　布瓦耶對國王亨利之妻瑪麗・路易莎王后很好，送給她一些地產。但當她逐漸擔心起自身安危，英國皇家海軍救了她，將她送到倫敦。她和她的兩個女兒阿梅蒂絲特（Améthyste）、阿黛納伊爾（Athénaïre）住在克拉克森家：她們是攝政時期（一八一一至二〇年）倫敦的一個黑人王后和兩個黑人公主。

三千五百名克里奧爾人和一千五百名黑人。這個新共和國靠菸草致富，但繁榮寧靜的局面，因為本地部族、奴隸叛亂、葡萄牙人從巴西進逼等因素而可能不保。

這個最高獨裁者只有一個大臣輔佐治國，用星盤觀察星象，修習植物學並畫下植物，抽雪茄，用吸管暢飲國民飲料，即具有提神作用的瑪黛茶（yerba mate）。4

克里奧爾人和瓜拉尼人大量通婚，卻以太過敏感的傲慢捍衛他們的種族優越地位。法蘭西亞是克里奧爾裔軍官暨殘酷的莊園經理所生，投身公共生活爭取神學院神學教授之職時，被指是混血，但堅稱他有血統純正證明。西班牙人在布宜諾斯艾利斯的統治地位遭推翻後，巴拉圭人宣布獨立，法蘭西亞靠著精明的恩庇作為和不時辭職、退居他的小農場（chacra），掌握大權。一八一三年，他被選為共同執政，成立第一支由他統領的師級部隊，然後鬥贏群雄，一八一六年六月被選為終身獨裁者。瓜拉尼人受到鼓舞，稱他為神聖的「大王」（Caraí Guazú）。

他大小事都要管，到了無法自拔的程度，而且決意打造一個體現盧梭理念的種族平等、國民美德國家。他控制甘蔗、菸草、雪茄、瑪黛茶的貿易，拿這些貿易的收入籌措新軍的經費，決定透過立法結束白人的最高地位，解決種族等級問題。他禁止所有克里奧爾人或在西班牙出生的半島人（peninsulares）嫁娶白人；規定他們只能和印第安人或有色人種結婚。法蘭西亞嚴格執行其規定，監督每場婚禮，從而終結了西班牙人數百年的種族主義統治，創造出新的巴拉圭混血民族。奴隸制被廢，但法蘭西亞在種植園施行的強迫勞動和奴隸制差異不大。

這場社會學實驗創造出南美洲最有秩序的國家，而且此局面會在準君主制下維持六十年，六十年間一片詳和。法蘭西亞以幸災樂禍的心態看待此大陸其他地方的混亂，說道，「我為巴拉圭擬定的政策，係一套不和南美洲其他省往來的體制」，以免巴拉圭受到「有害且無休止的無政府、革命精神污染——而這些省份也因此變得凋敝、抬不起頭。」

馬努埃拉、解放者、棉花為王

在祕魯，另一個解放者玻利瓦爾正盯著一名與他對抗的軍閥的進展。「安地斯軍」（Army of the Andes）司令何塞・德・聖馬丁（José de San Martín），受里奧德拉普拉塔的統治者的派遣，已解放智利，進入祕魯。但在祕魯，他物資用盡。一八二二年，這兩個巨頭會晤，氣氛不佳，玻利瓦爾占了上風。玻利瓦爾坐鎮安地斯山脈高處，打敗西班牙人，然後陷入此前未有的戀愛。

這個解放者騎馬進入今厄瓜多的基多時，抬頭望向一個陽台，看見正望著他到來的年輕女孩馬努埃拉・薩恩斯（Manuela Saénz）。不久後，兩人在舞會上相遇。馬努埃拉是某貴族的私生女，嫁給一個個性沉悶的英籍商人，她長得性感迷人，自此和玻利瓦爾共度人生。她在戰場上和他並肩作戰：把她升為上校後，玻利瓦爾說，「要是我的士兵槍法和妳一樣準，我們老早就大敗西班牙了。」她當他的祕書，只是她的淫亂行徑——養女情人——惹火了他。她的女情人包括她兩個原是奴隸的黑人女僕，她把她們打扮成馬穆魯克人。她的強烈性欲教他吃不消。「最漂亮的馬努埃拉，我想滿足妳對愛的需求，」他懇求道。「我超想要妳，但給我時間。」一八二四年八月，玻利瓦爾帶著他的部眾進入山區，趕走西班牙人，被選為祕

4　法蘭西亞始終未婚，未曾有過愛人，但在一本書裡曾記載他的性伴侶，生了七個孩子。他發現他的私生女烏巴爾妲（Ubalda）為錢而和人上床時，他宣布賣淫是高尚職業，為此下令妓女佩戴金梳——西班牙正派女人的象徵。只有在法蘭西亞治下的巴拉圭，性工作者受到尊崇。

魯的獨裁者和根據他的姓取名的新國家（玻利維亞）的總統。但玻利瓦爾說，祕魯「有兩要素是每個公義、自由之社會的禍根，即黃金和奴隸。前者腐化它所觸及的每個人；後者本身就是腐敗的。」

他可能在講美國。

一八二五年二月九日，即將卸任的總統詹姆斯・門羅出席一場為款待來訪的拉法葉侯爵而舉行的餐會，即將接任的總統當選人約翰・昆西・亞當斯（John Quincy Adams）——第二任總統之子——和在此選舉中敗給亞當斯的粗漢型邊區將軍安德魯・傑克遜（Andrew Jackson）也是座上賓。在此餐會中，眾人為玻利瓦爾這個「南美華盛頓」的成就而乾杯。然而，他們為美洲自由祝酒之舉，幾乎掩蓋不了征服大陸的精神、基督教使命、奴隸制和美國民主體制的自由主義價值觀之間日益升高的緊張。

美國北部諸州的廢奴主義者試圖阻止南部諸州奴隸主將奴隸制擴及到新州境內。一八二〇至三〇年，南部的棉花產量增加了一倍，需要更多的奴隸勞動力。奴隸貿易已遭禁，意味著不再有奴隸過勞死、又找來新奴隸填補之事；奴隸活得更久而且有了孩子，以致奴隸貿易不再那麼急迫。只是慘無人道的程度並未稍減，因為有八十七萬五千個左右的奴隸被「賣到（密西西比）河下游」（用汽輪送去或把奴隸繫成一串押著他們走過去），好讓他們到棉花田裡工作。此外，美國奴隸受到玻利瓦爾、德薩利內的解放成就鼓舞。美國南部的奴隸主以住在柱廊大宅裡的溫文爾雅貴族的形象示人，但這種溫文爾雅的形象只是表面工夫，實質是建立在種族暴力上——奴隸造反即遭殘忍鎮壓。與此同時，他們把人當私有財產的文化削弱了他們的勤奮上進之心；他們從未投資工業，因此，這個奴隸社會本身就帶著自毀的種籽。

一八二〇年，一折衷方案談成，根據該方案，緬因以非蓄奴州的州制，密蘇里以蓄奴州的州制，加入美利堅合眾國。「我們騎虎難下，既抓不住牠，也無法安然放手，」傑佛遜有感而發道。[5]「一個秤盤裡是正義，另一個秤盤裡是自保。」這個折衷方案，「猶如夜裡的火警鈴聲，吵醒我，令我滿心恐懼。我當下便認為，它是美利堅合眾國的警鐘……眼下的確不再響了，但這只是一時的平靜。」

拉法葉接著去了蒙提切洛會見傑佛遜，兩人相擁而泣。傑佛遜帶拉法葉參觀他的維吉尼亞大學，成立該校旨在邀請年輕人「前來飲用知識之酒」。但他改建的蒙提切洛宅和他的大學校園係動用奴隸建成，此事令拉法葉深感不自在。一八二六年七月四日，傑佛遜以八十三歲高齡去世，他和莎莉所生的兩個較年幼孩子麥迪遜和埃斯頓隨之成為自由人（兩個較年長孩子已離開蒙提切洛），但未正式解除莎莉的奴隸身分，而且留下高達十萬美元的巨債，不只導致蒙提切洛宅被賣掉，還導致他的奴隸被悲慘拍賣掉，他們的家庭遭拆散。傑佛遜的女兒佩齊（Patsy）允許莎莉和麥迪遜、埃斯頓同住在夏洛茨維爾（Charlottesville），直到她去世。海明斯家兩個較年長的孩子被視為白人，較年幼的孩子被視為黑人，他們就此消融於這兩個族群裡。

某種美國就此告終。不過拉法葉也拜訪了截然不同的另一類英雄人物——傑克遜將軍——在他位於田納西州的赫米塔吉（Hermitage）種植園。傑克遜是邊區和喊出「棉花為王」（King Cotton）口號的美南地區代表，個性咄咄逼人，收成後的棉花都運送到英國的棉都（Cottonopolis）曼徹斯特。

那股自由精神大肆蔓延。就連富裕、志得意滿的英國都似乎來到動亂的邊緣：抗議火爆；在約克郡和什羅普郡都有人計畫武裝叛亂；陰謀者則設計了恐怖主義暴力行動。

5　傑佛遜一八〇九年退居蒙提切洛老家時，這個維吉尼亞州的大人物重拾他溫文爾雅的生活方式，由情婦莎莉．海明斯照顧，那時莎莉正在撫養他們的四個孩子。雖然她的一個姊妹塞妮亞（Thenia）已被賣給詹姆斯．門羅，但傑佛遜已讓她諸多兄弟裡的兩人得到自由，其中之一即是他那個向法國人習過廚藝的主廚詹姆斯，獲他邀請前去擔任他的白宮主廚；詹姆斯拒絕，不久後自殺。至於傑佛遜那些身為奴隸的親生孩子，他讓兒子們學習木工活，讓哈麗特學織布，不過這些孩子也學小提琴。他們所學的技藝全然不同於白種維吉尼亞人所受的教育。

浪漫派和現代國家：拜倫勳爵的希臘冒險和貝多芬的〈第九號交響曲〉

利物浦勳爵唯恐英國發生革命。英國遠不是民主國家：只有四十萬左右的男人有投票權，占全國男性人口裡的一小部分。權貴握有資格選出國會議員且選民甚少的「腐敗選區」（rotten boroughs）：有人估計，五百一十五個國會議員中，三百五十一個由一百七十七個權貴選出，費茨威廉伯爵（Earl Fitzwilliam）所擁有的海厄姆費勒斯（Higham Ferres）是典型的腐敗選區，只有一個選民，但有一個國會議員席次。

工業城市的壯大推動改革。曼徹斯特是棉都和居民過著無人道悲慘生活的「世界煙囪」。人類的每項發明都既改善生活，又危及人類和環境：工廠創造出新環境，對新工人階級來說，那是由「陰暗的邪惡工廠」構成的苛刻、冒黑煙、殘酷的世界。誠如後來一個參觀過工廠的人所說的，「有錢的惡棍、貧窮的流氓、衣衫襤褸的醉鬼、妓女構成道德的標竿；煤煙隨雨落下變成糊狀，就是這個樣子，唯一可見的是長長的煙囪：什麼鬼地方！地獄的入口成真。」[6]

一八一九年八月十六日，在曼徹斯特，六萬群眾要求改革選舉權。騎兵衝向群眾，殺死十七人，傷及四百多人，是為彼得盧屠殺事件（Peterloo Massacre）——只有在英國，才會把十八人死亡稱作「屠殺」或拿來和滑鐵盧相提並論——從而激起更多抗議。利物浦勳爵急欲壓制激進的宣傳，於是推出《六法令》（Six Acts）來取締，一八二〇年二月，《六法令》激起一樁欲將這個首相和攝政王殺害並砍頭的陰謀。警方派進去的臥底出賣十三名參與陰謀者，博街治安法庭的執法員（Bow Street Runners）——早期的警力——突襲逮捕了這十三人。其中五個參與陰謀者，包括威廉·戴維森（William Davidson）——父親是牙買加的英籍種植園主，母親是黑人——一一遭處以絞刑，死後還遭斬首。英國堅守住原有制度，但要求改革的壓力日漸變得沛然莫之能禦。在歐洲，梅特涅和其盟友發覺難以壓下急速高漲的自由精神和民族意識，而且這兩種心態相結合，形成激動人心且森然逼近的浪漫主義運動。

一八二一年三月六日，俄軍中的希臘裔軍官亞歷山大．伊普西蘭提斯王公（Prince Alexander Ypsilantis），從俄羅斯基希涅夫（Kishinev）騎馬跨過邊界進入鄂圖曼帝國的賈西（Jassy），進而宣告發動希臘人革命。伊普西蘭提斯是友愛會（Filiki Etaireia）這個祕密的希臘人組織的領袖。「動手的時刻已到，」他寫道，「歐洲的開明人士熱切期盼希臘人得到自由。」接下來幾個月，在整個希臘人世界——除了希臘本土，還有君士坦丁城裡的法納爾希臘人聚居區、摩達維亞、瓦拉幾亞——希臘人群起武力反抗鄂圖曼蘇丹。[7]蘇丹出兵鎮壓：法納爾希臘人遭公開斬首，君士坦丁堡的東正教最高級主教遭吊死在他的大

6　城裡最大的貧民窟為「天使草地」（Angel Meadow），一戶戶人家生活在有著一堆堆垃圾、冒著滾滾黑煙的環境裡。一八〇〇年，利物浦已有八萬居民，是英國第二大城，而其中約六成小孩活不過五歲，預期壽命是二十六歲。即使在食物已有所改善，從而推高國民身高時（一七五〇至一九〇〇年英格蘭人的平均身高增加了兩吋），結核、霍亂、斑疹傷寒猖獗的工業城依舊大量奪走新工人階級人民的性命。這些新產業也拉大階級間的差距，改變了家庭的面貌。工廠需要經理和辦事員才能順利運行，而這兩類人屬於一個新階級，男性居多，但有識字的女助理協助，他們全都在一個新地點工作：辦公室。工人在工廠裡揮汗工作，這些經理則簽署文件，執行新的時間表——亦即決定西方城市生活步調的工作時間表。直到二〇二〇年新冠肺炎疫情，這樣的步調才被打破。在辦公室工作者想要讓人知道他們比工頭資深，他們是工廠老闆的身邊人。工業這時被認為和美德、身分地位有密切關係，而為提倡對工業的崇拜，辦公室工作者穿深色、縮短的夾克和長褲，後來這身打扮成為成套的固定搭配。領帶——人類歷來所發明最無用的衣著項目——最初以「潮男」布蘭梅爾的領結的樣式現身，後來發展成象徵職場持重氣質的制式穿著的一部分。

7　這場叛亂致使沙皇亞歷山大處境尷尬：他的隨從裡有許多希臘人，他的外長是希臘科孚島籍貴族愛奧尼斯．卡波迪斯特里亞斯（Ioannis Kapodistrias），後來卡波迪斯特里亞斯卸下在俄羅斯的官職，成為獨立後希臘的第一位國家元首。投身這場東正教叛亂者不只希臘人：人稱「卡拉喬治」（Karađorđe，「黑喬治」）的塞爾維亞籍軍閥喬治．佩特羅維奇（Đorđe Petrović）加入友愛會。一八〇四年，這個綿羊商帶頭造反，成功推翻鄂圖曼帝國統治，可惜不久便遭弭平。一八一七年，他遭與他對抗的軍閥——已從蘇丹手中爭取到讓步的米洛什．奧布雷諾維奇（Miloš Obrenović）——暗殺身亡。奧布雷諾維奇、卡拉喬治維奇（Karađorđevići）這兩個家族在塞爾維亞爭權，直到一九〇三年才停止。

門上，希臘人遭擊潰、屠殺。但在希臘本土，由土匪出身的反鄂圖曼帝國統治的造反者和法納爾籍王公組成的雜牌軍繼續奮戰——浪漫主義革命的推手。一千名支持希臘民族獨立運動者趕去為希臘而戰——其中最著名者，是行徑最駭人的浪漫派詩人拜倫勳爵。

拜倫這個跛腳、鬈髮的詩壇名人，被他某個女情人形容為「瘋狂、惡劣、認識了恐會倒楣」的人，以他描述狂野年輕人柴爾德．哈羅德（Childe Harold）之冒險事蹟的史詩令浪漫派大為欣喜，以其和男孩、女孩的不倫戀震驚英國中產階級。而他據說勾引同父異母姊姊一事，則是這些不倫戀中最駭人例子。禁不住隨之而來的責難，他離開英國，前去義大利支持當地的激進人士，並在義大利活出浪漫派所夢寐以求的生活，把人界定為「半塵土、半神祇，既不適於／潛入水裡，也不適於高飛」。他極度厭惡梅特涅和利物浦勳爵。[8]若說這番話出自拜倫之手，表達同樣思想的音樂則出自貝多芬。頭髮蓬亂、半瘋狂、耳聾的貝多芬的過人天賦，正體現了狂暴如暴風雨的浪漫主義本色。一八二四年五月，他首度公演第九號交響曲〉。這首頌揚自由的作品，運用了席勒的〈快樂頌〉（Ode to Joy），除了被視為對梅特涅的批評，無法作其他解讀。「所有人都要親如兄弟！」[9]

一八二三年八月，三十五歲的拜倫來到希臘的凱法洛尼亞島（Cephalonia）。隔年年初，在希臘本土，他在一小股「拜倫旅」（Byron Brigade）陪同下，接下希臘部隊的共同指揮權，同時狂熱愛上他的希臘籍青年侍從。這位浪漫主義英雄正打算進攻勒班陀時，突然死於痢疾，死得很沒有浪漫派的風範。希臘叛亂情勢加劇，鄂圖曼帝國蘇丹驚恐的觀看著，梅特涅、物利浦、新俄羅斯沙皇尼古拉一世（亞歷山大之弟）則惴惴不安凝望。一八二五年十二月繼任時，傲慢專橫、言談浮誇、身材魁梧且相貌堂堂、有著青灰色眼睛、要人嚴格遵守紀律的尼古拉，遇上自由派軍官發動政變。這是俄羅斯本可能改弦更張的時刻。結果，尼古拉反而用大炮和絞刑弭平政變。他在國內走保守路線，創建了俄國第一個政治警察機關

（Gendarmes）和祕密警察機關。祕密警察機關是沙皇祕書處（chancellery）的第三部門，祕書處則由他直接管轄，祕密警察機關最初只有四百一十六個職員。這類行事隱密的官員愈來愈不只是公權力的工具，更是化身為令人聞風喪膽的神祕公權力。

從亞歷山大開始且由尼古拉克紹其裘，羅曼諾夫家族打敗立基於生物學的通則，一連出了四個勤奮認真且有能力的皇帝。尼古拉鄙視喋喋不休的英國國會，痛惡自由主義觀點，瞧不起他帝國內的數百萬猶太人，引領俄羅斯的獨裁統治、民族主義、東正教，以帝國擴張為使命。他運用其總攬一切事務的大權鬥贏各行其是的西方諸民主國家，係「世界博奕」的高手，弭平波蘭人叛亂（一八三〇年），從波斯人手裡奪回高加索地區，對車臣的伊斯蘭聖戰士進行了長期的征討戰爭，更是密謀奪取君士坦丁堡。

當鄂圖曼蘇丹馬赫穆德二世尋求衝勁十足的埃及統治者穆罕默德·阿里消滅希臘籍叛亂分子時，尼古拉的第一個機會到來。穆罕默德派他能幹的兒子「紅色」易卜拉欣——綽號「紅色」因其鬍子和凶猛而得名——前去希臘。在那裡，易卜拉欣有計畫的屠殺叛亂分子，摧毀叛亂勢力。希臘人求助於俄國人、法國人、英國人。這三國全都支持希臘，只是理由各不相同。

東正教的捍衛者尼古拉希望借希臘人之手削弱鄂圖曼帝國；在英國，國會的領袖人物是禿頭、易激動、聰穎的喬治·坎寧（George Canning）。坎寧是貧困的英裔愛爾蘭籍酒商和女演員所生，對於國內改

---

8 患有躁鬱症的英國外長卡斯爾雷子爵（Castlereagh）自殺身亡時，拜倫非常雀躍：後人絕不會仔細端詳／比這還高貴的墓：／卡爾斯雷的遺骨長眠於此：／旅人，停下腳步，撒個尿！

9 貝多芬坐在樂隊面前，「像個瘋子般身子猛然前後擺動……他站得直挺挺……蹲伏在地……胡亂揮動雙手雙腳，好似想要彈奏所有樂器，唱出所有合唱曲」。而樂隊已被指示要聽從指揮家的指揮，而非聽從作曲家的意思。一八二六年去世時，他一如奧古斯都說，「朋友們，鼓掌，這齣喜劇已落幕。」他出殯時，群眾林立於維也納街道旁。

革態度猶豫不決，但在海外諸多新國家——從大哥倫比亞到希臘——身上，他卻看到可供英國利用的機會。他說，「我們的對外政策不得逆民族意志而行。」在希臘，他和尼古拉聯手，派艦隊前去保護希臘人。穆罕默德．阿里勸蘇丹小心應對，可惜蘇丹未聽進去。

一八二七年十月二十日，在納瓦里諾（Navarino），英法俄聯合艦隊擊沉埃及—鄂圖曼艦隊，易卜拉欣回到埃及。穆罕默德火大於鄂圖曼王朝的愚蠢。坎寧和尼古拉此時支持希臘這個新國家，那是靠人民自決組成並渴望再現古老歷史、語言、民族的新一類國家。接下來百年期間，會有許多國家脫離王朝制帝國重新出發，而希臘是其中的第一個。人們有了新的想像政治的方式，而且後來也成為唯一的方式。

坎寧讚揚玻利瓦爾所創建的新國家。他說，「西屬美洲自由了」，並承認玻利瓦爾的大哥倫比亞。他還以誇張口吻說，「我創造了新世界，以使舊世界恢復公正平等。」

玻利瓦爾贏了戰爭，但為控制住和平局面，費了很大心力。

你們要捅死我這個世界國王？玻利瓦爾和夏卡

一八二八年，玻利瓦爾受到美國和英國的啟發，想要找出辦法擺脫「無政府狀態」，於是在今哥倫比亞的奧卡尼亞（Ocaña）召開代表大會，以議定大哥倫比亞的憲法，但大會中止後，他強制施行他自己的《根本法令》（Organic Decree），自封為有權利指定接班人的終身總統。玻利瓦爾枯槁憔悴，有病在身，竭力控制他疆域遼闊的國家。他的情婦馬努埃拉不顧回她英格蘭籍丈夫身邊，前來和玻利瓦爾團聚，以她權勢之大令人民惶恐又反感（人稱「女總統」），在她丈夫憧憬著繼續開疆拓土時，她縱情於跳舞、和男人調情。他嚴正表示，「若不給我十足的權威，這個共和國會亡。」而令他恐懼的是，此時的他已被視為暴君，讓人痛恨。

正當玻利瓦爾在南美洲的敵人打算謀殺他時，在南非洲，與夏卡甚親近的人則伺機要殺害他。

一八二八年九月二十二日，夏卡坐在他位於夸杜庫札（Kwadukuza）自宅外的墊子上，接受他的後宮女人服侍，欣賞他的牛群並接見代表，此際，他的同父異母兄弟丁嘎內、姆蘭嘎納不期然出現，斗篷裡藏著矛。夏卡已靠他的新戰術和不可測的恐怖作為建立起王國，然而，把他扶上王位的姑姑姆恩卡巴衣對於他尼祿式的殺母行徑至為反感，眼下把他當成「瘋子」。非得除掉他不可。

夏卡的侍衛姆博帕把群眾驅散，藉此引開國王的注意力。國王看得興味盎然時，姆博帕回來，在他後頭就定位。而緊接著兩兄弟上前時，姆博帕持矛刺進夏卡背部；親王姆蘭嘎納跟著上前動手，沒想到，丁嘎內不想背負弒君之名，完全沒有動手。「我父親的孩子怎麼了？」夏卡喊道。「你們要捅死我這個世界國王？你們會落得死於對方之手的下場。」只見姆蘭嘎納跳過屍體，自封為國王。群眾看得目瞪口呆。兩兄弟聚在一起聆聽神聖的敘事詩歌，拿一頭黑公牛獻祭，藉以緬懷祖先，向父親森贊嘎科納表達感謝——並藉以淨化行刺者本身的污穢，以防被施巫術。

夏卡以坐姿下葬，嘴裡被塞了一塊臀肉用以壓下他的靈的怒氣；十名廷臣和女人殉葬。行刺的兩兄弟禁止人民為這個「瘋子」服喪，然後，在姆博帕治理此王國時，這個祖魯家族開會選出新的恩克西。丁嘎內得到軍隊擁戴，但當初是姆蘭嘎納動手殺了夏卡，跳過他的屍體。將夏卡扶上王位並同意謀殺他的大母象姆恩卡巴衣一身男人打扮，身穿有藍猴尾巴的袍服，戴著飾有羽毛的頭飾，揮舞一捆長矛和一面戰盾，譴責純粹「靠瘋狂的蠻力」當上首領的夏卡。她裁定，「那個有著沾血長矛的人」——姆蘭嘎納——「不可以當家作主」，而後提名丁嘎內為國王，丁嘎內則自稱為「居中調解者」。大母象下令殺掉姆蘭嘎納。丁嘎內邀姆蘭嘎納和他一起下河游泳，在河中，大母象的手下伏擊姆蘭嘎納。

四十歲的丁嘎內魁梧、英俊，留著小鬍子，跳舞、作戰時身子非常靈活，他處死了姆博帕、八名統兵官、他的諸多兄弟（只留一兄弟性命），然後擊垮位於莫三比克南部的沖嘎人（Tsonga）反對勢力和恩德貝萊人、史瓦濟人。至於位在洛倫索—馬貴斯和納塔爾堡（Fort Natal，根據英國開普殖民地總督班傑明・德爾班爵士／Benjamin D'Urban之名改名為德爾班／Durban）的歐洲人，丁嘎內派祖魯人部隊（impis）前去懲罰，同時說服一些白種獵人教他的部分士兵使用步槍。

夏卡已死，而三天後，在南美的波哥大，前來取玻利瓦爾性命的刺客遇上一個女強人：馬努埃拉。

一八二八年九月二十五日凌晨，一支殺手隊猛然闖進宮。馬努埃拉醒來，他守住門，當玻利瓦爾準備對抗時，馬努埃拉命令他逃走。玻利瓦爾跳出窗子；馬努埃拉抵抗，刺客無法近身。刺客火氣一上來，在解放者躲在橋下時毒打她。玻利瓦爾感謝馬努埃拉，稱她為「解放者的女救星」（Liberatrix of the Liberator），只是這番羞辱已打碎這個「風暴之靈」（Genius of the Storm）的光環，玻利瓦爾的國家隨之分崩離析，祕魯、玻利維亞、厄瓜多、委內瑞拉、哥倫比亞紛紛取得獨立。一如大哥倫比亞，玻利瓦爾行將就木。

一八三〇年一月，仍只有四十七歲的玻利瓦爾面對現實：「哥倫比亞人！今天起我不再治理你們……永遠永遠不再治理，我發誓，我的思想從未被追求王權的欲望玷污。」他被肺癆折磨得形容枯槁，退居他位於卡塔赫納附近的自宅「拉昆塔」（La Quinta），他結結巴巴說道，「我要如何走出這個迷宮？」

沒有逃出之路。

革命：佩德羅和多米提拉

玻利瓦爾死時留下一道詛咒：「美洲是治理不了的；為革命奉獻的人，無疑是知其不可而為之。這個國家會落入一連串彼此差異不大的各種膚色的暴君之手。」

就在玻利瓦爾控制不住哥倫比亞之際，梅特涅也控制不住法國這個引發革命浪潮的國家。梅特涅說，「巴黎咳嗽，歐洲感冒。」

一八三〇年七月三十日，革命重現巴黎街頭。路易十六的最後一個兄弟查理十世在大臣波利尼亞克公爵（瑪麗・安東尼最好的朋友之子）協助下，攻擊議會裡的自由派，此舉遭拉法葉反對。拉法葉先前獲美國國會表決通過，贈予二十萬美元用以感謝他對美國的貢獻，這時，他七十歲，已回到法國。從查理在位之初，查理便決意在國內推動專制統治，在國外推動帝國擴張。一八二五年四月十七日，他派十四艘戰列艦逼迫海地賠款，以補償法國失去奴隸和一八〇四年屠殺所招致的損失——法國則承認海地以作為回報。海地總統布瓦耶受脅迫，支付了一億五千萬法郎，卻也被迫向法國某銀行貸款以支付款項。這筆錢以現金形式交給法國。如此的雙重債務導致海地貧困不堪。[10]

反對聲浪高漲之際，查理想要效法拿破崙出兵非洲，藉以轉移人民注意力；此舉一開始就是個鬧劇，而且將在二十世紀時幾乎毀掉法國本身。某個阿爾及爾的統治者用驅蠅撣子觸碰法國派去的使者，查理即拿這個可笑的場景為藉口，出兵入侵這個巴巴里沿海地區國，由此為非洲境內的最大帝國的誕生揭開序

10　蓄奴家族——包括洛伊希滕貝格公爵（Duke of Leuchtenberg，皇后約瑟芬之兒子歐仁）的家族——領用海地賠款持續了好幾代。獲解放奴隸的後代被迫賠償主人的後代，這是唯一一樁。一八四三年，布瓦耶在人民抗議聲中遭推翻；西屬聖多明哥叛亂，打了獨立戰爭，成立多明尼加共和國；一八八八年付了最後一期款項後，海地向美國各銀行申請到國家還不起利息的貸款。

幕。一八三〇年七月五日，法軍拿下阿爾及爾。九日，在聖克盧宮，查理宣布他從此要靠他自行頒布的法令來治國，不受議會約束，巴黎隨之開始出現騷亂，二十五日，他取消出版自由，解散議會，縮減選舉權。兩天後，報紙和這個國王唱反調，發動第一場媒體革命。民眾在巴黎街頭設路障，高喊「送上斷頭台！」多地傳出戰鬥；二十九日，暴民強攻杜樂麗宮。拉法葉趕到巴黎，出掌「國民衛隊」，查理退位。議會請拉法葉接下大位；他反而提議由此國王的自由派堂弟路易・菲利浦出任法蘭西國王。

路易・菲利浦的父親菲利浦・埃伽利帖已被送上斷頭；他本人在戰場上和奧地利人交手過，之後變節，脫離革命陣營，遊歷歐洲和美國，下榻喬治・華盛頓住所，在一德語學校教過地理，在一英語學校教過數學，然後和他的波旁王族堂兄弟一起回到法國。[11]這個奧爾良公爵直率、不做作、望之不似人君，因此被塔利蘭嘲笑，塔利蘭以挖苦口吻說，「光是成為重要之人還不夠，還要成為受欽佩的人。」但這個國王已活出令人驚奇的人生，就連塔利蘭的情婦暨姪媳婦多羅泰婭・德・迪諾（Dorothea de Dino）都說，「說到談吐的有趣，莫過於這個國王。」而他讓自己當個庶民國王，避開宮廷，他的友人詹姆斯・德・羅斯柴爾德則為此政權提供經費，在令人洩氣的戰爭中支持他。羅斯柴爾德也支持建造最早的鐵路，用火車把一千七百名巴黎人帶去里耳吃午餐，帶去布魯塞爾吃晚餐，藉此慶祝其北部鐵路公司（Chemins de Fer du Nord）所建造月的北部鐵路啟用。

在塔利蘭位於巴黎的舊宅裡，眾人圍在詹姆斯身邊聽他聽話。為他料理晚餐者是名廚卡雷姆（Carême），闡述法國烹飪藝術之道的廚藝大師，先前已為塔利蘭、亞歷山大一世、喬治四世獻過廚藝。這個銀行家用他的拉斐酒莊（Lafitte）所產的葡萄酒慶祝他的賽馬奪魁。他言談詼諧、尖刻、帶著戒心，很高興娶了他美麗的維也納籍姪女貝蒂（Betty），貝蒂找來蕭邦教她的五個孩子彈鋼琴，舉辦了近乎王家等級的沙龍，她本人和法國王后瑪麗・阿梅莉（Marie Amélie）為友。當他的哥哥內森於一八三六年去世時，詹姆斯隨之成為羅斯柴爾德家族的領袖。他說法語時仍有濃濃的德語口音，他的倫敦姪女嫁給非猶太教徒時，他堅持將她逐出家族。即便如此，他仍是互連互通的新資本主義世界的化身。他在他的沙龍不只招待王公，還招待狂放不羈的小說家巴爾札克。巴爾札克觀察在工業、金錢掛帥的新國度裡倖存下來的三教九流人物，他的父親是農家子弟出身，憑藉自身本事當上國王的祕書，然後成為革命活動的組織者和風格獨具的散文家，五十三歲才娶了某個有錢店家老闆的美麗女兒，兩人生下巴爾札克。

在律師事務所實習後，[12]巴爾札克在從出版業到薩丁尼亞熔渣堆再到烏克蘭林業的多個領域，投入堂吉訶德般的逐利生涯，抵擋不了「好投機事業」的吸引。

他的第一部暢銷小說《歐仁妮．葛朗台》（*Eugénie Grandet*），描寫一個因為自己的有錢務農父親的貪婪而抑鬱不快的女兒；然後在《高老頭》（*Père Goriot*）中，他推出在動蕩的巴黎出人頭地的外地青年拉

---

11 大仲馬，外號「黑魔鬼」（Black Devil）的托馬—亞歷山大．仲馬這個海地革命將領的兒子，一八二〇年代期間是路易．菲利浦的圖書館館長暨祕書，曾參與一八三〇年的革命。這時，他著手以父親的冒險事蹟為本寫小說，包括他的叔叔經由基度山（Montecristo）這個加勒比海小島走私的事。一八四四年，他的長篇小說《基度山伯爵》記述了法國境內政權不斷更迭的危險。這部小說分十八次連載於《辯論週報》（*Journal des Debats*）。大仲馬成為得利於識字率提高和渴望擴大讀者群的報紙大量問世的商業性超級小說家之一。銷售量驚人，但由於得照顧家庭，又要支應建造基度山城堡和養四十個情婦的開銷，這個似乎始終精神煥發的小說家一直身無分文，即使養了一批作家來大量推出暢銷書亦然。路易．菲利浦當政期間，大仲馬的事業順風順水，儘管不斷遭遇拿他出身作文章的種族主義批評。對此，他總是回道，「我父親是黑白混血，我祖父是黑人，我曾祖父是猴子。閣下，你也知道，你的家族結束之處，就是我的家族起始之處。」

12 巴爾札克記述了新的辦公室生活令人反感之處，並且不接受這樣的生活。辦公室生活支配西方無數人的白日時光，直至二十一世紀今日。他擔心成了「辦事員，機器般的人……在固定的時刻吃、喝、睡，我會和其他每個人沒兩樣。」他早於狄更斯，在《公務員》（*Les employés*）裡和散文〈公務員的生理〉（La physiologie de l'employé）裡，頭一個觀察了辦事員的生活。他說，「行政系統是由矮子操作的一部巨大機器。」

斯蒂涅（Rastignac）這個人物：「巴黎街頭具有人類特質。」巴黎始終是他著墨的重點之一——「十萬部小說的城市，世界之首。」

巴爾札克的長篇小說，「為全世界人而寫」，為每個人而寫，也寫每個人，一如大小仲馬，讓他財源滾滾。他過著他眼中巴黎作家該有的生活，享受和大公夫人、交際花的不倫戀，通宵寫作，體重過重，呼吸困難，過量飲用的咖啡漸漸毒害他自己（作家該引以為戒）。但他也是個多情種子，愛上單單藉由L'Étrangère（外國人）這個署名認識的一個波蘭伯爵夫人。

巴爾札克收下詹姆斯．德．羅斯柴爾德借給他的錢，但或許是對這個銀行家的勢力很是反感，他藉由筆下類似詹姆斯的人物紐沁根男爵（Nucingen）回報他的援助。在《高老頭》中，巴爾札克為現代資本主義掛帥下了定義，寫道，「當找不到清楚易懂的說法來解釋所有的龐大財富如何獲致時，累積如此財富的祕訣，始終是某個遭遺忘的罪行……遭遺忘則是因為該罪行得到完美的處理。」巴爾札克對整個社會感興趣，在他稱之為「風俗研究」（Études des Moeurs）的寫實小說中剖析社會，說整個社會「不再相信什麼，只相信錢」。但這個不知疲累為何物的精力充沛之人，係透過家族串起諸多情節。

革命浪潮從巴黎傳到哈布斯堡王朝的義大利、羅曼諾夫王朝的波蘭、尼德蘭，一八三一年四月傳到布拉干薩王朝的巴西。一八二四年，巴西皇帝佩德羅已獲授一項名為「節制權」（Moderating Power）的特殊權力，即監督國會，使其順利議事的權力。國會議員根據混合制憲法，由廣泛的白人男性選民選出。不久，一八二五年十二月，他受到惡待的哈布斯堡家族出身的皇后萊奧波迪娜生下一個兒子，即布拉干薩公爵佩德羅，但這個皇帝也高調展示他對多米提拉的深愛不渝。這時多米提拉已被升為桑托斯（Santos）的女侯爵，不久前生下女兒伊莎貝爾，皇帝佩德羅封伊莎貝爾為戈亞斯（Goiás）的女公爵。

他狂愛多米提拉，強迫他抑鬱的妻子接受他的情婦。如今，萊奧波迪痛恨起「糟透的美洲」，在寫給他姊姊瑪麗・路易莎的信中談到「野蠻」的佩德羅：「他不久前讓我清楚認識到他不把我放在心上，當著那個帶給我所有苦難的人面前惡待我。」她再度懷孕。一八二六年十二月，她丈夫在外攻打南部叛軍時，萊奧波迪娜流產；因為服用催吐藥和通便劑而身體虛弱，接著便離世。佩德羅厭惡自己的行徑，被她的鬼魂纏上。他甚至在他和多米提拉同床睡覺時突然跳下床：「放開我！我知道我這輩子活得很可恥。我還是會想起皇后。」他為他兒子佩德羅啜泣：「可憐兒子，你是世上最不快樂的王子。」他決定再娶。

那不容易——在巴西和歐洲，他的殘酷和淫亂臭名遠播。他只好妥協，挑上公主阿梅莉（Princee Amélie），即約瑟芬之子歐仁的十七歲女兒。因此，他的第一個妻子出身哈布斯堡家族，第二個則出身波拿巴家族。他成為忠於婚姻的丈夫。與此同時，他竭力穩住巴西，先是打敗北部的赤道聯盟（Confederation of the Equator），接著帶兵在南部打了一場戰爭：一八二五年，巴西的偏遠省分東班達（Banda Oriental，拉布拉他河「東岸」），在里奧德拉普拉塔聯合省（United Provinces of the Rio de la Plata，「拉布拉他河聯合省」）的鼓動下造反。佩德羅在陸上和海上的小衝突裡和阿根廷人交手（阿根廷、巴西在拉布拉他河上的艦隊都由英籍傭兵統領）。與此同時，他的父親、葡萄牙王若昂去世，他因此也成為葡萄牙的國王。只是他放棄王位，由他的年幼女兒瑪麗亞二世（Maria II）繼承。由於諸王朝的疏於注意，瑪麗亞被派去葡萄牙。可惜這個解放者輸掉他的戰爭：他失去此省部分地區，這些地區成為烏拉圭。

佩德羅因他對妻子的殘酷而受到痛恨，又遭遇自由派國會挑戰，面臨高喊「皇帝去死！」的里約熱內盧人造反，於是他退位，前去歐洲，對待巴西就如同他對待女友的一貫作風。他說，「我和巴西就此毫無瓜葛，永遠無瓜葛。」

他的五歲兒子，這時的皇帝佩德羅二世，在和外界沒有接觸的鄉村莊園裡被撫養長大，巴西則由攝政統治。第一部憲法已承諾「逐漸解放非洲籍奴隸」，而一八二四年的第二部憲法則完全忽略正蓬勃發展的奴隸制：一八二〇年代的頭五年，每年有四萬非洲籍奴隸來到巴西，一八二六年後，每年有六萬非洲籍奴隸來到。英國廢除奴隸貿易和英國的西非海軍中隊已使大西洋的奴隸貿易變少，但一八〇七至六五年間，仍有三百五十萬個淪為奴隸的非洲人被買下，運到大西洋彼岸。

格萊斯頓家——夸米納和約翰爵士：造反的奴隸和奴隸主

正當英國和拿破崙交戰並辯論政治改革問題時，就連威爾伯福斯都少談奴隸制，儘管在英國人的種植園上仍有七十萬奴隸。英國入手南美大陸上的荷屬圭亞那，牙買加的奴隸制隨之更為穩固。在荷屬圭亞那的德梅拉拉（Demerara），種植園使用奴隸製造出世上最優質的紅糖。約翰．格萊斯頓爵士（John Gladstone），同為虔誠的長老會教友、蘇格蘭籍商人之子，已搬到利物浦，靠著與印度、美國、巴西買賣玉米、糖、棉花這些商品發財，已擁有在牙買加的種植園，卻又在德梅拉拉買了一座新種植園，從而助他成為擁有最多奴隸的英籍奴隸主和西印度協會（西印度群島利益團體）的會長。但就在此時，奴隸使自身的苦難再度成為政治焦點。

一八二三年八月，夸米納．格萊斯頓（Quamina Gladstone）和傑克．格萊斯頓（Jack Gladstone）這對父子奴隸帶頭造反，起事地是格萊斯頓所擁有的「成功」（Success）種植園。不過，他們兩人和利物浦的大富人格萊斯頓沒有親緣關係，格萊斯頓的三個兒子，包括日後出任首相的威廉，已在伊頓公學就讀。夸米納淪為奴隸後，被人從黃金海岸運到種植園，這時在四十五至五十歲間，係格萊斯頓的首席木匠；他的兒子傑克是桶匠，英俊、「身材好」，六呎兩吋高。夸米納被迫做十三小時一班的輪班工作，不得照料他垂死的妻子佩姬，當回去看她時，她已經死了。夸米納上英籍牧師約翰·史密斯的教堂作禮拜，受史密斯鼓勵，組織了一場叛亂，共有一萬三千個奴隸和他一同起事。他們幾乎搶下這個殖民地。

英國人急派「西印度團」（West India Regiment）前去平亂，其中由得到解放的加勒比海奴隸組成。數百人遇害；十九人被判死刑，頭插在尖樁上示眾，以震懾那些相信只有屍體保持完整者才會在死後返回故鄉的非洲出生的奴隸。夸米納被逼到走投無路，遭槍殺，吊在架上示眾。「有群胡蜂在（他屍體）腹腔裡築了巢，從一動不動敞開著的可怕嘴巴飛進飛出。」人在英格蘭的格萊斯頓寫了封信要求寬大處理，傑克隨之遭流放到聖露西亞島（St Lucia），但牧師約翰·史密斯死在獄中一事，激發了廢奴運動，其影響如同殺死奴隸。廢奴運動聲勢日壯，西印度群島利益團體的抵抗也隨之升高。

時為首相的威靈頓公爵[13]面對要求廢奴、國會改革、取消對天主教徒和猶太人限制的主張，他決意抗拒。但他的副手、承繼了家中紡織事業的羅伯特·皮爾（Robert Peel），則說服他取消對天主教徒的限制。[14]這個公爵主張，國會無權解放奴隸：「我們絕不可為了得到英格蘭民心支持，搶奪西印度群島上業主的財產，」至於解除對猶太人的限制，則辦不到。

在最早問世的鐵路的加持下，英國製造業正急速壯大。這些鐵路使用蒸汽動力，以危險的新速度運送

13　利物浦勳爵結束了迄今兩百年來最長的英國首相任期後中風，那時，自認高人一等的那些大人物認定坎寧絕不可能接位。格雷伯爵（Earl Grey）說，「這個女演員之子根本沒資格當首相。」沒想到，喬治四世任命他為首相。他在首相之位只坐了一百一十九天便去世，下一屆政府上台也才一百四十四天就垮台，隨後，一八二八年一月，國王任命威靈頓為首相。

14　解除對天主教徒限制一事引發極大的怒火，威靈頓因此問批評此舉的溫奇爾西（Winchilsea）的伯爵敢不敢和他單挑，一八二九年三月二十三日兩人在巴特西原野（Battersea Fields）決鬥。兩人都開了槍，都未傷到對方，保住各自的面子。首相投身決鬥，這是最後一樁。

乘客和貨物：一八三〇年九月十五日，威靈頓啟用曼徹斯特—利物浦線。啟用當天，前內閣大臣威廉·哈斯基森（William Huskisson）正與位在專門服務首相的火車頭裡的威靈頓聊天時，另一個火車頭「火箭號」（The Rocket）正向哈斯基森疾駛而來。哈斯基森試圖爬上這個公爵所乘坐的那列火車，反而被火箭號的輪子輾過，在威靈頓注視下，一腿被輾碎。「我死定了，」哈斯基森說。「上帝原諒我！」這起事故未把人嚇得不敢搭火車，鐵路迅即將英國一體化：搭火車的人次從一八三八年的五百五十萬增為二十年後的一億一千一百萬。在曼徹斯特，紡織廠工人向威靈頓發出噓聲，但他仍拒絕國會改革——就在肥胖的老國王喬治四世去世時，這項政策毀掉他的內閣。喬治唯一的孩子、受人敬愛的夏洛特，已在一八一七年二十一歲時死於分娩。因此，由他的弟弟克拉倫斯公爵（Duke of Clarence）繼承王位。克拉倫斯個性率直，曾服務於皇家海軍，與他的女演員情婦生了十個私生子，對改革和廢奴立場不明確。他六十四歲成為威廉四世，被迫請格雷伯爵查理出來組閣，查理力促改革和廢奴已有很長時日。格雷這位攝政時期的浪蕩子，自一八〇七年落居在野陣營，一八三〇年執政時已六十多歲。這個土地大亨吹噓道，「他的內閣閣員名下土地之多，超過此前任何紀錄。」即便如此，格雷仍會以兩項法案徹底改變英國人的世界。

邱比特勳爵和貴婦身分的上流俱樂部贊助人

格雷的合作伙伴是他精力充沛且似乎永遠精神抖擻的外長，現年四十六歲的英裔愛爾蘭籍地主帕默斯頓子爵（Viscount Palmerston）亨利·天普（Henry Temple）。帕默斯頓最初以從不厭倦的性冒險而著稱，從一八三〇至六五年主宰數任政府，係在新的帝國時代造就英國世界霸權的最大功臣。

他在哈羅公學就讀期間，以沒教養的拳擊手形象為人所知；年輕時的綽號為邱比特勳爵（Lord

Cupid），是個頑固守舊的「攝政時期」花花公子，而他首度引人注目，則是因為把阿爾馬克（Almack）上流人士俱樂部的五個貴婦身分的贊助人裡的其中三人納為情人。其中，他首先搭上的情婦是俄國大使之妻多羅泰婭．利文（Dorothea Lieven），此女也曾是梅特涅的情婦。他完全不受外長身分的約束，將他幾乎每日的風流性愛寫在日記裡，性愛時間有時是早上，有時傍晚，常是在中午時，性愛對象則形形色色，包含交際花、妓女、伯爵夫人等。他以非常英式的暗語——以氣象報告的形式——表達他對每次性愛的感受，簡直對其風流史不予掩飾。「庭園裡晴朗的一夜」是非常典型的日記內容。

邱比特勳爵一八〇九年時就以陸軍事務長的身分任職於托利黨政府，但一八二八年他轉投輝格黨，成為坎寧的門生，而坎寧支持廢奴和穩健的改革。從此之後，他幾乎一直擔任外長，在國內支持自由主義措施，在國外則堅定不移的推進英國勢力。「我們沒有永恆的朋友，沒有永遠存在的敵人，」他嚴正表示。「我們的利益才是永恆且永遠存在的，而且奉行這些利益是我們的職責。」他堅稱，「那些想要見到自由原則大行其道、擴及世界的人，應以近乎信仰的崇敬情懷珍惜英格蘭的繁榮和偉大。」有個法蘭西人懷著自認非常恭維的心態，對帕默斯頓說，「如果我不是法蘭西人，我會想成為英格蘭人，」他則回道，「我如果不是英格蘭人，我應會想要成為英格蘭人。」他耐得住繁瑣的談判，因此贏得另一個綽號：Protocols Palmerston（外交禮節．帕默斯頓）。這個生氣勃勃、精明、留著絡腮鬍的惡棍，口才平庸，卻成為公眾的偶像，被報界稱作職業拳擊手帕姆（Pam the prize fighter）。這時的英國採行獨具一格的政策——既追求自由主義使命，又走以槍炮為後盾的帝國主義路線——類似二十世紀下半葉美國的政策，而打造出此政策者，正是綽號「浮石勳爵」（Lord Pumicestone）的帕默斯頓。這個政策正反映他本人的行事本色。他先是處理了一八三〇年革命後不久仍餘波蕩漾的情勢，包括前奧屬尼德蘭（即南尼德蘭）舉兵反抗尼德蘭王國國王一事。帕默斯頓在南尼德蘭創立比利時這個新王國，希望該王國制約法國並保衛歐洲的權力平衡。

他找他中意的親王薩克森—科堡的萊奧波德擔任比利時王國的國王，萊奧波德的亡妻正是英國的女性王位繼承人夏洛特。萊奧波德成為比利時的第一任國王，如今他的家族仍在位。

梅特涅震驚於一八三〇年的情勢——「我的一輩子被毀了」——他痛恨帕默斯頓：「帕默斯頓什麼事都錯了。」帕默斯頓樂於侮弄這個老首相：「我想看看梅特涅的表情，」他說。但一八三〇年革命的危害，並不如最初所擔心的那麼嚴重：俄國沙皇鎮壓波蘭人，梅特涅保住義大利；路易．菲利浦和萊奧波德穩住法國、比利時的局勢。在法、比這兩個國家，路易．菲利浦和萊奧波德紛紛大力獎掖工業，兩人都是羅斯柴爾德家族的親密盟友。路易．菲利浦讓人覺得是現代君主的典範：波拿巴家族顯然氣數已盡。[15]

正當帕默斯頓致力於實現他的新世界願景之際，在國內他支持改革和廢奴，而這兩件事，也都漸漸變得無法規避。

寧死也不願當奴隸活著：夏普老爹和廢奴

一八三一年十二月，六萬名牙買加奴隸造反，為首者是風采迷人的浸信會千禧年主義傳道士，外號「老爹」的撒繆爾．夏普（Samuel 'Daddy' Sharpe）。有個傳教士憶道，他是「最聰明、最不凡的奴隸，他肌肉發達的健美身材，身形非常漂亮」，他眼中「閃現的光采令人傾倒」。只有十四個白人遇害，而這場聖誕節叛亂最終弭平，而且一如既往得到馬倫人的幫助平亂。種植園主以馬倫人上繳的黑人耳朵數量獎賞他們。六百名奴隸戰死或遭種植園主謀殺，三百四十名奴隸遭判死刑，其中有些人只是偷了一頭豬或一頭母牛。夏普嚴正表示，「我寧可死在那邊的絞刑架上，也不願當奴隸活著。」

格雷找來奴隸主成立調查委員會時，暴亂者要求改革選舉，攻擊威靈頓的宅邸。一八三二年六月七日，格雷和帕默斯頓通過《改革法》（Reform Act）。這個偏向一方的議案，把選民數從二十五萬增為六十五萬左右——此數目和加勒比海地區的奴隸人數差不多，而解放這些奴隸一事成為該年年底大選的爭論點。楊．威廉．格萊斯頓（Young William Gladstone）譴責廢奴，主張奴隸制「未必是惡事」，並聲稱奴隸的處境和英格蘭境內童工的處境一樣好，解放則會「把如今傷害黑人的那些惡行變成更嚴重的惡行」。在海軍服務時去過奴隸種植園的國王，也堅稱「黑人的處境」是「卑微的幸福」。

但經過革新的國會對於奴隸叛亂深感驚恐，終於有多數議員贊成廢奴。格雷的殖民地事務大臣愛德華．史丹利（Edward Stanley）——日後會成為德比伯爵並三度出任首相的蘭開夏郡顯貴——承諾「在不減輕衝擊或不妥協的情況下」廢奴。只是廢奴法案若要通過，既需要減輕此舉所帶來的衝擊，也需要有所妥協——也就是帕默斯頓所說的，「如何公平對待奴隸，就如何公平對待種植園主」。「西印度群島利益團體」所掌握的票數使廢奴無法實現，除非政府賠償奴隸主，花錢買下奴隸主的奴隸，只為讓他們自由。

一八三三年八月，即威廉．威爾伯福斯去世後不久，《廢奴法案》在下議院三讀通過，一年後生效。可惜這項法案太不完善，以致有些廢奴主義者曾考慮投下反對票。

這項有所妥協的法案，讓擁有人奴的奴隸主有了離譜的進帳，而若沒有賠償，法案是過不了的。奴隸要當六年的契約「學徒」後才完全自由。奴隸主，從有頭銜的顯貴到有色人種，形形色色，其中四分之一是女人。他們總共得到一千五百萬英鎊的賠償，以牙買加的奴隸主來說，從每個奴隸得到二十英鎊的賠

15 路易．菲利浦的欠缺魅力，使波拿巴家族支持者更加不死心，而他們對家族東山再起的夢想，主要寄託在被稱作「小雛」（Eaglet）的繼承人身上。在維也納，皇帝法蘭茨給拿破崙的兒子一個團，但不讓他到任何地方服務。一八三二年七月二十二日，拿破崙—法蘭茨死於結核，得年二十一。希特勒年輕時著迷於這個賴希施泰特（Reichstadt）的公爵：一九四〇年，他征服法國後的早期作為之一，係下令將拿破崙二世遷葬巴黎傷兵院、他父親旁邊，以作為他給法蘭西人民的禮物。

償，在圭亞那，則是十五英鎊。[16]約翰．格萊斯頓爵士得到的賠償最豐，靠他兩千五百零八個奴隸得到十萬六千七百六十九英鎊，他日後將成為首相的兒子威廉認同廢奴：「願上帝玉成此事！」[17]

但並非每個人都樂見廢奴。在非洲，許多統治者頑強抗拒這個有利可圖的貿易告終，而且奇怪的是，就在廢奴的同時，在非洲大陸各地，衝突和奴隸制本身卻更是加劇。

達荷美的女戰士、維達副王、索科托的哈里發、指揮官普勒托利烏斯

廢奴四年後，在索科托這個英國管不到的地方，索科托的哈里發穆罕默德．貝洛（Muhammad Bello）去世，留下一個新帝國。此時這是世界史上第二大的奴隸國，有兩百五十萬個左右的奴隸——最大的奴隸國美國則有三百五十萬個奴隸。貝洛的父親烏斯曼．丹．佛迪奧（Usman dan Fodio）是高大且具群眾魅力的豪薩人（Hausa），生於今奈及利亞的戈比爾（Gobir）這個穆斯林城市，一七七四年二十歲時受了神祕恍惚體驗和異象啟發而發動聖戰，接著靠武力打造出撒哈拉沙漠以南非洲的最大帝國，並於一八〇三年自封哈里發。一八一七年去世後，他兒子貝洛繼續進行聖戰，把版圖從奈及利亞北部擴及布吉納法索、卡麥隆、尼日。

非洲諸政治實體征戰、擴張，彼此間戰爭未歇，和歐亞大陸諸國沒有兩樣；戰爭擒獲奴隸，而奴隸出口較不易，於是有了多餘的奴隸。英國作家約翰．里德（John Reader）寫道，「廢奴後，非洲境內使用奴隸一事比以往任何時候來得普見，淪為奴隸者其實變多。」

在更南邊，達荷美國王蓋佐（Ghezo），在臭名遠播的「維達副王」（viceroy of Ouidah）和其娘子軍協助下抵抗廢奴。有個外地人前往蓋佐在首都阿博美（Abomey）的王宮，他經過「三顆人頭」旁邊，門道

兩側「仍在滲出血」。「奴隸貿易一直是我的人民的最高原則，」蓋佐告訴英國使者。「那是他們的名利來源。他們的歌頌揚他們的勝利，母親用戰勝一個被貶為奴隸的敵人的歌曲哄孩子入睡。」

蓋佐擴大其奴隸貿易規模，一年賣掉一萬個奴隸。他派遠征軍前去鄰族抓奴隸，把他的女侍衛隊改造成第一流的娘子軍。這支娘子軍被稱作阿荷西（Ahosi，豐族語「國王的妻子」）或米農（Minon，「母親」），扮演先鋒部隊的角色，成員共三千至六千人。來訪的歐洲人，從小熟悉希羅多德筆下亞馬遜女戰士的故事，看到這支女人部隊甚覺有趣。這些女戰士八歲時就入伍，不得有性關係或婚姻（只能和國王上床或結婚），赤腳踩荊棘以訓練忍痛能力。她們穿條紋短上衣和飾有鱷魚圖案的帽子，佩戴匕首、短劍、

16　麥可．泰勒（Michael Taylor）寫道，一八三三年，這筆賠償金占「政府年度支出四成，在二〇〇八年的一套銀行業拯救措施問世之前，這一直是英國史上最大的一筆特定支出。」霸菱兄弟公司（Baring Brothers）最初想湊到這筆龐大貸款，但金額實在大到令他們怯步。格雷找上內森．羅斯柴爾德和其連襟摩西．蒙帖菲奧雷，這兩人都支持廢奴，痛惡蓄奴，認為蓄奴和千百年來對猶太人加諸的種族主義性質迫害差不多惡劣。他們認為募集到這筆貸款攸關黑奴解放能否成功，同時為解除加諸猶太人的限制而極力奔走鼓吹。《廢奴法案》通過數天後，國會否決了《猶太人無民事行為能力廢止法案》（Jewish Civil Disabilities Repeal Bill）。英國是「基督教國家、基督教立法機關」，威靈頓說。「這個議案會除掉那個獨特性質」。

17　就在廢奴後不久，有個年輕的業餘自然學家搭上英國皇家海軍艦艇「小獵犬號」（Beagle），踏上太平洋航行之旅。這趟航行既為施行帝國計畫，也為科學調查。查爾斯．達爾文是韋緻伍德、達爾文這兩個世代交好且彼此聯姻的工業家族的最重要成員，獲選參與此航行，既因為他研究海洋無脊椎動物，也因為他的財力足以支應他個人此行所需花費。他的父親羅伯特原反對他這趟行程，經他的小舅子瓷業大亨喬賽亞．韋緻伍德二世勸說才同意。在這趟五年的航行中，達爾文研究了加拉巴哥群島上長期與世隔絕的動物，注意到動植物的多樣性，從而發展出「一動物比另一動物高級之說簡直荒謬絕倫」的這個看法。一八五九年，他出版《論物種起源》，在其中主張，「由於每個物種所生下的個體都比能倖存的個體還要多上許多；由於，隨之而來頻頻一再發生的生存鬥爭，於是，任何生物，如果以有利於自身的任何方式變異，再怎麼細微的變異……都會有較高的倖存機率，從而被自然選擇而生存下來。」他推斷，「已有且正有無窮無盡的最美麗、最奇妙形體，從如此簡單的開始演化出來。」

狼牙棒和步槍，她們吟唱：

一如鐵匠鑄鐵，改變其性質，
我們改變自己！
我們不再是女人，而是男人。

其中有些女戰士招募自宮中女人，有些被自己家人強行送入伍，許多人則是喪命戰俘或淪為奴隸之戰俘的妻子。蓋佐不只把她們當突擊部隊、抓奴隸隊使用，還要她們當他的劊子手；來過此地的外人記述了這些女戰士所收集的數百張頭皮。有個來訪的英國使者畫下她們的指揮官塞東洪貝（Seh-Dong-Hong-Beh），畫中她一手持步槍，另一手提著流血的首級。

一八一八年，這個年輕的達荷美王子靠一位非裔巴西籍奴隸主的幫助，從其王兄阿丹多贊（Adandozan）手中奪下王位。這個奴隸主名叫法蘭西斯科·德·蘇薩（Francisco de Sousa），係葡萄牙首任巴西總督的後代。阿丹多贊增派抓奴隸隊出去抓人為奴，同時利用奴隸在他的棕櫚樹種植園工作。這時，在奈及利亞，種棕櫚樹開始有賺頭。他甚至把王族內可能和他唱反調的人當奴隸賣掉。頭髮花白、令人極反感的德·蘇薩，把天主教和巫毒教結合在一起，最初窮到去巫毒教廟宇偷寶貝貝殼，但最終靠著買賣奴隸發達起來，住在位於維達的家族大宅院「辛博美」（Singbomey），過著如同帝王的尊榮生活，非洲籍妻妾多人，生下兩百零一個孩子。他去阿博美向阿丹多贊討債時，遭這個國王逮捕下獄。而王子嘎克佩（Gakpe，即日後的蓋佐）去獄中探視他，兩人立下要滅掉此王的血盟。此前，蘇薩把嘎克佩在巴西當奴隸的母親救了出來，對他有恩。在達荷美國王阿貢格洛（Agonglo）的非裔尼德蘭籍遺孀協助下，他逃出獄，然後他送槍給這個王子，王子奪權，取名蓋佐，將蘇薩晉升為恰恰（chacha）。恰恰是新創的稱號，源自他的口頭禪「Já, Já!」（葡萄牙語，意為「快，快！」）。蓋佐立他的母親阿貢蒂美（Agontime）為克波吉托（kpojito，「母后」），用蘇薩所提供的步槍攻破奧尤王國，從而擴大其勢力圈。不久，英國封鎖其港口，以約束他的奴隸貿易。

痛恨廢奴的非洲本地統治者可不只蓋佐和貝洛。[18]在東非洲，奴隸制也正興旺，在南非洲，有個白人部族也憤慨於廢奴。

一八三六年，說荷語、認為奴役非洲人是上帝授予之權利的阿非利卡人，開始遷出開普殖民地，以躲避英國人統治，並用武力建立新家園。這一萬四千名「大遷徙者」（voortrekkers）恪守義理、配備諸多武器、組織完善，且有人數差不多的一批黑奴同行，在遷徙途中不時和非洲本地國王起衝突。廢奴後，這些黑奴被改稱為「學徒」，但往往受過軍事訓練，得以和阿非利卡人並肩作戰，和非洲國王有所衝突。姆菲卡尼期間，一部族掠奪其他部族的土地、牛隻，本身又被別的部族掠奪，阿非利卡人則成為這個掠奪鏈裡新加入的部族——但武器比其他部族精良。有些阿非利卡人攻擊恩德貝萊王國的國王姆齊利卡齊，把他往北趕入辛巴威；另有阿非利卡人，由皮特・雷提夫（Piet Retief）領導，來到祖魯國王丁嘎內的王廷。丁嘎內大喊「殺掉這些巫師！」命人將他們用棍棒打死，然後攻擊他們的營地，殺死四十名大遷徙者、二百五十名黑人傭兵、一百八十五個小孩，由王子姆潘戴（Mpande）領導的另一支部隊，則將來自納塔爾的

18 奈及利亞拉各斯（Lagos）的統治者科索科（Kosoko）身為達荷美藉的英國藩屬，不願配合廢奴，直到一八五一年英國皇家海軍炮轟拉各斯，將他罷黜，代之以另一個統治者，這才結束此局面：英國創建一個新殖民地的第一步。一八六二年，帕默斯頓擔心法國侵犯，同意將這座城併吞。在更西邊的黃金海岸地區，阿散蒂王國如今用奴隸在他們的金礦場、種植園工作，許多奴隸住在首都庫馬西周邊的村子裡：倒楣的奴隸甚至被抓去一年一度的儀式上獻祭。

一支英國部隊全數殲滅，共殺掉十六個白人、數千個黑人傭兵，襲擊納塔爾港本身。但阿非利卡人在精於作戰的安德里斯・普勒托利烏斯（Andries Pretorius）領導下同心抗敵，他經推選當上司令，一八三八年十二月用四百七十二名布耳人和一百二十名非洲籍士兵打敗一萬兩千名祖魯人，殺了其中一千人，己方只有三個布耳人受傷。普勒托利烏斯以祖魯人領土裡的新城鎮彼得馬里茨堡（Pietermaritzburg）為中心創立一個共和國。敗於史瓦濟人之手且遭布耳人羞辱的丁嘎內，打算殺掉他尚存的兄弟姆潘戴。姆潘戴在自己兒子凱奇瓦尤（Cetshwayo）陪同下逃走，求助於普勒托利烏斯。

一八四〇年，姆潘戴和普勒托利烏斯攻打丁嘎內，丁嘎內落敗，退至山區，卻遭自己的廷臣殺害。姆潘戴身胖、懶惰、本性敦厚，但知道「統治祖魯人係透過殺戮遂行」，除了把搶來的牛和普勒托利烏斯一起分掉，別無選擇。他還把自己王國五分之二的土地割讓給普勒托利烏斯。野心和資源超過當地群雄（尼德蘭人、恩古尼人）的英國尾隨在後，不久就吞併阿非利卡人的納塔爾共和國。

至於普勒托利烏斯，他受邀北前去協助索托國王穆綏綏後，創建了新的「南非共和國」（South African Republic，後來的川斯瓦爾共和國），其他大遷徙者則創立奧蘭治自由邦（Orange Free State）。普勒托利烏斯死時，他兒子馬爾提努斯（Marthinus）被選為川斯瓦爾的總統——根據他父親的名字將首都取名為普勒托利亞——接著也被選為自由邦的總統，在這期間他獵象取象牙，偷牛、放牧牛群，搶非洲人為奴。再過不久，發現鑽石、黃金等將引發另一場權力角逐。

在更北邊的埃及，奴隸仍是穆罕默德・阿里的大業所不可或缺。他聘法籍軍官培訓軍隊，重建艦隊，這支軍隊由淪為奴隸的喬治亞人和蘇丹人、徵召來的埃及農民、土耳其籍軍官組成。他對於鄂圖曼蘇丹在納瓦里諾葬送他的艦隊一事相當惱火，要求給予敘利亞作為補償。未能如願時，他抓住機會靠武力打出帝國。

東方拿破崙：穆罕默德・阿里的妙招——以及旁遮普的獅子

一八三一年十月三十一日，穆罕默德・阿里的兒子易卜拉欣入侵敘利亞，奪下耶路撒冷和大馬士革。得到路易・菲利浦支持的穆罕默德・阿里思忖道，「如果蘇丹說我可以保有大馬士革，我會在那裡停下……如果不可以，誰曉得？」然後，一八三二年五月，易卜拉欣翻過托魯斯山脈（Taurus Mountains）進入土耳其心臟地帶。當穆罕默德・阿里考慮將易卜拉欣扶上君士坦丁堡王位，蘇丹馬赫穆德將埃及賜予他，並割讓敘利亞。易卜拉欣率部更接近這座「大城」時，蘇丹求助於他的宿敵沙皇尼古拉，尼古拉發兵前去守住君士坦丁堡，七月，蘇丹同意受俄羅斯保護。尼古拉說他想保住鄂圖曼帝國：「如果它倒了，我不想要它的瓦礫。我什麼都不需要。」沒人相信他。

一八三八年五月，已統治蘇丹、阿拉伯半島、敘利亞、以色列和小亞細亞大半地方的穆罕默德・阿里宣布脫離君士坦丁堡自立。蘇丹馬赫穆德已於不久前翦除尾大不掉的土耳其禁衛軍——殺了其中五千人——並聘西方軍官訓練他的現代軍隊。[19]但這時，在尼濟普（Nezib），易卜拉欣大敗鄂圖曼帝國的新軍，攻向「大城」。帕默斯頓受到他身為福音會教徒的女婿沙夫茨伯里勳爵（Lord Shaftesbury）的鼓勵，又受到蒙帖菲奧雷的運動鼓舞——兩人都深信應讓猶太人返回錫安——派一名英國領事前去耶路撒冷保護長年受迫害的猶太人。他決意拯救鄂圖曼帝國、削弱羅曼諾夫王朝勢力、止住穆罕默德・阿里的擴張。一八四

19 最出色的鄂圖曼帝國顧問是一名普魯士籍年輕軍官。此人出身丹麥—梅克倫堡家族（Mecklenburger），日後將促使戰爭改頭換面，改變歐洲的面貌：他勸鄂圖曼帝國的維齊爾勿在尼濟普與敵交手。維齊爾不理會他的意見，從而招來致命後果。這個顧問即是大毛奇（Helmut von Moltke），非常不典型的普魯士籍軍官，深思熟慮、精通文學、願意接受新思想和新作法，著有數部傳奇小說、歷史書和這時他所出版的《來自土耳其的信》（*Letters from Turkey*）。

〇年七月，帕默斯頓揚言對穆罕默德・阿里的靠山路易・菲利浦開戰，派去艦隊炮轟貝魯特和阿卡，拯救了鄂圖曼帝國；穆罕默德・阿里同意從敘利亞、土耳其、克里特島、阿拉伯半島撤軍，得到在埃及、蘇丹的世襲統治地位作為回報。

在更東邊，邱比特勳爵遭遇英國自己在阿富汗製造的危機。在阿富汗，偉大國王杜拉尼的孫子們相互攻伐，毀了他們的帝國，導致另一個普什圖人氏族巴拉克宰人（Barakzais）有機會拿下喀布爾。該氏族的首領是多斯特・穆罕默德（Dost Mohammad）。而杜拉尼的孫子沙・舒賈（Shah Shuja）遭罷黜，流亡印度。

帕默斯頓和他派駐印度的總督緊盯著俄羅斯人在中亞的進展。兩帝國間的諸緩衝國——布哈拉汗國和希瓦汗國（Khiva）、波斯、阿富汗、錫克王國——成為暗中較勁的場域。在這個人稱「大博奕」（Great Game）的較勁中，勇敢的英國人和俄羅斯人往往喬裝為當地人，試圖將當地的統治者拉到自己這一邊。俄羅斯支持波斯攻擊赫拉特，並有一支俄羅斯部隊想要拿下希瓦汗國（今烏茲別克境內）。英國支持錫克教籍土邦主獅子蘭吉特・辛格，他是阿富汗人的宿敵。[20]阿富汗埃米爾多斯特・穆罕默德不願照英國的要求，由英國主導其對外政策。駐印度總督奧克蘭勳爵（Lord Auckland）受這個錫克教籍大君操弄，誇大自己的抗拒作為，未據實向倫敦報告情況，在本應透過談判取得安全保障安排時，反而要求發兵入侵阿富汗以扶立沙・舒賈。帕默斯頓只好勉為其難同意。

一八三九年二月，兵力多達五萬五千人的印度河軍（Army of the Indus），由英籍軍官和印度兵組成，並有錫克教徒士兵助陣，舉而進向喀布爾。八月，在喀布爾，沙・舒賈・杜拉尼被擁立為王。奧克蘭撤出英軍大部，留下八千人支持杜拉尼，新任英國首相羅伯特・皮爾裁減開支時，駐阿富汗英軍兵力再減。在喀布爾，阿富汗本地女人和英國士兵發生性關係之事，與沙・舒賈、錫克教徒的殘酷同樣令阿富汗人憤怒。沙・舒賈被阿富汗人視為英國人的傀儡，錫克教徒則自杜拉尼的旁遮普戰爭起便為阿富汗人所痛恨。有個英國軍人強暴了一名阿富汗女孩，致使緊張情勢加劇。在坎達哈周邊，吉勒宰人（Ghilzai）向英國人發動聖戰。

一八四一年十一月二日，這個埃米爾的兒子阿克巴・汗（Akbar Khan）帶領叛亂分子進入喀布爾，攻擊、殺害城中英國人，然後圍攻英軍訓練營地。阿克巴使計誘使英國人談判，他親手挖出英國使者的內臟。英軍兵敗比比馬赫魯（Bibi Mahru）後，六百九十名英國人、三千八百名印度人、一萬兩千名婦孺被迫撤離喀布爾。

他們通過狹窄的隘路時，阿克巴出動槍法精準的阿富汗狙擊手，在八天裡對這支撤退隊伍大開殺戒。有個名叫布萊頓醫生（Dr Brydon）的倖存者踉踉蹌蹌逃到賈拉拉巴德。沙・舒賈轉而和英國人翻臉，卻遭暗殺。

一八四二年，兩支英軍入侵阿富汗，一路破壞、屠殺，奪回喀布爾，炸毀喀布爾的市集，洗劫了該城，而後離去。雖然損失了四千五百名軍人，損失之大前所未見，英國仍重新申明其支配地位。一八五五年，阿富汗埃米爾多斯特・穆罕默德同意與英國「友好」。

這場撤退以災難收場，但對一個全球帝國來說，這災難微不足道。由此得到的教訓，並非阿富汗是「帝國的墳場」——不盡屬實的老掉牙說法——而是入侵者應快速進入、退出，一八四二年就是如此。此後直至一九一九年，阿富汗一直是附庸國——唯有一八七八年有段濺血的例外時期。諷刺的是，帝國主義英國處理起阿富汗事務，比起二十一世紀民主的美國、英國，更是高明許多。

20　沙・舒賈年幼遭罷黜時，得到帝國建造者蘭吉特庇護，卻被要求交出他珍藏的鑽石「光之山」作為回報。

緊接而來的，則是錫克王國的傾頹：在獅子蘭吉特死後，他最年長的兒子和孫子慘遭殺害；而前者的遺孀錢德．考爾（Chand Kaur）取得大權，不久後，亦遭罷黜並被她的僕人毆打至死——她的繼任者所下的命令，而這個繼任者是獅子的另一個兒子，最後也遭殺害。一八四三年，獅子最年輕的遺孀、卓越、有著英氣逼人之美、人稱金丹（Jindan）的金德．考爾（Jind Kaur），在二十六歲這一年取得大權，成為攝政，輔佐最年幼的五歲幼獅杜勒普．辛格（Duleep Singh）。只是，這個分崩離析的王國已不再是有用的緩衝國，反而成為英國難以抗拒的肥肉，因此，英國利用身為大君之遺孀的攝政和她的大臣之間有親密關係，污衊她如同羅馬帝國時代那個濫交又權勢滔天的梅薩利娜（Messalina）。歷經兩次戰敗，旁遮普於一八四九年遭併吞；杜勒普讓出光之山鑽石給英國，同時被禁止進入旁遮普。而最後的女獅金丹緊握權力、堅持到底，可惜最終仍被俘。入獄後，她偽裝成女僕，逃了八百哩去到尼泊爾，直到十一年後，才和杜勒普重逢。兩人流亡至英國；杜勒普接受教育、打扮得如同「英國紳士」，改宗英國國教，和維多利亞女王結為好友，但他的母親總提醒他曾失去的榮光。當金丹於五十五歲去世時，杜勒普終於獲准前往孟買為她舉行火葬。他以撫恤金購得東英格蘭一處廣大的地產，過著豪奢的生活，他再次改宗錫克教，也試圖回到旁遮普。最後，他於巴黎去世。

在地中海，帕默斯頓已如願救下鄂圖曼蘇丹國，使其不致毀於穆罕默德．阿里、俄國人之手。穆罕默德．阿里愈形衰老，同時做起了入侵中國的春秋大夢，而這個近代最了不起的埃及領導人已留給埃及人一個有著棉花業和現代軍隊的獨立國家，而且他的家族將統治埃及直到一九五〇年代。

在西邊，一成功軍事領袖所統治的另一個產棉花、賣奴隸的帝國正計畫自身的帝國擴張大業。而且，擴張到德克薩斯境內。

美國軍事領袖：傑克遜的子彈和聖塔納的腿

一八三五年一月三十日，在美國國會裡，一個精神失常的刺客持手槍朝當時六十七歲的總統傑克遜開了兩槍，兩槍都失手。狠老頭（Old Ferocious）的狠勁絲毫不減：他用他的杖擊倒刺客，若非同是邊民的戴維・克羅基特（Davy Crockett）將他拉開，他大概會把那刺客打死。

頭戴河狸皮帽的克羅基特在場並非湊巧。這個聯邦眾議員正在籌畫旨在奪取德克薩斯的親征行動。

這個頭髮花白的總統往英國人、西班牙人、印第安人的領土境內擴張，以此作為他一輩子奮鬥事業的根基。粗獷、六呎一吋高，有著一雙藍眼和一頭充滿野性的紅髮，這個阿爾斯特家（Ulster）固執的兒子，在卡羅萊納殖民地長大，是個嚴厲的邊民和酒吧打架常客，體內有決鬥所留下的兩顆子彈。他的手下叫他「老山核桃」（Old Hickory，喻其頑強如山核桃），印第安人則叫他「銳利小刀」（Sharp Knife）和「狠老頭」——他一生的事蹟就是美國勢力貪得無饜擴張的寫照。他說，「我為暴風雨而生，平靜的天氣不適合我。」

他少年時，參加過美國獨立戰爭；青年時，積攢到不少錢財，使他得以買下他在田納西州的赫米塔吉棉花莊園和一百五十個奴隸，不過，他也收養了一個印第安孤兒。妻子瑞秋（Rachel）遭指控重婚時，他用手槍捍衛妻子的清白：他出手殺了一個侮辱她的男子。在邊區，他指揮由白人移民和他們的印第安人傭兵組成的民兵隊，一心「不只要攻占佛羅里達，還要攻占西屬北美全境」。一八一二年，英國騷擾美國船並鼓勵肖尼人（Shawnee）抵抗而引發戰爭時，傑克遜上校試圖攻打先前已攻擊美國殖民者的馬斯科吉印第安人（Mucogee，又稱克里克人／Creek），一八一五年一月八日，傑克遜拯救紐奧良並大敗英軍，從而成為民族英雄。在此戰爭期間，美國非裔奴隸逃去投靠塞米諾爾印第安人（Seminole Indians），在佛羅里達的尼格羅堡（Fort Negro）組建自己的自由家園。一八一六年，傑克遜在克里克族傭兵助陣下襲擊佛羅里達，摧毀尼格羅堡，打敗英國人所支持的塞米諾爾人。[21]一八一八年，他不理會總統門羅的意見，終於拿下佛羅里達，處死兩名被捕的特務。正在南美洲對付玻利瓦爾的西班牙，把佛羅里達賣給美國；後來傑克遜成為這個新州的州長。他瞧不起門羅、亞當斯這兩個傲慢的總統、維吉尼亞貴族、麻塞諸塞律師，笑說「思想貧乏之人才會只想得出一種方式來拼出一個詞。」

一八二二年，負傷且極疲憊的傑克遜在拿下幾場勝利後倒下，而且咳血，但後來復原，接著創建他的民主黨，出馬角逐總統之位，對手是約翰．昆西．亞當斯（John Quincy Adams）。他第一次競選失敗，但一八二八年再選時成功，而且贏得慘烈：有人指控傑克遜是妓女和「黑白混血兒」所生，吃人肉，娶了一個重婚女。他警告道，「政府的最重要權力已被送掉或出賣，」說他會為人民要回來，結果，他拿下全民投票的五成六選票，怒氣沖沖地說，「孤注一擲的勇氣使人拿下過半選票。」無奈飽受辱罵之苦的瑞秋於此後不久死於心臟病發。傑克遜緊緊抱著她的遺體，旁人硬將他拉開，他才放手。在赫米塔吉為她舉辦的葬禮上，他警告道，「全能的上帝原諒殺她的凶手，我知道她原諒了他們。而我永遠無法原諒。」

傑克遜的政治生涯一如他的人生，從不掩其直覺的好惡：他常發誓要殺掉他的對手；他痛惡銀行家，告訴某代表團，「你們是一窩毒蛇和小偷，永恆的上帝為證，我會把你們攆走。」一八二九年三月四日宣誓就職後，傑克遜邀公眾參加他在白宮舉行的就職派對，據說從窗子逃離接下來的歡宴。上任後他開除掉行政體系裡「不盡職的或無能的人員」，啟動了由總統任命自己的文職官員的體制。傑克遜的政府和前幾任總統的政府一樣不清廉：他偏愛透過其密友們治國，而部會首長。他的密友們被稱作「廚房內閣」（Kitchen Cabinet），他的部會首長則被稱作「客廳內閣」（Parlour Cabinet），部會首長指斥他的陸軍部長之妻道德有虧，由此激怒了他。

傑克遜強勢擴張美國疆域，通過《印第安人遷移法》（Indian Removal Act），迫使印第安人遷至奧克拉荷馬州境內的保留地——數千名切羅基人（Cherokee）死於行走在他們的「流淚小徑」（Trail of Tears）途中。在西部，毛皮商人——其中有些人為阿斯托爾工作——開闢了聖塔菲（Santa Fe）、奧勒岡（Oregon）兩條小徑，以「邊疆開拓者」（Mountain Men）為嚮導並受他們保護：其中的詹姆斯・寇克（James Kirker）是愛爾蘭裔移民，最終成為邊區生活之野蠻邪惡一面的化身。比他年輕的同僚吉特・卡爾森（Kit Carson）後來成為邊區生活富有魅力之一面的代表，「廉價平裝小說」（dime novels）和報紙文章的主人公。這兩人都不識字，都靠毛皮買賣發跡，並且以玩票心態開採過銀礦、銅礦。他們過著如同原住民般的生活，大多取原住民女子為妻——而且也殺原住民。兩人中年紀較大的寇克於一八一二年指揮過一艘美國私掠船對付英國人，然後獵取毛皮，住在阿帕契人近旁，甚至加入他們的襲擊行動。卡爾森加入過一次西部考察行動，十九歲首度殺害印第安人。那些印第安人偷了他的馬。他寫道，「我們追捕丟失的牲畜時吃了很大苦頭，但如願找回我們的馬並把許多印第安人送上黃泉路，我們很快就忘了這痛苦。」美國人把抓到的印第安人剝掉頭皮，印第安人也如此處置美國人。不過卡爾森娶了兩個印第安女人，她們分別是「唱歌的草」（Singing Grass）和「辨別出道路」（Making out Road）。

傑克遜的印第安政策和他向西屬美洲擴張的計畫有關。他希望向剛擺脫西班牙的「新西班牙」省分，自立為新國家的墨西哥買下德克薩斯。他的對手是安東尼奧・羅佩斯・德・聖塔納（Antonio Lopéz de Santa Anna），此人靠著打贏一個歐洲帝國主義強權的著名勝利，為他一生事業打下基礎，類似傑克遜的

21 黑塞米諾爾人（Black Seminole），即半非洲人、半塞米諾爾人的混血兒，發展出自成一體的族群，以及結合印第安文化、非洲文化的混合文化，說融合西非洲克里奧語（Krio）和塞米諾爾語的古拉語（Gullah）。一八三五年奴隸叛亂（Slave Revolts）期間，黑塞米諾爾人和美國黑奴聯手攻擊種植園。後來，許多黑塞米諾爾人充當美軍或墨西哥軍隊的偵察員。

奮鬥歷程。聖塔納六次擔任總統，主宰墨西哥五十年。[22]

正當聖塔納在貝拉克魯斯（Veracruz）建立莊園並晉升為將軍，他於一八二九年挫敗西班牙最後一次試圖收回新西班牙的行動，從而揚名立萬，然後他自封為西部的拿破崙。一八三三年，他被選為總統，而他最快意的事，除了在他的大莊園被景仰他的人簇擁、勾引女人（他娶了兩個女繼承人，第二個女人嫁給這個四十多歲的將軍時才十六歲；他承認的私生子女有四個），就是帶兵打仗。但墨西哥國土遼闊，西起加利福尼亞，東至德克薩斯，涵蓋今美國中部的大部。科曼切人（Comanche）和阿帕契人在墨西哥北部諸省四處移動，爭奪墨西哥的好東西——牛和人。科曼切人首領鐵夾克（Iron Jacket）進入德克薩斯境內襲掠：一八二〇年，他有了一子佩塔・諾科納（Peta Nocona），這個兒子將在美國史上扮演特殊角色。墨西哥人和美國移民都為對付自由移動的科曼切人而傷透腦筋，因為這些人精於騎術和步槍作戰，橫行於他們的科曼切人地盤。

聖塔納鄙視他的印第安籍人民和混血人民。他告訴某個美國人，「此後百年，我的人都不適合擁有自由。他們不懂什麼是自由；專制政體是治理他們的合適政體，沒理由成不了明智且符合道德的政體。」他深信自己就是能提供該政體的人。這個總統施行新的中央集權體制，卻面臨傑克遜挑戰。傑克遜希望把他在佛羅里達的作為於德克薩斯如法炮製。美國奪取德克薩斯之舉，曾被說成對付原始墨西哥人的崇高事業。一八二九年，墨西斯其實已廢奴；美國人則想要恢復奴隸制。

一八二五年，史蒂芬・奧斯汀（Stephen Austin）——他的父親夢想殖民墨西哥——根據與墨西哥政府簽訂的合約，將一千兩百戶人家安置在德克薩斯，這些人都是奴隸主。「想到這樣一個國家被滿是奴隸的人口霸占，我幾乎哭了出來，」奧斯汀說。「告訴北美人，白人人口會在約五十或八十年後被黑人消滅，白人的女兒會被黑人侵犯、殺害，根本白費唇舌。」因此，「德克薩斯必須是個奴隸國。」

得到戴維・克羅基特助陣的奧斯汀要求讓他的殖民地自治，緊接著在一八三五年十月宣布獨立。聖塔納將他逮捕，押送到德克薩斯，但在阿拉莫的老傳教所，他被克羅基特等邊民劫走。十三天的圍攻期間，聖塔納殺了一百八十八個邊民，之後殺掉克羅基特和三百四十二名戰俘。他的戰爭通常離不開性愛：阿拉莫之役期間，聖塔納勾引一漂亮女孩，女孩要求娶她，才肯和他上床。這個軍事獨裁者要一上校扮成神父，舉行假婚禮娶她。

無奈阿拉莫之役遲遲未有勝負，促使一個晚來且傑出的德克薩斯移民有機會成為公認的領導人。山姆・休士頓（Sam Houston）曾和切羅基人一起生活過數年，和傑克遜一同對付過克里克人，他來到德克薩斯之前便已取得律師資格並被選為田納西州州長。來到德克薩斯後，他立即成為和奧斯汀分庭抗禮的領導人。在聖哈辛托（San Jacinto），休士頓擊敗並活捉聖塔納（雖然自己也負傷），獲選為德克薩斯共和國的總統。傑克遜於總統任期尾聲向墨西哥出價五百萬美元要買德克薩斯，考慮奪取這塊地。總統休士頓很了解切羅基人等部族，打算透過談判敲定德克薩斯、科曼切人轄地的邊界，沒想到，竟被米拉博・博納帕特・拉馬爾（Mirabeau Buonaparte Lamar）奪走權力。[23]拉馬爾是喬治亞州棉花種植園主的兒子、詩人、律

22　一八二一年，身為為西班牙打仗的年輕軍官，聖塔納和將領奧古斯丁・德・伊圖爾比德（Augstín de Iturbide）一同轉投革命陣營。兩人是墨西哥矛盾現象的化身：這場革命由一個混血神職人員發起，而如今，領導革命者是信仰天主教的白人軍官。伊圖爾比德提出伊瓜拉折衷方案（Compromise of Iguala），此方案以三個保證為基礎：獨立、天主教、白人和混血墨西哥人地位平等。此方案若得到採納，將會有一個君主國問世，而且可能由波旁王族成員出任國王。但一八二一年十月，伊圖爾比德的勝利使他的支持者樂不可支，他們於是提議由他當王：「我讓自己坐上我為他人創造的王位，這表明我自認高人一等的心態——或者說弱點。」伊圖爾比德成為皇帝奧古斯丁，但不久就有人抗拒。一八二二年十二月，二十九歲的上校聖塔納造反，向墨西哥市進兵，致使皇帝流亡，且一共和國問世。奧古斯丁為奪回大位而回來，結果遭處死。

23　拉馬爾的父母根據他們法國革命人士和古羅馬英雄替孩子取名：他的兄弟叫 Lucius Qintus Cincinnatus Lamar。

師、戰士，先前在聖哈辛托帶領騎兵隊衝鋒，這時為該共和國的準軍事性質殺手隊——騎警隊（Rangers）——提供武器，用以消滅科曼切人和切羅基人——他稱他們為「紅脖子」（Red n—）和「野蠻食人族」，要求將他們「全數殺光」。騎警隊在印第安籍傭兵——食人肉的通卡瓦人（Tonkawa）和混血黑印第安人——協助下和科曼切人、阿帕契人交手，兩陣營相對立，但作風沒什麼不同。這些善於凶殘邊境戰爭者展開長達五十年的激烈衝突。

一八三六年五月，鐵夾克和他的少年兒子佩塔．諾科納與五百名科曼切人、盟友一同跨境襲擊德克薩斯東部，攻擊派克堡（Fort Parker），派克堡是七十七歲老邊民約翰．派克和其家人的木屋據點。科曼切人將派克家男性成員殺害、割下頭皮、生殖器，擄走兩名婦女和三個小孩，包括八歲的辛西婭．安．派克（Cynthina Ann Parker）。辛西婭被科曼切人收養，改名「棄嬰」（Foundling），學會科曼切語，擁抱他們的文化。幾年後，她被佩塔．諾科納選為妻子。科曼切人行一夫多妻制，但佩塔愛她，兩人有三個孩子，老大為兒子夸納（Quanah）。辛西婭並不孤單。到了一八四〇年代，科曼切人已擁有五千名墨西哥奴隸。

一八四九年，吉特．卡爾森幫忙追尋被阿帕契人抓走的美國女人安．懷特太太（Mrs. Ann White），阿帕契人最終殺了她。有個軍人寫道，「懷特太太是個嬌弱、清秀、很美的女人，只是經過這樣的虐待，只剩下受嚴重摧殘的軀體……全身滿是毆打和刮傷的痕跡。」這些俘虜只要捱過加入部族的儀式，可獲釋成為科曼切人。

德克薩斯人竭力找回每個在印第安人來襲期間被擄走的人，而且從未死心。雖然數百名被擄者獲贖回，或最終在德克薩斯騎警隊和偵察隊出擊時獲救，仍有眾多被擄者依舊在科曼切人手中；有些被擄者則想留下來。騎警隊對科曼切人轄地發動報復性攻擊，科曼切人首領開始願意談和，交還白人奴隸，換取德克薩斯共和國承認科曼切人轄地。

一八四〇年三月，六十五個科曼切人首領在諸多女人和兩個小孩伴隨下來到聖安東尼奧的議事廳談判，同時帶了一個白人女孩俘虜過來。議事廳的窗子赫然打開，躲藏在其中的德克薩斯民兵對著已把自己的槍和矛留在鎮外的科曼切人開火。三十五名科曼切人（包括三個女人、一個小孩）以及七名德克薩斯人遭槍殺。為報復，作戰首領「水牛肉峰」（Buffalo Hump）找來約五百人組成一支戰隊，其中包括鐵夾克。七月，這支戰隊襲擊沿海城鎮，殺掉奴隸，擒獲一千五百匹馬，血洗德克薩斯部隊，甚至擊殺騎警隊。在李子溪（Plum Creek），騎警隊奮力反擊，殺了十二名科曼切人。山姆·休士頓再度獲選為德克薩斯總統後，談成和約，承認科曼切人轄地，反而是參議院不願批准和約。在這期間，科曼切人首領水牛肉峰和鐵夾克率領八百戰士襲擊墨西哥。

為因應此情勢，墨西哥人聘用詹姆斯·寇克這個敏捷、留長髮的「邊疆開拓者」。毛皮貿易正式微，一八三四年阿斯托爾已無存貨。「河海狸皮變得很缺，」吉特·卡爾森說。「必須改行做別的。」卡爾森成為陸軍偵察員，為西遷的成千上萬移民帶路。寇克受墨西哥雇用，成為職業殺手，統領一隊兩百名精神變態者——白人、印第安人、脫逃的黑奴——而一個叫史拜巴克（Spybuck）的肖尼人為其副手之一。約翰·霍爾斯（John Horse）加入他們的行列，一個傳奇性人物，屬黑塞米諾爾人，他的母親是奴隸，父親是塞米諾爾人。此前，他在戰場上和美國人交手過，後來逃離美籍、塞米諾爾籍奴隸主，來到墨西哥，成為邊區雇傭兵和印第安頭皮獵人。這些令人膽寒的掠殺者，戴著用耳朵串成的項鍊，獵殺印第安人，割下「兩端各有一隻耳朵的頭皮」領賞（一張成年男性的頭皮可領一百披索，一張女人頭皮五十披索，一張小孩頭皮二十五披索）。寇克本人殺了五百多個阿帕契人。[24]科曼切人加入此行列，殺害他們的阿帕契族對手。

24 他們的暴行給了戈馬克·麥卡錫（Cormac McCarthy）靈感，創作出經典小說《血色子午線》（*Blood Meridian*）。後來寇克為美國入侵墨西哥擔任偵察員，接著護送淘金人（尤其一八四九年淘金潮的參與者）湧往加利福尼亞，並就此定居，安享晚年。

獲美國人釋放後，聖塔納在法國國王路易·菲利浦為報復墨西哥虐待一名法籍糕點師傅而派兵至貝拉克魯斯時——可有比這更法國式的開戰藉口？——用殺戮彌補自己過去的過錯。一八三九年，聖塔納打敗法軍，但在衝突中失去一腿、一手；始終善於作秀的他，替他的腿辦了軍事葬禮。失去一手一腿一事助他重新掌權，只是為時不久。造反的暴民把他拉下總統之位，挖出他厚葬的腿，在墨西哥市街頭將它打碎。這個將軍退到古巴，但不久又回來。

一八四五年二月，即將卸任且同為維吉尼亞奴隸主的美國總統約翰·泰勒（John Tyler）併吞了德克薩斯。當時，許多美國人認同北美大陸是上帝賜予他們的帝國、征服大陸是他們的「天定命運」一說。三十年間，四十萬貧窮移民乘坐大篷馬車，循著危險的奧勒岡小徑往西走。在剛選上美國總統且鼓吹擴張的詹姆斯·波爾克（James Polk）挑起戰爭，然後下令全面入侵之際，而墨西哥動員了起來。這場入侵使日後美國內戰的眾多將領首次經受血的洗禮；邊疆開拓者卡爾森和寇克則為此入侵擔任偵察員。外號「粗獷老頭」（Old Rough ‘n’ Ready）的札卡里·泰勒（Zachary Taylor）將軍為美國打贏美墨戰爭的頭幾場勝利時，其麾下有個名叫尤利西斯·格蘭特（Ulysses Grant）的年輕軍官。格蘭特沉默寡言，做事專注，係俄亥俄州某個愛放言高論的企業家之子，西點軍校畢業，妻子茱莉亞的父親是個壞脾氣的美國南部奴隸主。格蘭特不贊同這場「最不義的戰爭」，伊利諾州選出的聯邦眾議員亞伯拉罕·林肯亦然。林肯抨擊波爾克追求「軍事榮光——在血雨中升起的那道迷人的彩虹」。

波爾克開始眼紅「粗獷老頭」的戰功彪炳時，任命外號「愛賣弄老頭」（Old Fuss ‘n’ Feathers）的溫費爾德·史考特（Winfield Scott）帶兵登陸貝拉斯克斯。史考特進向墨西哥市時，格蘭特這個騎兵作戰高手和他日後的對手羅伯特·李（Robert E. Lee）並肩作戰。墨西哥求助於他們的獨腿英雄聖塔納，構築了防禦工事的聖塔納陣地，一時止住史考特的進攻，直到李找到路徑繞過此陣地，才得以繼續進攻。格蘭特告訴妻子茱莉亞，聖塔納逃走，「被追得很緊，以致他那輛很氣派的馬車被我們拿下，車裡有他的假腿和值三萬美元的黃金」。一八四七年九月八日，史考特打進墨西哥市，隨後格蘭特和李兩人都獲擢升。[25]

一八四八年二月二日，在瓜達盧佩—伊達爾戈（Guadalupe Hidalgo）所簽的條約中，美國得到加利福利亞和比西歐還大的新領土；墨西哥失去五成五的領土。這場勝利為美國移民開闢了機會，這些移民往西衝尋找土地和黃金，但此擴張這時引發一問題：奴隸制會跟著一起擴張嗎？美國作家拉爾夫·華爾多·艾默生（Ralph Waldo Emerson）寫道，「美國會征服墨西哥，但美國會像吞下砷、從而倒下的人。墨西哥會使我們中毒。」格蘭特把即將到來的災難看成「大體上是墨西哥戰爭的自然結果。國家，一如個人，因自己的逾矩而受罰。」這時，在產棉花的美國南部諸州境內，已有三百多萬奴隸，工業成長則吸引一波波移民從愛爾蘭、日耳曼和後來義大利移入。這些移民來美後大量湧入日益成長的城市。

這個移民國家如今的疆域橫跨兩大洋之間，但中間區域，如芬蘭歷史學家佩卡·黑梅萊伊嫩（Pekka Hämäläinen）所寫的，是個「有著草地、沙漠、水牛、印第安人且看來亂無章法、不可控制的世界」。成千上萬人乘坐大篷馬車西行，飽受風吹日曬雨打和印第安人侵襲。一八四七年二月，唐納（Donner）一家一行共八十七人，嘗試從密蘇里走新路線，卻迷失在山區和沙漠裡，許多人餓死，倖存者靠吃人肉保命。最後只有四十八人存活。兩年後，加利福尼亞境內發現黃金，引發第一波淘金熱：舊金山村人口從一千人增為三萬人；共有三十萬移民奔至加利福尼亞。此前將近百年歲月裡，來到美國的移民不多——一八二〇年只來了八千人——而如今，拜汽輪問世、歐洲爆發危機、瘋搶土地、淘金熱之賜，移入美國者增加了兩

25　聖塔納再度下台流亡，一八五三年則又他東山再起，成為終身獨裁者和「尊貴的殿下」（Serene Highness），而且考慮稱王，最終被迫辭職才死了稱王念頭。取代其位者是新一類墨西哥領導人，薩波泰克族（Zapotec）印第安人出身的律師，曾赤腳服侍過聖塔納的貝尼托·華雷斯（Benito Juárez）。聖塔納譴責華雷斯，說他是得「經人教才懂得穿鞋、穿夾克、穿長褲」的「黑印第安人」。

倍：一百六十萬愛爾蘭人逃離家鄉饑荒，移入美國，[26]美國改頭換面的一波移民熱於焉開始。這波移民熱創造出新城市，使更多歐洲人和印第安人接觸，而這時印第安人仍控制美國內陸許多地方。

在加利福尼亞，採金者等移民的民兵攻擊、殺害印第安人，收集耳朵和頭皮以領取賞金。與此同時，《印第安人保護法》（Indian Protection Act）迫使印第安人和其小孩淪入受奴役處境。倖存的印第安人被趕進為他們闢設的保留地，但這些內陸的支配者有辦法不讓歐裔美國移民為所欲為：拉科塔人（Lakota）仍主宰北部平原，科曼切人仍主宰科曼切人轄地的德墨邊境地帶。印第安人有了槍和馬當武器，已加劇對美洲野牛的狩獵。光是科曼切人一年就殺掉二十八萬頭野牛，但這時移民就要將野牛殺光。酋長佩塔・諾科納和其妻子娜杜阿（Naduah，就是原叫辛西婭・安・派克的那個被從派克堡擄走的女孩）、他們的兒子夸納，與科曼切人住在一塊。夸納不知道自己母親是白人；他被父親訓練成科曼切族戰士，常陪同父親出去襲擊。[27]

美國轉西看：夏威夷國王、王后艾瑪、海軍准將范德比爾特

成千上萬美國人定居加利福尼亞時，美國的注意力被引向太平洋，在中國做買賣，滲入夏威夷，熱中於打開在德川幕府將軍統治下鎖國數百年的日本門戶。一八五三年七月，美國總統富蘭克林・皮爾斯（Franklin Pierce）派打過墨西哥戰爭的准將馬休・培里（Matthew Perry）赴日本，逼迫這個閉關鎖國的國家開放門戶。培里率領四艘重武裝的蒸汽動力巡洋艦進入江戶灣，以開炮為威脅，要日本簽通商條約。

在夏威夷，征服者卡梅哈梅哈一統諸群島後，這時夏威夷王國由他的兒子卡梅哈梅哈三世統治，而他在位期間，苦於他對妹妹求之而不得的苦愛和美國傳教士的影響兩者間的拉扯。[28]夏威夷國王常娶自己

的姊妹為妻，但征服者的諸多寡居王后已禁止獻祭，而後，在一次激進改革中廢除崇拜偶像的傳統卡普制（kapu），改信基督教。他們也歡迎美國傳教士到來，這些傳教士逐漸透過婚姻成為夏威夷人家庭一員，開始買地，開始干涉當地的性習俗。

這個年輕國王最初衷情於和卡奧米（Kaomi）探索性愛的快感。卡奧米曾是基督徒，是具有一半大溪地血統的男性愛人，即傳統的愛卡內（aikane）。卡梅哈梅哈任命他為共同統治者，後來迫於壓力，

26　愛爾蘭饑荒也使英國政局改頭換面。一八四五年，愛爾蘭爆發枯萎病，毀了馬鈴薯的收成，而自這種作物從美洲引進愛爾蘭以來，一直是當地在英國新教籍地主下辛苦工作的貧困天主教籍農民的主食。這些新教籍地主不願撤銷保護他們的穀物價格的《穀物法》，但隨著饑荒加劇，隨著一百萬愛爾蘭人喪命，托利黨籍首相皮爾和格萊斯頓等輝格黨籍人士聯手廢除《穀物法》。皮爾此舉遭遇他所屬政黨反對，而該黨領導者是令人大呼不可置信竟成為托利黨心聲代言人的一個人物——注重外表且始終瀟灑時髦打扮、摩洛哥裔猶太人家庭出身的小說家班傑明・迪斯雷利（Benjamin Disraeli）。這場危機孕育出由帕默斯頓領導的自由黨和不久後由迪斯雷利領導的保守黨。

27　在另一個大陸性移民國家澳大利亞也出現類似過程。在這裡，征服較容易；一方面，原住民組織化程度低了許多，抵抗弱了許多，而且沒有和英國相抗衡的歐洲列強存在。另一方面，移民分化程度較低，沒有蓄奴惡習，但不義、暴力、偏執的程度不亞於美洲大地上的移民。英國移民和逃犯受到遼闊土地和冒險精神的鼓舞，強勢擴張。一八五一年，澳洲發現黃金招來外人移人，這些人要求選出代表維護他們的權益。一八五四年，維多利亞殖民地巴拉臘特（Ballarat）一地採金人叛亂遭弭平，二十七個採金人遇害，但接著，獲給予有限自治和男性普選權，並施行一新制——後來廣被世界各地仿效的「澳大利亞」祕密投票。一個世代的Bushranger（藏匿於叢林的逃犯），橫行於廣大領地。化名「霹靂隊長」（Captain Thunderbolt）的佛瑞德・沃德（Fred Ward），正是此類人物的典型。沃德原是工人，改行偷牛，被捕後送去科克圖灣（Cockatoo Bay），接著逃出該地。一八六〇年代期間，他瘋狂搶劫，遭官兵追捕。鬍鬚濃密的霹靂一再躲過追捕，被許多人譽為「紳士型叢林逃犯」，一八七〇年三十五歲時終於被追捕到並槍殺。

28　一八一九年征服者卡梅哈梅哈去世，他的浪蕩兒子利霍利霍（Liholiho）、卡梅哈梅哈二世，疏於維護他父親的艦隊，花大錢買了一艘美國豪華遊艇，取名為克麗奧佩脫拉的平底船（Cleopatra's Barge），在艇上過著萎靡不振的生活，醉到連話都說不出來。他和他醉倒的船員不久就把遊艇撞壞，而後他啟程赴英拜訪喬治四世，在那裡死於麻疹。他的弟弟繼位為王，是為卡梅哈梅哈三世。

將他革職。不過，真正令他痛苦萬分者，不是他和卡奧米的戀情，而是他終生摯愛的胞妹娜希埃娜埃娜（Nāhi'ena'ena）。她也愛她這個哥哥。畫家羅伯特・丹皮爾（Robert Dampier）曾替她畫肖像，畫中她披著猩紅羽毛斗篷，明豔照人。按照夏威夷傳統，他們兩人結婚只會使王朝更鞏固，只是傳教士奮力阻止，終使兩人無緣結為連理。她嫁給另一個貴族，但她和國王還是私通，一八三六年她生下一子時，卡梅哈梅哈立他為王儲。

但一如哈布斯堡家族，這個家族毀於近親通婚：這個兒子出生幾小時就夭折。國王傷心欲絕。娜希埃娜埃娜不久後去世，才二十二歲。他最終娶了另一個親戚卡瑪拉（Kamala），但兩人所生的兩個孩子都死於嬰兒期。

夏威夷國王向來雇用具有一半夏威夷血統或歐裔的人為大臣。約翰・楊（「征服者」的炮手）的家族，在此王國扮演特殊角色。楊的兒子約翰・楊二世和這個國王一起被養大，並擔任他的首相。但一八三九年，這個首相被逮到在王后卡瑪拉的臥室裡「繫緊他的燈籠褲」。他被判死刑，經王太后求情才減輕刑罰。令人驚訝的是，約翰・楊二世留任內政大臣。卡梅哈梅哈三世維持夏威夷的獨立地位，然而，美國人、歐洲人對這個王國興趣日濃。

一八五四年十二月，卡梅哈梅哈三世突然去世，他的姪子亞歷山大・利霍利霍（Alexander Liholiho）繼位，是為卡梅哈梅哈四世。[29]他抵抗美國的侵犯，同時愛上楊家的另一個成員——「征服者」之炮手的孫女艾瑪・魯克（Emma Rooke），歐洲人和夏威夷人都公認的絕世美女。兩人結婚後，兩夫妻有許多時間是和國王的英俊美籍祕書亨利・內爾森（Henry A. Neilson）一起度過。王后於一八五八年生下一子後，國王開始喝酒，並嫉妒起這個美國人：一八五九年九月，他開槍打中內爾森胸膛。內爾森重傷，捱了兩年才死，在這期間國王細心照料他，想藉此贖罪。不久，兩夫妻失去他們的四歲兒子。兩人茫然不知所措；

艾瑪於是取號「天主的飛翔」（Flight of the Heavenly Chief）。

當美國把目光轉向西邊時，有個好鬥卻有遠見的創業家，即已在紐約經營蒸汽動力渡輪的科內利烏斯・范德比爾特（Cornelius Vanderbilt），轉而經營汽輪運輸，這項運輸工具成為前往加利福尼亞最快捷的交通：乘客會以乘船再轉火車的方式穿過巴拿馬地峽，然後再搭上他的汽輪抵達舊金山。范德比爾特高大健壯且讓人覺得不懷好意，係海盜之子薩列的揚松（Janszoon of Salee）的後代，首份工作便是在父親的船上，十六歲就擁有自己的第一艘船。他精於預測市場走向且懂得利用新科技，獨裁且嚴厲，自稱「准將」（Commodore），出拳痛毆仇敵，欺負自己家人，出賣友人，賄賂法官和政治人物，操縱股市，毀掉他的對手：「我這個人一旦有權自己決定對錯，絕不會上法庭。」他做事專注且存有戒心，置身競爭激烈的世界：「我不怕敵人，但說真的，和朋友在一塊時務必要留神。」美國最早的鐵路建於一八二七年；一八四〇年時，美國已有兩千七百哩長的鐵路；到了一八六〇年，則已達三萬哩。這些鐵路由一些積極強勢的創業家建造、籌資、控制，這些創業家則由范德比爾特領導，不久，他便會和八十多歲的阿斯托爾並列美國首富。

在紐約，准將和諸多行事肆無忌憚的鐵路大亨因為自身的財力而得到原諒，受邀進入由較古老家族所組成的準英國式高雅圈子裡，並對仍被美國貴族控制的機構給予慈善捐款，以回報此禮遇。這些較古老的家族不怕商業；只是不善於經商。羅斯福家族、最早的尼德蘭裔移民的後代，早先已靠亞麻籽和曼哈頓房地產發財，但也從政，擔任市政委員會委員和聯邦眾議員；他們在紐約州北部地區建大宅，往往只找

29 雖然卡梅哈梅哈四世由美國傳教士養大，卻很厭惡他們——和美國的種族歧視。他和他的弟弟洛特（Lot）先前去華府見過總統泰勒，也去倫敦見過女王維多利亞。在去紐約的火車上，「列車長……把我當成某人的僕人，只因我膚色較深。可惡的蠢蛋——我生平第一次受到這樣的對待。在英格蘭，非洲人可以……坐在女王維多利亞旁邊」，但美國人雖然「大談且用心思考他們的自由，卻往往怠慢外地人。」

同一上流圈子的成員通婚。隨著科內利烏斯・范夏克・羅斯福（Cornelius Van Schaack Roosevelt）崛起，此局面改觀。他生於十八世紀，係此家族最後一個說荷語的成員，祖上為斯凱勒家族（Schuylers）和范夏克家族。科內利烏斯・范夏克身材矮短、紅髮、嚴肅、活力充沛，小時候的某個週日，他跳上一頭公豬的背——十九世紀初仍在曼哈頓街頭遊蕩的豬隻之一——一路騎著牠，直到被甩下來為止，由此可見他的膽大。他想成為「有錢人」，於是製造窗玻璃（當時大興土木以為新移民提供安身之所所不可或缺的材料），而後投資房地產，賺到三百多萬美元。

當科內利烏斯・范夏克年老時，為他的五個孩子買了房子，這些房子就位在他位於紐約市東二十街和百老匯大街周邊；其中一個兒子——么子西奧多——對玻璃較不感興趣，並成為眾議員。西奧多被他的同名兒子形容為「英俊、本性敦厚的獅子」、「我所認識最好的人」，他資助慈善機構，創立紐約大都會美術館。他十九歲時遊歷美國南部，在那裡，這個北部古老尼德蘭裔移民家庭的繼承人遇見小名「米媞」（Mittie）的瑪莎・布洛赫（Martha Bulloch）。米媞是喬治亞州種植園主的女兒，在布洛赫宅第（Bulloch Hall）長大。一如所有種植園主之女，她成長過程中和一個奴隸同伴同住一房間。這個同伴名叫拉維妮亞（Lavinia），綽號「玩具」（Toy），被稱作她的「影子」。兩少女來自不同的世界，而這兩個世界即將衝撞。

美國取得一帝國時，歐洲諸君主國被革命震得地動山搖。《瓜達盧佩・伊達爾戈條約》（Guadalupe Hidalgo）簽約二十天後的一八四八年二月二十二日，巴黎群眾喊著「改革萬歲！」、「共和國萬歲！」並控制了巴黎——這場劇變預示波拿巴家族即將東山再起，預示大眾政治和公共衛生改造家族王朝和公權力、從而改造歐洲的時代即將到來。

國家圖書館出版品預行編目（CIP）資料

權力的血脈：撼動全球走向的「家族」，一部交織萬年文明的新世界史／賽門·蒙提費歐里（Simon Sebag Montefiore）著；黃中憲譯. -- 一版. -- 臺北市：麥田出版：英屬蓋曼群島商家庭傳媒股份有限公司城邦分公司發行, 2025.08
冊； 公分
譯自：The world : a family history of humanity.
ISBN 978-626-310-920-9（第1冊：平裝）. --
ISBN 978-626-310-921-6（第2冊：平裝）. --
ISBN 978-626-310-922-3（第3冊：平裝）. --
ISBN 978-626-310-923-0（全套：平裝）
1.CST: 世界史　2.CST: 文明史　3.CST: 家族史
713　114007509

權力的血脈 II
撼動全球走向的「家族」，一部交織萬年文明的新世界史
The World: A Family History of Humanity

作者　賽門·蒙提費歐里（Simon Sebag Montefiore）
譯者　黃中憲
特約編輯　劉懷興　郭淳與
責任編輯　林虹汝
裝幀設計　許晉維
排版　李秀菊
印刷　漾格科技股份有限公司
國際版權　吳玲緯　楊靜
行銷　闕志勳　吳宇軒　余一霞
業務　李再星　李振東　陳美燕
總經理　巫維珍
編輯總監　劉麗真
事業群總經理　謝至平
發行人　何飛鵬
出版　麥田出版
台北市南港區昆陽街16號4樓
電話：886-2-25000888　傳真：886-2-2500-1951
發行　英屬蓋曼群島商家庭傳媒股份有限公司城邦分公司
台北市南港區昆陽街16號8樓
客服專線：02-25007718；25007719
24小時傳真專線：02-25001990；25001991
服務時間：週一至週五上午09:30-12:00；下午13:30-17:00
劃撥帳號：19863813　戶名：書虫股份有限公司
讀者服務信箱：service@readingclub.com.tw
城邦網址：http://www.cite.com.tw
香港發行所　城邦（香港）出版集團有限公司
香港九龍土瓜灣土瓜灣道86號順聯工業大廈6樓A室
電話：852-25086231　傳真：852-25789337
電子信箱：hkcite@biznetvigator.com
馬新發行所　城邦（馬新）出版集團
Cite（M）Sdn. Bhd.（458372U）
41, Jalan Radin Anum, Bandar Baru Seri Petaling,
57000 Kuala Lumpur, Malaysia.
電話：+6(03)-90563833　傳真：+6(03)-90576622
電子信箱：services@cite.my

一版一刷　2025年08月

第二冊　ISBN 978-626-310-921-6（紙本書）　ISBN 978-626-310-936-0（EPUB）
全套　ISBN 978-626-310-923-0（紙本書）　ISBN 978-626-310-938-4（EPUB）

本書定價為：台幣850、港幣283
（本書如有缺頁、破損、倒裝，請寄回更換）